부수 이름

1획
一 한일 · 丨 뚫을곤 · 丶(주) 점 · 丿 삐침 · 乙(乚) 새을 · 亅 갈고리궐

2획
二 두이 · 亠 돼지해밑 · 人(亻) 사람인 · 儿 어진사람인 · 入 들입 · 八 여덟팔 · 冂 멀경 · 冖 민갓머리 · 冫 이수변 · 几 안석궤 · 凵 위터진입구 · 刀(刂) 칼도 · 力 힘력 · 勹 쌀포 · 匕 비수비 · 匚 터진입구 · 匸 감출혜 · 十 열십 · 卜 점복

3획
卩(㔾) 병부절 · 厂 민엄호 · 厶 마늘모 · 又 또우 · 口 입구 · 囗 큰입구 · 土 흙토 · 士 선비사 · 夂 뒤져올치 · 夊 천천히걸을쇠 · 夕 저녁석 · 大 큰대 · 女 계집녀 · 子 아들자 · 宀 갓머리 · 寸 마디촌 · 小 작을소 · 尢 절름발이왕 · 尸 주검시 · 屮 왼손좌 · 山 메산 · 巛(川) 개미허리 · 工 장인공 · 己 몸기 · 巾 수건건 · 干 방패간 · 幺 작을요

4획
广 엄호 · 廴 민책받침 · 廾 밑스물입 · 弋 주살익 · 弓 활궁 · 彐(彑) 터진가로왈 · 彡 터럭삼 · 彳 두인변 · 心(忄) 마음심 · 戈 창과 · 戶 지게호 · 手(扌) 손수 · 支 지탱할지 · 攴(攵) 둥글월문 · 文 글월문 · 斗 말두 · 斤 날근 · 方 모방 · 无(旡) 없을무 · 日 날일 · 曰 가로왈 · 月 달월 · 木 나무목 · 欠 하품흠 · 止 그칠지 · 歹(歺) 죽을사변 · 殳 갖은등글월문 · 毋 말무 · 比 견줄비 · 犬(犭) 개견 · 牛(牜) 소우 · 牙 어금니아 · 片 조각편 · 爿 장수장변 · 爻 점괘효 · 父 아비부 · 火(灬) 불화 · 水(氵) 물수 · 气 기운기 · 氏 각시씨 · 毛 터럭모

5획
玄 검을현 · 玉(王) 구슬옥 · 瓜 오이과 · 瓦 기와와 · 甘 달감 · 生 날생 · 用 쓸용 · 田 밭전 · 疋 짝필변 · 疒 병질엄 · 癶 필발머리 · 白 흰백 · 皮 가죽피 · 皿 그릇명 · 目 눈목 · 矛 창모 · 矢 화살시 · 石 돌석 · 示(礻) 보일시 · 内 짐승발자국유 · 禾 벼화 · 穴 구멍혈 · 立 설립

6획
竹 대죽 · 米 쌀미 · 糸 실사 · 缶 장군부 · 网(罒) 그물망 · 羊(⺶) 양양 · 羽 깃우 · 老(耂) 늙을로 · 而 말이을이 · 耒 쟁기뢰 · 耳 귀이 · 聿 붓율 · 肉(月) 고기육 · 臣 신하신 · 自 스스로자 · 至 이를지 · 臼 절구구 · 舌 혀설 · 舛 어그러질천 · 舟 배주 · 艮 그칠간 · 色 빛색

7획
艸(艹) 초두 · 虍 범호 · 虫 벌레충 · 血 피혈 · 行 다닐행 · 衣(衤) 옷의 · 西(襾) 덮을아 · 見 볼견 · 角 뿔각 · 言 말씀언 · 谷 골곡 · 豆 콩두 · 豕 돼지시 · 豸 발없는벌레치 · 貝 조개패 · 赤 붉을적 · 走 달아날주 · 足(⻊) 발족 · 身 몸신 · 車 수레거 · 辛 매울신 · 辰 별진 · 辵(辶) 책받침 · 邑(阝) 고을읍

8획
里 마을리 · 采 분별할채 · 酉 닭유

9획
金 쇠금 · 長(镸) 긴장 · 門 문문 · 阜(阝) 언덕부 · 隶 미칠이 · 隹 새추 · 雨 비우 · 青 푸를청 · 非 아닐비 · 面 낯면 · 革 가죽혁 · 韋 다룸가죽위 · 韭 부추구 · 音 소리음 · 頁 머리혈 · 風 바람풍 · 飛 날비 · 食(飠) 밥식 · 首 머리수 · 香 향기향

10획
馬 말마 · 骨 뼈골 · 高 높을고 · 髟 터럭발밑 · 鬥 싸움투 · 鬯 울창주 · 鬲 솥력 · 鬼 귀신귀

11획
魚 물고기어 · 鳥 새조 · 鹵 소금밭로 · 鹿 사슴록 · 麥 보리맥 · 麻 삼마

12획
黃 누를황 · 黍 기장서 · 黑 검을흑 · 黹 바느질치

13획
黽 맹꽁이맹 · 鼎 솥정 · 鼓 북고 · 鼠 쥐서

14획
鼻 코비 · 齊 가지런할제

15획
齒 이치

16획
龍 용룡 · 龜 거북귀

17획
龠 피리약

니다. 동시에 개개의 한자에는 우리의 언어 생활에서 쓰이
자 숙어를 곁들임으로써 어린이의 지적 수준을 높이는 동
에서 그 한자의 위치와 활용을 이해하도록 하였습니다.
이 사전을 통하여 귀여운 자녀들의 한자 지식이 깊어져
깊이 있게 이해하는 동시에 내일의 면학에 튼튼한 주춧
면 하는 것이 저희 편집진의 더없는 바람입니다.
사전의 기획과 편집에 전력을 쏟아 주신 金成輝(김성
감사의 뜻을 표하는 바입니다.

1996년   2월   1일

민중서림   편집부

초·중생을위한

엣센스
기초 한자 사전

민중서림 편집국 편

민중서림

학부모님들

한동안 한글 전용 정책에 따라 한글
고등 교육을 받고도 쉬운 한자조차 몰ㅎ
던 때가 있었음을 우리는 기억합니다.

아시다시피, 우리 문화는 한자 문화
수많은 한자어가 깊숙이 자리잡고 있
올바른 문화 생활을 할 수 없는 것이

한자는 익히기가 어렵고 그 수 또ㅎ
시키려는 교육 시책으로 1972년에 ㅎ
는 중학생이 배워야 할 교육용 기초
야 할 교육용 기초 한자 900자를 ㅈ
정에도 한문 과목을 설정하기에 ㅇ
오늘날 뜻있는 부모님들께서는 과
한자 교육을 실시하고 있는 실정ㅇ
드리기 위하여 이 '기초 한자 사전

우선 널리 중학생용 기초 한자
는 고정 관념에서 벗어나 친근감
리하여, 학생들로 하여금 한자의
한자마다 그 생성 내력(글자 뿌ㅎ
확하게 풀이하였으며, 흥미롭게
연관짓도록 하였습니다.

특히 그 중에서도, 초등 학생
450자를 가려 내어 별도 표시ㅎ

노력하였습
고 있는 한
시에 실생활

아무쪼록
우리 문화를
돌이 되었으

끝으로, ㅇ
휘) 선생님ㄲ

일 러 두 기

Ⅰ. 이 사전의 짜임

이 사전은 본문과 부록으로 이루어져 있다.

① 본문(本文) : 표제자(表題字)의 해설과 한자어(漢字語) 풀이의 두 부분으로 이루어져 있다.

 1. 표제자 : 중학교 교육용 기초 한자 900자를 모두 실었고, 그 중 초등 학교 교육에 알맞은 450자를 가려 자세히 풀이하였다.

 2. 한자어 : 초등 학생·중학생의 지적 정서에 맞는 숙어를 뽑았다.

② 부록(附錄) : 본문 다음에 고사 성어와 색인을 실었다.

 1. 고사 성어(故事成語) : 어린이들의 정서 교육에 도움이 될 만한 고사 성어를 뽑아 재미있게 읽을 수 있도록 쉽게 풀이했다.

 2. 색인(索引) : 고사 성어 다음에 '총획(總畫) 색인'과 '자음(字音) 색인'을 싣고, 앞뒤 표지 안쪽에 '부수(部首) 색인'을 붙여 주어진 한자를 찾아보기 쉽도록 하였다.

Ⅱ. 표제자의 해설

① 표제자의 배열 : 강희 자전(康熙字典)에 따라 부수순, 획수순으로 하되, 같은 획수일 때에는 음순(音順)에 따라 가나다순으로 하였다.

② 표제자의 구별 : 표제자 900자 중 초등 학생용으로 알맞은 기본 한자 450자는 【 】로, 그 밖의 것은 〖 〗로 구별하여 놓았다.

③ 표제자의 해설

 1. 표제자에 대한 대강 풀이

  ① 획수 표시 : 표제자의 왼쪽 위에 부수 외의 획수, 그 아래에 총획수를 숫자로 나타내었다.

  ② 훈(訓)과 음(音) : 표제자의 오른쪽에 훈(뜻)과 음(소리 : 고딕체로)을 실었다.

보기   ⁴₆【休】 쉴 휴   休

  ③ 글씨체 : 표제자의 맨 오른쪽에 해서체(楷書體)를 실었다.

 2. 사전 찾기 지도

  ① 부수 : 부수 이름을 밝혔다.   보기 **부수** 人 (사람 인) 부

② **찾기** : 표제자의 구조 형태를 익힐 수 있도록 부수와 그 밖의 구성 요소를 드러내어 보였다. 보기 찾기 イ²(人)＋木⁴＝6 획

3. **필순(筆順)** : 표제자마다 바르게 쓰는 차례를 익힐 수 있도록 펜 글씨로 자세히 보였다.

보기 | ノ | イ | 仁 | 仆 | 休 | 休 | |

4. **글자 뿌리**

① **글자 뿌리** : 그 한자의 육서(六書)를 밝혀 설명하였다.

② **글자의 변천** : 변천 내력을 알기 쉽게 그림으로 나타냈다.

보기 氵粜 ⇒ 氵木 ⇒ 休

③ **그림** : 표제자에 따라, 시각적인 학습 효과를 높이기 위하여 그 한자와 관계 깊은 내용을 그림에 담아 실었다.

※ **육서(六書)** : 한자의 구성 원리와 활용에 관한 여섯 가지 명칭.

① **상형(象形) 문자** : 사물의 모양을 본떠 만든 글자.

② **지사(指事) 문자** : '上, 下'와 같이 사물을 기호로 나타낸 글자.

③ **회의(會意) 문자** : 둘 이상의 글자로써 새 뜻을 나타낸 글자.

④ **형성(形聲) 문자** : 두 글자 중 한 글자에서는 뜻, 다른 글자에 서는 말의 음(소리)을 따서 새 뜻을 나타낸 글자.

⑤ **전주(轉注) 문자** : 어떤 글자를 다른 뜻으로 돌려 쓰는 글자.

⑥ **가차(假借) 문자** : 어떤 글자의 음(소리)만을 빌려 다른 뜻을 나타내는 글자.

Ⅲ. 한자어(漢字語)와 뜻풀이

① **배열 순서** : 글자 수에 관계없이 가나다순으로 싣고, 표제자가 말 끝에 오는 한자어는 맨 뒤에 따로이 가나다순으로 이어 실었다.

② **한자어의 뜻풀이** : 뜻풀이는 되도록 간략하게 하였으나, 풀이 갈래 가 여럿일 때는 ①, ②, ③… 으로 하고, 풀이 끝에 비슷한 말은 ⑧, 반대말은 ⑪, 활용되는 보기 말 앞에는 ¶ 표시를 하였다.

※ **색인의 이용 방법** : 한자에 딸린 숫자는 해당 한자의 쪽수이다.

① **자음 색인** : 한자의 음을 안다면 가나다순으로 찾을 수 있다.

② **총획 색인** : 한자의 음과 부수를 모를 때는 전체 획수를 세어 보 고, 해당 획수에서 부수에 따라 찾을 수 있게 하였다.

③ **부수 색인** : 부수를 알고 있을 때는 그 획수에 따라 찾는다.

¹ 一 (한 일) 部

가로 선 하나를 그어 수효 '하나'를 나타낸 것. 다른 부수와는 달리 이 부수와 어울린 한자의 음이나 뜻에는 직접 작용하지 않음.

0 〔 **一** 〕 한 일

① 첫째 일

부수 一 (한 일) 부

찾기 一¹＝1 획

글자뿌리 지사(指事) 문자. 가로 그은 한 선으로 '하나', 또는 '첫째'를 뜻하는 자.

☞ ⇒ 一 ⇒ 一

글자풀이 1 **한**. 하나. 2 한 번. 3 **첫째**. 4 순수하다. 참되다. 5 오로지. 6 온. 모두.

[一家](일가) ① 한 집안. 가족. ② 동성 동본의 겨레붙이.

[一擧兩得](일거 양득) 한 가지 일로써 두 가지 이익을 얻음. 동 一石二鳥(일석 이조).

[一口二言](일구 이언) 한 입으로 두 가지 말을 함.

[一問一答](일문 일답) 한 번의 물음에 한 번 대답함.

[一夫從事](일부 종사) 한 남편만을 섬김.

[一絲不亂](일사 불란) 한 가닥의 실도 흐트러지지 않는다는 뜻으로, 질서나 체계가 정연함을 이르는 말.

[一場春夢](일장 춘몽) 한바탕의 봄꿈이라는 뜻으로, 헛된 영화나 덧없음을 이르는 말.

[一切](① 일절 ② 일체) ① 아주. 전혀. ② 모든. 온갖 것.

[一片丹心](일편 단심) 한 조각의 붉은 마음. 변치 않는 참된 마음.

[九死一生](구사 일생) 여러 차례 죽을 고비를 겪고 겨우 살아남.

[均一](균일) 똑같이 고름.

[單一](단일) ① 단 하나. ② 복잡하지 않음. ③ 다른 것의 섞임이 없음.

[同一](동일) 똑같음.

[滿場一致](만장 일치) 모인 사람들의 의견이 모두 일치함.

[平和統一](평화 통일) 전쟁을 하지 않고 평화적으로 통일함.

1
획

1
② [丁] 넷째 천간 정
장정　정

부수 一(한 일)부
찾기 一¹＋亅¹＝2획

一	丁					

글자뿌리 상형(象形) 문자. 못을 본뜬 글자. ※흔히 '고무래 정'자라고 하는데, 이는 글자의 모양이 고무래와 비슷하여 붙이게 된 것으로 글자의 뜻과는 아무 관계가 없음.

글자풀이 1 넷째 천간. 2 장정. 3 일꾼.

[丁年] (정년) ① 천간이 '丁'에 해당하는 해. ② 남자의 나이 만 20세.
[丁夜] (정야) 새벽 1~3시 사이. 四更(사경).
[白丁] (백정) 소·돼지·개 따위를 잡는 일을 하는 사람.

1
② [七] 일곱 칠 七

부수 一(한 일)부
찾기 一¹＋乚¹＝2획

一	七					

글자뿌리 지사(指事) 문자. 열십(十)자의 세로 그은 획을 구부려 놓은 자.

글자풀이 일곱. 일곱 번.

[七去之惡] (칠거지악) 옛날 아내를 쫓아내는 이유로 꼽았던 일곱 가지.
[七面鳥] (칠면조) 꿩과의 새로, 목과 다리는 털이 없고 여러 색으로 변함.
[七書] (칠서) 사서(四書)와 삼경(三經)을 합쳐서 이르는 말.
[七夕] (칠석) 음력으로 7월 7일이 되는 날의 밤.
[七星] (칠성) 북두 칠성(北斗七星)의 준말.
[七言絶句] (칠언 절구) 칠언(七言) 사구(四句)로 된 한시.
[七情] (칠정) 사람이 지니는 일곱 가지 감정. 즉, 희(喜)·노(怒)·애(哀)·락(樂)·애(愛)·오(惡)·욕(欲).

2
③ **【三】** 석 삼
　　　　 거듭 삼　　 三

부수 一(한 일)부

찾기 一¹＋二²＝3 획

一	二	三			

글자뿌리 지사(指事) 문자. 하나〔一〕를 세 개 포개어 '셋〔三〕'을 뜻함.

〓〓 ⇒ 〓 ⇒ 三

글자풀이 1 석. 셋. 2 세 번. 3 거듭.

[三綱](삼강) 도덕적인 세 가지 기본. 곧, 임금과 신하〔君爲臣綱〕, 부모와 자식〔父爲子綱〕, 부부 사이〔夫爲婦綱〕에 지켜야 할 세 가지 도리.

[三光](삼광) 해〔日〕와 달〔月〕과 별〔星〕.

[三權](삼권) 나라를 다스리는 데 필요한 세 가지 권리. 입법권·사법권·행정권.

[三省](삼성) 거듭 반성함.

[三遷之敎](삼천지교) 세 번 옮긴 가르침이라는 뜻으로, 맹자의 어머니가 아들의 교육을 위하여 집을 세 번이나 이사하였다는 교훈.

[三寒四溫](삼한 사온) 사흘 동안은 춥고, 나흘 동안은 따뜻하다는 뜻으로, 우리 나라의 겨울철 기후를 이르는 말.

[作心三日](작심 삼일) 결심이 굳지 못함을 이르는 말. 결심이 사흘을 못 감.

[再三](재삼) 두세 번. 여러 번.

[朝三暮四](조삼 모사) 간교한 꾀로 남을 속이는 일.

2
③ **【上】** 위 상
　　　　 오를 상　　 上

부수 一(한 일)부

찾기 一¹＋⺊²＝3 획

丨	⺊	上			

글자뿌리 지사(指事) 문자. '一'은 일정한 위치를 나타내고, '丨'는 그 위쪽을 가리키며, '⼀'는 그 위에 존재하는 사물을 뜻함.

• ⇒ 丄 ⇒ 上

글자풀이 1 위. 겉. 2 앞. 첫째. 3 임금. 4 높다. 5 옛날. 6 오르다. 7 바치다.

[上京](상경) 지방에서 서울로 올라옴.

1
획

[上古] (상고) 오랜 옛날.

[上官] (상관) 자기보다 지위가 높은 사람.

[上書] (상서) 윗사람에게 글을 올림.

[上席] (상석) 높은 사람이 앉는 윗자리.

[上旬] (상순) 초하루부터 열흘까지의 동안. ㉫下旬(하순).

[路上] (노상) 길의 위.

[賣上] (매상) 물건을 판 수량이나 대금의 총계.

[浮上] (부상) ① 물 위로 떠오름. ② 알려지지 않았던 일이 밝혀져 알려짐.

[雪上加霜] (설상 가상) 엎친 데 덮치는 격으로, 불행이 겹쳐 일어남.

[引上] (인상) ① 끌어올림. ② 값·요금 따위를 올림. ㉫引下(인하).

[頂上] (정상) ① 꼭대기. ② 그 이상 더 없는 것. 最上(최상). ③ 한 나라의 통치자. ¶頂上會談 (정상 회담).

2
③ **[下]** 아래 하
　　　내릴 하　　下

부수 一 (한 일) 부

찾기 一¹ + 卜² = 3 획

一	丁	下			

글자뿌리 지사 (指事) 문자. '一'은 일정한 위치를 나타내며, '卜'은 그 아래를 뜻함.

글자풀이 1 아래. 밑. 2 아랫사람. 3 다음. 나중. 4 내리다. 내려가다. 5 낮추다. 6 내려 주다.

[下降] (하강) 아래로 내려감. ㉫上昇(상승).

[下校] (하교) 학교에서 공부가 끝나고 집으로 돌아감 ㉫登校 (등교).

[下水道] (하수도) 지하에 관을 묻어 폐수를 흘려 보내게 한 시설. ㉫上水道(상수도).

[下旬] (하순) 그 달 21일부터 30일 사이의 10일 동안.

[下野] (하야) 관직에서 물러남.

[下位] (하위) 낮은 지위. ㉫上位(상위).

[部下] (부하) 지위가 낮은 사람. 명을 받아 일하는 사람. ㉫上司(상사).

[眼下無人] (안하 무인) 교만하여 다른 사람을 업신여김.

[天下壯士] (천하 장사) 세상에 상대할 사람이 없을 정도로 힘 센 사람.

[天下統一] (천하 통일) 천하를 통일함. 또는 통일된 천하.

³④ 【不】 아닐 불·부

부수 一(한 일) 부
찾기 一¹+不³=4 획

| 一 | 丆 | 不 | 不 | | | |

글자뿌리 지사(指事) 문자. '一'은 하늘, '不'는 새가 하늘로 날아올라 돌아오지 않음을 뜻함.

글자풀이 1 아니다. 아니하다. 2 못하다. 3 하지 말라.
※ 'ㄷ·ㅈ'을 첫소리로 하는 글자 앞에서 '불'은 '부'로 발음함.

[不可] (불가) ① 하지 못함. ② 옳지 않음.

[不可能] (불가능) ① 할 수 없음. ② 힘이 미치지 못함. ⑲可能(가능).

[不可分] (불가분) 나누려 해도 나눌 수가 없음.

[不可不] (불가불) 하는 수 없이. 않으려 해도 않을 수 없음.

[不可思議] (불가사의) 상식으로는 도저히 헤아려 알 수 없을 정도로 이상 야릇함.

[不可侵] (불가침) 침범할 수 없음. 침범해서는 안 됨.

[不可抗力] (불가항력) 인간의 힘으로는 어쩔 수 없는 큰 힘.

[不潔] (불결) 깨끗하지 못함.

[不敬] (불경) 존경하지 않음. 예의에 어긋남.

[不景氣] (불경기) 물건의 거래가 잘 이루어지지 않음. 경제 형편이 좋지 않음.

[不拘] (불구) 어떤 일에 구애를 받지 않음.

[不時着] (불시착) 고장이나 기상 등의 문제로 비행기가 목적지가 아닌 다른 곳에 임시로 착륙하는 일.

[不當] (부당) 사리에 맞지 않음. 옳지 않음. ⑲正當(정당).

[不德] (부덕) 덕이 없음.

[不動] (부동) ① 움직이지 않음. ¶ 不動姿勢(부동 자세). ② 마음이 안정되어 이리저리 흔들리지 않음.

[不正] (부정) 바르지 않음. 옳지 못함.

[不足] (부족) ① 어떤 표준이나 한도에 모자람. 넉넉하지 못함. ② 마음에 차지 못함.

³④ 〔丑〕 소 축
둘째지지 축.

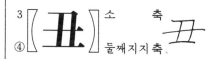

1획

부수 一(한 일)부
찾기 一¹＋丑³＝4 획

| 丁 | 丮 | 丑 | 丑 | | | |

글자뿌리 지사(指事) 문자. 손가락(又)으로 물건(丨)을 움켜쥔 것을 나타낸 글자.

글자풀이 1 소. 2 둘째 지지. ※ 동물로는 소. 방위는 북동. 시각은 새벽 1~3시. 오행으로는 토(土). 달〔月〕로는 음력 12월.

[丑年](축년) 소해.
[丑時](축시) 새벽 1~3시.
[丑月](축월) 음력 12월.

4 【丙】 남녘 병
⑤ 밝을 병

丙

부수 一(한 일)부
찾기 一¹＋内⁴＝5 획

| 一 | 厂 | 厅 | 丙 | 丙 | | |

글자뿌리 상형(象形) 문자. 제사 지낼 때 희생물을 올려놓는 큰 책상을 본뜬 글자. ※ 일설에는 회의(會意) 문자로 보기도

함. 즉, 중국 철학의 바탕이 되는 이론으로서, 양기〔一〕가 먼 곳〔冂〕에 들어가니〔入〕 음기가 생기고 양기가 사라지려 한다는 뜻.

글자풀이 1 남녘. 2 셋째 천간. ※ 10간(干) 중 셋째로 등급·차례의 세 번째. 3 밝다. 불. 4 굳세다.

[丙科](병과) 옛날 과거(科擧) 성적의 세 번째 등급.
[丙寅洋擾](병인 양요) 조선 고종(高宗) 3년(1866년 병인년)에 프랑스의 함대가 강화도를 침범한 사건.
[丙子](병자) 60갑자(甲子)의 13째.
[丙子胡亂](병자 호란) 조선 시대 병자년(1637년)에 청(淸) 나라가 침입한 난리. 호(胡)는 오랑캐 나라라는 뜻.

4 【世】 인간 세
⑤ 세상 세
세대 세

世

부수 一(한 일)부
찾기 一¹＋丗⁴＝5 획

| 一 | 十 | 卄 | 丗 | 世 | | |

글자뿌리 회의(會意) 문자. 열 십(十) 셋을 합친 자로, '30년', '세대(世代)'의 뜻임.

丗 ⇒ 丗 ⇒ 世

뒤에 영혼이 다시 태어난다는 미래의 세상을 이르는 말.

[絶世] (절세) ① 세상에서 제일 뛰어남. ② 세상과 담을 쌓음.

[處世] (처세) 세상에서 살아감.

[現世] (현세) 이 세상. 지금의 세상. ⑲ 來世(내세).

글자풀이 1 인간. 세상. 2 대 (代). 세대(世代). 3 평생. 4 때. 5 많이.

[世間] (세간) ① 세상. ② 불교에서, 중생이 서로 의지하며 살아가는 세상.

[世界] (세계) ① 지구 위의 모든 나라. ② 무한한 공간. ③ 같은 종류끼리의 모임.

[世代] (세대) ① 여러 대(代). ② 한 시대(약 30년).

[世論] (세론) 세상 사람들의 공통된 의견.

[世上] (세상) ① 사람이 살고 있는 땅 위. ② 절이나 감옥 등에서 이르는 바깥 세상.

[世俗] (세속) ① 이 세상. 속세. ② 세상의 풍속. ③ 세상의 속된 일.

[世子] (세자) 왕의 자리를 이어받을 왕자.

[世態] (세태) 세상의 형편.

[世波] (세파) 모질고 거센 세상의 어려움.

[亂世] (난세) 어지러운 세상.

[來世] (내세) 불교에서, 죽은

4
⑤ 〔且〕 또 차 且

부수 ― (한 일) 부

찾기 ―¹+目⁴=5획

| 丨 | 冂 | 月 | 目 | 且 | | |

글자뿌리 상형(象形) 문자. '冂'는 '几(안석 궤)'로 책상을, 그 안에 가로 그은 두 획은 책상 다리에 가로지른 나무를, 아래의 '―'은 땅바닥을 각각 본뜬 글자.

글자풀이 1 또. 또한. 2 우선. 3 구차하다.

[且問且答] (차문 차답) 한편으로 묻고, 한편으로 대답함.

[且置] (차치) 내버려 두고 논의 대상으로 삼지 않음.

1
획

1

│ (뚫을 곤) **部**

위아래를 꿰뚫음을 나타냄. 위에서 아래로 뚫으면 '물러나다'의 뜻이고, 아래에서 위로 뚫으면 '나아가다'의 뜻이 됨.

3 ④ 【中】 가운데 중
맞을 중

中

부수 │ (뚫을 곤) 부
찾기 │ ¹ + 口 ³ = 4 획

| 丶 | 冂 | 口 | 中 | | |

글자뿌리 지사(指事) 문자. 사물〔口〕의 한가운데를 위아래로 꿰뚫는다〔│〕는 뜻. 또는 화살이 과녁의 한복판을 '맞힌다'는 뜻.

글자풀이 1 가운데. 2 안. 속. 3 사이. 4 범위. 안. 5 진행(중). 6 맞다.

[中間](중간) ① 사물의 한가운데. ② 사물간의 사이나 간격.

③ 사물의 끝나지 않은 시간이나 장소.

[中繼](중계) 중간에서 받아서 이어 줌. ¶中繼放送(중계 방송).

[中斷](중단) 중간에서 끊거나 끊어짐.

[中流](중류) ① 시내나 강의 상류와 하류의 중간. ② 품질이나 사회 계급의 중간.

[中心](중심) ① 한가운데. ② 어떤 사물에서의 중요한 위치.

[中央](중앙) 사방의 한가운데.

[中止](중지) 일 등을 중도에서 그만둠.

[中退](중퇴) 학업을 마치지 못하고 중도에서 그만둠.

[中興](중흥) 쇠하던 것이 중간에 다시 일어남.

[個中](개중) 여럿 가운데.

[忙中閑](망중한) 바쁜 가운데의 한가한 때.

[命中](명중) 겨냥한 것에 바로 맞힘.

[百發百中](백발 백중) ① 겨눈 곳에 어김없이 맞음. ② 계획이나 예상 따위가 꼭꼭 들어맞음.

[言中有骨](언중 유골) 예사로운 말 속에 단단한 뼈 같은 속뜻이 있다는 말.

[熱中](열중) 한 가지 일에 정신을 집중시킴.

[意中](의중) 마음 속.

1
획

¹ 丶 (점) 部

점 하나를 찍어서 사물을 구별짓는 자리를 나타냄.

---

³ ④ 【丹】 붉을 단　丹

부수 丶 (점) 부

찾기 丶¹＋丹³＝4 획

丿	刀	月	丹		

(글자뿌리) 지사(指事) 문자. '冂'은 흙을 파낸 구덩이를 본떴으며, 가로지른 '一'은 땅을 가리키고, '丶'는 그 땅에서 캐낸 붉은 색깔의 단사(丹砂)를 뜻함.

(글자풀이) 1 붉다. 2 정성. 성실. 3 붉은 단사(丹砂).

[丹心] (단심) 정성스러운 마음.

[丹靑] (단청) 궁궐·사찰·정자 등의 건축물에 여러 가지 빛깔로 그림이나 무늬를 그리는 일. 또는 그 그림이나 무늬.

[丹楓] (단풍) ① 단풍나무의 준말. ② 기후의 변화로 붉게 또는 누렇게 된 나뭇잎.

[一片丹心] (일편 단심) 한 조각의 붉은 마음이라는 뜻으로, 변치않는 참된 마음.

---

⁴ ⑤ 【主】 주인 주　主

부수 丶 (점) 부

찾기 丶¹＋王⁴＝5 획

丶	二	宁	宇	主	

(글자뿌리) 상형(象形) 문자. 촛대 위에서 타고 있는 불꽃 모양을 본뜬 글자로, 등불은 가정의 한가운데에 자리잡아 중심을 차지하므로 곧 '주인'의 뜻.

🕯 ⇒ 主 ⇒ 主

(글자풀이) 1 주인. 2 임금. 3 우두머리. 4 중심이 되다. 5 주장하다. 6 자기 자신.

[主見] (주견) 자기의 주장이 있는 의견.

[主觀] (주관) 자기대로의 생각.

凹 客觀(객관).

[主權在民] (주권 재민) 나라의 주권이 국민에게 있음.

[主動] (주동) 어떤 일에 주장이 되어 행동함. 또는 그 사람.

[主流] (주류) ① 강의 원줄기가 되는 큰 흐름. ② 사상이나 운동 따위에서의 주된 경향.

[主成分] (주성분) 어떤 물질을 이루는 중심이 되는 성분.

[主要] (주요) 주되고 중요함.

[主將] (주장) 운동 경기에서 팀을 대표하는 선수.

[主題] (주제) ① 중심이 되는 제목 또는 문제. ② 예술 작품에서 작가가 그리려고 하는 근본적인 생각.

[主從] (주종) ① 주인과 종. ② 중심이 되는 사물과 그에 딸린 사물.

[主體性] (주체성) 자기의 의지나 판단에 바탕을 둔 태도나 성질.

[客主] (객주) 조선 시대에, 상인의 물품을 맡아 팔기도 하고, 흥정을 붙여 주며, 또 그 상인들을 재워 주던 영업. 또는 그런 일을 하던 사람.

[權威主義] (권위주의) 권위에 맹목적으로 복종하거나, 권위를 휘둘러 남을 억누르려고 하는 태도.

[事大主義] (사대주의) 주체성

이 없이 세력이 강한 나라나 사람을 붙좇아 자신의 안전만을 유지하려는 생각.

[爲主] (위주) 주되는 것으로 삼음.

[利己主義] (이기주의) 남이야 어떻든 자기의 이익만을 추구하는 사고 방식이나 태도.

[戶主] (호주) 한 집안의 주장이 되는 사람.

---

¹ 丿 (삐침) 部

오른쪽 위에서 왼쪽 아래로 비스듬하게 그어졌음. '파임'이라 하여 이 반대 방향으로 내리그어진 부수도 있음.

---

¹
② [乃] 이에 내

부수 丿 (삐침)부
찾기 丿'+丁'=2 획

丿	乃				

(글자뿌리) 지사(指事) 문자. 숨을 제대로 쉬지 못하거나 말을 주저하는 느낌을 나타낸 글자.

(글자풀이) 1 이에. 곧. 2 너. 3 곧. ※ 말머리에서 별다른 뜻 없이 쓰임. 4 이전에.

[乃至] (내지) ① 얼마에서 얼마

까지. ② 혹은.

[人乃天] (인내천) 천도교(天道
教)의 근본 사상으로, 사람이
곧 하늘이라는 말.

[終乃] (종내) 끝끝내. 마침내.

2
③ 【久】 오랠 구

부수 ノ (삐침) 부
찾기 ノ¹ + 人² = 3 획

ノ	ク	久			

(글자뿌리) 지사(指事) 문자. 앞
으로 나아가려는 사람을 뒤에서
잡아당기는 모양을 나타내어 '머
물다', '오랜 시간이 걸리다'의 뜻.

(글자풀이) 1 오래다. 2 기다리다.

[未久] (미구) 그리 오래지 아
니한 동안.

[永久不變] (영구 불변) 영원히
변하지 아니함.

[長久] (장구) 매우 길고 오램.

[持久力] (지구력) 오래 버티어
내는 힘.

[恒久的] (항구적) 변함 없이 오
래 가는(것).

3
④ 【之】 갈 지

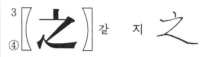

부수 ノ (삐침) 부
찾기 ノ¹ + 亠³ = 4 획

丶	亠	ナ	之		

(글자뿌리) 상형(象形) 문자. 땅
위에 풀이 돋아나는 모양을 본뜬
글자.

(글자풀이) 1 가다. 이르다. 2 이.
이것. ※ 지시 대명사로 쓰임.

[結者解之] (결자 해지) 맺은 사
람이 풀어야 한다는 뜻으로, 자
기가 저지른 일은 자기가 해결
해야 한다는 말.

[旣往之事] (기왕지사) 이미 지
나가 버린 일. 동 已往之事(이
왕지사).

[莫逆之友] (막역지우) 아주 허
물 없이 지내는 친구.

[無用之物] (무용지물) 아무짝
에도 쓸모 없는 물건이나 사람.

[先見之明] (선견지명) 닥쳐올
일을 미리 짐작하는 슬기로움.

[水魚之交] (수어지교) 물과 고
기의 사귐이라는 뜻으로, 매우
친밀하여 떨어질 수 없는 사이.

〔愛之重之〕(애지중지) 매우 사랑하고 소중히 여김.

〔漁父之利〕(어부지리) 둘이 다투는 사이에 엉뚱한 사람이 이익을 보게 됨.

〔有終之美〕(유종지미) 끝까지 잘하여 맺은 좋은 결과.

〔人之常情〕(인지상정) 사람이 가지게 되는 보통의 마음.

〔左之右之〕(좌지 우지) 제 마음대로 휘두르거나 다룸.

4
⑤〔乎〕 어조사 호 乎

부수 ノ (삐침) 부
찾기 ノ ¹+乎 ⁴=5 획

| ノ | ⼂ | ⼂ | 亚 | 乎 | | |

(글자뿌리) 형성(形聲) 문자. 乊(발산하는 모양〈뜻〉)에 교(十＝力〈음〉)를 합친 자로, 감탄의 뜻.

(글자풀이) 1 어조사. …인가(의문사). 2 아!(감탄사). 3 …에. …보다(전치사). 4 부사를 만드는 어미.

〔斷乎〕(단호) 결심한 것을 결단성 있게 처리하는 모양.

9
⑩〔乘〕 탈 승
　　　　　 수레 승 乘

부수 ノ (삐침) 부
찾기 ノ ¹+乘 ⁹=10 획

| ⼂ | 二 | 千 | 千 | 乒 | 乒 | 乖 |
| 乖 | 乖 | 乘 | | | | |

(글자뿌리) 회의(會意) 문자. 사람〔大〕이 나무〔木〕 위에 두 다리를 얹어 놓은 모양〔舛〕을 본뜬 자로, '오르다', '타다'의 뜻.

(글자풀이) 1 타다. 2 기회를 타다. 3 곱하다. 곱셈. 4 수레. 수레를 세는 단위.

〔乘降〕(승강) 기차·자동차 등을 타고 내림.

〔乘客〕(승객) 배·차·비행기 등을 타는 손님.

〔乘馬〕(승마) 말을 탐.

〔乘船〕(승선) 배를 탐.

〔乘勝長驅〕(승승 장구) 싸움에 이긴 여세로 냅다 몰아침.

〔乘用車〕(승용차) 사람이 타는 소형의 자동차.

〔加減乘除〕(가감승제) 더하기·빼기·곱하기·나누기를 아울러 이름.

[同乘](동승) 함께 탐.

[相乘作用](상승 작용) 몇 가지 원인이 겹쳐 작용하면, 따로따로 작용했을 때보다 큰 효과를 냄.

[試乘](시승) 시험삼아 타 봄.

[自乘](자승) '제곱'의 이전에 쓰던 말.

[便乘](편승) ① 남이 타고 가는 차편을 얻어 탐. ② 세태나 남의 세력을 이용하여 자신의 이익을 거둠.

[合乘](합승) 여럿이 어울려 함께 탐.

---

¹ 乙 (새 을) 部

봄에 초목의 새싹이 땅 위로 틀 때 추워서 구부정하게 있는 모양을 본뜬 글자.

⁰ ①【乙】새 을   乙

부수 乙 (새 을) 부
찾기 乙¹=1 획

乙				

(글자뿌리) 상형(象形) 문자. 봄에 초목의 싹이 구부정하게 돋아나는 모양을 본뜬 글자. 또, 새의 모양을 본떠서 만든 글자라는 설도 있음.

(글자풀이) 1 새. 제비. 2 천간의 둘째. 방위는 남쪽. 오행(五行)으로는 목(木). 3 아무개. ※상대의 이름이 확실치 않을 때 '甲' 또는 '乙'로 일컬음.

[乙未事變](을미 사변) 고종(高宗) 32년(1895)에 일본의 자객들에 의해 명성 황후가 시해된 사건.

[乙巳士禍](을사 사화) 명종(明宗) 원년(1545)에, 명종의 외숙 윤원형이 윤임 일파를 몰아내는 과정에서 사림(士林)이 크게 화를 입은 사건.

[乙巳五條約](을사 오조약) 1905년에 일본이 한국의 외교권을 빼앗기 위하여 강제로 맺은 다섯 가지 조약.

[甲乙](갑을) ① 십간(十干) 의 갑(甲)과 을(乙). ② 순서나 우열을 나타낼 때의 첫째와 둘째. ③ 이름을 모르는 사람이나 사물을 가정해서 하는 말.

¹ ②【九】아홉 구   九

1획

1획

ノ	九					

글자뿌리 지사(指事) 문자. 'ノ' 와 굽은 선[乙]으로 한 자리 숫자의 가장 큰 수임을 나타내어 '아홉'을 뜻함.

글자풀이 1 아홉. 2 많음. 수효의 끝남. 3 모으다.

[九穀] (구곡) 아홉 가지 곡식. 쌀·보리·콩·팥·조·수수·옥수수·밀·깨를 통틀어 이름.

[九九法] (구구법) 곱셈에 쓰는 기초 공식.

[九萬里長天] (구만리 장천) 한없이 높고 넓은 하늘.

[九死一生] (구사 일생) 여러 차례 죽을 고비를 겪고 겨우 살아남.

[九重宮闕] (구중 궁궐) 문이 겹겹이 달린 깊은 대궐.

[九尺長身] (구척 장신) 아주 큰 키. 또는 그러한 사람.

[九泉] (구천) ① 저승. ② 깊은 땅 속.

[九寸] (구촌) ① 삼종 숙질(三從叔姪) 사이의 촌수. 곧, 고조가 같고 증조가 다른 아저씨와 조카 사이의 촌수. ② 아홉 치.

[十中八九] (십중 팔구) 열 가운데 여덟이나 아홉이 된다는 뜻으로, 거의 그러할 것이라는 추측을 이르는 말.

2
③ [也] 어조사 야 也

부수 乙 (새 을) 부
찾기 乙¹ + ㅆ² = 3 획

ㄱ	ㅆ	也				

글자뿌리 상형(象形)·가차(假借) 문자. 말을 할 때 입김이 서려 나오는 모양을 본뜬 글자. 또, 뱀이 또아리를 틀고 있는 모양을 본뜬 글자로, 이 음을 빌려 어조사로 쓴다는 설도 있음.

글자풀이 1 어조사. 2 또. 또한. ※말의 끝에 붙어서 단정·부름·감탄·의문 따위를 나타냄.

[也乎] (야호) 강조의 어조사.

[及其也] (급기야) 마침내.

[獨也靑靑] (독야 청청) 홀로 푸르다는 뜻으로, 홀로 절개를 지킴을 이르는 말.

[言則是也] (언즉 시야) 말하는 것이 사리에 맞음.

10
⑪ 【乾】 하늘 건
　　　　 마를 건

乾

부수 乙(새 을)부
찾기 乙¹+𠦝¹⁰=11 획

| 一 | 十 | 十 | 古 | 甴 | 甴 | 車 |

| 卓 | 乹 | 乾 | 乾 |

（글자뿌리） 회의(會意) 문자. 해 돋을 간(倝)에 초목의 새싹을 본 뜬 새 을(乙)을 합친 자로, 해가 뜨고 새싹이 하늘을 향해 돋아난 다는 데서 '하늘'을 뜻함.

（글자풀이） 1 하늘. 2 주역의 괘 이름. 3 마르다. 4 임금. 천자.

[乾坤]（건곤） ① 하늘과 땅. ② 건괘와 곤괘.

[乾期]（건기） 기후가 건조한 시기. 건조기(乾燥期)의 준말. ⑱ 雨期(우기).

[乾杯]（건배） 함께 술잔을 들 어 무엇인가를 기원하면서 술 을 마심.

[乾性]（건성） 건조한 성질. ⑱ 濕性(습성).

[乾魚物]（건어물） 말린 물고기.

[乾材]（건재） 조제하지 아니한 그대로의 한약재.

[乾菜]（건채） 말린 채소나 나 물 등을 통틀어 이르는 말.

[乾草]（건초） 말린 풀.

---

¹ 亅 （갈고리 궐）部

갈고리 모양을 본뜬 부수의 명칭. 부수의 명칭으로만 쓰임.

7
⑧ 【事】 일 사

事

부수 亅 （갈고리 궐）부
찾기 亅¹+𠦝⁷=8 획

| 一 | 一 | 口 | 彐 | 彐 | 彐 | 事 |

（글자뿌리） 형성(形聲) 문자. 사 관 사(史〈음〉)에 彐(깃대를 세우 는 모양〈뜻〉)을 합친 자로, '일' 을 뜻하며, 일을 성실하게 하여 윗사람을 잘 '섬기다'의 뜻.

2획

글자풀이 **1** 일. 작업. 사업. 업무. **2** 사건. **3** 섬기다.

[事故] (사고) 뜻밖에 일어난 사건.

[事理] (사리) 사물의 이치.

[事務] (사무) 주로 책상에서 문서 따위를 처리하는 일.

[事實無根] (사실 무근) 사실과 전혀 다름.

[事由] (사유) 일의 까닭.

[事必歸正] (사필 귀정) 모든 일은 반드시 바른 데로 돌아감.

[家和萬事成] (가화 만사성) 집안이 화목하면 모든 일이 다 잘됨.

[慶事] (경사) 축하할 만한 기쁜 일.

[多事多難] (다사 다난) 여러 가지로 일도 많고 어려움도 많음.

[每事] (매사) 모든 일.

[育英事業] (육영 사업) 육영 단체나 교육 기관을 두어 교육에 힘쓰는 사업.

[人倫大事] (인륜 대사) 사람의 일생에서 겪게 되는 가장 중요한 일. 곧, 출생·혼인·사망 등의 일.

[一事不再理] (일사 부재리) 한 번 확정 판결된 사건은 다시 심리하지 않는다는 원칙.

[從事] (종사) ① 일삼아서 함. ② 어떤 사람을 따라 섬김.

[虛事] (허사) 헛일.

² 二 (두 이) 部

가로 그은 2획으로 수효의 둘, 또는 둘째를 나타냄. 한자 부수의 하나.

0
②【二】 두   이   二

부수 二 (두 이) 부

찾기 二²=2 획

一	二				

글자뿌리 지사(指事) 문자. 가로 줄을 두 개 포개어 '둘'이라는 수효를 나타냄.

글자풀이 **1** 두. 둘. **2** 두 번. **3** 둘째. 다음. **4** 두 가지.

[二等] (이등) 둘째 등급.

[二毛作] (이모작) 한 경작지에서 1년에 두 차례 다른 작물을 심어 거두는 일.

[二重性] (이중성) 서로 다른 두

가지의 성격.

[二重人格] (이중 인격) 한 사람이 전혀 다른 두 개의 성격을 지님. 또는 그런 성격.

[二重唱] (이중창) 두 사람이 두 가지의 음성으로 노래를 부르는 일.

[二重效果] (이중 효과) 한 가지 수단으로 동시에 두 가지 효과를 얻는 일.

[二次] (이차) ① 두 번째. ② 어떤 사물이나 현상이 본디 것에 대하여 부수적인 관계나 처지에 있는 것.

[二八靑春] (이팔 청춘) 16 세 전후의 젊은 나이.

[不事二君] (불사 이군) 두 임금을 섬기지 아니함.

[唯一無二] (유일 무이) 이 세상에 하나뿐이며 둘도 없음.

[一口二言] (일구 이언) 한 입으로 두 말을 한다는 뜻으로, 말을 이랬다 저랬다 함.

[一石二鳥] (일석 이조) 한 가지 일로써 두 가지 이익을 얻음. ⑧ 一擧兩得 (일거 양득).

1
③ 〔于〕 어조사 우 于

부수 二 (두 이) 부
찾기 二² + 亅 ¹ = 3 획

| 一 | 二 | 于 | | | |

(글자뿌리) 지사(指事) 문자. 소전의 자형은 '一 + 丂 = 于'로 된 자로, 어떤 장애로 인해 호흡이 자유롭지 못해 자라지 못하거나 탄식하는 숨소리를 뜻함.

(글자풀이) 1 어조사. 2 가다.

[于先] (우선) ① 먼저. ② 아쉬운 대로. 그럭저럭.

2
④ 〔五〕 다섯 오 五

부수 二 (두 이) 부
찾기 二² + 几² = 4 획

| 一 | 丆 | 五 | 五 | | |

(글자뿌리) 지사(指事) 문자. '二'는 하늘과 땅을 가리키고 '×'는 그 음·양이 서로 합함을 나타내며, 음양이 합하면 '水火木金土'의 오행(五行)이 상생(相生)한다는 데서 '다섯'의 뜻이 된 자.

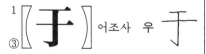 ⇒ × ⇒ 五

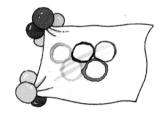

글자풀이 다섯. 다섯 번.

[五感] (오감) 시각·청각·후각·미각·촉각의 다섯 감각.

[五穀] (오곡) ① 다섯 가지 주요 곡식. 쌀·보리·조·콩·기장. ② '곡식'을 통틀어 이르는 말.

[五倫] (오륜) 사람으로서 지켜야 할 다섯 가지 도리. 곧, 부자 사이의 친애〔父子有親〕, 군신 사이의 의리〔君臣有義〕, 부부 사이의 분별〔夫婦有別〕, 어른과 아이 사이의 차례〔長幼有序〕, 친구들 사이의 신의〔朋友有信〕.

[五里霧中] (오리 무중) 오리에 걸친 안개 속이라는 뜻으로, 어디에 있는지 찾을 길이 막연하거나, 갈피를 잡을 수 없음을 이르는 말.

[五線紙] (오선지) 악보를 적을 수 있도록 5선을 그어 인쇄해 놓은 종이.

[五十步百步] (오십보 백보) 차이기 있기는 있으나, 본질적으로는 같다는 뜻.

[五臟] (오장) 한방에서, 다섯 가지 내장(內臟)을 통틀어 이르는 말. 곧, 간장·심장·비장·폐장·신장.

2
④【云】이를 운 云

부수 二(두 이) 부
찾기 二² + ㅿ² = 4 획

| 一 | 二 | 云 | 云 | | | | |

글자뿌리 상형(象形) 문자. 구름이 하늘로 피어 오르는 모양을 본뜬 글자로, 구름 운(雲)의 옛 글자.

글자풀이 이르다. 말하다.

[云云] (운운) 이러이러하다고 말함.

2
④【井】우물 정 井

부수 二(두 이) 부
찾기 二² + 川² = 4 획

| 一 | 二 | 킄 | 井 | | | | |

글자뿌리 상형(象形) 문자. '井'자 형으로 짠 우물 귀틀의 모양을 본뜬 글자.

글자풀이 1 우물. 2 '井'자 모양으로 생긴 것. 3 취락.

[井然] (정연) 규격이 잘 짜이

고, 조리가 있거나 정돈되어 가 지런함.

[井華水](정화수) 정성을 들이 거나 약을 달이는 데 쓰기 위 하여 이른 새벽에 길어 온 우 물물.

[油井](유정) 천연 석유를 뽑 아 올리기 위하여 판 우물.

[天井不知](천정 부지) 천장을 모른다는 뜻으로, 물건값 따위 가 끊임없이 오르기만 함을 이 르는 말.

---

2 亠 (돼지해밑) 部

'돼지 해(亥)'의 윗부분과 자 형이 같아서 붙여진 이름임.

---

③ 【亡】 망할 망

부수 亠(돼지해밑) 부

찾기 亠²+ㄴ¹=3 획

丶	亠	亡					

(글자뿌리) 회의(會意) 문자. 돼 지해밑(亠=人의 변형)에 숨을 은(ㄴ:隱의 옛 글자)을 합친 자 로, 잘못을 저지른 사람이 숨는다 는 데서 '망하다'의 뜻.

(글자풀이) 1 망하다. 2 달아나다. 3 잃다. 4 죽다.

[亡國](망국) ① 나라가 망함. 나라를 망침. ② 망한 나라.

[亡靈](망령) 죽은 사람의 넋.

[亡命](망명) 정치적인 이유 등 으로, 제 나라에 있지 못하고 남의 나라로 몸을 피하는 일.

[亡身](망신) 말이나 행동 따 위를 잘못하여 자신의 체면이 나 명예 등을 손상되게 함.

[亡者](망자) 죽은 사람.

[亡兆](망조) 망하거나 결딴날 징조.

[亡種](망종) 행실이 좋지 못 한 사람을 욕으로 이르는 말.

[未亡人](미망인) 남편이 죽고 홀로 사는 여자를 이르는 말.

[死亡](사망) 죽는 일.

[敗家亡身](패가 망신) 집안의 재산을 다 써서 없애고 몸까지 망침.

[敗亡](패망) ① 전쟁에 져서 망함. ② 싸움에 져서 죽음.

---

④ 【交】 사귈 교

부수 亠(돼지해밑) 부

찾기 亠²+父⁴=6 획

丶	亠	亠	六	亦	交	

2획

(글자뿌리) 상형(象形) 문자. ‘亠’은 ‘大’ 곧 ‘人’이고, ‘乂’는 종아리를 서로 엇건 모양을 본뜬 것. 그래서 ‘섞이다’, ‘바뀌다’ 등의 뜻이 된 자.

(글자풀이) 1 사귀다. 2 섞이다. 오고 가다. 3 바꾸다. 바뀌다.

[交代] (교대) 서로 번갈아 듦.

[交流] (교류) ① 일정한 시간마다 번갈아 반대 방향으로 흐르는 전류. ② 문화나 사상 등이 서로 오가며 섞임.

[交尾] (교미) 생식하기 위하여 동물의 암수가 교접하는 일.

[交付] (교부) 내어 줌.

[交涉] (교섭) ① 어떤 일을 이루기 위하여 상대편과 의논함. ② 관계를 가짐.

[交易] (교역) 주로 국가간에 물건을 서로 사고 파는 일.

[交友] (교우) 벗과 사귐. 또는 그 사귀는 벗.

[交際] (교제) 사람과 사람이 서로 사귐.

[交叉] (교차) 가로 세로로 엇걸림. ¶ 交叉路(교차로).

[交替] (교체) 자리나 역할 같은 것을 다른 사람 또는 다른 것과 바꿈. 또는 바뀜.

[交通] (교통) ① 사람이나 차·배·비행기 따위가 일정한 길을 오고 가는 일. ② 사람이나 물건을 실어 나르는 일. ③ 사람과 사람, 나라와 나라가 서로 왕래하며 의사를 통하는 일.

[交換] (교환) 서로 바꿈.

4
⑥ 【亦】 또 역 亦

부수 亠 (돼지해밑) 부

찾기 亠² + 小 ⁴ = 6 획

` 亠 广 扩 亣 亦

(글자뿌리) 지사(指事) 문자. 큰대(亣 : 大의 변형)에 여덟 팔(八)을 합친 자로, 어른의 양 옆구리. 또는 이쪽 저쪽에 팔이 있다 하여 ‘또’, ‘또한’의 뜻이 된 자.

(글자풀이) 또. 또한.

[亦是] (역시) 이것도 또한. 생각했던 대로.

4
⑥ 【亥】 돼지 해 亥

부수 亠 (돼지해밑) 부

찾기 亠²+豕⁴=6 획

、	亠	亠	亥	亥	亥

글자뿌리 상형(象形) 문자. '亠'는 돼지의 머리 모양을, '豕'는 돼지의 몸뚱이와 네 다리를 본뜬 글자.

글자풀이 돼지. 열두째 지지.

---

⁶
⑧ **【京】** 서울 경 京

부수 亠 (돼지해밑) 부

찾기 亠²+呆⁶=8 획

丶	亠	亠	古	古	京	京

글자뿌리 상형(象形) 문자. 언덕 위에 집이 서 있는 것을 본뜬 글자로, 높은 언덕의 임금이 사는 궁궐을 뜻하여 '서울'의 뜻.

亰 ⇒ 宗 ⇒ 京

글자풀이 1 서울. 2 크다. 높다.

[京鄕] (경향) 서울과 시골.

[歸京] (귀경) 지방에서 서울로

돌아가거나 돌아옴.

[上京] (상경) 시골에서 서울로 올라옴.

[在京] (재경) 서울에 있음.

---

² **人** (사람 인) **部**

사람이 허리를 굽히고 서 있는 옆 모양을 본뜬 글자로, 변으로 쓰일 때는 '亻'으로 바뀜.

⁰
② **【人】** 사람 인 人

부수 人 (사람 인) 부

찾기 人²=2 획

ノ	人				

글자뿌리 상형(象形) 문자. 사람이 허리를 굽히고 서 있는 옆 모양을 본뜬 글자.

彡 ⇒ 亻 ⇒ 人

글자풀이 1 사람. 인간. 2 백성. 3 인품. 인격.

[人家] (인가) 사람이 사는 집.

2획

[人間](인간) ① 사람. ② 사람의 됨됨이.

[人間性](인간성) ① 사람이 타고난 바탕. ② 사람다운 마음의 본바탕.

[人傑](인걸) 매우 뛰어난 인재. 훌륭한 사람.

[人骨](인골) 사람의 뼈.

[人工衛星](인공 위성) 기상 관측·통신·방송 등을 위해 지구에서 쏘아 올려 지구의 둘레를 돌게 만든 물체.

[人口](인구) 한 나라나 일정한 지역 안에 사는 사람의 수.

[人氣](인기) 특정한 사람이나 사물에 대하여 쏠리는 사람들의 좋은 감정.

[人德](인덕) 사귀는 사람들에게서 많은 도움을 받는 복. 동 人福(인복).

[人力](인력) 사람의 힘.

[人倫](인륜) 사람으로서 지켜야 할 도리.

[人福](인복) 사귀는 사람들에게서 많은 도움을 받는 복.

[人死留名](인사 유명) 사람은 죽어도 이름은 남는다는 뜻으로, 이름이 남도록 바르게 살아야 한다는 말.

[人性](인성) 사람의 성질. 사람 본연의 성품.

[人心](인심) 사람의 마음. 동 人情(인정).

[人跡](인적) 사람이 지나다닌 발자취.

[人情](인정) ① 사람이 본래부터 가지고 있는 마음씨. ② 남을 돕는 마음.

[人智](인지) 사람이 지닌 지혜와 재능.

[人之常情](인지상정) 사람이면 누구나 가지는 보통의 인정.

[人形](인형) ① 사람의 형상. ② 흙·나무·종이·헝겊 등으로 사람의 모양을 흉내내어 만든 장난감.

2
④ 【今】 이제 금

부수 人(사람 인) 부

찾기 人²＋㇀²＝4획

| ノ | 人 | 亼 | 今 | | | |

글자뿌리 회의(會意) 문자. 본디는 지붕〔人〕이 무엇〔一〕을 덮는 모양을 나타내어, 그늘 음(陰)의 원자(原字)였으나, 뒤에 가차(假借)하여 '지금'의 뜻이 된 자.

今 ⇒ 今 ⇒ 今

글자풀이 1 이제. 오늘. 바로. 2 이. 이에.

[今方](금방) 방금. 지금 막.

[今始初聞](금시 초문) 듣느니

처음. 이제야 비로소 처음 들음.

[東西古今](동서고금) 동양과 서양, 옛날과 지금이라는 뜻으로, 인간 사회의 모든 시대와 장소를 두고 이르는 말.

[只今](지금) 바로 이 시간. 오늘날. 이제 막.

④【仁】 어질 인 仁

부수 人(사람 인)부

찾기 亻²(人)＋二² = 4획

| ノ | 亻 | 仁 | 仁 | | |

(글자뿌리) 회의(會意) 문자. 사람 인(人)에 두 이(二)를 합친 자로, 사람이 서로 친하고 사랑하며 지낸다는 데서 '어질다'의 뜻이 된 자.

(글자풀이) 1 어질다. 자애롭다. 2 가엾게 여기다. 3 동정.

[仁德](인덕) 어진 덕.

[仁術](인술) ① 착한 일을 하는 방법. ② 착한 일을 행하는 기술, 곧 의술을 말함.

[仁義](인의) 어짊과 의로움.

[仁慈](인자) 어질고 인정이 많음.

[仁厚](인후) 마음이 매우 어질고 무던함.

[殺身成仁](살신 성인) 자신의 몸을 죽여 인(仁)을 이룬다는 뜻으로, 옳은 일을 위하여 자기 몸을 희생함.

⑤【代】 대신할 대 代

부수 人(사람 인)부

찾기 亻²(人)＋弋³ = 5획

| ノ | 亻 | 亻 | 代 | 代 | |

(글자뿌리) 형성(形聲) 문자. 사람 인(人〈뜻〉)에 주살 익(弋〈음〉)을 합친 자로, 앞 세대와 뒤 세대가 번갈아 든다는 데서 '대신하다'의 뜻이 된 자.

(글자풀이) 1 대신하다. 갈음하다. 2 시대. 세대.

[代金](대금) ① 값. ② 물건을 판 사람에게 지불하는 돈.

[代代](대대) 계속되는 세대.

[代理](대리) 다른 사람을 대신하여 일을 처리함. 또는 그런 사람.

[代書](대서) 남을 대신하여 글씨나 글을 씀.

[代用](대용) 대신으로 씀.

[代表](대표) 개인이나 단체를

대신하여 책임을 지고 나서는 일. 또는 그런 사람.

[代行] (대행) 대신하여 행함.

[一代記] (일대기) 한 사람의 일생 동안의 일을 적은 기록.

[初對面] (초대면) 처음으로 마주 대함.

[太平聖代] (태평 성대) 인자한 임금이 다스리는 평화로운 사회나 세상.

3
⑤ 【令】 명령할 령　令

부수 人 (사람 인) 부

찾기 人²＋亽³ ＝ 5획

| ノ | 人 | 亼 | 今 | 令 | |

(글자뿌리) 회의(會意) 문자. 모을 합(亼 ＝ 合의 생략형)에 병부 절(卩)을 합친 자로, 천자(天子)가 제후에게 내린 절(節). 즉 작위의 증표를 모을 때의 호령이란 데서 '명령'의 뜻이 된 자.

龠 ⇒ 令 ⇒ 令

(글자풀이) 1 명령하다. 명령. 2 우두머리. 3 좋다. 아름답다.

[令夫人] (영부인) ① 신분이 높은 사람의 부인을 부르는 말. ② 남을 높이어 그의 부인을 이르는 말.

[令愛] (영애) 남의 딸을 높여서 이르는 말.

[口令] (구령) 단체 행동의 몸동작을 한결같이 하도록 호령함. 또는 그 호령.

[命令] (명령) 윗사람이 아랫사람에게 시킴. 또는 그 시키는 말.

[設令] (설령) 그렇다 하더라도.

[朝令暮改] (조령 모개) 아침에 영을 내리고 저녁에 고친다는 뜻으로, 법령이나 명령이 자주 바뀜을 이르는 말.

[至上命令] (지상 명령) 절대적으로 복종해야 할 명령.

[打令] (타령) ① 광대의 잡가나 판소리를 통틀어 이르는 말. ② 조선 시대 음악 곡조의 한 가지. ③ 어떤 사물이나 욕구에 대하여 자꾸 이야기하거나 뇌까리는 일.

3
⑤ 【仕】 벼슬 사　仕

부수 人 (사람 인) 부

찾기 亻²(人)＋士³ ＝ 5획

| ノ | 亻 | 仁 | 什 | 仕 | |

(글자뿌리) 형성(形聲) 문자. 사람 인(人〈뜻〉)에 선비 사(士〈음〉)를 합친 자로, 학문을 익힌 사람. 즉, 선비가 되어야 '벼슬'을 한다는 뜻.

글자풀이 1 벼슬. 벼슬하다. 2 섬기다.

[給仕] (급사) 관청이나 가게에서 잔심부름을 하는 사람.

[奉仕] (봉사) 자기를 돌보지 않고 남을 위하여 노력함.

³
⑤【仙】신선 선   仙

부수 人 (사람 인) 부
찾기 亻²(人)＋山³ = 5획

| ノ | イ | イ丶 | 仙 | 仙 | | |

글자뿌리 형성(形聲) 문자. 사람 인(人〈뜻〉)에 메 산(山〈음〉)을 합친 자로, 산 속에서 도를 닦아 늙지 않고 오래 사는 사람. 곧, '신선'을 뜻함.

글자풀이 1 신선. 선인. 2 고상한 사람.

[仙境] (선경) ① 신선이 산다는 곳. ② 속세를 떠난 깨끗한 곳.

[仙女] (선녀) 하늘 나라에서 산다고 하는 아름다운 여자.

[神仙] (신선) 도를 닦아 신통력을 얻은 사람. 圖 仙人(선인).

³
⑤【以】써   이   以

부수 人 (사람 인) 부
찾기 人²＋丨³ = 5획

| 丶 | 丿 | 丬 | 以丿 | 以 | | |

글자뿌리 형성(形聲) 문자. 밭을 가는 쟁기 이(丨 = 目 : 以의 옛 글자〈음〉)에 사람 인(人〈뜻〉)을 합친 자로, 사람은 쟁기를 써야 밭을 갈 수 있다는 데서 '까닭'을 뜻하게 된 자.

글자풀이 1 …써. …로서. 2 …부터. 3 까닭.

[以德報怨] (이덕 보원) 덕으로써 원한을 갚음. 원한이 있는 사람에게 은혜를 베풂.

[以上] (이상) 수량이나 단계를 나타낼 때 그것을 포함하여 그보다 많거나 위임을 나타냄.

[以心傳心] (이심 전심) 마음에서 마음으로 전함.

[以熱治熱] (이열 치열) 열로써 열을 다스림.

[以前] (이전) ① 일정한 때로부터 앞. ② 오래 전. 옛날.

[以後] (이후) ① 일정한 때로부터 뒤. ② 지금으로부터 뒤.

2획

³⑤【他】 다를 타　他

부수 人 (사람 인) 부
찾기 亻²(人)＋也³ = 5획

| 丿 | 亻 | 亻 | 忇 | 他 | | |

글자뿌리 형성(形聲) 문자. 사람 인(人〈뜻〉)에 잇기 야(也=它 : 他·蛇〈뱀 사〉의 옛 글자〈음〉)를 합친 자로, 뱀은 사람과 완전히 다른 동물이라는 데서 '다르다'의 뜻이 된 자.

글자풀이 1 다르다. 2 남. 3 겹치다.

[他界] (타계) ① 다른 세계. 타인의 세계. 저승. ② 귀인의 죽음을 이르는 말.

[他國] (타국) 다른 나라.

[他山之石] (타산지석) 다른 산에서 나는 나쁜 돌도 자기 옥(玉)을 가는 데에 소용이 됨. 즉, 옳지 못한 남의 언행도 나의 지식과 인격을 닦는 데에 도움이 된다는 말.

[他殺] (타살) ① 남이 죽임. ② 남에게 목숨을 빼앗김.

[他律] (타율) ① 다른 규율. ② 자기 생각대로 하지 않고 남의 지배하에서 행동함. 凾 自律(자율).

[他意] (타의) ① 다른 생각. ② 다른 사람의 뜻. 凾 自意(자의).

[他處] (타처) 다른 곳.

[他鄕] (타향) 제 고향이 아닌 다른 고장.

[其他] (기타) 그 밖의 또 다른 것. 그 밖.

[出他] (출타) ① 다른 지방으로 나감. ② 밖으로 나감. 외출.

⁴⑥【伐】 칠 벌　伐

부수 人 (사람 인) 부
찾기 亻²(人)＋戈⁴ = 6획

| 丿 | 亻 | 亻 | 仁 | 伐 | 伐 | |

글자뿌리 회의(會意) 문자. 사람 인(人)에 창 과(戈)를 합친 자로, 창을 가지고 사람을 '친다'는 뜻.

글자풀이 1 치다. 정벌하다. 2 베다.

[伐木] (벌목) 나무를 벰.

[伐採] (벌채) 산에 있는 나무를 베어 냄.

[伐草] (벌초) 봄과 가을에 무덤에 있는 잡풀을 베어서 깨끗이 함.

[殺伐] (살벌) 분위기·풍경·인간 관계 등이 몹시 거칠고 무시무시함.

[征伐] (정벌) 군대의 힘으로 적이나 죄 있는 무리를 치는 일.

[討伐] (토벌) 적이 되어 맞서는 무리를 군대의 힘으로 공격하여 없앰.

4
⑥【伏】 엎드릴 복 伏

부수 人 (사람 인) 부
찾기 亻²(人)+犬⁴ = 6획

丿 亻 仁 仕 伏 伏

글자뿌리 회의(會意) 문자. 사람 인(人)에 개 견(犬)을 합친 자로, 개〔犬〕가 사람〔人〕 곁에서 엎드려 사람의 뜻을 살핀다는 데서, '엎드리다'의 뜻이 된 자.

글자풀이 1 엎드리다. 2 숨다. 3 굴복하다.

[伏兵] (복병) 적을 몰래 공격하기 위하여 군사를 숨기어 둠. 또는 그 군사.

[伏日] (복일) 여름의 복날. 즉, 초복·중복·말복을 이름.

[起伏] (기복) ① 일어났다 엎드렸다 함. ② 세력이 강해졌다 약해졌다 함.

[哀乞伏乞] (애걸 복걸) 애처롭게 사정하여 굽실거리며 빌고 또 빎.

[降伏] (항복) 전쟁에서 자신이 진 것을 인정하고 상대방에게 굴복함.

4
⑥【仰】 우러러볼 앙
사모할 앙 仰

부수 人 (사람 인) 부
찾기 亻²(人)+卬⁴ = 6획

丿 亻 亻' 亿 仰 仰

글자뿌리 회의(會意)·형성(形聲) 문자. 사람 인(人〈뜻〉)에 우러러볼 앙(卬〈음〉)을 합친 자로서, 서 있는 사람〔亻〕을 무릎을 꿇고 있는 사람〔卬〕이 바라보고 있다는 데서, '우러러보다'의 뜻.

글자풀이 1 우러러보다. 믿다. 의지하다. 2 사모하다. 따르다. 좇다.

[仰望] (앙망) ① 우러러봄. ② 존경하여 사모함.

[信仰] (신앙) 무엇인가를 굳게 믿으며, 그 가르침을 지키고 따르는 일.

[推仰] (추앙) 높이 받들어 우러러봄.

4
⑥【休】 쉴 휴 休

2
획

부수	人 (사람 인) 부
찾기	亻²(人)＋木⁴ ＝ 6획

ノ	イ	亻	什	休	休

글자뿌리 회의(會意) 문자. 사람 인(人)에 나무 목(木)을 합친 자로, 사람[人]이 나무[木] 그늘에서 쉬고 있는 모양에서 '쉬다'의 뜻이 된 자.

글자풀이 1 쉬다. 2 아름답다. 좋다.

[休暇] (휴가) 학교나 직장 등을 일정한 기간 동안 쉬는 일. 또는 그 겨를.
[休息] (휴식) 하던 일을 멈추고 잠깐 동안 쉼.
[休養] (휴양) 피로나 병의 회복을 위하여 몸을 편히 쉼.
[休日] (휴일) 쉬는 날.
[休戰] (휴전) 전쟁을 중지함.
[公休日] (공휴일) 모두가 쉬는 날. 국경일이나 일요일.
[無休] (무휴) 쉬는 날이 없음. ¶ 年中無休(연중 무휴).

[年休] (연휴) 쉬는 날이 이틀 이상 겹쳐져서 연달아 노는 일. 또는 계속되는 휴일.

⁵ ⑦ 〔**但**〕 다만 단　但

부수	人 (사람 인) 부
찾기	亻²(人)＋旦⁵ ＝ 7획

ノ	イ	亻	亻⁷	但	但	但

글자뿌리 형성(形聲) 문자. 사람 인(人〈뜻〉)에 아침 단(旦〈음〉)을 합친 자로, 사람(人)이 윗옷 한쪽을 벗으면[袒] 솔직하다는 데서 '다만'의 뜻이 된 자.

글자풀이 1 다만. 오로지. 홀로. 2 무릇. 부질없이.

[但只] (단지) 다만. 겨우. 오직.
[非但] (비단) 부정하는 말 앞에서 '다만'의 뜻으로 쓰임.

⁵ ⑦ 〔**佛**〕 부처 불　佛

부수	人 (사람 인) 부
찾기	亻²(人)＋弗⁵ ＝ 7획

ノ	イ	亻	亻⁻	佛	佛	佛

글자뿌리 형성(形聲) 문자. 사람 인(人〈뜻〉)에다 아닐 불(弗〈음〉)을 합친 자로, 진리를 깨우쳐 사사로운 욕망에 얽매이지 않

는 사람, 곧 '부처'를 뜻함.

글자풀이 1 부처. 불교. 2 불란서(프랑스)의 약칭.

[佛經] (불경) 불교의 경전.

[佛供] (불공) 부처 앞에 공양하는 일.

[佛教] (불교) 석가모니의 가르침을 근본으로 하는 종교.

[佛堂] (불당) 부처를 모신 집.

[佛心] (불심) ① 부처의 자비심. ② 깨달음이 깊고 번뇌에 흐려지지 않는 마음.

[佛語] (불어) 프랑스 말.

[念佛] (염불) 부처님의 공덕을 생각하며 '나무아미타불'을 외는 일.

[禮佛] (예불) 부처에게 예배함.

5
⑦ 【余】 나 여 余

부수 人 (사람 인) 부

찾기 人² + 禾⁵ = 7획

ノ 人 人 仝 仐 余 余

글자뿌리 상형(象形) 문자. 나무로 지붕을 받친 건물 모양을 본뜬 글자. 나머지 여(餘)의 약자.

글자풀이 1 나. 2 나머지.

[余等] (여등) 우리들.

2획

5
⑦ 【位】 자리 위 位

부수 人 (사람 인) 부

찾기 亻²(人) + 立⁵ = 7획

ノ 亻 亻 亻 仕 位 位

글자뿌리 회의(會意) 문자. 사람 인(人)에 설 립(立)을 합친 자로, 옛날 조정에서 품계에 따라 임금 앞에 서던 '자리'를 뜻함.

글자풀이 1 자리. 위치. 2 품위. 품격.

[位階] (위계) 벼슬의 등급. ¶ 位階秩序 (위계 질서).

2획

[位置](위치) ① 차지한 자리. 지위. ② 사람이나 물건이 자리 잡고 있는 곳.

[單位](단위) ① 비교·계산하는 데 기본이 되는 것. ② 무엇을 이루는 가장 기본적인 것.

[方位](방위) 동서남북을 기준으로 하여 정한 방향.

[本位](본위) ① 원래의 위치나 지위. ② 생각이나 행동의 중심이 되는 기준.

[卽位](즉위) 임금의 자리에 오름.

[地位](지위) ① 있는 자리. 또는 위치. ② 사회적 신분에 따라 개인이 차지하는 자리나 계급.

[品位](품위) 사람이나 물건이 지닌 좋은 인상.

⑤
⑦ 【作】 지을 작 作

부수 人(사람 인)부
찾기 亻²(人)+乍⁵ = 7획

丿 亻 亻 亻 乍 作 作

글자뿌리 형성(形聲) 문자. 사람 인(人〈뜻〉)에다 잠깐 사(乍〈음〉)를 합친 자. 사람〔人〕이 잠깐〔乍〕도 쉬지 않고 물건을 만든다 하여 '짓다'의 뜻이 된 자.

𤯭 ⇒ 𤰀 ⇒ 作

글자풀이 1 짓다. 일하다. 이루다. 2 만들다.

[作家](작가) ① 문학이나 예술 등의 창작 활동을 하는 사람. ② 소설가.

[作故](작고) 죽음.

[作曲](작곡) 악곡을 지음.

[作名](작명) 사람이나 사물의 이름을 지음.

[作別](작별) 같이 있던 사람이 서로 헤어짐.

[作況](작황) 농사가 잘 되고 못 된 상황.

[耕作](경작) 밭을 갈아 농사를 지음.

[動作](동작) ① 무슨 일을 하려고 몸을 움직이는 일. 또는 그 몸놀림. ② 기계가 기능을 발휘하여 작동함.

⑤
⑦ 【低】 낮을 저 低

부수 人(사람 인)부
찾기 亻²(人)+氐⁵ = 7획

ノ 亻 亻 亻 亻 低 低

글자뿌리 형성(形聲) 문자. 사람 인(人〈뜻〉)에 근본 저(氐〈음〉)를 합친 자로, 사람[人]이 머리를 낮게 숙인다[氐]는 데서, '낮다'의 뜻이 된 자.

⇒ ⇒ 低

글자풀이 1 낮다. 2 숙이다. 구부리다.

[低價] (저가) 헐값. 싼값.

[低級] (저급) ① 낮은 등급이나 계급. ② 정도가 낮음. 취미가 천함.

[低廉] (저렴) 물건 값이 쌈.

[低俗] (저속) ① 학문이나 예술성 등의 정도가 고상하지 못하고 천박함. ② 인격이 낮고 속됨.

[低溫] (저온) 낮은 온도.

[低下] (저하) ① 낮아짐. ② 수준·물가·능률 따위가 떨어져 낮아짐.

[高低長短] (고저 장단) 높고 낮음과 길고 짧음.

[最低] (최저) 가장 낮음.

5
⑦ 【住】 살 주 住

부수 人 (사람 인) 부

찾기 亻²(人)＋主⁵ = 7획

ノ 亻 亻 亻 住 住 住

글자뿌리 형성(形聲) 문자. 사람 인(人〈뜻〉)에 주인 주(主〈음〉)를 합친 자로, 사람[人]이 일정한 곳에 주[主]로 머물러 산다는 데서, '머물다', '살다'의 뜻이 된 자.

⇒ ⇒ 住

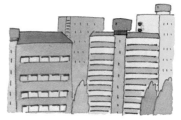

글자풀이 1 살다. 머물다. 2 거처. 3 멈추다. 세우다.

[住民] (주민) 일정한 땅에 머물러 사는 국민.

[住所] (주소) ① 살고 있는 곳. ② 생활의 근거가 되는 곳.

[住宅] (주택) 사람이 사는 집.

[安住] (안주) ① 자리를 잡아서 편안하게 삶. ② 현재의 상태에 만족하고 있음.

[永住] (영주) 어떤 곳에서 오랫동안 삶. 또는 죽을 때까지 오래도록 삶.

[移住] (이주) 다른 곳이나 다른 나라로 옮아가서 삶.

[入住] (입주) 특정한 땅 또는

2
획

2 획

새로 지은 집 등에 들어가서 삶.

5 ⑦ 【何】 어찌 하

何

부수 人(사람 인)부
찾기 亻²(人)+可⁵ = 7획

丿 亻 亻 亻 亻 何 何

(글자뿌리) 형성(形聲) 문자. 사람 인(人〈뜻〉)에 허락할 가(可〈음〉)를 합친 자. 원래 사람이 짐을 멘 모양을 본뜬 자로, 그 물건에 대해 의문을 품었다는 데서 '무엇'의 뜻이 된 자.

何 ⇒ 何 ⇒ 何

(글자풀이) 1 어찌. 무엇. 2 얼마. 3 누구.

[何等](하등) 아무런. 조금도.
[何時](하시) 어느 때. 언제.
[何如間](하여간) 어쨌든.
[何必](하필) 어찌하여 반드시. 어째서 꼭.
[幾何級數](기하 급수) 어떤 사물이 이전의 몇 배씩 급속하게 불어남을 이르는 말.
[如何間](여하간) 어떠하든지 간에.

6 ⑧ 【佳】 아름다울 가

佳

부수 人(사람 인)부
찾기 亻²(人)+圭⁶ = 8획

丿 亻 亻⁻ 亻⁺ 仕 佳 佳

(글자뿌리) 형성(形聲) 문자. 사람 인(人〈뜻〉)에 홀 규(圭〈음〉)를 합친 자로, 사람의 자태가 옥 같이 착하고 곱다는 데서 '아름답다'의 뜻이 된 자.

佳 ⇒ 佳 ⇒ 佳

(글자풀이) 1 아름답다. 2 좋다. 훌륭하다. 3 좋아하다.

[佳約](가약) ① 좋은 언약. ② 연인과 만날 약속. ③ 부부(夫婦)가 되자는 약속.
[佳人薄命](가인 박명) 용모가 아름다운 여자는 불행함. 또는 명이 짧음.
[百年佳約](백년 가약) 남녀가 결혼하여 한평생을 함께 지내자는 아름다운 약속.
[絶世佳人](절세 가인) 이 세상에서는 비길 사람이 없을 정도로 빼어나게 아름다운 여자. 절세 미인(美人).

6
⑧ 【**來**】 올 래 　來

부수 人 (사람 인) 부
찾기 人²＋來⁶ ＝ 8획

一	厂	厂	厸	來	來	來

글자뿌리 상형(象形) 문자. 보리 이삭이 달려 있는 모양을 본뜬 글자.

글자풀이 **1** 오다. **2** 다가오다.

[來歷] (내력) 지내온 경력.
[來訪] (내방) 찾아와서 봄.
[來賓] (내빈) 손님으로 찾아옴. 또는 그 사람.
[來世] (내세) 불교에서 이르는 세 곳의 세상 중 하나로, 죽은 뒤에 영혼이 다시 태어난다는 미래의 세상.
[來往] (내왕) 오고 가고 함.
[去來] (거래) ① 상품을 사고 파는 일. ② 돈을 주고 받는 일. ③ 서로의 이익을 위해서 벌이는 교섭.

[未來] (미래) 현재를 기준으로 하여 아직 다가오지 않은 때. 장래.
[由來] (유래) 사물이 어디에서 연유하여 옴. 또는 그 내력.
[傳來] (전래) ① 예로부터 전하여 내려옴. ② 외국으로부터 전하여 들어옴.
[招來] (초래) 어떤 결과가 오게 함.

6
⑧ 【**例**】 법식 례 　例

부수 人 (사람 인) 부
찾기 亻²(人)＋列⁶ ＝ 8획

丿	亻	亻	亻	伢	例	例

글자뿌리 형성(形聲) 문자. 사람 인(人〈뜻〉)에 벌일 렬(列〈음〉)을 합친 자.

글자풀이 **1** 법식. 관습. **2** 보기. 예.

[例年] (예년) 여느 해. 별일없이 보통으로 지나간 해.
[例事] (예사) 흔히 있는 일.
[例示] (예시) 예를 들어 보임.
[例外] (예외) 일반적인 규칙이나 예에서 벗어난 일.
[例證] (예증) 예를 들어서 증

명함.

[事例] (사례) 일의 전례(前例)나 실례(實例).

[先例] (선례) 앞의 예.

[年例] (연례) 해마다 내려오는 예. ¶ 年例行事(연례 행사).

[次例] (차례) 일정하게 하나씩 벌여 나가는 순서.

**6
⑧ 【使】** 하여금 사
사신 사 　*使*

부수 人 (사람 인) 부

찾기 亻²(人) + 吏⁶ = 8획

| 丿 | 亻 | 亻 | 亻 | 佢 | 使 | 使 |

(글자뿌리) 회의(會意) 문자. 사람 인(人)에 아전 리(吏)를 합친 자로, 윗사람이 아전에게 일을 시킨다는 데서 '시키다'의 뜻.

🐾 ⇒ 使 ⇒ 使

(글자풀이) 1 하여금. 하게 하다. 2 시키다. 3 사신. 심부름하다.

[使命] (사명) 마땅히 해야 할 일. 또는 지워진 임무.

[使臣] (사신) 임금이나 나라의 명령으로 외국에 심부름을 가는 신하.

[使用] (사용) ① 물건을 씀. ② 사람을 부림.

[使者] (사자) ① 어떠한 임무를

띠고 심부름을 하는 사람. ② 죽은 사람의 혼을 저승으로 잡아간다는 염라국의 사신.

[大使] (대사) 나라를 대표하여 외교·조약·기타의 일을 맡아 보살피는 사람의 첫째 계급.

[密使] (밀사) 비밀리에 보내는 심부름꾼.

[天使] (천사) ① 마음씨가 곱고 어진 사람. ② 하느님의 사자로 하느님과 인간 사이에서 중간 역할을 하는 존재.

[行使] (행사) 부려서 씀. ¶ 權利行使(권리 행사).

**6
⑧ 【依】** 의지할 의　*依*

부수 人 (사람 인) 부

찾기 亻²(人) + 衣⁶ = 8획

| 丿 | 亻 | 亻 | 仸 | 仔 | 佐 | 依 |

(글자뿌리) 형성(形聲) 문자. 사람 인(人〈뜻〉)에 옷 의(衣〈음〉)를 합친 자로, 사람이 옷으로 몸을 보호한다는 데서 '의지하다'의 뜻임.

글자풀이 **1** 의지하다. 돕다. 힘이 되다. **2** 좇다. 따르다.

[依賴] (의뢰) 남에게 의지하거나 부탁함.

[依然] (의연) 이전과 다름없음. ¶舊態依然(구태 의연).

[依存] (의존) 의지하고 있음.

7
⑨ 【保】 지킬 보 保

부수 人(사람 인) 부

찾기 亻²(人)＋呆⁷ = 9획

ノ	イ	亻	亻⁷	亻口	亻口	仔

| 伢 | 保 | | | | | |

글자뿌리 회의(會意) 문자. 사람 인(人)에 어리석을 매(呆)를 합친 자로, 사람이 아이를 업고 있는 모양으로 '지키다'의 뜻. 또, 바보는 다른 사람의 도움을 받아야 한다는 데서 '돕다'의 뜻이 된 자.

글자풀이 **1** 지키다. 보호하다. **2** 돕다. **3** 기르다. **4** 맡다. 책임지다. **5** 시중들다.

[保健] (보건) 건강을 지켜 나가는 일.

[保留] (보류) 뒷날로 미루어 둠.

[保姆] (보모) ① 어린이를 돌보는 여자. ② 유치원이나 유아원 등의 여교사.

[保守] (보수) ① 보전하여 지킴. ② 재래의 풍속·습관과 전통을 그대로 지킴.

[保身] (보신) 자기의 지위·명성이나 목숨을 안전하게 지킴.

[保安] (보안) 사회의 안녕과 질서를 지킴.

[保溫] (보온) 일정한 온도를 보전함.

[保有] (보유) 지니고 있음.

[保育] (보육) ① 어린아이를 보살피며 기르는 일. ② 어린아이들이 올바르게 자랄 수 있도록 유치원·탁아소 등에서 베푸는 교육.

[保全] (보전) 보호하여 안전하게 지킴.

[保存] (보존) 잘 지니어 상하거나 잃지 않도록 함.

[保證] (보증) 책임지고 틀림이 없음을 증명함.

[確保] (확보) ① 확실하게 보유함. ② 확실하게 보증함.

7
【俗】 풍속 속 俗
⑨

부수 人(사람 인)부
찾기 亻²(人)+谷⁷ = 9획

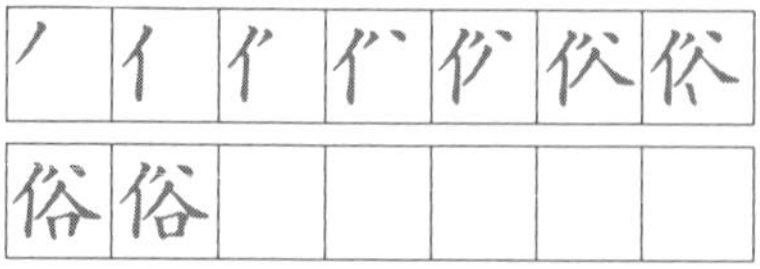

(글자뿌리) **형성(形聲) 문자.** 사람 인(人〈뜻〉)에 골짜기 곡(谷〈음〉)을 합친 자로, 사람들이 한 골짜기에 모여 살면 같은 '풍속'을 갖게 된다는 뜻.

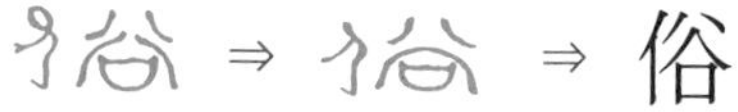

(글자풀이) 1 **풍속.** 풍습. 2 바라다. 원하다. 3 잇다. 계승하다.

[俗談](속담) 옛날부터 사람들 사이에 전해 내려오는, 교훈이 되는 말.

[俗名](속명) ① 본명. ② 불교에서 스님들이 출가하기 전에 부르던 이름. ③ 속된 명성.

[俗物](속물) ① 배움이 없거나 자신의 명예와 이익만을 좇는 사람. ② 속된 물건.

[俗說](속설) 세상 사람들 사이에서 전해지는 설.

[俗世](속세) 불교에서 이 세상을 일컫는 말.

[俗語](속어) 통속적으로 쓰이는 저속한 말.

[俗人](속인) ① 세상의 일반 사람. ② 학식이 없거나 풍류를 알지 못하는 사람.

[俗稱](속칭) ① 세속에서 보통 부르는 이름. ② 통속적인 일컬음. 또는 그 명칭.

[民俗](민속) 민간의 풍속.

[習俗](습속) 어떤 사회나 지역에서 옛날부터 전해 내려오는 습관들이 생활화된 풍속.

[低俗](저속) 고상하지 못하고 천박함.

[土俗](토속) 그 지방 특유의 습관이나 풍속.

[風俗](풍속) 예로부터 내려오는 생활에 관한 사회적 습관.

7
【信】 믿을 신 信
⑨

부수 人(사람 인)부
찾기 亻²(人)+言⁷ = 9획

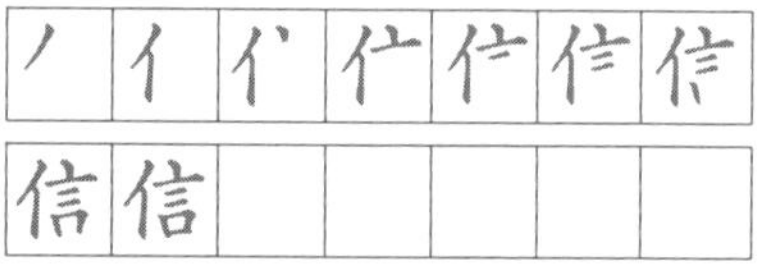

(글자뿌리) **회의(會意) 문자.** 사람 인(人)에 말씀 언(言)을 합친 자로, 사람의 말은 마음에서 우러나와 거짓이 없는 것이어야 한다는 데서 '믿다'의 뜻이 된 자.

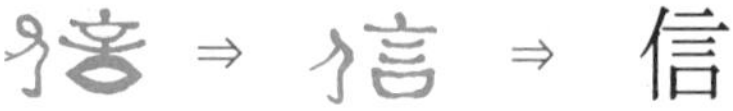

<u>글자풀이</u> **1** 믿다. 진실. **2** 분명히 하다. **3** 알다. **4** 표지. 증표.

[信念] (신념) 굳게 믿어 의심하지 않는 마음.

[信徒] (신도) 종교를 믿는 사람. 통信者(신자).

[信望] (신망) 믿고 바람. 믿음과 덕망.

[信奉] (신봉) 믿고 받듦.

[信心] (신심) 종교를 믿는 마음. 또는 믿으며 비는 마음.

[信用] (신용) ① 믿어 의심하지 않음. ② 물건을 먼저 주고받은 다음, 그에 대한 값은 뒷날 치르는 거래.

[信義] (신의) 믿음과 의리. 진실하고 올바름.

[信條] (신조) 굳게 믿어 지키고 있는 일.

[信號] (신호) 소리·색깔·빛 등의 일정한 부호로 서로의 의사를 전달하는 일. 또는 그 부호.

[背信] (배신) 믿음을 저버림.

[自信] (자신) 스스로의 가치나 능력을 믿음. 또는 그런 마음.

[通信] (통신) ① 소식을 전함. ② 우편·전신·전화 등으로 서로 소식을 전하는 일.

[確信] (확신) 굳게 믿음. 확실히 믿음.

7
⑨ 【便】 ❶ 편할 편
❷ 오줌 변
便

부수 人 (사람 인) 부
찾기 亻²(人)＋更⁷ = 9획

丿	亻	亻	亻	佢	佢	佰
便	便					

<u>글자뿌리</u> 회의(會意) 문자. 사람 인(人)에 고칠 경(更)을 합친 자로, 사람이 불편한 것은 고쳐서 편리하게 함을 뜻함.

亻쀻 ⇒ 亻쭻 ⇒ 便

<u>글자풀이</u> **1** 편하다. **2** 소식. 편지. **3** 오줌. 똥.

[便利] (편리) 어떤 일을 하는데 편하고 이용하기 쉬움.

[便法] (편법) 편리한 방법. 손쉬운 방법.

[便乘] (편승) ① 남이 타는 차에 한 자리를 얻어 탐. ② 남의 세력이나 형편을 이용하여 자기의 이익을 얻음.

[便安] (편안) 몸이나 마음이 거북하지 않고 한결같이 좋음.

[便宜] (편의) 편리하고 좋음.

[便紙] (편지) 소식을 알리거나 어떤 용건을 적어 보내는 글.

[便器] (변기) 똥·오줌을 받아 내는 그릇.

[便祕] (변비) 똥이 잘 누어지지 않음.

[便所] (변소) 뒷간. 화장실.

---

⑧
⑩ **[個]** 낱 개 個

부수 人 (사람 인) 부

찾기 亻²(人)＋固⁸ = 10획

ノ	亻	亻	们	佀	個	個
個	個	個				

글자뿌리 형성(形聲) 문자. 사람 인(人〈뜻〉)에 굳을 고(固〈음〉)를 합친 자. 원래 대나무를 세는 낱 개(固 : 箇의 생략자)였으나, 사람 인(人)을 붙여 물건을 세는 단위로 쓰임.

⌘ ⇒ 亻固 ⇒ 個

글자풀이 1 낱. 2 개.

[個別] (개별) 낱낱이 따로 나눔. 따로따로.

[個性] (개성) 개개인의 특유한 성질.

[個人] (개인) 낱낱의 한 사람.

[個體] (개체) 따로따로 떨어진 낱낱의 물체.

---

⑧
⑩ **[倫]** 인륜 륜 倫

부수 人 (사람 인) 부

찾기 亻²(人)＋侖⁸ = 10획

ノ	亻	亻	亻	佲	佮	佮
侴	倫	倫				

글자뿌리 형성(形聲) 문자. 사람 인(人〈뜻〉)에 생각할·뭉칠 륜(侖〈음〉)을 합친 자로, 사람이 뭉쳐서 살려면 '윤리'가 있어야 함을 뜻함.

글자풀이 1 인륜. 윤리. 2 무리.

[倫理] (윤리) 사람이 살아가면서 지켜야 할 도리.

[五倫] (오륜) 유교에서 이르는 다섯 가지의 도리. 즉, 임금과 신하 사이의 의리, 아버지와 자식 사이의 친애(親愛), 부부 사이의 분별(分別), 어른과 아랫사람 사이의 차례, 친구 사이의 신의(信義).

[人倫] (인륜) ① 사람으로서 마땅히 지켜야 할 도리. ② 사람과 사람 사이에 자연적으로 생겨난 질서.

[天倫] (천륜) 부모와 자식, 그리고 형제 사이에 마땅히 지켜야 할 도리.

[悖倫] (패륜) 사람으로서 마땅히 지켜야 할 도리에 어긋남.

8
⑩〔修〕 닦을 수 修

부수 人 (사람 인) 부
찾기 亻²(人) + 攸⁸ = 10획

ノ	亻	亻	修	修	修	攸
修	修	修				

글자뿌리 형성(形聲) 문자. 아득할 유(攸〈음〉)에다 터럭 삼(彡〈뜻〉)을 합친 자로, 흐르는 물에 머리털을 감아 곱게 꾸미듯이 마음을 '닦음'을 뜻함.

獏 彡 ⇒ 亻攴彡 ⇒ 修

글자풀이 1 닦다. 2 다스리다. 3 고치다.

[修交] (수교) 나라와 나라 사이에 국교를 맺음.

[修道] (수도) 도를 닦음.

[修羅場] (수라장) 뒤범벅이 되어 야단이 난 곳. 모진 싸움으로 비참하게 된 곳.

[修練] (수련) 인격·기술·학문 등을 닦아서 단련함.

[修理] (수리) 고장난 데나 허름한 데를 손대어 고침.

[修飾] (수식) ① 겉모양을 꾸밈. 멋을 부림. ② 그 뜻을 더 자세히 설명함.

[修身齊家] (수신 제가) 자기의 몸과 마음을 닦고 집안을 다스리는 일.

[修養] (수양) 몸과 마음을 단련하여 품성이나 지식·도덕을 닦음.

[修業] (수업) 학문·예술·기능 등을 익히고 닦음.

[修正] (수정) 바로잡아 고침.

[修學] (수학) 학업을 닦음.

[修好] (수호) 나라와 나라가 사이 좋게 지냄. ¶修好條約(수호 조약).

[補修] (보수) 상했거나 부서진 부분을 손질하여 고침.

[嚴修] (엄수) 어기지 아니하고 꼭 지킴.

8
⑩〔借〕 빌릴 차 借

부수 人 (사람 인) 부
찾기 亻²(人) + 昔⁸ = 10획

| ノ | イ | イ⁻ | イ⁺ | イᵗᵗ | 借 | 借 |
| 借 | 借 | 借 | | | | |

글자뿌리 형성(形聲) 문자. 사람 인(人〈뜻〉)에 옛 석(昔〈음〉)을 합친 자로, 백성이 나라의 땅을 오래 빌려서 농사짓는다는 데서 '빌리다'의 뜻이 된 자.

글자풀이 1 빌리다. 2 가령.

[借力](차력) 힘을 빌린다는 뜻으로, 약이나 신령의 힘을 빌려 몸과 마음을 굳세게 함. 또는 그리하여 얻는 힘.

[借用](차용) 다른 사람의 물건이나 돈을 빌려서 씀.

[假借](가차) ① 임시로 빌리거나 꿈. ② 한자 육서(六書) 중의 하나로, 음이 같은 다른 글자를 빌려 쓰는 것.

⁹ ⑪ 〔假〕 거짓 가 假

부수 人 (사람 인) 부
찾기 イ ²(人) + 叚 ⁹ = 11획

| ノ | イ | イ' | イ' | イⁿ | 作 | 作 |
| 作 | 作 | 假 | 假 | | | ' |

글자뿌리 형성(形聲) 문자. 사람 인(人〈뜻〉)에 허물 가(叚〈음〉)를 합친 자로, 다른 사람에게서 빌린 것은 자기의 것이 아니므로 '거짓', '임시'의 뜻.

글자풀이 1 거짓. 가짜. 2 임시. 3 빌리다.

[假建物](가건물) 임시로 지은 건물.

[假橋](가교) 임시로 놓은 다리.

[假令](가령) 가정하여. 이를테면. 예를 들어.

[假面](가면) ① 나무·흙·종이 등으로 만든 얼굴의 형상. 탈. ② 속마음을 감추고 거짓으로 꾸미는 행위나 태도.

[假名](가명) ① 거짓으로 일컫는 이름. ② 남의 이름을 빌림.

[假分數](가분수) 산수에서, 분자가 분모보다 크거나 같은 분수.

[假想](가상) 실제는 없는 것을 있는 것처럼 미루어 생각함.

[假裝](가장) ① 거짓으로 꾸밈. ② 얼굴이나 옷차림을 거짓으로 꾸밈.

[假定](가정) ① 임시로 정함. ② 사실이 아니거나 분명하지 않은 것을 사실처럼 인정함.

9 ⑪ 〔偉〕 클 위 偉

부수 人(사람 인) 부
찾기 亻²(人)+韋⁹ = 11획

丿 亻 亻' 亻'' 伫 伫 偉

偉 偉 偉 偉

글자뿌리 형성(形聲) 문자. 사람 인(人〈뜻〉)에 어길 위(韋〈음〉)를 합친 자로, 보통 사람과는 다르다는 데서 '위대하다'의 뜻.

글자풀이 크다. 뛰어나다.

[偉大](위대) 뛰어나고 훌륭함.
[偉力](위력) 위대한 힘.
[偉業](위업) 위대한 사업이나 업적.
[偉容](위용) 뛰어나게 훌륭한 용모나 모양.
[偉人](위인) 위대하고 훌륭한 사람. ¶偉人傳(위인전).

9 ⑪ 〔停〕 머무를 정 停

부수 人(사람 인) 부
찾기 亻²(人)+亭⁹ = 11획

丿 亻 亻' 亻宀 亻宀 亻冖 佇

佇 停 停 停

글자뿌리 형성(形聲) 문자. 사람 인(人〈뜻〉)에 정자 정(亭〈음〉)을 합친 자로, 사람이 정자에서 잠시 머물러 쉰다는 데서 '머무르다'의 뜻이 된 자.

글자풀이 1 머무르다. 2 그만두다. 쉬다.

[停年](정년) 공무원이나 회사 직원이 그 직에서 물러나도록 정해져 있는 나이.
[停留場](정류장) 사람이 타고 내릴 수 있도록 자동차나 전차를 멈추는 일정한 곳.
[停電](정전) 전기가 한때 중단됨.
[停戰](정전) 전쟁을 하던 중 서로의 합의에 의하여 전투를 중단함.

[停止] (정지) 중도에서 멈추거나 그침.

[停學] (정학) 학교에서 학생의 등교를 정지시키는 처벌.

[急停車] (급정거) 달리던 차가 급히 섬. 또는 차를 급히 세움.

10
⑫【備】 갖출 비 備

부수 人 (사람 인) 부

찾기 亻²(人)＋甫¹⁰ = 12획

ノ	イ	亻	什	伊	佛	伊

| 伊 | 俏 | 備 | 備 | 備 | | |

글자뿌리 형성(形聲) 문자. 사람 인(人〈뜻〉)에 갖출 비(甫 : 화살을 넣어 두는 통을 본뜬 자〈음〉)를 합친 자로, 활통에 항상 활을 넣어 둔다는 데서 '갖추다'의 뜻.

글자풀이 1 갖추다. 갖추어지다. 2 준비. 3 모두. 다.

[備考] (비고) 참고하기 위하여 갖춤. 또는 그 내용.

[備忘錄] (비망록) 잊지 않도록 적어 두는 기록.

[備置] (비치) 갖추어 놓음. 마련해 둠.

[備品] (비품) 회사나 관청에서 갖추어 놓고 쓰는 물품.

[兼備] (겸비) 두 가지 이상의 좋은 점을 함께 갖추어 가짐.

[具備] (구비) 필요한 것을 빠짐없이 두루 갖춤.

[常備] (상비) 늘 준비하여 둠.

[守備] (수비) 지켜 막음.

[豫備] (예비) 미리 준비함. 또는 그 준비.

[整備] (정비) ① 뒤섞이거나 흩어진 것을 가다듬어 바로 갖춤. ② 기계류나 그에 딸린 것들을 수리함.

11
⑬【傷】 상할 상 傷

부수 人 (사람 인) 부

찾기 亻²(人)＋昜¹¹ = 13획

ノ	イ	亻	亻	亻	们	俏

| 俏 | 傗 | 傷 | 傷 | 傷 | 傷 | |

글자뿌리 형성(形聲) 문자. 사람 인(人〈뜻〉)에 상처 입을 상(昜〈음〉)을 합친 자로, 사람이 몸을 다쳐서 '상처 입다'의 뜻.

글자풀이 1 상하다. 다치다. 2 해치다. 3 애태우다. 근심하다.

[傷心] (상심) 마음을 상함. 마음 아파함.

[傷處] (상처) 몸의 다친 자리.

[感傷] (감상) ① 어떤 대상으로부터 받은 느낌으로 마음 아파하는 일. ② 하찮은 사물에서도 쉽게 슬픔을 느끼는 마음.

[負傷] (부상) 몸에 상처를 입음. ¶ 負傷者(부상자).

[死傷] (사상) ① 죽거나 다침. ② 죽은 사람과 다친 사람.

[重傷] (중상) 큰 상처를 입음. ㉥ 輕傷(경상).

[火傷] (화상) 뜨거운 열에 데어서 상함. 또는 그렇게 입은 상처.

11 ⑬ 【傳】 전할 전 傳

부수 人(사람 인)부

찾기 亻²(人)+專¹¹ = 13획

丿	亻	亻	亻	伯	伯	佰
伸	伷	俥	傅	傳	傳	

글자뿌리 형성(形聲) 문자. 사람 인(人〈뜻〉)에 오로지 전(專〈음〉)을 합친 자로, 문서나 소식이 오로지 사람에 의해서만 전달되었다는 데서 '전하다'의 뜻이 된 자.

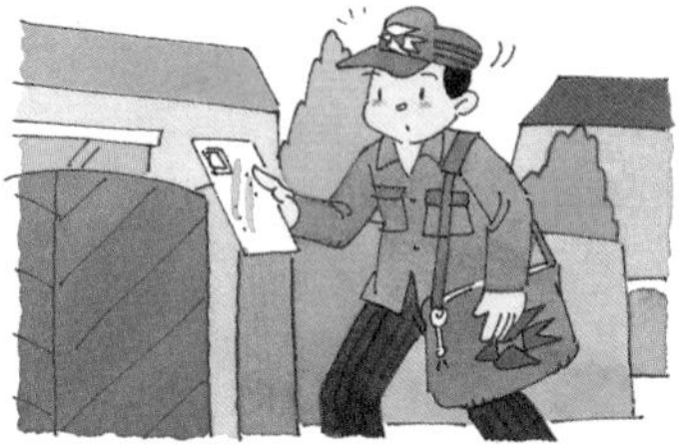

글자풀이 1 전하다. 2 말하다. 서술하다. 3 보내다. 옮기다.

[傳記] (전기) 어떤 사람이 태어나서 죽을 때까지 한 일을 이야기식으로 적은 글.

[傳達] (전달) 전함. 전하여 미치게 함.

[傳來] (전래) 전하여 내려옴.

[傳說] (전설) 옛날부터 전해 내려오는 이야기.

[傳送] (전송) 전하여 보냄.

[傳承] (전승) 대대로 전하여 이어 감.

[傳染] (전염) ① 병균이 옮음. ② 좋지 않은 버릇이나 태도 등이 전하여 물이 듦.

[傳統] (전통) 지난날로부터 이어져 내려오는 생각·습관·행동들이나 그 정신.

[傳播] (전파) 전하여 널리 퍼뜨리거나 퍼짐.

[口傳] (구전) 말로 전함. 또는 말로 전해짐.

[宣傳] (선전) 어떤 일이나 생각 등을 사람들에게 퍼뜨려 알림.

¹³
⑮【價】값 가 價

부수 人 (사람 인) 부

찾기 亻²(人)＋賈¹³ ＝ 15획

ノ	亻	亻	价	价	価	価
価	価	価	價	價	價	價

글자뿌리 형성 (形聲)·회의 (會意) 문자. 사람 인(人〈뜻〉)에 앉은 장사 가(賈〈음〉)를 합친 자로, 사람이 장사를 하면 물건의 값이 정해진다는 데서 '값'의 뜻이 된 자.

$$亻賈 ⇒ 亻價 ⇒ 價$$

글자풀이 1 값. 2 수.

[價格] (가격) 값.

[價値] (가치) ① 값. ② 값어치.

[高價] (고가) 값이 비쌈. 비싼 값. ⑪ 低價(저가).

[單價] (단가) 낱개의 값.

[代價] (대가) 값. 어떤 일을 함으로써 얻는 값어치.

[物價] (물가) 물건 값. 상품의 시장 가격.

[廉價] (염가) 싼 값.

[原價] (원가) 본래의 값. 처음 사들일 때의 값.

[定價] (정가) 정하여진 값.

[眞價] (진가) 참된 값어치.

[評價] (평가) ① 값어치를 따져 밝힘. ② 사람이나 사물의 가치를 측정·판단함.

¹³
⑮【億】억 억 億

부수 人 (사람 인) 부

찾기 亻²(人)＋意¹³ ＝ 15획

ノ	亻	亻	伫	伫	伫	倍
倍	倍	倍	億	億	億	億

글자뿌리 형성(形聲) 문자. 사람 인(人〈뜻〉)에 뜻 의(意〈음〉)를 합친 자로, 사람이 생각할 수 있는 큰 수라는 데에서 '억'을 뜻함.

$$亻意 ⇒ 亻意 ⇒ 億$$

글자풀이 1 억. 2 많은 수.

[億劫] (억겁) 불교에서 말하는 무한히 길고 오랜 시간.

[億萬] (억만) 셀 수 없을 만큼 썩 많은 수효. ¶億萬長者(억만 장자).

[數億] (수억) 억의 두서너 곱절. 몇억.

² 儿 (어진 사람 인) 部

우뚝 선 사람. 또는 걷는 사람의 모양을 본뜬 글자.

---

²【元】으뜸 원　元
④

부수 儿 (어진 사람 인) 부
찾기 儿²＋二²＝4획

| 一 | 二 | テ | 元 | | |

글자뿌리 지사(指事) 문자. 어진 사람 인(儿)에 위 상(二 : 上의 옛 글자)을 합친 자로, 사람의 맨 위는 머리라는 데서 '으뜸'의 뜻이 된 자.

글자풀이 1 으뜸. 2 처음. 시작. 3 근본. 근원. 4 기운.

[元金] (원금) ① 밑천. 본전. ② 꾸어 준 돈에서 이자를 붙이지 아니한 본디의 돈.
[元氣] (원기) 마음과 기운.
[元年] (원년) ① 임금이 즉위한 해. ② 나라를 세운 해.
[元首] (원수) 한 나라를 대표하는 임금이나 대통령.
[元祖] (원조) ① 한 겨레의 맨 처음 조상. ② 어떤 일을 처음 시작한 사람.

---

³【兄】맏 형　兄
⑤

부수 儿 (어진 사람 인) 부
찾기 儿²＋口³＝5획

| 丿 | 冂 | 口 | 尸 | 兄 | |

글자뿌리 회의(會意) 문자. 입 구(口)에 어진 사람 인(儿)을 합친 자로, 사람[儿] 위에 서서 지시하는 말[口]을 한다는 데서, 곧 '맏이', '형'이라는 뜻이 된 자.

글자풀이 1 맏이. 형(언니). 2 벗을 높여 부르는 말.

[兄嫂] (형수) 형의 부인.
[兄弟] (형제) 형과 아우.
[老兄] (노형) 비슷한 또래 사이에서 대접하여 부르는 말.
[姉兄] (자형) 손윗누이의 남편. 손위 매부(妹夫).

---

⁴【光】빛 광　光
⑥

부수 儿 (어진 사람 인) 부
찾기 儿²＋丷⁴＝6획

ノ	⺌	⺌	业	少	光

글자뿌리 회의(會意) 문자. 불화(⺌ : 火의 변형)에 어진 사람 인(儿)을 합친 자로, 사람이 높이 쳐든 불빛이 밝다는 데서 '빛나다'의 뜻이 된 자.

글자풀이 1 빛. 빛나다. 2 영화. 영예. 3 경치. 풍경.

[光景] (광경) 눈에 보이는 경치. 벌어진 일의 형편이나 모양. ⑧ 風景(풍경).

[光明] (광명) ① 밝고 환함. ⑪ 暗黑(암흑). ② 밝은 빛.

[光線] (광선) 빛. 빛의 줄기. ¶ 直射光線(직사 광선).

[脚光] (각광) ① 무대의 앞에서 배우를 비추는 광선. ② 사회의 주목을 끄는 일.

[榮光] (영광) 빛나는 영예.

4
⑥ 【先】 먼저 선
　　　 앞설 선

先

부수 儿 (어진 사람 인)부
찾기 儿²＋⺍⁴＝6획

ノ	⺧	⺧	生	쑤	先

글자뿌리 회의(會意) 문자. 갈지(⺍ : 之의 변형)에 어진 사람 인(儿)을 합친 자로, 남보다 앞서 가는 사람이라는 데서 '먼저', '앞서다'의 뜻이 된 자.

글자풀이 1 먼저. 옛. 이전. 미리. 2 앞서다.

[先驅] (선구) 어떤 한 사상이나 일에 있어 남보다 일찍 그 필요를 깨닫고 실행함.

[先頭] (선두) 첫머리. 맨 앞.

[先輩] (선배) ① 자기보다 나이가 많거나 학문·지위 등이 나은 사람. ② 자기의 출신 학교를 먼저 졸업한 사람.

4
⑥ 【兆】 조 조
　　　 조짐 조

兆

부수 儿 (어진 사람 인)부

찾기 儿² + 乀⁴ = 6획

丿 丿 兀 兆 兆 兆

글자뿌리 상형(象形) 문자. 거북의 등껍데기를 구웠을 때 생기는 금을 본뜬 모양. 옛날에는 거북의 껍데기를 태워 거기에 나타난 금을 보고 길흉을 점쳤기 때문에 '조짐'의 뜻이 된 자.

⼈ ⇒ 丿⼈ ⇒ 兆

글자풀이 1 조. ※ 수효가 많음을 나타낸 말. 2 조짐. 점괘.

[兆朕](조짐) 어떤 일이 생길 기미가 보이는 현상.

[吉兆](길조) 좋은 일이 있을 조짐. 凶兆(흉조).

4
⑥ [充] 가득할 충 充

부수 儿 (어진 사람 인) 부

찾기 儿² + 厶⁴ = 6획

丶 一 士 去 厶 充

글자뿌리 회의(會意) 문자. 기를 육(厶 : 育의 생략형)에 어진 사람 인(儿)을 합친 자로, 어린아이가 점점 자라 어진 사람이 되어 간다는 데서 '가득하다'의 뜻.

글자풀이 1 가득하다. 채우다. 2 막다.

[充當](충당) 모자라는 부분을 모아서 채움.

[充滿](충만) 가득 참.

[充電](충전) 전력이 없는 축전지 등에 전력을 채우는 일.

[補充](보충) 모자라는 부분을 보탬. ¶ 補充授業(보충 수업).

5
⑦ [免] 면할 면 免

부수 儿 (어진 사람 인) 부

찾기 儿² + 刍⁵ = 7획

⼔ ⼑ 尸 刍 召 孕 免

글자뿌리 회의(會意) 문자. 사람[刀]에 굴[穴]과 어진 사람 인[儿]을 합친 자로, 여자가 출산한다는 뜻. 또는 토끼 토(免)에서 점[丶]을 뺀 자로, 토끼가 덫에 걸려 꼬리만 잘라지고 죽음을 면하였다는 데서 '면하다', '벗다'의 뜻이 된 자.

글자풀이 1 면하다. 벗다. 2 허가하다. 3 물러나게 하다.

[免稅](면세) 세금을 면제하는 일. ¶ 免稅品 (면세품).

[免許](면허) 일반인에게는 허가되지 않는 것을 특정한 사람에게만 허가해 주는 처분. 또는 그 자격.

[罷免](파면) 일자리에서 쫓아내는 일.

6⑧〔兒〕아이 아 兒

부수 儿(어진 사람 인) 부
찾기 儿²+臼⁶=8획

′	亻	仐	臼	臼	臼	兒

글자뿌리 회의(會意) 문자. 갓 난아기의 굳어지지 않은 숫구멍〔臼〕과 어진 사람 인〔儿〕을 합친 글자로, '어린아이', '아기'를 뜻함.

丗 ⇒ 兂 ⇒ 兒

글자풀이 1 아이. 아기. 2 젊은 남자의 애칭.

[兒童] (아동) ① 어린아이. ② 초등 학교에 다니는 어린이.
[幼兒] (유아) 젖먹이.
[風雲兒] (풍운아) 좋은 기운을 타서 세상에 그 뛰어남을 나타낸 사람.

² 入 (들 입) 部

위에서 내려오는 한 줄기가 아래로 내려오면서 갈라져 들어가는 모양을 나타낸 자.

0②〔入〕들 입 入

부수 入(들 입) 부

찾기 入²=2획

′	入				

글자뿌리 지사(指事) 문자. 하나의 줄기 밑에 뿌리가 갈라져 땅속으로 뻗어 들어가는 모양, 또는 입구를 나타내어 '들다'의 뜻.

⋀ ⇒ 𣎴 ⇒ 入

글자풀이 1 들다. 들어가다. 2 빠지다.

[入口] (입구) 들어가는 어귀.
[入賞] (입상) 상을 타게 됨.
[入場] (입장) 식장·경기장 등에 들어감. ¶ 入場式(입장식).
[入學] (입학) 학교에 들어가서 학생이 됨. ¶ 入學式(입학식).
[沒入] (몰입) 어떤 일에 정신이 빠짐.

2④〔內〕안 내 內

부수 入(들 입) 부
찾기 入²+冂²=4획

| 丨 | 冂 | 冈 | 內 | | |

글자뿌리 회의(會意) 문자. 멀경(冂)과 들 입(入)을 합친 자로, 들어가는 경계 속은 집 안, 곧 '안쪽'이라는 뜻.

內 ⇒ 內 ⇒ 內

글자풀이 1 안. 속. 2 대궐. 조정. 3 아내. 부녀자. 4 드러나지 않다.

[內閣] (내각) 국가의 행정을 맡아 보는 행정 중심 기관.

[內官] (내관) 궁중의 내시(內侍).

[內部] (내부) 안쪽의 부분. 반 外部(외부).

[內子] (내자) 남에 대하여 자기 아내를 일컫는 말.

[內通] (내통) ① 몰래 알림. ② 남몰래 적과 통함.

4
⑥ 【全】 온전할 전 全

부수 入(들 입)부

찾기 入²＋王⁴＝6획

| 丿 | 入 | 亼 | 仐 | 全 | 全 |

글자뿌리 회의(會意) 문자. 들입(入：集의 생략형) 밑에 구슬옥(王＝玉)을 합친 자로, 모아놓은 구슬 중에서 흠이 없는 것

만 골라 낸다는 데서 '완전하다', '온전하다'의 뜻이 된 자.

𤣩 ⇒ 仝 ⇒ 全

글자풀이 1 온전하다. 2 모두.

[全國] (전국) 한 나라의 전체. 온 나라.

[全能] (전능) 못하는 것이 없이 모두 능함. ¶ 全知全能(전지 전능).

[全文] (전문) 문장의 전체.

[完全] (완전) 빠지거나 모자람이 없음. 반 不完全(불완전).

6
⑧ 【兩】 두 량 兩

부수 入(들 입)부

찾기 入²＋兩⁶＝8획

| 一 | 冂 | 币 | 丙 | 兩 | 兩 | 兩 |

글자뿌리 상형(象形) 문자. 저울의 두 추를 본뜬 글자로, 저울추가 양쪽에 있다 하여 '둘'의 뜻이 된 자.

글자풀이 두. 둘. 짝.

[兩家] (양가) 양쪽 집안.

[兩國] (양국) 두 나라.

[兩班] (양반) 조선 시대에 벼슬아치나 신분이 높은 사람을 가리켜 이르던 말.

[兩者] (양자) 두 사람. 두 사물.

[兩親] (양친) 아버지와 어머니. 圐 父母(부모).

---

² 八 (여덟 팔) 部

두 손을 네 손가락씩 펴서 들어 보이는 모양을 나타낸 자.

⁰
② 【八】 여덟 팔 八

부수 八 (여덟 팔) 부
찾기 八²=2획

ノ	八				

(글자뿌리) **상형**(象形) 문자. 두 손을 네 손가락씩 펴서 들어 보이는 모양을 본뜬 글자로 '여덟'을 뜻함.

(글자풀이) 여덟.

[八景] (팔경) 여덟 군데의 좋은 경치. ¶ 丹陽八景(단양 팔경).

[八方美人] (팔방 미인) ① 어느 모로 보나 아름다운 사람. ② 무슨 일에나 능통한 사람.

[八朔童] (팔삭동) ① 밴 지 여덟 달 만에 낳은 아이. ② 똑똑하지 못한 사람을 놀려 이르는 말.

[八字] (팔자) 사람이 태어난 해와 달과 날과 시의 간지(干支)인 여덟 글자. 사람의 한평생의 운수를 뜻하는 말로 쓰임. ¶ 四柱八字(사주 팔자).

---

²
④ 【公】 공변될 공 公

부수 八 (여덟 팔) 부
찾기 八²+厶²=4 획

ノ	八	公	公		

(글자뿌리) **회의**(會意) 문자. 여덟 팔(八) 밑에 사사 사(厶 : 私의 생략형)를 합친 자로, 사사로운〔厶〕 개인의 욕구를 등지고〔八〕 돌보지 않는다는 데서 '공정하다', '공평하다'의 뜻이 된 자.

(글자풀이) **1** 공변되다. 공평하다. **2** 공적(인 것). 여러. **3** 귀인. 상대를 높이는 말.

[公告] (공고) 세상에 널리 알림.

[公明](공명) 공정하고 떳떳함. ¶ 公明選擧(공명 선거).

[公益](공익) 사회 공공의 이익. ㉰ 私益(사익).

[公子](공자) 귀한 집안의 나이 어린 자제. ¶ 貴公子(귀공자).

[公正](공정) 공평하고 올바름.

[公薦](공천) ① 여러 사람이 의논하여 천거함. ② 정당에서 공적으로 후보자를 내세움.

²④ 【六】 여섯 **륙** 六

부수 八(여덟 팔)부
찾기 八²+亠²=4획

`	亠	六	六		

글자뿌리 지사(指事) 문자. 양손의 세 손가락을 편 모양을 나타낸 글자로 '여섯'을 뜻함.

글자풀이 여섯. 여섯 번.

[六法](육법) 여섯 가지의 기본 법률. 곧, 헌법·형법·민법·상법·형사 소송법·민사 소송법을 이르는 말.

[六旬](육순) ① 육십 일. ② 예순 살.

[死六臣](사육신) 조선 세조 때 단종의 복위를 꾀하다 죽은 여섯 충신. 이개·하위지·박팽년·유성원·유응부·성삼문을 이름.

⁴⑥ 【共】 함께 **공** 共

부수 八(여덟 팔)부
찾기 八²+卄⁴=6획

一	十	卄	卅	共	共

글자뿌리 회의(會意) 문자. 스물 입(卄)과 맞잡을 공(廾)을 합친 글자로, 많은 사람들이 두 손을 써서 받든다는 데서 '함께'의 뜻이 된 자.

⇒ 共 ⇒ 共

글자풀이 함께. 같이. 한가지로 하다.

[共感](공감) 다른 사람의 생각이나 의견에 대하여 자기도 그러하다고 느낌.

[共同](공동) 여럿이 같이 함.

[共存](공존) 함께 살아 나감. ¶ 共存共生(공존 공생).

⁵⑦ 【兵】 군사 **병**
무기 **병** 兵

부수 八(여덟 팔)부
찾기 八²+丘⁵=7획

`	′	⼁	斤	丘	乒	兵

글자뿌리 회의(會意) 문자. 도끼 근(斤)에 맞잡을 공(廾)을 합친

자로, 두 손으로 무기를 쥐고 있는 모양에서 '무기', '병사', '군사'의 뜻이 된 자.

(글자뿌리) 상형(象形) 문자. 곡식을 까부는 키를 본뜬 '甘'에 키를 얹는 대 모양인 '八'을 합친 자.

(글자풀이) 1 그. 2 어조사. ※ 문장의 끝에 놓여서 어조를 고르기 위하여 쓰임.

[其實](기실) 그 사실. 사실상으로. 실지에 있어서.

[其他](기타) 그것 외의 또 다른 것.

[各其](각기) 각각 저마다. 각각 그대로.

[及其也](급기야) 마침내. 필경에는.

(글자풀이) 1 군사. 병졸. 2 무기. 3 전쟁.

[兵器](병기) 전쟁에 쓰는 여러 가지 기구.

[兵亂](병란) ① 전쟁으로 나라가 어지러워짐. ② 군대가 일으킨 반란.

[兵士](병사) 군사. 계급이 낮은 군인. 동 兵卒(병졸). 반 將校(장교).

[兵役](병역) 군대에 들어가서 군복무를 다하는 일.

---

⁶ ⑧ 【其】 그 기   其

부수 八 (여덟 팔) 부
찾기 八²＋其⁶＝8획

一	𠂉	𠀃	甘	𦰩	其	其

---

⁶ ⑧ 【典】 법 전   典

부수 八 (여덟 팔) 부
찾기 八²＋曲⁶＝8획

丿	冂	巾	曲	曲	典	典

(글자뿌리) 회의(會意) 문자. 책(冊)에 두 손 공(廾)을 합친 자로, 책을 두 손으로 받쳐 책상〔兀〕위에 놓는다는 데서 '법'이나 '귀한 책'의 뜻이 된 자.

(글자풀이) 1 법. 기준. 2 책. 3 예. 의식. 4 전당 잡히다.

[典當](전당) 물건을 담보로 돈

을 꾸어 주거나 꾸어 쓰는 일.
¶ 典當鋪(전당포).

[典型] (전형) 본보기. 틀.

[法典] (법전) 어떤 종류의 법
을 정리하여 엮은 책.

[事典] (사전) 여러 가지 사항
을 모아 하나하나에 해설을 붙
여 놓은 책. ¶ 百科事典(백과
사전).

[祭典] (제전) ① 제사를 지내는
의식. ② 성대히 열리는 음악회
나 체육회를 뜻하는 말.

² 冂 (멀 경) 部

멀리 뻗어 있는 모양을 나타
내는 'ㅣ」'에 '一'을 더하여 그
곳까지의 거리를 나타내게 되
어 '멀다'의 뜻이 됨.

³ 【冊】 책   책

⑤

부수 冂 (멀 경) 부

찾기 冂²+ 丌³=5획

| 丿 | 刀 | 刀 | 刑 | 冊 | | |

글자뿌리 상형(象形) 문자. 대쪽
에 글을 써서 가죽 끈으로 꿰어
묶은 모양을 본뜬 자로, '책'을
뜻함

▦▦▦ ⇒ 卌卌 ⇒ 冊

글자풀이 1 책. 2 세우다.

[册曆] (책력) 책으로 된 달력.

[册床] (책상) 책을 읽거나 글
씨를 쓰는 데 쓰는 상.

[册子] (책자) 얇거나 작은 책.

[別册] (별책) 따로 나누어 엮어
만든 책. ¶ 別册附錄(별책 부
록).

⁴ 【再】 두   재
⑥   거듭 재

부수 冂 (멀 경) 부

찾기 冂²+王⁴=6획

| 一 | 冂 | 冋 | 襾 | 襾 | 再 |

글자뿌리 상형(象形) 문자. 대바
구니 위에 물건을 얹어 놓은 모
양을 본뜬 자로, 쌓아 올린 것 위
에 하나를 더 포개어 놓은 데서
'거듭', '두 번'의 뜻.

▦▦ ⇒ 襾 ⇒ 再

글자풀이 1 두. 두 번. 2 거듭.
다시.

[再建] (재건) 이미 없어졌거나 무너진 것을 다시 일으켜 세움.

[再考] (재고) 다시 생각함. 고쳐서 생각함.

[再選] (재선) ① 두 번째의 선거. ② 두 번째 뽑힘.

[再修] (재수) 한 번 배웠던 학과 과정을 다시 공부함. ¶再修生 (재수생).

---

2 冫 (이수 변) 部

얼음이 처음 언 모양을 본뜬 자로, '얼음 빙(冰)'의 원자(原字). 부수로는 '氵(삼수변)'에 대하여 '이수', '이수변'이라고 함.

---

3 ⑤ 【冬】 겨울 동　冬

부수 冫 (이수 변) 부
찾기 冫²＋夂³＝5획

| ノ | ク | 夂 | 冬 | 冬 | |

글자뿌리 회의(會意) 문자. 뒤져 올 치(夂 : 終의 옛 글자)에 얼음 빙(冫)을 합친 자로, 사계절 중 맨 마지막 절기로서 얼음이 어는 때라 하여 '겨울'을 뜻함.

글자풀이 겨울. 동면하다.

[冬季] (동계) 겨울철. ¶冬季訓練 (동계 훈련).

[冬眠] (동면) 뱀이나 곰, 개구리 등의 동물이 겨울 동안 땅속에서 잠자는 상태로 봄을 기다리는 일.

[冬至] (동지) 24 절기의 하나. 낮이 가장 짧고 밤이 가장 긺. 12월 22일경.

[春夏秋冬] (춘하추동) 봄·여름·가을·겨울. 곧, 4 계절을 아울러 이르는 말.

---

5 ⑦ 【冷】 찰 랭　冷

부수 冫 (이수 변) 부
찾기 冫²＋令⁵＝7획

| 丶 | 冫 | 冫 | 𠆢 | 冷 | 冷 | 冷 |

글자뿌리 형성(形聲) 문자. 얼음 빙(冫〈뜻〉)에 명령 령(令〈음〉)을 합친 자로, 명령은 얼음과 같이 차고 쌀쌀하다는 데서 '차다'의 뜻이 된 자.

글자풀이 1 차다. 쌀쌀하다. 2

깔보다. 업신여기다.

[冷待] (냉대) 쌀쌀하게 대접함.

[冷凍] (냉동) 식품 등을 썩지
않게 하기 위하여 얼림.

[冷笑] (냉소) 쌀쌀한 태도로 비
웃음.

[冷藏庫] (냉장고) 음식물이 썩
지 않도록 차게 보관하는 상자
모양의 장치.

[冷靜] (냉정) 마음이 가라앉아
차분해짐. ⱅ興奮 (흥분).

---

² 几 (안석 궤) 部

위는 평평하고, 그 밑에 발이
붙어 있는 안석을 본떠 그린
것으로, 올라앉거나 걸터앉는
데 쓰는 물건을 뜻함.

¹
③ [几] 무릇 범
범상할 범 几

부수 几 (안석 궤) 부

찾기 几²+ 丶¹=3획

丿 几 凡

글자뿌리 회의(會意) 문자. 안석
궤(几)에 점〔丶〕을 찍은 글자로,
천지간의 만물을 포괄한다는 데
서 '모두', '대강'의 뜻.

글자풀이 1 무릇. 2 대강. 개요.
3 모두. 전부. 4 범상하다.

[凡例] (범례) 일러두기. 책의 내
용 또는 읽을 때 주의할 사항
등을 따로 적은 글.

[凡夫] (범부) 평범한 사람.

[凡事] (범사) ① 모든 일. ② 평
범한 일.

[凡人] (범인) 평범한 사람.

[非凡] (비범) 평범하지 않음.
아주 뛰어남. ⱅ平凡(평범).

---

² 凵 (위 터진 입구) 部

입을 벌리고 있는 모양을 본
뜬 자.

²
④ [凶] 흉할 흉 凶

부수 凵 (위 터진 입구) 부

찾기 凵²+ 乂²=4획

丿 乂 㐅 凶

글자뿌리 상형(象形) 문자. 위
터진 입 구(凵) 안에 교차할 오
(乂)를 넣은 자로, 본디는 사람
이 함정〔凵〕에 빠진〔乂〕 모양을
본떠 '운수가 사납다', '불길하다',
'흉하다'의 뜻이 된 자.

글자풀이 1 흉하다. 언짢다. 2
흉악하다. 3 해치다. 4 흉년들다.

[凶家] (흉가) 들어 사는 사람마
다 흉한 일을 당한다고 하는

불길한 집.

[凶器] (흉기) 사람을 죽이거나 다치게 하는 데 쓰는 도구.

[凶年] (흉년) 농작물이 잘 되지 않은 해. ⊕豐年(풍년).

[凶惡] (흉악) ① 성질이 거칠고 아주 나쁨. ② 험상궂고 무섭게 생김.

³
⑤ 【出】 날   출
        나갈 출

出

부수 凵 (위 터진 입 구) 부
찾기 凵²+屮³=5획

| 丨 | 屮 | 屮 | 屮 | 出 | |

글자뿌리 상형(象形) 문자. 초목의 싹 [屮]이 차츰 가지를 위로 뻗으며 자라는 모양을 본뜬 글자로, 초목의 싹은 위로 돋아난다 하여 '성장하다', '출생하다'의 뜻이 된 자.

 ⇒ 屮 ⇒ 出

글자풀이 1 나다. 출생하다. 2 나가다. 떠나다. 3 나타나다. 4 뛰어나다. 5 나아가다. 내다.

[出嫁] (출가) 처녀가 시집을 감. ¶ 出嫁外人(출가 외인).

[出發] (출발) ① 길을 떠남. ② 어떤 일을 시작함.

[出生] (출생) ① 태아가 어머니의 몸에서 태어남. ⊕死亡(사망). ② 태생.

[出世] (출세) 높은 자리에 오르거나 유명해짐.

[出場] (출장) 직무를 띠고 임시로 다른 곳으로 나감.

[出品] (출품) 전람회나 전시회 같은 곳에 물건·작품을 내놓음. 또는 그 물건.

[出現] (출현) ① 없었던 것이나 숨겨졌던 것이 나타남. ② 가려졌던 것이 다시 드러남.

[特出] (특출) 남들보다 특별히 뛰어남.

---

²
   刀 (칼 도) 部

칼날을 본뜬 글자이며, 방(旁)으로 쓰일 때는 '刂'가 됨.

0
② 【刀】 칼   도

刀

부수 刀 (칼 도) 부
찾기 刀²=2 획

| 刁 | 刀 | | | | |

글자뿌리 상형(象形) 문자. 칼날이 구부정하게 굽은 칼의 모양을 본뜬 글자.

刀 ⇒ 刀 ⇒ 刀

글자풀이 칼.

[面刀] (면도) ① 얼굴에 난 잔 털이나 수염을 깎는 일. ② '면 도칼'의 준말.

² ④ 【分】 나눌 분 신분 분 分

부수 刀 (칼 도) 부

찾기 刀²＋八²＝4획

| ノ | 八 | 今 | 分 | | |

글자뿌리 회의(會意) 문자. 나 눌 팔(八)에 칼 도(刀)를 합친 자로, 칼로 쪼개어 '나눈다'는 뜻.

글자풀이 1 나누다. 가르다. 구 별하다. 2 길이·무게·시간 따위

의 단위. 3 신분. 직분.

[分校] (분교) 본교에서 멀리 떨 어진 다른 지역에 따로 세운 같은 계통의 학교.

[分量] (분량) 부피나 수효·무게 등이 많고 적거나 크고 작은 정도.

[分別] (분별) 가려서 알아 냄.

[過分] (과분) 분수에 넘침.

[身分] (신분) 개인의 사회적인 지위나 계급.

[職分] (직분) 마땅히 해야 할 일. 직무상의 본분.

⁴ ⑥ 【列】 벌일 렬 列

부수 刀 (칼 도) 부

찾기 刂²(刀)＋歹⁴＝6획

| 一 | 厂 | 歹 | 歹 | 列 | 列 | |

글자뿌리 형성(形聲) 문자. 앙상 한 뼈 알(歹 : 𣦵의 생략형〈음〉) 에 칼 도(刀〈뜻〉)를 합친 자로, 칼로 뼈를 발라 내어 늘어놓는다 하여 '벌이다'의 뜻이 된 자.

글자풀이 1 벌이다. 늘어놓다. 2 여러. 3 줄. 차례. 등급.

[列強] (열강) 세력이 강한 여 러 나라.

[列擧] (열거) 하나씩 예를 들 며 말함.

[列島] (열도) 바다 위에 줄을 지은 모양으로 죽 늘어선 여러 개의 섬.

[序列] (서열) 연령·지위·성적 등의 일정한 순서에 따라 늘어서는 일. 또는 그 순서.

[行列] (① 행렬 ② 항렬) ① 여럿이 벌여 줄을 서서 감. 또는 그 줄. ¶ 市街行列(시가 행렬). ② 혈족간에서의 대수(代數) 관계. 형제 자매는 같은 항렬로 같은 항렬자를 씀.

4
⑥ 【刑】 형벌 형 开刂

부수 刀(칼 도) 부
찾기 刂²(刀)＋开⁴＝6획

| 一 | 二 | 干 | 开 | 开刂 | 刑 |

글자뿌리 형성(形聲) 문자. 오랑캐 견(开〈음〉)에 칼 도(刀〈뜻〉)를 합친 자로, 죄수가 된 오랑캐에게 칼로 위엄을 보이거나 벤다 하여 '형벌'의 뜻이 된 자.

글자풀이 1 형벌. 벌하다. 2 법.

다스리다.

[刑罰] (형벌) 죄를 지은 사람에게 주는 벌.

[刑法] (형법) 범죄와 형벌에 대한 내용을 규정하는 법.

[刑事] (형사) ① 범죄를 수사하고 범인을 체포하는 따위의 일을 맡은 경찰관. ② 형법의 적용을 받는 일.

[求刑] (구형) 형사 재판상에서 검사가 죄를 지은 사람에게 줄 벌을 판사에게 요구함.

[死刑] (사형) 죄 지은 사람의 목숨을 끊는 형벌. ¶ 死刑宣告(사형 선고).

5
⑦ 【利】 이로울 리
날카로울 리 利

부수 刀(칼 도) 부
찾기 刂²(刀)＋禾⁵＝7획

| 一 | 二 | 千 | 千 | 禾 | 利 | 利 |

글자뿌리 회의(會意) 문자. 화할 화(禾 : 和의 생략)에 칼 도(刀)를 합친 자로, 날카로운 칼은 단련이 잘 되어 조화로워야 한다는 데서 '이롭다'의 뜻이 된 자.

⇒ 禾刀 ⇒ 利

글자풀이 1 이롭다. 2 날카롭다. 3 편리하다. 4 이자. 5 승리하다. 이기다.

[利器] (이기) ① 날카로운 날이 있는 연장. ② 편리한 기구.

[利用] (이용) 필요한 데 이롭게 씀.

[利益] (이익) 보탬이나 도움이 되는 것. ⑤利得(이득). ⑪損害(손해).

[利子] (이자) 맡은 돈이나 꾸어 준 돈에 대하여 붙여 주는 일정한 비율의 돈. ⑪元金(원금).

[權利] (권리) ① 자기의 이익을 주장하고 누릴 수 있는 힘. ② 권세와 이익.

[勝利] (승리) 싸움·경기 등에서 이김. ⑪敗北(패배).

[便利] (편리) 어떤 일을 하는 데 편하고 이용하기 쉬움. ⑪不便(불편).

⁵⑦ 【別】 다를 별 別

부수 刀 (칼 도) 부

찾기 刂²(刀)+另⁵=7 획

丨 冂 口 呂 另 別 別

(글자뿌리) 회의(會意) 문자. 뼈골(另 : 骨의 변형)에 칼 도(刀)를 합친 자로, 칼로써 뼈와 살을 갈라 놓음을 뜻함.

⇒ 別

(글자풀이) 1 다르다. 2 헤어지다. 3 나누다. 분별하다.

[別途] (별도) ① 다른 방법이나 방도. ② 다른 쓰임새.

[別味] (별미) 특별히 좋은 맛.

[性別] (성별) 남녀의 구분.

[離別] (이별) 서로 갈리어 떨어짐. ⑪相逢(상봉).

[作別] (작별) 같이 지내던 사람이 서로 헤어짐.

⁵⑦ 【初】 처음 초 初

부수 刀 (칼 도) 부

찾기 刀²+衤⁵(衣)=7획

丶 亠 礻 礻 衤 初 初

(글자뿌리) 회의(會意) 문자. 옷의(衣)에 칼 도(刀)를 합친 글자로, 옷을 만들려면 먼저 옷감을 칼로 마름질해야 한다는 데서 '처음'을 뜻함.

⇒ 初

초보운전

(글자풀이) 처음. 비로소.

[初面] (초면) 처음으로 대하는 얼굴. 또는 처음으로 대하는 처지. 맨 舊面(구면).

[初步] (초보) 첫걸음. 학문·기술 등을 배우는 가장 낮고 쉬운 정도의 단계.

[初志] (초지) 처음에 품은 생각. ¶初志一貫(초지 일관).

[正初] (정초) ① 정월 초순. ② 그 해의 맨 처음.

---

⑦ **判** 판단할 판 判

부수 刀 (칼 도) 부

찾기 刂²(刀)＋半⁵＝7획

| ' | ハ | 亠 | 三 | 半 | 半 | 判 |

(글자뿌리) 형성 (形聲) 문자. 반반(半〈음〉)에 칼 도(刀〈뜻〉)를 합친 자로, 물건을 칼로 절반씩 자르듯 모든 일의 시비를 분명히 가려 판단함을 뜻함.

🐂 🔪 ⇒ 半刀 ⇒ 判

(글자풀이) 1 판단하다. 판결하다. 2 구별이 똑똑하다.

[判決] (판결) 시비나 선악 등을 판단하여 결정함.

[判斷] (판단) 어떤 사물에 대한 자기의 생각을 마음 속으로 정함. 또는 그렇게 정한 내용.

[判讀] (판독) 내용의 뜻을 헤아려 읽음.

[判明] (판명) 명백히 드러남.

[判別] (판별) 명확하게 구별함. 분명히 분별함.

[判異] (판이) 아주 다름.

[判定] (판정) 판별하여 결정함.

[決判] (결판) 옳고 그름이나 승부를 가리어 판가름함.

[談判] (담판) 서로 의논하여 옳고 그른 것을 판단함.

---

⑧ **到** 이를 도 到

부수 刀 (칼 도) 부

찾기 刂²(刀)＋至⁶＝8획

| 一 | 工 | 工 | 조 | 至 | 到 | 到 |

(글자뿌리) 형성 (形聲) 문자. 이를 지(至〈뜻〉)에 칼 도(刀〈음〉)를 합친 자로, 옛날에는 멀리 길을 떠날 때는 무기를 지녀야 했으므로, 무사히 이르렀다 하여 '도착하다'의 뜻이 된 자.

(글자풀이) 1 이르다. 2 주밀하다. 빈틈없다.

[到着](도착) 목적한 곳에 다다름.

[到處](도처) 가는 곳마다.

[周到](주도) 무슨 일에든지 꼼꼼함. ¶用意周到(용의 주도).

7
⑨ 【前】 앞 전
　　　　 먼저 전　　前

부수 刀(칼 도)부

찾기 刂²(刀)＋疒⁷=9획

丶	丷	丷	䒑	疒	疒	疒
疒	前					

(글자뿌리) 형성(形聲) 문자. 앞 전(疒 : 歬의 변형〈음〉)과 칼 도(刀〈뜻〉)를 합친 자로, 배를 멈추게 하는 밧줄을 풀면 배가 앞으로 나아간다는 데서 '앞', '먼저'의 뜻이 된 자.

 ⇒ 前

(글자풀이) 앞. 먼저. 일찍이.

[前方](전방) 전쟁터에서 적에 가까운 곳. 반 後方(후방).

[前進](전진) 앞으로 나아감. 반 後退(후퇴).

[前後](전후) ① 앞과 뒤. ② 처음과 마지막.

[目前](목전) ① 눈 앞. ② 지금 당장.

[午前](오전) 밤 12시부터 낮 12시까지의 사이. 자정부터 오전까지. 동 上午(상오). 반 午後(오후).

7
⑨ 【則】 ❶ 곧 즉
　　　　 ❷ 법 칙　　則

부수 刀(칼 도)부

찾기 刂²(刀)＋貝⁷=9획

丨	冂	冃	月	目	貝	貝
則	則					

(글자뿌리) 회의(會意) 문자. 조개 패(貝)에 칼 도(刀)를 합친 자로, 재물을 공평하게 나눔을 나타내며, 그러려면 일정한 법칙이 있어야 한다는 뜻.

⇒ 貝刀 ⇒ 則

(글자풀이) ❶ 1 곧. ❷ 2 법. 법칙. 3 본받아 따르다.

[校則](교칙) 학교의 규칙.

[規則](규칙) 여러 사람이 지키기로 한, 정해 놓은 약속.

[反則](반칙) 법칙이나 규정에 어그러짐. 또는 법칙이나 규정을 어김.

[法則](법칙) 지켜야 할 규칙.

[變則](변칙) ① 원칙에 벗어난

법칙. ② 규칙·규정에 벗어남.

[細則](세칙) 자세한 규칙.

[守則](수칙) 행동·절차에 관하여 지켜야 할 사항을 정한 규칙.

[原則](원칙) ① 거의 모든 경우에 적용되는 근본 법칙. ② 일반의 경우에 적용되는 법칙.

[鐵則](철칙) 변경하거나 어길 수 없는 굳은 규칙.

[學則](학칙) 학교의 기구와 교육 과정 및 그 운영과 관리 따위를 정한 규칙.

[會則](회칙) 회의 규칙.

---

² 力 (힘 력) 部

물건을 들어 올릴 때 팔에 생기는 근육의 모양을 본뜬 글자.

⁰
【力】 힘 력 力
②

부수 力(힘 력)부
찾기 力²=2획

ㄱ	力			

글자뿌리 상형(象形) 문자. 물건을 들어 올릴 때 팔에 생기는 근육의 모양을 본뜬 글자.

글자풀이 1 힘. 2 힘쓰다.

[力道](역도) 역기 운동을 통하여 몸과 마음을 닦는 운동.

[力量](역량) 능히 해낼 수 있는 힘.

[力士](역사) 남보다 뛰어나게 힘이 센 사람.

[國力](국력) 나라의 힘. 나라의 경제력이나 군사력.

[努力](노력) 힘을 들이고 애를 씀. 힘을 다함.

³
【加】 더할 가 加
⑤

부수 力(힘 력)부
찾기 力²+口³=5획

ㄱ	力	加	加	加

글자뿌리 회의(會意) 문자. 힘력(力)에 입 구(口)를 합친 자로, 입 놀리기에 힘쓴다는 데서 말이 많아짐을 뜻하고, 이는 곧 '불어남', '더함'을 뜻함.

글자풀이 1 더하다. 2 들다.

[加減] (가감) ① 덧셈과 뺄셈. ② 더하거나 덜어 알맞게 함.

[加工] (가공) 재료나 덜 된 제품에 손을 더 대어 새로운 물건을 만듦. ¶ 加工貿易 (가공무역).

[加速] (가속) 속도를 더함. 또는 그 더해진 속도. ¶ 加速度 (가속도). ⑲ 減速 (감속).

[加入] (가입) 단체나 조직 등에 들어감. ⑲ 脱退 (탈퇴).

[參加] (참가) 어떤 모임에 참여함. ⑲ 不參 (불참).

³
⑤ 【功】 공 공 功

부수 力 (힘 력) 부

찾기 力² + 工³ = 5 획

| 一 | 丁 | 工 | 玎 | 功 | | |

글자뿌리 형성 (形聲) 문자. 장인 공(工〈음〉)에 힘 력(力〈뜻〉)을 합친 자로, 힘써 일하여 '공'을 세움을 뜻함.

⇒ 工 ⇒ 功

글자풀이 1 공. 2 명예. 자랑하다. 3 이용하다

[功德] (공덕) 여러 사람을 위하여 착한 일을 많이 쌓는 일.

[功勞] (공로) 애를 써서 이룬 보람이나 공적. ⑧ 功績 (공적).

[功名心] (공명심) 공(功)을 세워 이름을 떨치려는 데에만 급급한 마음.

[武功] (무공) 나라를 위해 싸운 공적.

[成功] (성공) 목적이나 뜻을 이룸. ⑲ 失敗 (실패).

⁵
⑦ 【助】 도울 조 助

부수 力 (힘 력) 부

찾기 力² + 且⁵ = 7 획

| 丨 | 刀 | 月 | 助 | 且 | 助 | 助 |

글자뿌리 형성 (形聲) 문자. 또, 차(且〈음〉)에 힘 력(力〈뜻〉)을 합친 자로, 힘을 쓰는 일에 또 힘을 더한다는 데서 '돕다'의 뜻.

⇒ 且 ⇒ 助

글자풀이 돕다. 거들다.

[助力] (조력) 힘을 도움. 일을 도와줌.

[助手](조수) 일을 도와 주고 거들어 주는 사람.

[救助](구조) 곤란한 일을 당한 사람을 도움.

[內助](내조) 아내가 남편을 도와 줌.

[協助](협조) 힘을 모아 서로 도움.

---

⁷⑨【勉】 힘쓸 면 *勉*

부수 力(힘 력)부

찾기 力²+免⁷=9획

ノ	ク	勹	夕	夕	免	免
免	勉					

글자뿌리 형성(形聲) 문자. 면할 면(免〈음〉)에 힘 력(力〈뜻〉)을 합친 자로, 고생을 면하려면 힘써 일해야 된다는 데서 '힘쓰다'의 뜻이 된 자.

글자풀이 힘쓰다. 부지런하다.

[勉學](면학) 힘써 공부함.

[勤勉](근면) 부지런히 힘씀.

---

⁷⑨【勇】 날랠 용 *勇*

부수 力(힘 력)부

찾기 力²+甬⁷=9획

ㄱ	ㄱ	ㄱ	丐	丙	甬	甬
丏	勇					

글자뿌리 형성(形聲) 문자. 물 솟을 용(甬 : 涌의 생략형〈음〉)에 힘 력(力〈뜻〉)을 합친 자로, 물이 솟아오르듯 힘을 돋우면 날래고 용맹해짐을 뜻함.

글자풀이 날래다. 용맹하다.

[勇敢](용감) 겁이 없으며 씩씩하고 기운참. 동 勇猛(용맹).

[勇氣](용기) 씩씩하고 겁내지 않는 굳센 기운.

[勇士](용사) 용감한 병사.

[義勇軍](의용군) 나라가 위급할 때 민간에서 스스로 조직한 의로운 군대.

---

⁹⑪【動】 움직일 동 *動*

부수 力(힘 력)부

찾기 力²+重⁹=11획

ノ	ニ	ニ	台	台	台	重
重	重	動	動			

글자뿌리 형성(形聲) 문자. 무거울 중(重〈음〉)에 힘 력(力〈뜻〉)을 합친 자로, 무거운 것을 힘으로 '움직인다'는 뜻.

量 ⇒ 重 ⇒ 動

글자풀이 움직이다. 어지럽다.

[動亂](동란) 반란·전쟁 등으로 사회가 소란해지는 일.

[動力](동력) 물체 등을 움직이게 하는 힘.

[動物](동물) 스스로 움직이고 감각 기능을 갖춘 생물로, 식물과 구분하여 이르는 말. 反植物(식물).

[動産](동산) 모양이나 성질을 바꾸지 않고 옮길 수 있는 재물. 反不動産(부동산).

[感動](감동) 깊이 느끼어 마음이 움직임. 同感激(감격).

[活動](활동) ① 기운차게 움직임. ② 어떤 일을 이루기 위하

여 힘씀. 同活躍(활약).

9 ⑪ 【務】 힘쓸 무 / 일 무   務

부수 力(힘 력) 부
찾기 力²＋矛⁹＝11획

フ	フ	マ	予	矛	矛	矛
矛	矜	務	務			

글자뿌리 형성(形聲) 문자. 힘쓸 무(矜〈음〉)에 힘 력(力〈뜻〉)을 합친 자로, 어려운 일에 힘을 다한다는 데서 '힘쓰다'의 뜻.

矜 ⇒ 矜 ⇒ 務

글자풀이 1 힘쓰다. 2 일. 직무.

[公務](공무) ① 개인적인 일이 아닌 여러 사람의 일. ② 국가 또는 공공 단체의 일.

[勤務](근무) 일터에 나가 일함. 일을 봄.

[服務](복무) 일을 맡아 봄. 의무를 치름. ¶軍服務(군복무).

[外務部](외무부) 외국과의 교제에 관한 일을 맡아 보는 정부 기관.

10 ⑫ 【勞】 수고로울 로 / 위로할 로   勞

부수 力(힘 력) 부

찾기 力²＋燊¹⁰＝12획

`	`⸌	⺌	⺌	⺌	⺌`	⺌`

炊	炊	燊	夢	勞

글자뿌리 형성(形聲) 문자. 밝을 형(燊 : 熒의 생략형〈음〉)에 힘 력(力〈뜻〉)을 합친 자로, 집〔冖〕에 불〔炊〕이 나서 힘써〔力〕 불을 끈다는 데서 '일하다', '수고롭다'의 뜻이 된 자.

글자풀이 1 수고롭다. 일하다. 지치다. 2 위로하다.

[勞苦] (노고) 수고롭게 애씀.

[勞動] (노동) 생활하는 데 필수적인 물품을 얻기 위하여 마음과 힘을 써서 일함. 또는 그러한 행위.

[勞力] (노력) 힘을 들여 일함.

[過勞] (과로) 지나치게 일하여 피로함.

[不勞所得] (불로 소득) 일하지 않고 얻는 소득.

[慰勞] (위로) 수고나 괴로움을 잊게 하여 마음을 편하게 함. 통 慰安(위안).

---

¹⁰
⑫〔**勝**〕이길 승 勝

부수 力(힘 력)부

찾기 力²＋朕¹⁰＝12획

ノ	刀	刀	月	月`	月``	肵

肵	肵	朕	胖	勝

글자뿌리 형성(形聲) 문자. 나 짐(朕〈음〉)에 힘 력(力〈뜻〉)을 합친 자로, 스스로 참고 힘쓰면 이겨 낼 수 있다는 데서 '이기다'의 뜻이 된 자.

$\mathcal{W}$ⅇⅉ⊂ ⇒ 肝ⅇ⌀ ⇒ 勝

글자풀이 1 이기다. 2 낫다. 경치가 좋다.

[勝利] (승리) 싸움이나 경기 따위에서 이김. 世 敗北(패배).

[勝敗] (승패) 이김과 짐. 통 勝負(승부).

[決勝] (결승) 최후의 승패를 결정함. ¶ 決勝戰(결승전).

[名勝] (명승) 훌륭하고 이름난 자연 경치. ¶ 名勝古蹟(명승

고적).

[必勝] (필승) 꼭 이김. 반드시 이김.

---

11 ⑬ 【勤】 부지런할 근 勤

부수 力(힘 력)부

찾기 力²+菫¹¹=13획

一	十	廾	艹	芹	莒	莒
茧	茧	堇	堇	勤	勤	

글자뿌리 형성(形聲) 문자. 진흙 근(菫〈음〉)에 힘 력(力〈뜻〉)을 합친 자로, 진흙 밭을 다루려면 더 한층 힘을 들여야 한다는 데서 '부지런하다', '수고하다'의 뜻.

堇 ⇒ 堇 ⇒ 勤

글자풀이 1 부지런하다. 2 근무하다.

[勤勞] (근로) ① 부지런히 일을 함. ② 일정한 시간 동안 일에 종사함.

[勤務] (근무) 일터에 나가 일함. 일을 봄. ¶ 勤務時間(근무 시간).

[皆勤] (개근) 하루도 빠짐없이 출석함. 또는 출근함. ¶ 皆勤賞(개근상).

[出勤] (출근) 일을 하러 일터로 나감. ⑱退勤(퇴근).

---

11 ⑬ 【勢】 기세 세 勢

부수 力(힘 력)부

찾기 力²+埶¹¹=13획

一	十	土	圥	去	坴	坴
坴	刲	執	執	埶	勢	

글자뿌리 형성(形聲) 문자. 심을 예(埶〈음〉)에 힘 력(力〈뜻〉)을 합친 자로, 심은 초목이 힘차게 자란다는 데서 '기세', '형세'의 뜻이 된 자.

글자풀이 1 기세. 권세. 2 형세.

[勢道] (세도) 정치상의 권세를 장악함.

[勢力] (세력) ① 권세의 힘. ② 일을 하는 데 필요한 힘.

[時勢] (시세) ① 그 때의 형세. 세상의 형편. ② 그 때의 물건값.

---

18 ⑳ 【勸】 권할 권 勸

부수 力(힘 력)부

찾기 力²+雚¹⁸=20획

`	⺊	⺊⺊	艹	艹	萨	萨
站	站	站	萨	萝	萝	萝
萝	萝	雚	雚	勸	勸	

글자뿌리 형성 (形聲) 문자. 황새 관(雚〈음〉)에 힘 력(力〈뜻〉)을 합친 자로, 황새처럼 부지런히 힘써 일을 하도록 '권한다'는 뜻.

🐦 ⇒ 雚 ⇒ 勸

글자풀이 1 권하다.　장려하다. 2 힘쓰다.

[勸告] (권고) 남에게 무슨 일을 하도록 말함. 또는 그 말. 통 勸誘(권유).

[勸獎] (권장) 권하여 힘쓰도록 북돋아 줌.

[強勸] (강권) 억지로 권함.

---

²ク (쌀 포) 部

사람이 몸을 앞으로 구부려 물건을 안고 있는 모양을 본뜬 자.

² 【勿】 말　물　勿
④

부수 ク(쌀 포)부
찾기 ク²+ノ²=4획

| ノ | ク | 勹 | 勿 | | | | |

글자뿌리 상형 (象形) 문자. 옛날에 마을 입구에 세웠던 세 개의 기가 나부끼는 장대를 본뜬 글자로, 깃발의 빛깔에 따라 '하지 말라' 등의 뜻으로 쓰임.

 ⇒ 勿 ⇒ 勿

글자풀이 1 말다. ※금지를 뜻하는 어조사. 2 없다. 아니다.

[勿論] (물론) 말할 것도 없이.

---

²ヒ (비수 비) 部

숟가락의 모양을 본뜬 자.

² 【化】 화할　화　化
④

부수 ヒ(비수 비)부
찾기 ヒ²+イ²(人)=4획

| ノ | イ | イ | 化 | | | | |

글자뿌리 회의 (會意) 문자. 사람 인(人)에 화할 화(ヒ : 化의 옛 글자)를 합친 자로, 바로 선 사람과 거꾸로 선 사람 모양을 합쳐 사물이 '변하다', '화하다'의 뜻.

ヒ ⇒ ヒ ⇒ 化

글자풀이 1 화하다. 되다. 2 교화하다. 본받다. 3 변화하다.

[化石] (화석) 지질 시대에 살던 생물의 주검이나 흔적 등이 암석 속에 남아 있는 것.

[化合] (화합) 두 가지 이상의 물질이 화학 변화로 인해 새 물질이 되는 현상.

[感化] (감화) 좋은 영향을 받아 착한 마음으로 바뀜.

[開化] (개화) 사람의 머리가 깨어 새로운 문화를 가지게 됨. ⓢ 開明(개명).

[現代化] (현대화) 현대적인 것으로 되거나 되게 함.

3 ⑤ **【北】** ❶ 북녘 북 ❷ 달아날 배 北

부수 匕(비수 비)부

찾기 匕 ²+ 丬 ³=5 획

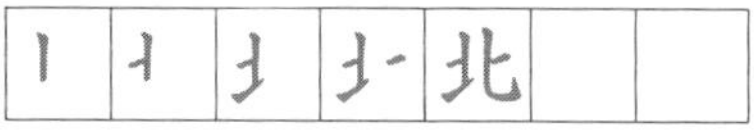

글자뿌리 회의(會意) 문자. 두 사람이 서로 등을 맞대고 있는 모양에서 '등지다', '달아나다'의 뜻과, 남녘의 반대인 '북녘'의 뜻을 나타냄.

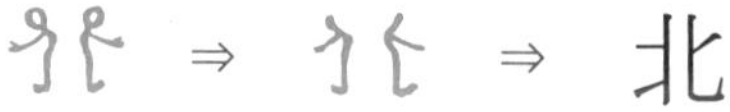

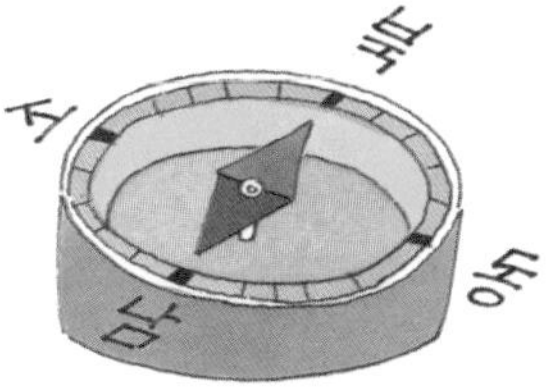

글자풀이 ❶ 1 북녘. ❷ 2 달아나다.

[北方] (북방) ① 북쪽. ② 북한이나 러시아 등 북쪽에 위치한 나라. ¶ 北方外交(북방 외교).

[北上] (북상) 북쪽으로 올라감.

[北韓] (북한) 한국 전쟁 이후의 휴전선 이북. ⓑ 南韓(남한).

[敗北] (패배) 싸움에 짐.

² 匸 (감출 혜) 部

'ㄴ'은 감추어 두는 곳을, '一'은 위를 덮어 가림을 뜻하고, 가운데 빈 곳은 훔친 물건을 넣기를 기다리고 있음을 나타냄.

2 ④ **【匹】** 짝 필 匹

부수 匸(감출 혜)부

찾기 匸 ²+八 ²=4 획

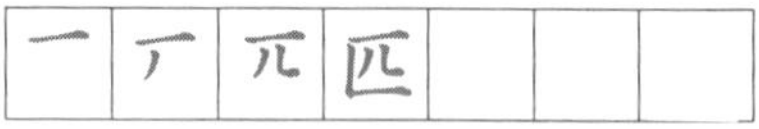

글자뿌리 형성(形聲) 문자. 감출 혜(匸〈뜻〉) 안에 나눌 팔(八〈음〉)을 합친 자로, 감추어 둔 피륙을 둘로 나누면 서로 '짝'이라는 뜻.

글자풀이 1 짝. 2 상대. 3 천한 사람.

[匹馬] (필마) 한 필의 말.

[匹夫] (필부) ① 한 사람의 남자. ② 신분이 낮은 남자.

[匹敵] (필적) ① 걸맞아서 견줄

만함. ② 능력·세력 따위가 서
로 엇비슷함.

[配匹] (배필) 부부로서의 짝.

² 十 (열 십) 部

바늘의 모양을 본뜬 글자.

⁰
②【 **十** 】 열   십   十

부수 十 (열 십) 부
찾기 十² = 2획

一	十				

(글자뿌리) **상형**(象形) **문자.** 본
디는 바늘과 바늘 구멍을 본뜬
자로, 가차하여 '십', '열'을 뜻함.

(글자풀이) **1** 열. **2** 전부.

[十代] (십대) 스무 살 안쪽의
소년·소녀의 시대.

[十分] (십분) 넉넉히. 모자람이
없이.

[十中八九] (십중 팔구) 열 가
운데 여덟이나 아홉이 그러함.

거의 다 그러함.

[十進法] (십진법) 열씩 모일 때
마다 한 자리씩 위로 올라가
새로운 단위의 이름을 붙여 세
는 방법.

---

¹
③【 **千** 】 일천   천   千

부수 十 (열 십) 부
찾기 十² + 一¹ = 3획

一	二	千			

(글자뿌리) **형성**(形聲) **문자.** 사
람 인(人〈음〉)에 열 십(十〈뜻〉)
을 합친 자로, 한 사람의 수명을
100세로 보아, 열 사람의 수명은
'一千(일천)'이 된다는 뜻.

⇒ 字 ⇒ 千

(글자풀이) **1** 일천. **2** 여럿. 많다.

[千里馬] (천리마) 천 리를 달리
는 말이라는 뜻으로, 아주 잘
달리는 좋은 말을 가리키는 말.

[千里眼] (천리안) 천 리 밖을
보는 눈이라는 뜻으로, 먼 데서
일어난 일도 잘 알아맞힘을 이
르는 말.

[千字文] (천자문) 지난 날, 한
문을 처음 배우는 사람을 위하
여 교과서로 쓰이던 책.

[千秋] (천추) 오래고 긴 세월.
썩 오랜 세월.

² ④ 【午】낮 오 午

부수 十(열 십)부
찾기 十²+㇉² = 4획

| ノ | ㇒ | 二 | 午 | | | |

글자뿌리 상형(象形) 문자. 들어 올린 절굿공이의 모양을 본뜬 글자. 12지(支)의 일곱 번째로 오전 11시부터 오후 1시 사이를 가리키며, '한낮', '남쪽'의 뜻.

글자풀이 1 낮. 2 일곱째 지지.

[午時](오시) 오전 11시에서부터 오후 1시까지의 사이.

[午前](오전) 밤 12시부터 낮 12시까지의 사이. 자정부터 정오까지. ⑫午後(오후).

[端午](단오) 명절의 하나. 음력 5월 5일.

[子午線](자오선) 날줄. 지구를 남북으로 그은 상상의 줄.

[正午](정오) 낮 12시. ⑫子正(자정).

[下午](하오) 낮 12시부터 밤 12시까지의 동안. ⑫上午(상오).

³ ⑤ 【半】반 반 半

부수 十(열 십)부
찾기 十²+㇉³ = 5획

| ノ | ハ | ㇒ | 二 | 半 | | |

글자뿌리 회의(會意) 문자. 나눌 팔(八)과 소 우(牛: 牛의 획 줄임)를 합친 자로, 소를 잡아 둘로 가른다는 데서 '절반'의 뜻이 된 자.

글자풀이 1 반. 절반. 2 조각.

[半島](반도) 세 면이 바다에 싸여 있고, 한 면은 육지에 이어진 땅. ¶韓半島(한반도).

[半萬年](반만년) 만 년의 반. 오천 년을 나타내는 말.

[半世紀](반세기) 한 세기(100년)의 절반. 곧, 50년.

[過半數] (과반수) 전체의 반이 넘는 수. 절반 이상의 수.

6 ⑧ [卒] 군사 졸 마칠 졸 *卒*

부수 十 (열 십) 부
찾기 十² + 卆⁶ = 8획

丶	亠	广	宀	夾	立	卒

(글자뿌리) 회의(會意) 문자. 옷 의(卆 : 衣의 변형)와 열 십(十)을 합친 자로, 옷 여러 벌을 병졸에게 나누어 준다는 데서 '병졸'의 뜻. 또, 병졸은 싸움터에서 죽는다는 데서 '마치다'의 뜻도 됨.

⇒ 㚟 ⇒ 卒

(글자풀이) 1 군사. 2 갑자기. 별안간. 3 마치다. 죽다.

[卒倒] (졸도) 갑작스런 충격이나 피로·빈혈·일사병 등으로 인해 갑자기 정신을 잃고 쓰러지는 일.

[卒兵] (졸병) 계급이 낮은 군인.

[卒業] (졸업) ① 학교에서의 정해진 공부를 다 마침. ② 일정한 단계를 지나 익숙하게 됨을 비유하는 말.

6 ⑧ [協] 화할 협 *協*

부수 十 (열 십) 부
찾기 十² + 劦⁶ = 8획

一	十	忄	忙	协	協	協

(글자뿌리) 형성(形聲) 문자. 열 십(十〈뜻〉)에 합할 협(劦〈음〉)을 합친 자로, 많은 사람이 힘을 합한다 하여 '화합하다', '돕다'의 뜻.

⇒ 十劦 ⇒ 協

(글자풀이) 1 화하다. 2 힘을 합하다. 돕다.

[協同] (협동) 여러 사람의 힘과 마음을 함께 합함. ¶ 協同心(협동심). ⑧ 協力(협력).

[協商] (협상) 서로의 이익을 위하여 의논함. ⑧ 協議(협의).

[協助] (협조) 힘을 모아 서로 도움.

[協奏] (협주) 두 개 이상의 악기에 의한 연주. ¶ 협주곡(協奏曲).

[協定] (협정) 의논하여 결정함.

7 ⑨ [南] 남녘 남 *南*

부수 十 (열 십) 부
찾기 十² + 宋⁷ = 9획

一	十	广	広	肖	南	南
南	南					

글자뿌리 형성(形聲) 문자. 무성할 발(冂＝屰의 변형〈뜻〉)에 점점 심해질 임(𢆉〈음〉)을 합친 자로, 초목은 남쪽으로 갈수록 점점 무성해진다는 데서 '남쪽', '남녘'의 뜻이 된 자.

𣎿 ⇒ 南 ⇒ 南

글자풀이 1 남녘. 2 남쪽.

[南極] (남극) 지구의 남쪽 끝.
 ⊕ 北極(북극).
[南山] (남산) 남쪽에 있는 산.
[南風] (남풍) 남쪽에서 불어 오는 바람.

---

² 卩 (병부 절) 部

사람이 무릎을 꿇은 모양을 본뜬 글자. 또는 부신(符信)·부절(符節) 등의 모양을 본뜬 글자.

³
⑤ 〔卯〕 토끼 묘　　卯

부수 卩 (병부 절) 부
찾기 卩² + 𠃌³ = 5획

´	㇏	㇆	𠂎	卯		

글자뿌리 상형(象形) 문자. 양쪽 문짝을 열어 젖힌 모양을 본뜬 글자로, 만물이 겨울의 문을

열어 젖히고 자란다는 데서 '봄' 또는 음력 2월에 해당함.

글자풀이 1 토끼. 2 넷째 지지.
※ 12지지의 넷째로, 띠로는 토끼, 달로는 음력 2월, 시각은 오전 5시~7시를 뜻함.

[卯年] (묘년) 그 해의 지지(地支)가 '卯'인 해. 토끼 해.
[卯時] (묘시) 오전 5시에서 7시 사이.
[卯月] (묘월) 음력 2월.

⁴
⑥ 〔危〕 위태할 위　　危

부수 卩 (병부 절) 부
찾기 卩² + 𠂆⁴ = 6획

´	㇀	㇗	𠂆	厃	危	

글자뿌리 회의(會意) 문자. 사람 인(𠂊 : 人의 변형)에 언덕 엄(厂)과 몸기 절(卩)을 합친 자로, 사람이 갈라진 벼랑 위에 꿇어앉아 있어 '위태함'을 뜻함.

𠂊𢎛 ⇒ 𠂆𢎛 ⇒ 危

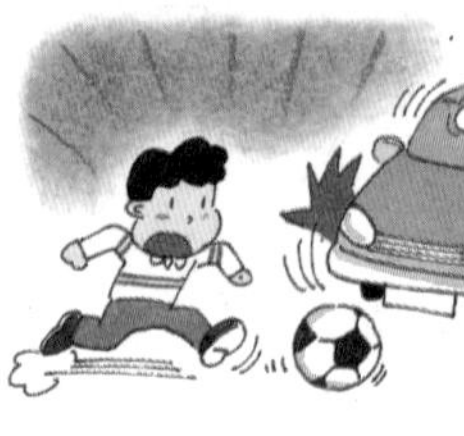

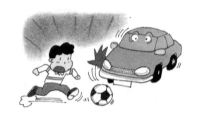

(글자풀이) 1 위태하다. 2 두려워하다.

[危急](위급) 매우 위태롭고 급함. 위험이 곧 닥쳐올 것 같음.

[危機](위기) 위험한 순간. 위급한 시기.

[危篤](위독) 병세가 매우 심하여 생명이 위태로움.

[危重](위중) 병의 증세가 위험할 정도로 대단함.

[危險](위험) 위태로움. 안전하지 못함.

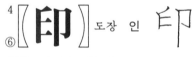

4 ⑥ 【印】 도장 인

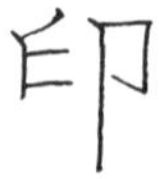

부수 卩(병부 절)부

찾기 卩²+E⁴ = 6획

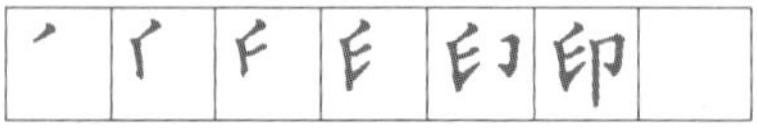

(글자뿌리) 회의(會意) 문자. 손톱 조(E : 爪의 변형)에 몸기 절(卩)을 합친 자. '卩'은 임금이 내려 주는 신표인 부절이므로 정사를 맡은 사람이 그 '도장'을 손으로 찍음을 뜻함.

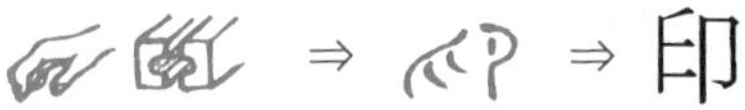

(글자풀이) 1 도장. 2 찍다.

[印鑑](인감) 자기의 도장임을 증명할 수 있도록 미리 관공서의 인감부에 등록해 둔 특정한 도장.

[印度](인도) '인디아(India)'의 한자음 표기.

[印象](인상) ① 외래의 사물이 사람의 마음에 주는 감각. ② 마음에 깊이 새겨져 잊혀지지 않는 자취.

[印稅](인세) ① 인지세(印紙稅). ② 법으로 정해진 규정에 의하여 책의 발행자가 저자에게 치르는 돈.

[印刷](인쇄) 판면에 잉크를 묻혀서 글이나 그림을 종이나 헝겊 등에 박아 내는 일.

[印朱](인주) 도장을 찍는 데 쓰는 붉은빛의 재료.

[印紙](인지) 세금·수수료 등을 낸 것을 증명하기 위해 서류에 붙이는, 정부가 발행한 증표. ¶ 收入印紙(수입 인지).

[官印](관인) 관청 또는 관직의 도장.

[消印](소인) 우체국에서 날짜가 나오도록 우표 등에 찍는 도장.

[調印](조인) 약속하는 서류에 도장을 찍음.

5 ⑦〔**卵**〕 알 란 *卵*

부수 卩(병부 절)부
찾기 卩²+卩·⁵ = 7획

| ′ | ⺈ | ⺈ | 卵 | 卯 | 卯 | 卵 |

글자뿌리 상형(象形) 문자. 개구리나 물고기의 양쪽 알주머니 모양을 본뜬 글자.

卵 ⇒ *卯* ⇒ *卵*

글자풀이 1 알. 2 기르다.

[卵白] (난백) 계란의 흰자위.
[卵生] (난생) 알을 낳아 새끼를 치는 일.
[鷄卵] (계란) 달걀. 닭의 알.
[産卵] (산란) 알을 낳음. ¶産卵期(산란기).

6 ⑧〔**卷**〕 책권 권 *卷*

부수 卩(병부 절)부
찾기 卩²+失⁶ = 8획

| ′ | ⺍ | ⺍ | 半 | 失 | 券 | 卷 |

글자뿌리 형성(形聲) 문자. 구부릴 권(失 : 龹의 변형〈음〉)에 몸기 절(卩〈뜻〉)을 합친 자로, 원래는 오금을 구부린다는 뜻이었으나, 대나무쪽에 글을 새겨 두루마리처럼 책으로 만들어 썼던 데서 '서책', '책'의 뜻이 된 자.

券乙 ⇒ *券乙* ⇒ *卷*

글자풀이 1 책권. 2 말다.

[卷頭] (권두) 책의 첫머리.
[卷數] (권수) 책의 수효.
[卷土重來] (권토 중래) 흙을 말아 쌓아 온다는 뜻으로, 한번 패한 자가 세력을 얻어 다시 쳐 옴.
[席卷] (석권) 자리를 말아 가듯이 쉽게 쳐서 빼앗음. 또는 빠르고 널리 세력을 폄.

7 ⑨〔**卽**〕 곧 즉 *卽*

부수 卩(병부 절)부
찾기 卩²+皀⁷ = 9획

| ′ | ⺈ | ⺈ | 白 | 白 | 皀 | 皀 |
| 卽 | 卽 | | | | | |

글자뿌리 회의(會意) 문자. 고소할 급(皀)에 몸기 절(卩)을 합친 자로, 고소한 냄새가 나는 밥상머리에 앉으면 곧 수저를 들게 된다 하여 '곧'이라는 뜻이 된 자.

글자풀이 1 곧. 이제. 2 즉. 3 나아가다.

[卽決] (즉결) 일을 그 자리에서 결정하거나 해결함.

[卽死] (즉사) 그 자리에서 곧 죽음.

[卽席] (즉석) ① 일이 진행되는 바로 그 자리. ② 그 자리에서 곧바로 무슨 일을 하거나 무엇을 만드는 일. ¶ 卽席料理(즉석 요리).

[卽時] (즉시) 바로 그 때. 곧.

[卽位] (즉위) 임금의 자리에 오름. 등극.

[卽興] (즉흥) 즉석에서 일어나는 흥취. ¶ 卽興詩(즉흥시).

---

² 厂 (민엄호) 部

밑이 안쪽으로 우묵하게 들어간 낭떠러지의 모양을 본뜬 글자.

---

⁷
⑨ 【厚】 두터울 후 厚

부수 厂 (민엄호) 부
찾기 厂² + 昇⁷ = 9획

一	厂	厂	厈	厈	戽	厚
厚	厚					

글자뿌리 회의(會意) 문자. 언덕 엄(厂)에 두터울 후(昇 : 厚의 본자)를 합친 자로, 산이나 언덕이 두텁게 겹쳐 있다는 데서 '두텁다'는 뜻이 된 자.

厚高 ⇒ 厂高 ⇒ 厚

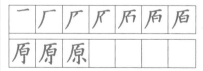

글자풀이 1 두텁다. 2 두껍다. 3 짙다.

[厚德] (후덕) 말과 행동이 어질고 두터움. 두터운 덕행.

[厚謝] (후사) 후하게 사례함.

[厚生] (후생) ① 넉넉하게 삶. ② 건강을 유지하고 더욱 북돋움. ¶ 厚生福祉(후생 복지).

[厚意] (후의) 두텁고 인정 있는 마음.

[重厚] (중후) 몸가짐이 정중하고 견실함.

---

⁸
⑩ 【原】 근원 원 原

부수 厂 (민엄호) 부
찾기 厂² + 泉⁸ = 10획

一	厂	厂	厂	斤	盾	盾
原	原	原				

글자뿌리 회의(會意) 문자. 언덕 엄(厂)에 샘 천(泉 : 泉의 변형)

을 합친 자로, 바위 밑에서 솟아 나는 샘은 물의 근본이 된다는 데서, '근원'을 뜻함. 또, 언덕 위의 넓은 '평원'을 뜻하기도 함.

(글자풀이) 1 근원. 근본. 2 벌판.

[原告] (원고) 법원에 재판을 걸어 온 사람. ⑪ 被告(피고).

[原動力] (원동력) 사물을 활동시키는 근원이 되는 힘.

[原料] (원료) 어떤 물건을 만드는 바탕이 되는 재료.

[原理] (원리) 모든 사물의 바탕이 되는 이치.

[原産地] (원산지) ① 원료·물건의 본디 생산지. ② 동물이나 식물의 본디 난 곳.

[原始林] (원시림) 사람의 손이 가지 않은 자연 그대로의 숲.

[原因] (원인) 어떤 일이 일어난 까닭. ⑪ 結果(결과).

[草原] (초원) 풀이 자라는 넓은 평지.

[平原] (평원) 평평하게 이어지는 너른 들판.

2 厶 (마늘모) 部

자기의 것을 둘러싸고 있는 모양을 그려서 자기만을 위해 일을 꾀한다는 뜻을 나타내고, 그 모양이 마늘의 쪽과 같다 하여 '마늘모'라 함.

3 【去】 갈 거
⑤ 　　　 버릴 거　去

부수 厶 (마늘모) 부
찾기 厶² + 土³ = 5획

一　十　土　去　去　　　

(글자뿌리) 상형(象形) 문자. 밥그릇 모양과 그 뚜껑을 본뜬 자로, 솥의 밥을 밥그릇에 옮겨 담는다는 데서 '덜다', '떨어져 나가다'의 뜻이 된 자.

(글자풀이) 1 가다. 지나다. 2 버리다. 없애다.

[去來] (거래) ① 돈을 서로 꾸고 갚거나, 물건을 팔고 사는 일. ② 서로의 이익을 얻기 위한 교섭. ③ 오가는 일. 왕래.

[去勢] (거세) ① 저항하거나 반대하는 세력을 없앰. ② 동물의 생식 기능을 없애 버림.

[去處] (거처) 간 곳. 또는 갈 곳.

[去就] (거취) ① 사람이 어디로 나다니는 움직임. ② 어떤 일에 대하여 취하는 태도.

[過去] (과거) 지나간 때.

9
⑪ 【參】 ❶ 석 삼
❷ 참여할 참

부수 ㅿ (마늘모) 부
찾기 ㅿ²+參⁹ = 11획

㇒	㇒	㇒	㇒	㇒	㇒	㇒

(글자뿌리) 형성(形聲) 문자. 𣲖 (맑을 정(晶)과 같이 별 셋을 가리킴〈뜻〉)에 머리 검을 진(彡〈음〉)을 합친 자로, 사람의 머리 위에서 삼태성(三台星)이 빛난다는 데서 '셋'을, 또 오리온 별자리와 함께 빛난다는 데서 '참여하다'를 뜻함.

(글자풀이) ❶ 1 석. 셋. ❷ 2 참여하다. 3 뵈다. 알현하다. 4 혜

아리다. 견주다.

[參加] (참가) 어떤 모임 또는 단체에 함께 함.

[參見] (참견) 남의 일에 끼여 들어 아는 체하거나 간섭함.

[參考] (참고) ① 살펴 생각함. ② 도움이 될 만한 자료로 삼음. 또는 그러한 자료.

[參觀] (참관) 어떤 행사나 모임에 가거나 와서 봄.

[參拜] (참배) ① 신이나 부처에게 절하고 빎. ② 무덤이나 기념탑 등의 앞에서 경의·추모의 뜻을 나타내는 일.

[參席] (참석) 어떤 자리나 모임에 나감.

[參與] (참여) 어떤 일에 참가하여 관계함.

[參戰] (참전) 전쟁에 참가함.

[參政權] (참정권) 국민의 기본권 중 하나로, 나라의 정치에 직접·간접으로 참여할 수 있는 권리.

[古參] (고참) 오래 전부터 한 직장이나 직위에 머물러 있는 일. 또는 그러한 사람.

[不參] (불참) 참가하거나 참석하지 아니함.

[新參] (신참) 새로 들어옴. 또는 그 사람.

[持參] (지참) 돈이나 물건을 가지고 참석함.

² 又 (또 우) 部

거듭을 뜻하는 세 손가락을
편 오른손 모양을 본뜬 글자.

⁰ [又] 또 우 又
②

부수 又 (또 우) 부
찾기 又² = 2획

글자뿌리 상형(象形) 문자. 세
손가락을 편 오른손을 본뜬 글자
로, 오른손은 자주 쓰게 된다 하
여 '또', '다시'의 뜻이 된 자.

글자풀이 또. 다시.

[又驚又喜] (우경 우희) 놀라기
도 하고 기뻐하기도 함.

글자풀이 **1** 미치다. 이르다. **2**
및. 와[과]. ※ 접속사로 쓰임.

[及其也] (급기야) 마침내. 마지
막에는.

[及第] (급제) 과거나 시험 등에
합격함.

[普及] (보급) 널리 펴서 알리
거나 사용하게 함.

[言及] (언급) 어떤 문제에 대
하여 말함.

[波及] (파급) 어떤 일의 영향
이 차차 다른 데로 미침.

² [及] 미칠 급 及
④

부수 又 (또 우) 부
찾기 又²+丿² = 4획

글자뿌리 회의(會意) 문자. 사람
인(丿 : 人의 변형)에 손 우(又)
를 합친 자로, 사람을 따라잡아
뒷사람의 손이 앞사람에게 '미친
다'는 뜻.

² [反] 돌이킬 반
④

부수 又 (또 우) 부
찾기 又²+厂² = 4획

一	厂	厉	反			

글자뿌리 회의(會意) 문자. 민엄
호(厂)에 손 우(又)를 합친 자
로, 덮어 가린 것을 손으로 뒤치
는 모양에서 '뒤치다', '돌이키다'
의 뜻이 된 자.

⇒ ⇒ 反

글자풀이 1 돌이키다. 2 되풀이하다. 3 반대하다.

[反感] (반감) ① 반대하거나 반항하는 감정. ② 노여운 감정.

[反共] (반공) 공산주의를 반대함. 공산주의와 투쟁함.

[反對] (반대) ① 두 사물의 내용이나 방향이 맞서서 서로 다름. ¶正反對(정반대). ② 남의 의견이나 행동에 찬성하지 아니함.

[反論] (반론) 남의 의견에 대하여 반대 의견을 말함.

[反問] (반문) 되받아 물음.

[反復] (반복) 되풀이함.

[反省] (반성) 자기 자신의 잘못을 스스로 돌아봄.

[反逆] (반역) 배반하여 돌아섬.

[反戰] (반전) 전쟁에 반대함.

[反則] (반칙) 규칙을 어김.

[背反] (배반) 믿음을 저버리고 돌아섬.

[相反] (상반) 서로 반대됨.

2
④ 【友】 벗 우   友

부수 又 (또 우) 부
찾기 又² + ナ² = 4획

一 ナ 方 友

글자뿌리 회의(會意) 문자. 왼손 좌(ナ=左의 본자)에 오른손 우(又)를 합친 자로, 손과 손을 맞잡은 친한 사이라는 데서 '벗'을 뜻함.

⇒ ⇒ 友

글자풀이 1 벗. 2 벗하다. 우애 있다.

[友邦] (우방) 서로 친밀한 관계를 가진 나라.

[友愛] (우애) 형제간이나 친구 사이의 두터운 정과 사랑.

[友情] (우정) 친구 사이의 정. ⑧友誼(우의).

[友好] (우호) 사이가 좋음.

[校友] (교우) 같은 학교에 다니거나 다닌 벗.

[朋友] (붕우) 벗. 친구. ¶朋友有信(붕우 유신).

[戰友] (전우) 전쟁터에서 함께 싸우는 벗. ¶戰友愛(전우애).

[竹馬故友] (죽마 고우) 대나무로 만든 말을 타고 놀던 친구라는 뜻으로, 어릴 때부터 같이 놀며 자란 친구를 이르는 말.

[學友] (학우) 학교에서 같이 공부하는 벗.

6 ⑧ 【受】 받을 수 受

부수 又(또 우)부

찾기 又²+爪⁶ = 8획

글자뿌리 회의(會意)·형성(形聲) 문자. 손톱 조(爪)에 배 주(冖: 舟의 변형〈음〉)와 손 우(又)를 합친 자로, 배를 타고 오고 가면서 물건을 주고 '받는다'는 뜻.

글자풀이 1 받다. 2 입다. 당하다. 3 응하다. 들어 주다.

[受難] (수난) 어려움을 당함.

[受動] (수동) 남의 힘을 받아서 움직임. ⮂ 能動(능동).

[受賞] (수상) 상을 받음.

[受信] (수신) 우편이나 전보 등의 통신을 받음.

[受容] (수용) 받아들임.

[受取] (수취) 자기에게 온 것을 받음. ¶ 受取人(수취인).

[甘受] (감수) 불만 없이 달게 받음.

[感受性] (감수성) 외부의 자극을 받아 느낌을 일으키는 성질이나 능력.

[引受] (인수) 물건이나 권리를 넘겨 받음.

[傳受] (전수) 전하여 받음.

[接受] (접수) 어떤 신청을 말이나 문서로 받음. ¶ 接受處(접수처).

6 ⑧ 【叔】 아재비 숙 叔

부수 又(또 우)부

찾기 又²+尗⁶ = 8획

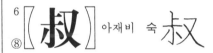

글자뿌리 형성(形聲) 문자. 콩 숙(尗: 菽의 원자〈음〉)에 손 우(又)를 합친 자로, '손으로 콩을 줍다'가 본래의 뜻이었으나, 콩이 작고 어린 데서 아버지보다 어린 '숙부'의 뜻이 된 자.

글자풀이 아재비. 숙부.

[叔父] (숙부) 작은 아버지. 아버지의 동생.

[叔姪] (숙질) 아저씨와 조카.

3획

[堂叔] (당숙) 아버지의 사촌 형 제를 친근하게 이르는 말.

[外叔] (외숙) 외삼촌. ¶ 外叔 母(외숙모).

⁶⑧ 【取】 취할 취 取

부수 又 (또 우) 부

찾기 又²+耳⁶ = 8획

| 一 | 厂 | 厂 | 巨 | 耳 | 耵 | 取 |

(글자뿌리) 회의(會意) 문자. 귀 이(耳)에 손 우(又)를 합친 자 로, 옛날 전쟁에서 적을 죽이면 그 증거물로 적의 귀를 잘라서 가졌다는 데서 '취하다'의 뜻이 된 자.

⇒ ⇒ 取

(글자풀이) 취하다. 가지다.

[取得] (취득) 취하여 가짐.

[取消] (취소) 약속하거나 발표 했던 것을 없었던 것으로 함.

[取材] (취재) 기사나 작품 등의 재료를 얻음.

[爭取] (쟁취) 싸워서 얻음.

[進取] (진취) 어려움을 무릅쓰 고 힘껏 앞으로 나아감.

[採取] (채취) 필요한 것을 거 두어서 취함.

[聽取] (청취) 방송 등을 들음. ¶ 聽取者(청취자).

---

³ 口 (입 구) 部

사람의 입 모양을 본뜬 글자. 비슷한 모양의 큰 입구(口)부와 혼동하지 않도록 주의해야 함.

⁰③ 【口】 입 구 ▱

부수 口 (입 구) 부

찾기 口³ = 3획

| 丨 | 冂 | 口 | | | | |

(글자뿌리) 상형(象形) 문자. 사 람의 입 모양을 본뜬 글자.

 ⇒ ⇒

(글자풀이) 1 입. 2 말하다. 3 구 멍. 어귀.

[口令] (구령) 여러 사람의 움 직임을 같이 하기 위하여 부르 는 호령.

[口味] (구미) ① 입맛. ② 갖고 싶은 마음. 욕심.

[口實] (구실) 핑계 삼을 밑천.

[口傳] (구전) 말로 전함. 또는 말로 전해 옴.

[口號] (구호) 뜻을 분명히 전 하기 위하여 외치는 짧막한 말 이나 글.

[非常口] (비상구) 건물이나 비 행기 등에서, 평소에는 쓰지 않

고 닫아 두다가 사고가 났을
때에 급히 피할 수 있도록 만
든 문.

[食口] (식구) 같은 집에서 함
  께 먹으며 사는 사람.

[有口無言] (유구 무언) 입은 있
  으나 할 말이 없다는 뜻으로,
  변명할 말이 없다는 말.

[異口同聲] (이구 동성) 여러 사
  람의 말이 모두 같음.

[耳目口鼻] (이목구비) ① 눈·
  코·입·귀를 이르는 말. ② 얼굴
  의 생김새.

[一口二言] (일구 이언) 한 입
  으로 두 말을 한다는 뜻으로,
  이랬다 저랬다 갈팡질팡 함을
  이르는 말.

[入口] (입구) 어떤 곳으로 들
  어가는 문.

[出入口] (출입구) 드나드는 어
  귀나 문.

[戶口] (호구) 집과 식구의 수.
  ¶戶口調査(호구 조사).

²
⑤ 【可】 옳을 가 　可

부수 口 (입 구) 부
찾기 口³＋丁² ＝ 5획

| 一 | 一 | 戸 | 口 | 可 | |

글자뿌리 형성(形聲) 문자. 입
구(口)에 어여쁠 교(丁 : 丂의 변

형〈음〉)를 합친 자로, 입으로 용
서한다[丁]고 말한다는 데서 '옳
다'의 뜻이 된 자.

글자풀이 **1** 옳다. 찬성하다. **2**
허락하다. **3** 가히.

[可決] (가결) 어떠한 의견에 대
  해서 옳다고 결정함.

[可恐] (가공) 두려워할 만함.

[可觀] (가관) ① 볼만한 가치가
  있음. ② 꼴답지 않아 비웃을
  만함.

[可能] (가능) ① 할 수가 있음.
  ② 될 수 있음. ⊕不可能(불가
  능).

[可憐] (가련) 동정심이 갈 만큼
  가엾고 불쌍함.

[不可分] (불가분) 나누려고 해
  도 나눌 수가 없음.

[不可思議] (불가사의) 인간의
  생각으로는 미루어 헤아릴 수
  없을 만큼 이상하고 야릇함. 또
  는 그러한 일.

[曰可曰否] (왈가 왈부) 어떠한
  일에 대해서 옳으니 그르니 하
  고 말함.

²
⑤ 【古】 옛 고 　古

부수 口 (입 구) 부
찾기 口³＋十² ＝ 5획

| 一 | 十 | 十 | 古 | 古 | |

3
획

글자뿌리 회의(會意) 문자. 어떤 사실이 입〔口〕으로 전하여 십〔十〕대가 지났다는 데서 '옛', '오래 되다'의 뜻이 된 자.

十 + 口 ⇒ 古

글자풀이 1 옛. 2 예스럽다. 3 오래 되다.

[古家](고가) 지은 지 아주 오래 된 집. 통古屋(고옥).

[古歌](고가) 옛 노래.

[古宮](고궁) 옛 궁궐.

[古今](고금) 옛날과 지금.

[古都](고도) 옛 도읍.

[古木](고목) 아주 오래 되어 늙은 나무.

[古墳](고분) 옛 무덤.

[古松](고송) 오래 묵은 소나무. 노송(老松).

[古人](고인) 옛 사람.

[古跡](고적) 지금 남아 있는 옛날의 건물이나 시설물. 또는 그러한 것이 있었던 터.

[古典](고전) ① 옛날의 의식이나 법식. ② 옛날에 만든, 가치 있는 작품이나 책.

[古稀](고희) 옛날부터 지금에 이르기까지 보기 힘든 나이라는 뜻으로, 일흔 살 또는 일흔 살이 되는 때를 이르는 말.

[萬古不變](만고 불변) 오랫동안 변하지 않음.

[中古品](중고품) 일정 기간 동안 써서 약간 낡은 물건.

2
⑤ 【句】 글귀 구 句

부수 口(입 구)부
찾기 口³+勹²＝5획

| ノ | 勹 | 勺 | 句 | 句 | | |

글자뿌리 회의(會意) 문자. 쌀 포(勹)로 입 구(口)를 싼 글자. '勹'가 숨쉬는 가슴의 모양을 나타내므로, 단숨에 읽을 수 있는 '글귀'를 뜻하게 된 자.

◯ ⇒ 凵勹 ⇒ 句

글자풀이 1 글귀. 2 굽다. 구부러지다.

[句句節節](구구 절절) 문장의 구절구절마다.

[句節](구절) 긴 글에서 한 부분이 되는 토막 글.

[結句](결구) 시(詩)에서 끝을 맺는 구.

[名句](명구) ① 뛰어나게 잘된 글귀. ② 유명한 문구(文句).

[文句] (문구) 글의 구절.

[詩句] (시구) 시의 구절.

[一言半句] (일언 반구) 아주 짧은 말.

2
⑤ 【史】 역사 사　史

부수 口 (입 구) 부

찾기 口³ + 乂² = 5획

| ゝ | 冂 | 口 | 史 | 史 | |

(글자뿌리) 회의(會意) 문자. 가운데 중(中)에 오른손 우(又)를 합친 자로, 역사나 그것을 기록하는 사관(史官)은 공평하고 엄정해야 함을 뜻함.

(글자풀이) **1** 역사. 기록된 문서.
2 사관(史官).

[史家] (사가) 역사에 대해 연구하거나 잘 알고 있는 사람. 역사가(歷史家).

[史劇] (사극) 역사상의 인물이나 사건을 소재로 한 극. 역사극.

[史書] (사서) 역사적인 사실을 적은 책.

[史蹟] (사적) 역사상의 사건과 관계가 있거나 그러한 건물이 있던 곳.

[歷史] (역사) ① 인간이 살아 온 사회의 발자취. 또는 그것의 기록. ② 어떤 사물이나 인물 등이 오늘에 이르기까지의 변화된 자취.

[有史以來] (유사 이래) 역사가 생겨난 그 뒤로.

2
⑤ 【右】 오른쪽 우　右

부수 口 (입 구) 부

찾기 口³ + ナ² = 5획

| ノ | ナ | ナ | 右 | 右 | |

(글자뿌리) 회의(會意) 문자. 원래는 일을 할 때에 오른손 [ナ]만으로 모자라 입 [口]으로도 돕는다는 데서 '돕다'의 뜻이었으나, 후에 와서 '도울 우(佑)'자가 생기면서 '오른쪽'이라는 뜻으로 쓰이게 됨.

✍👄 ⇒ ⇒ 右

(글자풀이) **1** 오른쪽. **2** 숭상하다.
3 돕다.

[右方] (우방) 오른편. 바른쪽.

[右往左往] (우왕 좌왕) ① 이

리저리 오락가락함. ② 어떤 일을 결정짓지 못하고 망설임.

[右翼] (우익) ① 새의 오른쪽 날개. ② 보수적인 당이나 그런 당에 소속된 사람.

[前後左右] (전후 좌우) 앞쪽과 뒤쪽과 왼쪽과 오른쪽. 곧, 사방을 이르는 말.

[左右] (좌우) ① 왼쪽과 오른쪽. ② 곁. 옆. ③ 곁에서 가까이 거느리고 있는 사람.

[左之右之] (좌지 우지) 제 마음대로 다루거나 휘두름.

---

② ⑤ 【只】 다만 지   只

부수 口 (입 구) 부

찾기 口³＋八² ＝ 5획

| ⵧ | 冂 | 口 | 尸 | 只 | |

(글자뿌리) 회의(會意) 문자. 입 구(口)에 나눌 팔(八)을 합친 자로, 입에서 나오는 말이 흩어져서 말의 여운이 있음을 뜻함.

(글자풀이) 1 다만. 2 이. 이것. 3 뿐.

[只今] (지금) 이제. 현재.
[但只] (단지) 다만. 한갓.

---

③ ⑥ 【各】 각각 각   各

부수 口 (입 구) 부

찾기 口³＋夂³ ＝ 6획

| ノ | 夂 | 夂 | 冬 | 各 | 各 |

(글자뿌리) 회의(會意) 문자. 뒤져올 치(夂)와 입 구(口)를 합친 자로, 앞에 한 말과 뒤에 한 말이 다르다는 데서 '각각'의 뜻이 됨.

 ⇒ ⇒ 各

(글자풀이) 1 각각. 따로따로. 2 여러. 3 서로.

[各各] (각각) 따로따로. 각기.
[各界] (각계) 사회의 각 방면.
[各國] (각국) 각 나라.
[各其] (각기) 각각. 저마다.
[各論] (각론) 논설문 따위에서 각 부문이나 항목에 대한 논설.
[各方面] (각방면) 모든 방면. 여러 군데.
[各別] (각별) ① 유달리 다름. 특별함. ② 깍듯함.
[各自] (각자) 사람들마다 각기. 제각각.
[各種] (각종) 여러 가지 종류. 여러 가지. 갖가지.

---

③ ⑥ 【吉】 길할 길   吉

부수 口 (입 구) 부

찾기 口³＋士³ ＝ 6획

| 一 | 十 | 士 | 吉 | 吉 | 吉 |

글자뿌리 회의(會意) 문자. 선비 사(士)에 입 구(口)를 합친 글자로, 선비〔士〕의 입〔口〕에서 나오는 말이라는 데서 '좋다', '길하다'의 뜻이 된 자.

글자풀이 1 길하다. 운이 좋다. 2 좋다. 3 복. 행복.

[吉夢] (길몽) 좋은 꿈.

[吉運] (길운) 좋은 운수.

[吉日] (길일) 좋은 날.

[吉兆] (길조) 좋은 징조.

[吉鳥] (길조) 사람들에게 어떤 좋은 일이 생길 것을 미리 알려 준다는 새.

[不吉] (불길) 좋지 못함.

[立春大吉] (입춘 대길) 24절기의 하나인 입춘에 문지방이나 대문에 써 붙이는 글귀로, '입춘을 맞이하여 크게 길하다.'는 뜻.

3
⑥ 【同】 한가지 동　同

부수 口 (입 구) 부
찾기 口³ + 冂³ = 6획

| 丨 | 冂 | 冂 | 冋 | 同 | 同 |

글자뿌리 회의(會意) 문자. 무릇 범(冂 : 凡의 변형)에 입 구(口)를 합친 글자로, 여러 사람의 입이라는 데서 '화합하다', '같다'는 뜻이 된 자.

글자풀이 1 한가지. 함께. 같다. 2 화(和)하다.

[同價紅裳] (동가 홍상) 같은 값이면 다홍치마라는 뜻으로, 이왕이면 보기에 좋은 것을 가진다는 말.

[同感] (동감) 남과 같이 생각하거나 느낌.

[同甲] (동갑) 같은 나이.

[同苦同樂] (동고 동락) 즐거움과 괴로움을 같이 겪음.

[同等] (동등) 자격 또는 수준이나 입장 등이 같음. 동平等 (평등).

[同僚] (동료) 같은 곳에서 같

3
획

3획

이 일하는 사람.

[同伴] (동반) 길을 같이 감. 데리고 함께 다님.

[同病相憐] (동병 상련) 같은 병을 앓고 있는 사람끼리 서로 불쌍히 여긴다는 뜻으로, 어려운 처지에 있는 사람끼리 서로 도움을 이르는 말.

[同性] (동성) ① 같은 성질. ② 성별(性別)이 같음.

[同姓同本] (동성 동본) 성과 본관이 같음. 같은 성에 같은 본관임.

[同乘] (동승) 같이 탐.

[同時] (동시) 같은 때나 같은 시기.

[同情] (동정) 다른 사람의 불행이나 슬픔을 자기 일처럼 생각하여 가슴 아파하고 위로함.

[同族] (동족) 같은 민족. 같은 종족.

[同窓] (동창) 같은 학교나 같은 선생님에게서 배움.

[同鄕] (동향) 같은 고향. 고향이 같음.

[共同] (공동) ① 두 사람 이상이 함께 일함. ② 두 사람 이상이 같은 자격으로 한데 합침.

[異口同聲] (이구 동성) 여러 사람의 말이 모두 같음.

[一心同體] (일심 동체) 여러 사람이 한 사람처럼 뜻을 합하여 굳게 결합하는 일.

[協同精神] (협동 정신) 서로가 힘을 합하는 정신.

³
⑥ 【名】 이름 명   名

부수 口 (입 구) 부

찾기 口³ + 夕³ = 6획

| ノ | ク | 夕 | 夕 | 名 | 名 |

(글자뿌리) 회의(會意) 문자. 저녁 석(夕)에 입 구(口)를 합친 자로, 저녁이 되면 어두워 서로를 알아볼 수 없으므로 입으로 이름을 말하여 자신을 알려야 한다는 데서 '이름'의 뜻이 된 자.

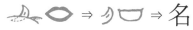 ⇒ ⇒ 名

(글자풀이) **1** 이름. **2** 이름나다. 훌륭하다. **3** 사람.

[名君] (명군) 훌륭한 임금.

[名弓] (명궁) ① 활을 매우 잘 쏘는 사람. ② 이름난 활.

[名門] (명문) 훌륭한 집안.

[名山大刹] (명산 대찰) 이름난 산과 큰 절.

[名聲] (명성) 세상에 널리 퍼져 평판이 높은 이름.

[名所] (명소) 이름난 곳. 뛰어나게 경치가 좋은 곳.

[名譽] (명예) 사회적으로 평가를 받는 떳떳한 이름이나 자랑. 좋은 평판.

[名人] (명인) 어떤 부문에 아주 뛰어나서 이름난 사람.

[名作] (명작) 뛰어난 작품.

[名匠] (명장) 훌륭한 기술자.

[名將] (명장) 훌륭한 장군. 이름난 장수.

[名唱] (명창) 잘 부르는 노래. 또는 노래를 아주 잘 부르는 사람.

[名筆] (명필) ① 썩 잘 쓴 글씨. 글씨를 썩 잘 쓰는 사람. ② 좋은 붓.

[名啣] (명함) 이름·주소·신분 등을 적은 종이쪽.

[名畫] (명화) ① 그림을 잘 그리는 사람. ② 썩 잘 그린 그림. 매우 유명한 그림. ③ 유명한 영화. 잘된 영화.

[姓名] (성명) 성과 이름.

[有名] (유명) 이름이 널리 알려짐.

³ ⑥ 【合】 합할 **합** 合

부수 口(입 구)부

찾기 口³+亼³ = 6획

（글자뿌리） 회의(會意) 문자. 모일 집(亼 : 集의 원자)에 입 구(口)를 합친 자로, 여러 사람의 입, 곧 말이 하나로 모였다는 데서 '합하다', '맞다'의 뜻이 된 자.

合 ⇒ 合 ⇒ 合

（글자풀이） 1 합하다. 모이다. 2 맞다.

[合格] (합격) 시험이나 검사에 통과함.

[合金] (합금) 두 가지 이상의 다른 금속을 섞어서 녹여 만든 금속.

[合同] (합동) ① 둘 이상을 하나로 함. ② 두 개의 도형이 크기와 모양이 같아 서로 일치하는 것.

[合成] (합성) 두 가지 이상이 합쳐져서 하나를 이룸.

[合心] (합심) 여러 사람이 마음을 하나로 합함.

[合作] (합작) ① 둘 이상이 힘을 합하여 만듦. 또는 그 작품.

³획

② 공동의 목표를 달성하기 위하여 여러 사람 또는 단체가 서로 손잡고 힘을 합함.
［合唱］(합창) 여러 사람이 소리를 맞춰서 노래함.
［合致］(합치) 서로 일치함.
［試合］(시합) 서로 재주를 겨루어 승부를 다툼.
［適合］(적합) 꼭 알맞음.

3
⑥ 【向】 향할 향 向

부수 口 (입 구) 부
찾기 口³＋冂³ ＝ 6획

| ノ | イ | 冂 | 冋 | 向 | 向 |

(글자뿌리) 상형(象形) 문자. 옛날에 집의 북쪽에 환기를 위해 낸 높다란 창문을 본뜬 글자로, 창문은 북쪽을 향하게 된 데서 '향하다'의 뜻이 된 자.

合 ⇒ 向 ⇒ 向

(글자풀이) 1 향하다. 대하다. 2 나아가다.

［向上］(향상) 기능·정도 등이 위를 향하여 나아감. 나아짐.
［南向］(남향) 남쪽으로 향함.
［內向性］(내향성) 마음이 자기의 내면에만 관심을 가지고 밖으로 향하려 하지 않는 성격.
［動向］(동향) 사람의 마음이나 사물의 움직임.
［方向］(방향) ① 향하거나 나아가는 쪽. ② 뜻이 향하는 곳.
［意向］(의향) 무엇을 어떻게 할 것인가에 대한 생각.

4
⑦ 【告】 ❶ 알릴 고 告
❷ 뵙고 청할 곡

부수 口 (입 구) 부
찾기 口³＋牛⁴ ＝ 7획

| ノ | ㇑ | 㞢 | 牛 | 牛 | 告 | 告 |

(글자뿌리) 회의(會意) 문자. 소 우(牛)에 입 구(口)를 합친 자로, 신에게 소를 바치고 축사를 말한다는 데서 '알리다'의 뜻.

牛口 ⇒ 牛口 ⇒ 告

(글자풀이) ❶ 1 알리다. 여쭈다. 2 하소연하다. 고소하다. ❷ 3 뵙고 청하다.

[告發] (고발) 피해자가 아닌 사람이 범죄 사실을 경찰이나 검찰에 알림.

[告白] (고백) 사실을 분명하게 말함.

[告祀] (고사) 집안이 잘 되기를 바라며 지내는 제사.

[告示] (고시) 국가 기관 등에서 일반에게 널리 알림.

[告知] (고지) 어떤 사실을 관계자에게 알림.

[公告] (공고) 어떤 일을 신문이나 게시판을 통하여 일반 사람들에게 널리 알리는 일.

[廣告] (광고) ① 세상에 널리 알림. ② 상품을 널리 선전 하기 위한 글·그림 또는 방송.

[忠告] (충고) 남의 잘못을 고치도록 타이름.

[出必告] (출필곡) 밖으로 나갈 때마다 반드시 부모에게 가는 곳을 알림.

(글자뿌리) 회의(會意) 문자. 다스릴 윤(尹)에 입 구(口)를 합친 자로, 사람의 위에서 다스리는 이, 곧 '임금'을 뜻함.

(글자풀이) 1 임금. 2 남편. 자네.

[君臨] (군림) ① 임금으로서 나라를 다스림. ② 어떤 방면에서 가장 높은 위치에 서게 됨.

[君臣] (군신) 임금과 신하.

[君臣有義] (군신 유의) 오륜(五倫)의 하나로, 임금과 신하 사이에는 의리가 있어야 한다는 말.

[君子] (군자) ① 학문이나 덕이 높으며 행동이 바르고 품위가 있는 사람. ② 옛날에 아내가 남편을 높여 부르던 말.

[君子有三樂] (군자 유삼락) 군자에게는 세 가지 즐거움이 있음. 즉, 부모가 살아 계시고 형제가 무고한 것, 자기의 행실에 부끄러움이 없는 것, 영재를 얻어 교육하는 일을 이름.

3 획

4
⑦ 【君】 임금 군   君

부수 口 (입 구) 부

찾기 口³+尹⁴ = 7획

| ㄱ | ㄱ | ㅋ | 尹 | 尹 | 君 | 君 |

4
⑦ 【否】 아닐 부   否

부수 口 (입 구) 부

찾기 口³+不⁴ = 7획

| 一 | ㄱ | ㅋ | 不 | 不 | 否 | 否 |

글자뿌리 회의(會意)·형성(形聲) 문자. 아닐 불(不〈음〉)에 입 구(口〈뜻〉)를 합친 자로, 아니라고 말한다는 뜻.

글자풀이 아니다. 없다.

[否認](부인) 그렇지 않다고 주장함. 인정하지 않음.

[否定](부정) 그렇지 않다고 단정함.

[可否](가부) ① 옳고 그름. ② 찬성과 반대.

[安否](안부) 편안히 잘 있는지 못 있는지를 묻는 인사.

[與否](여부) 그러함과 그러하지 않음.

4
㉠ [吾] 나 오 吾

부수 口(입 구)부

찾기 口³ + 五⁴ = 7획

一	丁	五	五	丟	吾	吾

글자뿌리 형성(形聲) 문자. 다섯 오(五〈음〉)에 입 구(口〈뜻〉)를 합친 자로, 손으로 자기를 가리키며 말한다는 데서 '나', '우리'의 뜻.

글자풀이 1 나. 자신. 2 우리.

[吾等](오등) 우리들.

[吾兄](오형) 편지에서, 벗을 친근하게 부르는 말.

4
㉠ [吟] 읊을 음 吟

부수 口(입 구)부

찾기 口³ + 今⁴ = 7획

丶	口	口	叮	吩	吟	吟

글자뿌리 형성(形聲) 문자. 입 구(口〈뜻〉)에 이제 금(今〈음〉)을 합친 자로, 길게 내는 소리를 뜻하여 '읊다'의 뜻이 된 자.

글자풀이 1 읊다. 노래하다. 2 끙끙 앓다.

[吟味](음미) ① 시·노래 등을 읊어 그 참뜻을 감상함. ② 사물의 뜻을 새겨 깊이 연구함.

[吟遊詩人](음유 시인) 떠돌아다니며 시를 읊는 시인.

[呻吟](신음) ① 앓는 소리를 냄. ② 고통에 허덕임.

4
㉠ [吹] 불 취 吹

부수 口(입 구)부

찾기 口³ + 欠⁴ = 7획

丶	口	口	叮	叺	吶	吹

글자뿌리 회의(會意) 문자. 입

구(口)에 하품할 흠(欠)을 합친 자로, 입으로 하품을 하듯이 숨을 불어 낸다는 데서 '불다'의 뜻이 된 자.

（글자풀이） 1 **불다.** 부추기다. 2 숨쉬다.

[吹入]（취입） ① 공기를 불어 넣음. ② 음반이나 녹음 테이프에 소리나 목소리를 녹음함.

[吹奏]（취주） 피리·생황·나팔 등의 악기를 불어서 연주함.

⁵_⑧【命】목숨 명 命

부수 口（입 구）부
찾기 口³＋令⁵ ＝ 8획

| ノ | 人 | 人 | 合 | 合 | 合 | 命 |

（글자뿌리） **회의（會意）** 문자. 명령 령（令）에 입 구（口）를 합친 자로, 입으로 내리는 임금의 명령이라는 뜻. 옛날 임금의 명령은 목숨을 좌우하는 것이었으므로 '목숨'의 뜻을 지님.

3
획

 ⇒ ⇒ 命

（글자풀이） 1 **목숨.** 수명. 2 명령하다. 3 이름 짓다.

[命令]（명령） 분부. 지휘.
[命脈]（명맥） 생명의 줄. 목숨.
[命中]（명중） 겨냥한 곳을 바로 맞힘.
[短命]（단명） 짧은 목숨. 또는 목숨이 짧음.
[生命]（생명） ① 목숨. ② 사물을 유지하는 기간.
[宿命]（숙명） 타고난 운명. 피할 수 없는 운명.
[人命在天]（인명 재천） 사람이 살고 죽는 것은 다 하늘에 매여 있음.

⁵_⑧【味】맛 미 味

부수 口（입 구）부
찾기 口³＋未⁵ ＝ 8획

| 丨 | 口 | 口一 | 口二 | 吁 | 呋 | 味 |

（글자뿌리） **형성（形聲）** 문자. 입 구（口〈뜻〉）에 아닐 미（未〈음〉）를 합친 자로, 잘 익어 빛깔이 고운 과실을 입으로 먹어 본다는 데서 '맛'의 뜻이 된 자.

⇒ ⇒ 味

3획

글자풀이 1 맛. 맛보다. 2 뜻. 의미.

[味覺] (미각) 맛을 느끼는 감각. 단맛·짠맛·쓴맛·신맛 따위.

[甘味料] (감미료) 단맛을 내는 데 쓰이는 조미료.

[口味] (구미) 입맛.

[妙味] (묘미) 미묘한 맛.

[無意味] (무의미) ① 아무 뜻이 없음. ② 아무 가치나 의의가 없음.

[性味] (성미) 본디 가지고 있는 마음의 바탕. 성질과 비위.

[吟味] (음미) ① 시·노래 등을 읊어 그 깊은 뜻을 되새겨 봄. ② 사물의 내용이나 뜻을 새겨 깊이 연구함.

[興味] (흥미) ① 재미. ② 관심을 가지는 감정.

5
⑧ **【呼】** 부를 호　口乎

부수 口 (입 구) 부

찾기 口³+乎⁵ = 8획

丶	口	口′	口′′	口′′	呼	呼

글자뿌리 형성(形聲) 문자. 입 구 (口〈뜻〉)에 그런가 호(乎〈음〉)를 합친 자로, 소리를 길게 내어 부른다는 데서 '부르다'의 뜻이 된 자.

○ 글자 ⇒ 口乎 ⇒ 呼

글자풀이 1 부르다. 부르짖다. 2 숨을 내쉬다.

[呼訴] (호소) 자기의 억울한 사정을 남에게 하소연함.

[呼應] (호응) ① 한쪽이 부르면 다른 쪽이 이에 답함. ② 서로 뜻이 통함.

[呼吸] (호흡) ① 숨을 내쉬고 들이마심. 또는 그 숨. ② 두 사람 이상이 함께 일할 때의 서로의 마음.

[歡呼聲] (환호성) 기뻐서 부르짖는 소리.

5
⑧ **【和】** 화할　화
　　　 화답할　화　和

부수 口 (입 구) 부

찾기 口³+禾⁵ = 8획

′	′	千	千	禾	禾	和

글자뿌리 형성(形聲) 문자. 벼 화 (禾〈음〉)에 입 구 (口〈뜻〉)를 합친 자로, 곡식을 풍족하게 먹으니

절로 '화목해진다'는 뜻.

글자풀이 1 화하다. 화목하다. 2 화답하다.

[和氣靄靄] (화기 애애) 여럿이 모인 자리에 화목한 분위기가 가득한 모양.

[和睦] (화목) 서로 뜻이 맞고 정다움.

[和音] (화음) 높낮이가 다른 둘 이상의 소리가 울렸을 때의 서로 어울리는 소리.

[和暢] (화창) 날씨나 마음씨가 부드럽고 맑음.

[和合] (화합) 화목하게 어울림. 화동하여 합함.

[和解] (화해) 싸움을 그만두고 다시 좋은 사이가 됨.

[家和萬事成] (가화 만사성) 집안이 화목하면 모든 일이 잘 된다는 말.

[調和] (조화) 서로 대립함이 없이 잘 어울림.

⑨⁶ **[哀]** 슬플 애　哀

부수 口 (입 구) 부
찾기 口³ + 衣⁶ = 9획

丶	亠	亠	吏	声	声	宦
哀	哀					

글자뿌리 형성(形聲) 문자. 옷 의 (衣〈음〉)에 입 구(口〈뜻〉)를 합친 자로, 옷이 낡아 구멍이 난 사람을 보고 '슬퍼한다'는 뜻.

글자풀이 1 슬프다. 슬퍼하다. 2 불쌍히 여기다.

[哀悼] (애도) 사람의 죽음을 슬퍼함.

[哀惜] (애석) 슬프고 안타깝게 여김.

[哀愁] (애수) 서글픈 마음.

[哀歡] (애환) 슬픔과 기쁨.

[悲哀] (비애) 슬픔과 설움.

[喜怒哀樂] (희로 애락) 기쁨과 노여움과 슬픔과 즐거움. 즉, 사람의 온갖 감정.

⑨⁶ **[哉]** 어조사 재　哉

부수 口 (입 구) 부
찾기 口³ + 𢦏⁶ = 9획

一	十	土	圡	吉	吉	哉
哉	哉					

3
획

3 획

글자뿌리 형성(形聲) 문자. 끊을 재(戈＝栽〈음〉)에 입 구(口〈뜻〉)를 합친 자로, 말을 끊는 데 쓰이는 '어조사'로 쓰임.

글자풀이 어조사.

[快哉] (쾌재) 통쾌하게 여김.

⑨ **品** 품수 품

品

부수 口 (입 구) 부
찾기 口³ + 品⁶ = 9획

丶	口	口	口	品	品	品
品	品					

글자뿌리 회의(會意) 문자. 입 구(口)를 셋 합친 자로, 여러 층의 사람들이 모여 옳으니 그르니 한다는 데서 '품수', '품격'의 뜻.

글자풀이 1 품수. 등급. 물건. 2 품격. 3 품평하다.

[品名] (품명) 물건의 이름.
[品目] (품목) 물건의 종류를 나타내는 이름.

[品性] (품성) 사람의 됨됨이.
[品位] (품위) 아름다움과 의젓함을 잃지 않는 몸가짐.
[品切] (품절) 물건이 다 팔리어 없음.
[品質] (품질) 물건의 좋고 나쁜 성질과 바탕.
[品行] (품행) 품성과 행실.
[貴重品] (귀중품) 귀하고 중요한 물건.
[氣品] (기품) 사람의 모습이나 태도, 예술 작품에서 느껴지는 고상한 느낌.
[物品] (물품) 쓸 만한 값어치가 있는 물건.
[非賣品] (비매품) 일반에게는 팔지 않는 물품.
[商品] (상품) 사고 파는 물품.
[生必品] (생필품) 일상 생활에 꼭 있어야 하는 물품.
[食品] (식품) 사람이 날마다 먹는 음식물.
[藥品] (약품) 만들어 놓은 약.
[人品] (인품) 사람의 품격. 사람의 됨됨이.
[中古品] (중고품) 오래 써서 약간 낡은 물건.
[學用品] (학용품) 연필·공책 등 공부에 필요한 물건.

⑪ **⁸ 問** 물을 문

問

부수 口(입 구)부

찾기 口³+門⁸ = 11획

丨	冂	冖	阝	阝'	門	門

門	門	問	問			

글자뿌리 형성(形聲) 문자. 문 문(門〈음〉)에 입 구(口〈뜻〉)를 합친 자로, 문 앞에서 고한다는 데서 '묻다'의 뜻이 된 자.

글자풀이 1 묻다. 물음. 2 알리 다. 3 분부. 명령.

[問答](문답) ① 물음과 대답. ② 묻고 대답하는 것을 반복하 는 일.

[問病](문병) 아픈 사람을 찾 아보고 위로함.

[問喪](문상) 초상난 집에 가 서 슬픔을 나타내는 인사를 함. 또는 그 인사.

[問安](문안) 아랫사람이 웃어 른에게 안부를 여쭘.

[問題](문제) ① 대답을 얻기 위한 물음. ② 풀어야 할 어려 운 일.

[問責](문책) 일의 잘못을 물

어 나무람.

[東問西答](동문 서답) 묻는 말 에 엉뚱하게 대답함을 이르는 말.

[反問](반문) 물음에는 답하지 않고 도리어 되받아 물음.

[訪問](방문) 남을 찾아봄.

[質問](질문) 알고 싶은 것이 나 모르는 것을 물음.

[學問](학문) 지식 등을 배워 서 익히는 일.

8
⑪ 【商】 헤아릴 상
　　　　 장사 상

商

부수 口(입 구)부

찾기 口³+岗⁸ = 11획

丶	亠	亠	产	产	产	产

商	商	商	商			

글자뿌리 회의(會意) 문자. 밝 힐 장(亠 : 章의 획 줄임) 밑에 빛날 경(冏)을 합친 자로, 물건 의 가격을 밝히고 헤아려 판다는 데서 '장사'의 뜻.

3
획

글자풀이 1 헤아리다.　2 장사. 장사를 하다. 장수.

[商街] (상가) 상점이 죽 늘어서 있는 거리.

[商工業] (상공업) 상업과 공업.

[商業] (상업) 상품을 팔아 이익을 얻으려고 하는 사업.

[商人] (상인) 물건을 사고 파는 것을 직업으로 하는 사람.

[商店] (상점) 여러 가지 물건을 파는 집. 가게.

[商品] (상품) 팔고 사는 물건.

[協商] (협상) 서로의 이익을 위하여 의논함.

---

8 ⑪ 【唯】 오직 유　唯

부수 口 (입 구)부

찾기 口³＋隹⁸ = 11획

⟍	𝇍	口	𝅘	며	며'	𝅘

| 𝅘 | 𝅘 | 唯 | 唯 | | | |

글자뿌리 형성(形聲) 문자. 입구(口〈뜻〉)에 새 추(隹〈음〉)를 합친 자로, 부르는 소리[口]에 새[隹]가 짧은 외마디 소리로 대답한다는 뜻.

글자풀이 오직. 다만.

[唯一] (유일) 오직 하나밖에 없음.

---

8 ⑪ 【唱】 노래 창　唱

부수 口 (입 구)부

찾기 口³＋昌⁸ = 11획

⟍	𝇍	口	𝅘	𝅘	𝅘	唱

| 唱 | 唱 | 唱 | 唱 | | | |

글자뿌리 형성(形聲) 문자. 입구(口〈뜻〉)에 창성할 창(昌〈음〉)을 합친 자로, 풍성한[昌] 소리[口]라는 데서 '노래'를 뜻함.

○음 ⇒ 口昌 ⇒ 唱

글자풀이 1 노래. 노래 부르다. 2 인도하다. 먼저 부르다.

[唱歌] (창가) 곡조에 맞추어 노래를 부름. 또는 그 노래.

[獨唱] (독창) 혼자서 노래함.

[復唱] (복창) 명령이나 지시하는 말을 그대로 소리냄.

[先唱] (선창) 노래나 구호 등을 맨 먼저 부르거나 외침.

[愛唱曲] (애창곡) ① 즐겨 부르는 노래. ② 많은 사람에게 널

리 불려지는 노래.

부수 口(입 구)부

찾기 口³＋畢⁹ ＝ 12획

丶	冖	卩	吅	吅	吅	吅

| 吅 | 吅 | 吅 | 昌 | 單 | | |

(글자뿌리) 상형(象形) 문자. 끝이 두 갈래로 갈라진 창〔丫〕과 두 개의 탄환〔ㅇㅇ〕을 본뜬 글자.

(글자풀이) **1** 홑. 하나. **2** 오직. 다만. **3** 혼자.

[單獨](단독) 단 하나. 혼자.

[單文](단문) 짧은 문장. 간단한 문장.

[單色](단색) 한 가지의 색깔.

[單純](단순) ① 복잡하지 않고 간단함. ② 다른 불순물이 섞이지 않고 순수함. ③ 아무 제한이나 조건이 없음.

[單身](단신) 홀몸. ¶子子單身(혈혈 단신).

[單一](단일) ① 단 하나. ② 복잡하지 않음. ③ 다른 것이 섞여 있지 않음.

[單調](단조) ① 가락에 변화가 없는 단순한 소리. ② 사물이 단순하고 변화가 없어 싱거움.

[名單](명단) 이름을 적은 표.

[食單](식단) ① 음식점에서 파는 음식의 이름과 값을 적은 표. ② 일정한 기간 동안 먹을 음식의 종류와 순서를 적은 표.

부수 口(입 구)부

찾기 口³＋喪⁹ ＝ 12획

一	冖	冖	冖	卝	卝	卝

| 卝 | 亜 | 聁 | 喪 | 喪 | | |

(글자뿌리) 회의(會意) 문자. 울곡(哭 : 哭의 변형)과 잃을 망(亾 : 亡의 변형)을 합친 자로, 잃어버린 것을 애타게 여겨 운다는 데서 사람의 '죽음'을 뜻함.

(글자풀이) **1** 복을 입다. 죽다. **2** 잃다. 망하다.

[喪家](상가) 초상난 집.

[喪服](상복) 상중에 있는 상제가 입는 예복.

3
획

[喪失](상실) 잃음.

[喪輿](상여) 시체를 실어 나르
는 제사용 기구.

[喪主](상주) 장례를 맡아서 이
끄는 사람. 대체로 맏아들이 됨.

[喪中](상중) 상제의 몸으로 있
는 동안.

[喪妻](상처) 아내의 죽음을 당
함. 아내를 여읨.

[記憶喪失](기억 상실) 자기와
관계 있는 어떤 일이나 전에
있었던 일을 기억하지 못하게
되는 일.

⑨
⑫ 【善】 착할 선　善

부수 口 (입 구) 부

찾기 口³ + 羊⁹ = 12획

丶	丷	丷	푸	푸	羊	羊

羊	羊	善	善	善		

글자뿌리 회의(會意) 문자. 양
양(羊 : 祥〔상서로울 상〕의 뜻)에
다투어 말할 경(譱 : 誩의 변형)
을 합친 자로, 군자(君子)의 상
서로운 말이라는 데서 '착하다'의
뜻이 된 자.

⇒ ⇒ 善

글자풀이 1 착하다. 2 잘하다.
3 좋다. 훌륭하다.

[善德](선덕) 훌륭한 덕. 바르
고 착한 덕. ⊕惡德(악덕).

[善導](선도) 잘 가르쳐서 올
바른 길로 인도함.

[善良](선량) 착하고 어짊.

[善心](선심) ① 착한 마음. ②
남을 돕는 마음.

[善惡](선악) 착함과 악함.

[善政](선정) 바르고 착한 정
치. 훌륭한 정치.

[善行](선행) 착한 행실.

[改善](개선) 잘못된 것을 고
쳐 좋게 함.

[餘暇善用](여가 선용) 틈틈이
남는 시간을 알맞게 잘 이용하
여 씀.

⑨
⑫ 【喜】 기쁠 희　喜

부수 口 (입 구) 부

찾기 口³ + 壴⁹ = 12획

一	十	土	吉	吉	吉	吉

吉	壴	喜	喜	喜		

글자뿌리 회의(會意) 문자. 대
〔口〕 위에 북〔壴〕을 얹어 놓은
모양을 나타내어 음악을 뜻하며,
음악을 들으면 기쁘다는 데서 '기
쁘다', '즐겁다'는 뜻이 됨.

글자풀이 1 기쁘다. 2 즐겁다.
3 좋아하다.

[喜劇] (희극) ① 결과가 행복하게 끝나는 연극. ② 웃음거리가 될 만한 사건.

[喜怒哀樂] (희로 애락) 기쁨과 노여움과 슬픔과 즐거움.

[喜消息] (희소식) 기쁜 소식.

[喜喜樂樂] (희희 낙락) 매우 기뻐하고 즐거워함.

[歡喜] (환희) 즐겁고 기쁨.

17
⑳ [嚴] 엄할 엄 嚴

부수 口 (입 구) 부

찾기 口³ + 嚴¹⁷ = 20획

| 丶 | 口 | 口 | 叩 | 叩 | 叩 | 严 |

| 严 | 严 | 严 | 严 | 严 | 严 | 厳 |

| 厳 | 厳 | 嚴 | 嚴 | 嚴 | 嚴 | |

(글자뿌리) 형성(形聲) 문자. 부르짖을 현(吅〈뜻〉)에 산 험할 엄(厰〈음〉)을 합친 자로, 큰 호령이 위엄스럽다는 데서 '엄하다'의 뜻이 된 자.

严敔 ⇒ 严敔 ⇒ 嚴

(글자풀이) 1 엄하다. 2 훈계하다. 3 혹독하다.

[嚴格] (엄격) 조그마한 잘못도 용서하지 않을 정도로 매우 엄하고 딱딱함.

[嚴禁] (엄금) 엄하게 금지함.

[嚴罰] (엄벌) 엄하게 벌을 줌. 또는 엄한 벌.

[威嚴] (위엄) 의젓하고 엄숙함. 또는 그러한 느낌.

[莊嚴] (장엄) 규모가 크고 엄숙함.

[尊嚴] (존엄) ① 높고 엄숙함. ② 지위나 인품 따위가 높아서 범할 수 없음.

3
획

---

³ 囗 (큰 입구) 部

사방을 한 둘레 빙 두른 모양을 본뜬 글자로, '두르다'의 뜻을 나타내며, 囗(에울 위)의 옛 글자로 '에울 위', 또는 口(입 구)보다 더 크다는 데서 '큰 입구'라 함.

2
⑤ [四] 넉 사 四

부수 囗 (큰 입구) 부

찾기 囗³ + 八² = 5획

| 丨 | 冂 | 冖 | 四 | 四 | | |

(글자뿌리) 지사(指事) 문자. 사방을 각각 네 부분으로 나누는 모양. 원래는 '亖'로 썼으나 나중에 '四'로 대신하게 됨.

亖 ⇒ 八 ⇒ 四

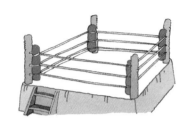

글자풀이 **1** 넉. 넷. 네. **2** 네 번.
3 사방.

[四角] (사각) 네모. 또는 네모
　진 모양.

[四季] (사계) 봄·여름·가을·겨
　울의 네 계절.

[四苦] (사고) 불교에서 말하는
　인간이 겪는 네 가지 고통. 즉,
　생(生)·노(老)·병(病)·사(死)
　를 이름.

[四顧無親] (사고 무친) 의지할
　만한 사람이 도무지 없음.

[四面] (사면) 동·서·남·북의
　네 방향. 사방.

[四面楚歌] (사면 초가) ① 적
　에게 완전히 포위되어 어찌할
　수 없는 상태. ② 자신의 의견
　에 주위 사람들이 모두 반대하
　여 고립된 상태.

[四方] (사방) ① 동·서·남·북
　의 네 방향. ② 모든 방향.

[三寒四溫] (삼한 사온) 겨울철
　우리 나라 날씨의 주기적인 현
　상. 대개 사흘쯤 추위가 계속되
　다가 나흘쯤은 포근한 날씨가
　계속됨.

3
⑥ 〔因〕 인할 **인** 大

부수 口 (큰 입구) 부
찾기 口³ + 大³ = 6획

| 丨 | 冂 | 冂 | 因 | 因 | 因 | |

글자뿌리 회의(會意) 문자. 에울
위(口)에 큰 대(大 : 사람이 누운
모양)를 합친 자로, 사람이 집
〔口〕 안에 편히 누워 있는 것은
믿는 데가 있어서라는 데서 '인하
다', '말미암다'의 뜻이 된 자.

大 ⇒ 大 ⇒ 因

글자풀이 **1** 인하다.　말미암다.
2 유래. 연유.

[因果應報] (인과 응보) 과거
　또는 전생의 선악의 인연에 따
　라서 뒷날 길흉 화복의 갚음을
　받게 됨을 이름.

[因習] (인습) 옛날부터 전해 내
　려와 몸에 익은 관습.

[起因] (기인) 어떤 일을 일으
　키는 원인이 됨. 또는 그 원인.

[死因] (사인) 죽게 된 원인.

3
⑥ 〔回〕 돌아올 **회** 口

부수 口 (큰 입구) 부
찾기 口³ + 口³ = 6획

（글자뿌리） 상형(象形) 문자. 물이 빙빙 도는 모양을 본뜬 글자.

（글자풀이） 1 돌아오다.　2 돌다.　3 돌리다.

[回甲]（회갑）나이 61세를 가리키는 말.
[回顧]（회고）지난 일을 돌이켜 생각함. ⑧ 回想(회상).
[回答]（회답）물음에 대답을 함. 또는 그 대답.
[回復]（회복）전과 같이 좋아짐.
[回信]（회신）편지·전신·전화 등의 회답.
[回心]（회심）좋지 못한 마음을 고침.
[回避]（회피）① 몸을 피하고 만나지 아니함. ② 책임 지지 아니하고 꾀를 부림.
[起死回生]（기사 회생）중병으로 죽을 뻔하다가 다시 살아남.
[每回]（매회）① 한 회 한 회. ② 각 회마다. 그 때마다.

⁴【困】곤할 곤
⑦

부수 囗(큰 입구) 부
찾기 囗³＋木⁴ = 7획

丨 冂 冂 冃 困 困 困

（글자뿌리） 회의(會意) 문자. 에울 위(囗)에 나무 목(木)을 합친 자로, 울타리 안에 나무가 갇혀 있어서 잘 자라지 못할 어려운 처지라는 의미로, '곤하다', '괴롭다'의 뜻.

（글자풀이） 1 곤하다. 노곤하다.　2 가난하다. 지치다.　3 어렵다.

[困境]（곤경）어려운 처지.
[困窮]（곤궁）① 대책이 없어서 어찌할 바를 모름. ② 살림살이가 가난함.
[困難]（곤란）매우 힘들고 어려움.
[困辱]（곤욕）괴로울 정도로 심한 모욕.
[貧困]（빈곤）가난하여 살기가 어려움.
[春困]（춘곤）봄에 느끼는 노곤한 기운.

⁵【固】굳을 고
⑧

부수 口 (큰 입구) 부

찾기 口³+古⁵ = 8획

글자뿌리 형성(形聲) 문자. 에울 위(口〈뜻〉)에 예 고(古〈음〉)를 합친 자로, 성벽〔口〕을 굳게〔古〕 지킴을 뜻함.

글자풀이 1 굳다. 단단하다. 2 완고하다. 3 이미. 4 진실로.

[固陋] (고루) 생각이 좁고 고집이 셈.

[固守] (고수) 굳게 지킴.

[固有] (고유) ①본래부터 있음. ②어떤 사물에만 특별히 있음.

[固定] (고정) ①일정한 곳에서 움직이지 아니함. ②흥분이나 노여움을 가라앉힘.

[固執] (고집) 자기 의견을 굽히지 아니함.

[固體] (고체) 나무·쇠·돌 등과 같이 일정한 모양과 부피를 갖추고 있는 단단한 물체.

---

8 ⑪ 【國】 나라 국 國

부수 口 (큰 입구) 부

찾기 口³+或⁸ = 11획

글자뿌리 회의(會意) 문자. 에울 위(口) 안에 혹 혹(或)을 합친 글자로, '或'은 본디 '나라'를 뜻했다가 '혹'의 뜻이 되면서 '口'을 더해 '나라'를 나타나게 됨.

글자풀이 나라. 국가. 세상.

[國歌] (국가) 나라를 상징하며 대표하는 노래.

[國家] (국가) 일정한 영토와 그 곳에 사는 사람들로 이루어져, 주권에 의해 다스려지는 조직을 가진 사회.

[國慶日] (국경일) 나라에서 법으로 정하여 온 국민이 기념하는 날.

[國軍] (국군) 나라의 군대.

[國旗] (국기) 그 나라의 표지

로서 정해진 기.

[國立] (국립) 나라에서 세움.

[國民] (국민) 한 나라 안에서 그 나라의 국적을 가지고 사는 사람들.

[國産] (국산) 자기 나라에서 생산함.

[國稅] (국세) 나라를 운영하는 데에 쓰려고 거둬들이는 세금.

[國樂] (국악) ① 그 나라의 고유한 음악. ② 우리 나라의 고전 음악.

[國語] (국어) ① 그 나라의 말. ② 우리 나라의 말. 우리말.

[國籍] (국적) 한 나라의 국민으로서의 신분과 자격.

[國土] (국토) ① 한 나라의 땅. ② 한 나라의 주권과 권력이 미치는 곳.

[國號] (국호) 나라의 이름.

[國花] (국화) 그 나라의 상징이며 국민들이 사랑하고 중요하게 여기는 꽃. 우리 나라는 무궁화임.

[大韓民國] (대한 민국) 우리 나라의 공식적인 이름.

[母國] (모국) 외국에 있으면서 자기의 조국을 이르는 말. ¶ 母國語(모국어).

[愛國] (애국) 나라를 사랑함.

[祖國] (조국) 조상 때부터 살아 온 나라. 또는 자기가 태어난 나라.

⑬ 〔圓〕 둥글 원

부수 囗 (큰 입구) 부
찾기 囗³ + 員¹⁰ = 13획

| 丨 | 冂 | 冂 | 冂 | 冂 | 冃 | 冋 |
| 冎 | 冎 | 圎 | 圎 | 圓 | 圓 | |

(글자뿌리) 형성(形聲) 문자. 에울 위(囗〈뜻〉)에 둥글 원(員〈음〉)을 합친 자로, 둘레가 '둥글다'는 뜻.

(글자풀이) 1 둥글다. 2 둘레.

[圓滿] (원만) ① 성격이 모나지 않고 두루 좋음. ② 서로 의가 좋음. ③ 마음에 흡족함.

[圓熟] (원숙) ① 나무랄 데 없이 익숙함. ② 인격·지식 따위가 깊은 경지에 이름.

[圓滑] (원활) 일이 거침없이 잘 되어 나감.

[半圓] (반원) 원을 이등분한 한 부분.

⑬ 〔園〕 동산 원

부수 囗 (큰 입구) 부
찾기 囗³ + 袁¹⁰ = 13획

11
⑭ 〔圖〕 그림 도

圖

부수 囗 (큰 입구) 부
찾기 囗³+啚¹¹ = 14획

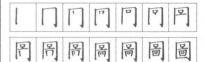

(글자뿌리) 형성(形聲) 문자. 에울 위(囗〈뜻〉)에 옷 치렁치렁할 원 (袁〈음〉)을 합친 자로, 과일이 치렁치렁 열린 과일 나무를 울타리로 에워쌌다는 데서, '동산'의 뜻이 된 자.

(글자뿌리) 회의(會意) 문자. 에울 위(囗)에 인색할 비(啚)를 합친 자로, 곡식 창고〔啚〕를 종이〔囗〕에 설계한다는 데서, '그림'의 뜻이 된 자.

(글자풀이) 1 동산. 뜰. 2 밭.

[園頭幕](원두막) 참외·수박 등을 심어 놓은 밭을 지키기 위해 임시로 지어 놓은 다락집.

[園藝](원예) 채소·화초·과수 등을 심어 가꾸는 일.

[公園](공원) 누구라도 쉬거나 즐길 수 있게 여러 가지 시설을 해 놓은 큰 정원이나 지역.

[樂園](낙원) 아무 근심 걱정 없이 편안하고 즐겁게 살 수 있는 곳.

[田園](전원) ① 논밭과 동산. ② 시골. 교외.

(글자풀이) 1 그림. 2 꾀하다. 3 그리다. 베끼다.

[圖面](도면) 건물·기계 등의 짜임새를 그림으로 나타낸 것.

[圖謀](도모) 일을 꾸밈. 또는 꾸미는 일.

[圖書](도서) 글씨·그림·책 등을 통틀어 이르는 말.

[圖章](도장) 나무나 뿔·돌 등에 개인이나 단체의 이름을 새긴 물건.

[圖表](도표) ① 그림과 표. ②

수량 관계를 그려 나타낸 표.

[圖解] (도해) ① 그림으로 풀이함. ② 그림에 대한 설명.

[圖形] (도형) ① 그림의 형상. ② 입체·면·선·점 등이 모여서 이루어진 꼴.

[略圖] (약도) 줄여서 대충 그린 그림.

[意圖] (의도) ① 생각. ② 무엇인가를 이루려고 속으로 꾀함. 또는 그 계획.

---

³ 土 (흙 토) 部

'二'의 위에 있는 '一'은 땅을, 아래의 '一'은 땅 속을, 'ㅣ'은 땅 속에서 싹이 터 땅 위를 뚫고 올라오는 풀을 본뜸. 따라서, 식물을 자라게 하는 '흙'의 의미를 지님.

⁰
③ 【土】 흙 토 土

부수 土 (흙 토) 부

찾기 土³ = 3획

一	十	土				

글자뿌리 상형(象形) 문자. 땅을 뚫고 나오는 식물을 본떠서, 풀을 자라게 하는 '흙'을 뜻함.

글자풀이 1 흙. 2 땅. 육지. 영토. 3 오행(五行)의 하나.

[土窟] (토굴) 땅굴.

[土器] (토기) 진흙으로 만들어 볕에 말리거나 불에 구운 그릇을 통틀어 이르는 말.

[土木工事] (토목 공사) 나무·흙·돌 따위를 써서 하는 공사.

[土城] (토성) 흙으로 쌓아올린 성.

[土壤] (토양) 농작물을 자라게 하는 흙.

[土曜日] (토요일) 칠요일의 하나로, 일요일의 전 날.

[土種] (토종) 본디 그 땅에서 나는 종자.

[土質] (토질) 땅의 성질.

[國土] (국토) 나라의 땅. 곧, 국가의 통치권이 미치는 지역. ¶ 國土防衛(국토 방위).

[沃土] (옥토) 농작물이 잘 자라는 기름진 땅.

[風土] (풍토) ① 기후와 토지의 상태. ② 생활의 상태.

[鄕土] (향토) 시골. 고향.

3 ⑥ 【在】 있을 재 在

부수 土 (흙 토) 부
찾기 土³＋才³ ＝ 6획

一	ナ	才	圭	存	在

글자뿌리 형성(形聲) 문자. 바탕 재(才 : 才의 변형〈음〉)에 흙 토(土〈뜻〉)를 합친 자로, 새로 나온 싹은 비록 작지만 확실히 땅 위에 있다는 데서, '있다'의 뜻이 된 자.

🌱 🌱 ⇒ 才 土 ⇒ 在

글자풀이 1 있다. 2 살다.

[在來] (재래) 전부터 있어 내려온 것. 이제까지 해 오던 일.

[在野] (재야) 정치나 벼슬을 떠나서 민간인으로 있음을 뜻하는 말.

[在位] (재위) 임금의 자리에 있음. 또는 그 동안.

[在任] (재임) 직무에 있음.

[在職] (재직) 직장에서 일하고 있음.

[在學生] (재학생) 현재 학교에서 공부하고 있는 학생.

[在鄕軍人] (재향 군인) 현역에서 물러나 사회로 돌아와 있는 군인.

[健在] (건재) 아무 탈 없이 잘 있음.

[不在] (부재) 그 곳에 있지 아니함. 없음.

[所在] (소재) 있는 곳.

[存在] (존재) ① 실제로 있음. 또는 있는 그것. ② 세상에 알려질 만하게 이름이 있음.

[現在] (현재) ① 이제. ② 이 세상. 이승.

3 ⑥ 【地】 땅 지 地

부수 土 (흙 토) 부
찾기 土³＋也³ ＝ 6획

一	十	土	圠	地	地

글자뿌리 형성(形聲) 문자. 흙 토(土〈뜻〉)에 잇기 야(也〈음〉)를 합친 자로, 큰 뱀〔也〕이 꿈틀거리듯 땅〔土〕의 굴곡된 형상에서 '땅'의 뜻이 된 자.

🌱 🐍 ⇒ 土 也 ⇒ 地

글자풀이 1 땅. 육지. 2 곳. 3 처지. 신분. 4 바탕.

[地球] (지구) 인류가 살고 있

는 땅덩이. 태양계의 세 번째 행성.

[地帶] (지대) ① 한정된 일정한 구역. ② 자연 조건이 띠 모양과 같은 지역.

[地圖] (지도) 지구 표면의 일부나 전부를 일정한 비율로 줄여 평면 위에 나타낸 그림.

[地理] (지리) 바다·육지·산·하천·인구·산업·교통·기후 따위의 상태. 또는 그에 대해 연구하는 학문.

[地名] (지명) 땅의 이름.

[地方] (지방) ① 나라 안의 어떤 넓은 지역. ② 서울 밖의 시골. ¶ 地方法院(지방 법원).

[地上] (지상) 땅 위.

[地獄] (지옥) 죄를 많이 지은 사람이 죽어서 간다는 고통으로 가득 찬 세계. 아주 처참한 곳을 비유하기도 함.

[地位] (지위) ① 있는 자리. 위치. 처지. ② 개인의 사회적인 신분에 따르는 어떠한 자리나 계급.

[地表] (지표) 지구의 표면.

[地下道] (지하도) 사람·차들이 다닐 수 있도록 땅 밑으로 낸 길.

[地形] (지형) 땅의 생긴 모양.

[大地] (대지) 대자연 속의 넓고 큰 땅.

[墓地] (묘지) 무덤이 있는 땅. 또는 그 구역.

[天地] (천지) ① 하늘과 땅. ② 세상. 우주.

[平地] (평지) 편편한 땅.

4⑦ [均] 고를 균　均

부수 土 (흙 토) 부

찾기 土³ + 勻⁴ = 7획

| 一 | 十 | 土 | 圴 | 圴 | 均 | 均 |

(글자뿌리) 형성(形聲) 문자. 흙 토(土〈뜻〉)에 고를 균(勻〈음〉)을 합친 자로, 편편한 땅〔土〕에 고루 미친다〔勻〕는 뜻.

(글자풀이) 고르다. 평평하다. 조화를 이루다.

[均等] (균등) 고르고 가지런하여 차별이 없음.

[均一] (균일) 한결같이 고름.

[均衡] (균형) 어느 한쪽으로 치우치거나 기울지 않고 고름.

[平均] (평균) ① 수나 양의 크고 작음이나 많고 적음의 차이

가 없이 고름. ② 크고 작은 차이가 나는 몇 개의 수에서 중간의 값을 구함. 또는 그 값.

4
⑦【坐】앉을 좌 坐

부수 土(흙 토)부
찾기 土³+人人⁴ = 7획

| ノ | 人 | 人ノ | 人人 | 人人 | 坐 | 坐 |

글자뿌리 회의(會意) 문자. 흙토(土)에 두 사람을 뜻하는 '人人'을 합친 자로, 땅 위에 두 사람이 '앉아 있다'는 뜻.

글자풀이 1 앉다. 2 무릎 꿇다.

[坐像](좌상) 앉아 있는 모습을 나타낸 그림이나 조각.

[坐席](좌석) ① 앉는 자리. ② 여러 사람이 모인 자리. ③ 깔고 앉는 여러 종류의 자리를 통틀어 이르는 말.

[坐藥](좌약) 항문 따위에 끼워 넣고 체온으로 녹여서 약효를 나타내게 만든 약.

[正坐](정좌) 몸을 바르게 하고 앉음.

[靜坐](정좌) 조용히 앉음. 마음을 가라앉히고 몸을 바르게 하여 앉음.

5
⑧【坤】땅 곤 坤

부수 土(흙 토)부
찾기 土³+申⁵ = 8획

| 一 | 十 | 土 | 圠 | 圳 | 坥 | 坤 |

글자뿌리 회의(會意) 문자. 흙토(土)에 펼 신(申=伸)을 합친 자로, 하늘 아래에 넓게 펼쳐진 '땅'을 뜻함.

글자풀이 땅. 대지.

[乾坤](건곤) 하늘과 땅.

7
⑩【城】재 성 城

부수 土(흙 토)부
찾기 土³+成⁷ = 10획

| 一 | 十 | 土 | 圠 | 圹 | 圹 | 圻 |
| 城 | 城 | 城 | | | | |

글자뿌리 형성(形聲) 문자. 흙토(土〈뜻〉)에 이룰 성(成〈음〉)을 합친 자로, 마을을 빙 둘러친 흙〔土〕으로 쌓은〔成〕 담이라는 데서 '성'의 뜻이 된 자.

글자풀이 재. 성.

[城內] (성내) 성 안.

[城門] (성문) 성을 드나들 수 있는 문.

[城主] (성주) 성의 우두머리.

[古城] (고성) 옛 성.

[築城] (축성) 성을 쌓음.

8
⑪ 【堅】 굳을 견 堅

부수 土 (흙 토) 부

찾기 土³+臤⁸ = 11획

一	丁	丏	丐	丐	臣	臤
臤	臤	堅	堅			

글자뿌리 형성(形聲) 문자. 굳을 간(臤〈음〉)에 흙 토(土〈뜻〉)를 합친 자로, 확고한 땅이라는 데서, '굳다'의 뜻이 된 자.

글자풀이 1 굳다. 단단하다. 2 굳게 하다. 3 강하다.

[堅固] (견고) ① 굳고 튼튼함. ② 확실함.

[堅持] (견지) 자기의 주장이나 생각 등을 굳게 지니거나 지킴.

8
⑪ 【基】 터 기 基

부수 土 (흙 토) 부

찾기 土³+其⁸ = 11획

一	十	卄	廿	甘	其	其
其	其	基	基			

글자뿌리 형성(形聲) 문자. 그 기(其 : 키 모양의 네모꼴을 뜻함〈음〉)와 흙 토(土〈뜻〉)를 합친 자로, 집을 지을 네모난 땅이라는 데서 '터', '바탕'의 뜻.

 ⇒ 其 土 ⇒ 基

글자풀이 1 터. 기초. 토대. 2 비롯하다. 근거하다.

[基盤] (기반) 기초가 될 만한 자리.

[基本] (기본) 일의 밑바탕.

[基底] (기저) 기초가 되는 밑바닥.

[基準] (기준) 기본이 되는 표준. ¶ 基準線(기준선).

[基礎] (기초) ① 집이나 다리·둑 등의 무게를 받치기 위하여 만든 바닥. ② 사물의 밑바탕.

[國基] (국기) 나라의 기초.

8 ⑪ 【堂】 집 당 堂

부수 土 (흙 토) 부
찾기 土³+尙⁸ = 11획

丶	丷	丷	丷	尙	尙	尙

尙	堂	堂	堂			

글자뿌리 형성(形聲) 문자. 높을 상(尙〈음〉)에 흙 토(土〈뜻〉)를 합친 자로, 높은 언덕에 지은 '큰 집'을 뜻함.

글자풀이 1 집. 2 당당하다.

[堂內] (당내) 팔촌(八寸) 이내의 친척.

[講堂] (강당) 강연 또는 어떤 모임을 할 때에 많은 사람들이 한꺼번에 들어갈 수 있도록 만든 큰 방.

[明堂] (명당) ① 아주 좋은 묏자리나 집터. ② 썩 좋은 장소나 지위를 비유하여 이르는 말.

[書堂] (서당) 옛날에 어린아이들에게 한문을 가르치던 마을의 글방.

[食堂] (식당) ① 식사를 할 수 있도록 마련한 방. ② 음식을 파는 가게.

[草堂] (초당) 짚이나 억새 따위로 지붕을 이은 조그마한 집.

8 ⑪ 【執】 잡을 집 執

부수 土 (흙 토) 부
찾기 土³+丸⁸ = 11획

一	十	土	幸	圥	圥	圥

幸	幸丸	執	執			

글자뿌리 회의(會意) 문자. 놀랄 집(幸 : 㚔의 변형)과 잡을 극(丸 : 丮의 변형)을 합친 자로, 세상이 놀랄 정도로 큰 죄를 지은 사람을 '붙잡는다'는 뜻.

글자풀이 1 잡다. 체포하다. 2 차지하다. 3 가지다.

[執權] (집권) 정권을 잡음.

[執念] (집념) ① 좀처럼 머리에서 떨쳐 버릴 수 없는 생각. ② 한 사물에만 정신을 쏟음.

[執務] (집무) 사무를 봄.

[執拗] (집요) 지긋지긋하게 끈덕짐.

[執着] (집착) 깊이 마음먹음. 어떤 일에만 마음이 쏠려 떠나지

아니함.

[執筆](집필) 붓을 들고 글씨나 글을 씀. 원고를 씀.

[執行](집행) ① 실제로 행함. ② 관리가 직권으로 법률에 정한 바를 실행함.

[固執](고집) 자신의 의견이나 생각만을 내세워 굽히지 않음. 또는 그러한 성질.

⑨⑫ 【報】 갚을 보　報

부수 土(흙 토)부
찾기 土³+幸⁹ = 12획

一	十	土	幸	幸	幸	幸

幸	幸丨	幸卩	報	報

글자뿌리 회의(會意) 문자. 놀랄 집(幸 : 幸의 변형)에 다스릴 복(及)을 합친 자로, 죄인을 잡아 다스린다는 데서 '갚다', '알리다'의 뜻이 된 자.

놀⇒ 놀⇒ 報

글자풀이 1 갚다. 2 알리다.

[報告](보고) 주어진 임무에 대한 결과나 내용을 글 또는 말로 알림.

[報答](보답) 남의 두터운 호의나 은혜를 갚음.

[報道](보도) 나라 안팎에서 일어난 일들을 널리 알려 줌. 또는 알리는 일.

[報復](보복) 원수를 갚음.

[報酬](보수) ① 고마움에 대한 갚음. ② 노력의 대가로 주는 물품이나 돈.

[報恩](보은) 은혜를 갚음.

[急報](급보) 급히 알림. 또는 급한 기별.

[豫報](예보) 앞으로 닥칠 일을 예상해서 미리 알림. ¶日氣豫報(일기 예보).

[日報](일보) ① 날마다 하는 보고. ② 매일 나오는 신문.

[情報](정보) 사물의 내용이나 형편에 관한 소식이나 자료.

⑨⑫ 【場】 마당 장　場

부수 土(흙 토)부
찾기 土³+昜⁹ = 12획

一	十	土	圠	圠	圠	圠

坦	坦	場	場	場

(글자뿌리) 형성(形聲) 문자. 흙 토(土〈뜻〉)에 빛날 양(昜〈음〉)을 합친 자로, 햇볕이 잘 드는 땅이라는 데서 '마당'의 뜻.

(글자풀이) 1 마당. 2 자리. 곳. 장소.

[場內] (장내) 장소의 안.

[場所] (장소) 곳. 자리.

[工場] (공장) 근로자가 기계를 써서 물건을 만들어 내거나 손질을 하는 곳.

[劇場] (극장) 연극·영화·무용 등을 감상할 수 있도록 무대와 관람석 등 여러 가지 시설을 갖춘 곳.

[市場] (시장) 여러 가지 물건을 팔고 사는 장소.

[職場] (직장) 그 사람이 근무하며 맡은 일을 하는 일터.

12
⑮ 〔墨〕 먹 묵 墨

부수 土 (흙 토) 부

(찾기) 土³＋黑¹² ＝ 15획

丨	冂	冂	日	日	甲	里
里	里	黑	黑	黑	墨	墨

(글자뿌리) 회의(會意) 문자. 검을 흑(黑)에 흙 토(土)를 합친 자로, 옛날에는 토석(土石) 중에서 흑질(黑質)을 먹으로 사용했기 때문에 만들어진 글자.

(글자풀이) 1 먹. 2 검다. 3 더러워지다. 4 형벌의 하나.

[墨畫] (묵화) 먹으로 그린 동양화.

[筆墨] (필묵) 붓과 먹.

12
⑮ 〔增〕 더할 증 增

부수 土 (흙 토) 부

(찾기) 土³＋曾¹² ＝ 15획

一	十	土	圹	圹	圹	圹
圹	圹	増	埒	增	增	增

(글자뿌리) 형성(形聲) 문자. 흙 토(土〈뜻〉)에 거듭 증(曾〈음〉)을 합친 자로, 흙 위에 흙을 거듭한다는 데서 '더하다'의 뜻.

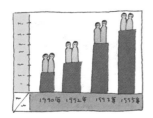

(글자풀이) 1 더하다. 늘리다. 2 분다. 많아지다.

[增加] (증가) 늘어남. 많아짐.

[增減] (증감) 많아짐과 적어짐. 늘어남과 줄어듦.

[增大] (증대) 더하여 커짐. 늘려서 많게 함.

[增進] (증진) 더하여 나감. 또는 더하여 나아가게 함.

[急增] (급증) 갑자기 늘어남.

³ 士 (선비 사) 部

일(一)에서 십(十)까지의 숫자를 의미하며, 하나를 듣고 열 가지를 다 아는 사람이라는 데서 '선비'를 뜻함.

⓪
③ 【士】 선비 사   士

부수 士 (선비 사) 부

찾기 士³ = 3획

一	十	士			

(글자뿌리) 회의(會意) 문자. 열 십(十)에 한 일(一)을 합친 자로, 하나를 듣고 열 가지를 다 아는 재주가 뛰어난 사람이란 데서 '선비'를 뜻함.

(글자풀이) 1 선비. 사내. 2 벼슬.

[士氣] (사기) ① 군인이 용기를 내는 기운. ② 사람이 단결하여 일을 할 때의 씩씩한 기운.

[士大夫] (사대부) 문벌이 높은 사람.

[道士] (도사) ① 도를 닦은 사람. ② 어떤 일에 능숙한 사람을 속되게 일컫는 말.

[名士] (명사) ① 이름난 선비. ② 이름이 널리 알려진 사람.

[博士] (박사) ① 일정한 학문을 연구하여 낸 논문을 심사한 후 주는 가장 높은 학위. 또는 그 학위를 딴 사람. ② 널리 아는 것이 많거나 어느 부문에 능통한 사람.

[人士] (인사) 어떤 일에 있어서 사회적인 지위가 있는 사람.

¶ 有名人士(유명 인사).

[壯士] (장사) 힘이 세고 체격이 군센 사람.

¹
④ 【壬】 아홉째 천간 壬
임

부수 士 (선비 사) 부

찾기 士³ + 一¹ = 4획

| 一 | 二 | 千 | 壬 | | |

글자뿌리 상형(象形) 문자. 베틀에서 날실을 감는 도투마리의 모양을 본뜬 글자.

글자풀이 아홉째 천간. ※방위로는 북쪽, 오행으로는 수(水)에 해당함.

[壬辰倭亂] (임진 왜란) 조선 선조 25년(1592년)에 일본이 침입하여 일으킨 전쟁.

⁴
⑦ 【壯】 씩씩할 장 壯

부수 士 (선비 사) 부

찾기 士³ + 爿⁴ = 7획

| 丨 | 爿 | 爿 | 爿 | 爿 | 壯 | 壯 |

글자뿌리 형성(形聲) 문자. 조각널 장(爿〈음〉)에 사내 사(士〈뜻〉)를 합친 자로, 무기를 들고 적과 싸우는 사내라는 데서 '씩씩하다'는 뜻이 된 자.

글자풀이 1 씩씩하다. 군세다. 2 장하다. 훌륭하다. 3 성하다.

[壯觀] (장관) 굉장하여 볼 만한 광경.

[壯年] (장년) 30~40세 안팎의 기운이 넘치는 시기. 또는 그러한 사람.

[壯談] (장담) 자신 있게 말함. 또는 그런 말.

[壯烈] (장렬) 의기가 씩씩하고 열렬함.

[壯士] (장사) 힘이 세고 체격이 군센 사람.

[壯丁] (장정) ① 기운이 좋은 젊은 남자. ② 군에 입대할 나이가 된 젊은 남자.

[健壯] (건장) 몸이 크고 군셈.

[悲壯] (비장) 슬픔 속에서도 기운을 잃지 않고 오히려 꿋꿋함.

[雄壯] (웅장) 우람하고 으리으리함.

⁹
⑫ 【壹】 한 일 壹

부수 士 (선비 사) 부

찾기 士³+壴⁹ = 12획

| 一 | 十 | 士 | 士 | 壴 | 壴 | 壴 |
| 壴 | 壴 | 壴 | 壴 | 壹 |

※ '一'의 갖은자로, 고쳐 쓰지 못하도록 주로 증서나 문서 등에 쓰임.

글자뿌리 형성(形聲) 문자. 병호(壺〈뜻〉)에 길할 길(口 : 吉의 획 줄임〈음〉)을 합친 자로, 술을 빚는 항아리에는 좋은 술이 하나 가득하다는 데서 '하나'의 뜻.

글자풀이 1 한. 하나. 2 오로지. 한결같이.

11
⑭ 【壽】 목숨 수   寿

부수 士 (선비 사) 부

찾기 士³+壽¹¹ = 14획

| 一 | 十 | 士 | 壴 | 壴 | 壴 | 壴 |
| 壴 | 壴 | 壽 | 壽 | 壽 | 壽 | 壽 |

글자뿌리 형성(形聲) 문자. 늙을 로(耂 : 老의 생략형〈뜻〉)에 길 주(壽〈음〉)를 합친 자로, 늙도록 오래 산다는 데서 '수명이 길다'는 뜻.

글자풀이 1 목숨. 수명. 2 장수. 오래 살다.

[壽命](수명) ① 살아 있는 시간의 길이. 목숨. ② 사용할 수 있는 시간의 길이.

[壽宴](수연) 오래 삶을 축하하는 잔치. 보통 환갑을 말함.

[壽衣](수의) 시체에 입히는 옷.

[萬壽](만수) 오래오래 삶.

[長壽](장수) 오래 삶.

[天壽](천수) 타고난 수명.

³ 夊 (천천히 걸을 쇠) 部

두 정강이〔ク〕가 앞으로 나아가는 것을 막아〔乀〕 발을 질질 끌며 걷는다는 데서, '천천히 걷다'의 뜻을 나타냄.

7
⑩ 【夏】 여름 하   夏

부수 夊 (천천히 걸을 쇠) 부

찾기 夊³+百⁷ = 10획

| 一 | 丆 | 丆 | 丆 | 百 | 百 | 百 |

（글자뿌리） 회의(會意) 문자. 머리 혈(頁 : 頁의 생략형)에 천천히 걸을 쇠(夂)를 합친 자로, 더워서 머리〔頁〕와 발을 드러낸다는 데서 '여름'의 뜻.

夓 ⇒ 夏 ⇒ 夏

（글자풀이） 여름.

[夏服]（하복）여름에 입는 옷.

[夏至]（하지）24절기 중의 하나로, 1년 중 낮의 길이가 가장 긴 날. 6월 21일경.

---

³ 夕（저녁 석）部

해가 지고 달이 뜨기 시작하는 '저녁'을 뜻함.

（글자풀이） 저녁.

[夕刊新聞]（석간 신문）매일 저녁때 발행되는 신문.

[夕陽]（석양）저녁 나절의 해.

[朝夕]（조석）① 아침과 저녁. ② 아침밥과 저녁밥.

[秋夕]（추석）한가위.

[七夕]（칠석）음력 7월 7일날 밤을 이르는 말. 이 날 밤이면 견우와 직녀가 1년 만에 오작교에서 만난다고 함.

⁰
③ 【夕】 저녁 석　　夕

부수 夕（저녁 석）부

찾기 夕³ = 3 획

（글자뿌리） 지사(指事) 문자. 달월(月)에서 획 하나를 뺀 모양으로, 해가 지고 달이 반쯤 보이기 시작하는 '저녁'의 뜻.

 ⇒ ⇒ 夕

---

²
⑤ 【外】 밖　외　　外

부수 夕（저녁 석）부

찾기 夕³ + 卜² = 5획

ノ　ク　夕　外　外

（글자뿌리） 회의(會意) 문자. 저녁 석(夕)에 점 복(卜)을 합친 자로, 점은 아침에 치는 게 보통인데 저녁에 치면 정상이 아닌 일이라는 데서 '밖'을 뜻함.

 ⇒ ⇒ 外

(글자풀이) **1** 밖. **2** 멀리하다.

[外家] (외가) 어머니의 친정. 어머니쪽 친척의 집안.

[外觀] (외관) 겉으로 본 모양.

[外國] (외국) 자기 나라 밖의 다른 나라.

[外來] (외래) ① 밖에서 옴. ② 외국에서 옴.

[外貌] (외모) 겉에 나타난 모습이나 용모.

[外泊] (외박) 자기 집이나 정하여 둔 숙소가 아닌 다른 곳에서 자는 일.

[外地] (외지) ① 나라 밖의 땅. 식민지. ② 다른 지방.

[外出] (외출) 볼일을 보러 밖으로 나감.

[外套] (외투) 추위 따위를 막기 위하여 옷 위에 덧입는 옷.

[外風] (외풍) ① 밖에서 들어오는 찬바람. ② 외국에서 들어온 풍속.

[外形] (외형) 겉으로 드러난 모양. 겉에서 본 모양.

[外貨] (외화) 다른 나라의 돈.

[郊外] (교외) 들이나 논밭이 비교적 많은 도시 또는 마을의 주변.

[疏外] (소외) 주위에서 꺼리며 따돌림. 꺼리며 멀리함.

[市外] (시외) 도시에서 벗어난 곳. ⑯ 郊外(교외).

[號外] (호외) 중대한 사건이 있을 때 임시로 발행하는 신문이나 잡지.

3
⑥ 【多】 많을 다

부수 夕 (저녁 석) 부
찾기 夕³+夕³ = 6획

ノ	ク	夕	歹	多	多

(글자뿌리) 회의(會意) 문자. 저녁 석(夕)을 둘 겹친 자로, 오늘 저녁〔夕〕이 지나면 내일, 내일 저녁〔夕〕이 지나면 모레로 이어지므로 '많다'의 뜻.

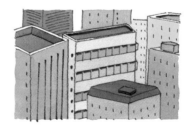

(글자풀이) **많다.**

[多多益善] (다다 익선) 많으면 많을수록 더 좋음.

[多量] (다량) 분량이 많음.

[多方面] (다방면) 여러 방면. 여러 분야. 많은 곳.

[多福] (다복) 복이 많음. 또는 많은 복.

[多事多難] (다사 다난) 여러 가지로 일도 많은데다 어려움도 많음.

[多産] (다산) ① 아이나 새끼를 많이 낳음. ② 물품 등을 많이 생산함.

[多數] (다수) 수효가 많음. 많은 수효. ¶多數決 (다수결).

[多樣] (다양) 모양이나 종류가 여러 가지임.

[多才] (다재) 재주가 많음. 재능이 많음. ¶多才多能 (다재 다능).

[多情] (다정) ① 정이 많음. 애정이 깊음. ② 사이가 아주 좋음. ¶多情多感 (다정 다감).

[多血] (다혈) ① 보통 사람보다 몸에 피가 많음. ② 쉽게 감격하거나 감정에 치우침. ¶多血質 (다혈질).

5
⑧ 【夜】 밤 야 *夜*

부수 夕 (저녁 석) 부

찾기 夕³＋亦⁵ ＝ 8획

` 亠 广 疒 疒 疒 夜

글자뿌리 형성(形聲) 문자. 또 역(广：亦의 변형)에 저녁 석 (夂：夕의 변형)을 합친 자로, 해가 지면 또 밤이 오고 모든 생물이 잠을 잔다는 데서 '밤'의 뜻.

夾 ⇒ 夾 ⇒ 夜

글자풀이 밤. 밤중.

[夜間] (야간) 밤. 밤 사이.

[夜景] (야경) 밤의 경치.

[夜光] (야광) 밤 또는 어두운 곳에서 빛을 내는 일.

[夜勤] (야근) 밤에 일함.

[夜食] (야식) 밤에 음식을 먹음. 또는 밤에 먹는 음식.

[夜戰] (야전) 밤에 하는 전투.

[夜學] (야학) ① 밤에 공부함. ② 야간에 학업을 배우는 과정. 또는 그런 교육 기관.

[夜行性] (야행성) 낮에는 숨어 있다가 밤에 먹이를 찾아 활동하는 동물의 습성.

[深夜] (심야) 깊은 밤. ¶深夜放送 (심야 방송).

³ 大 (큰 대) 部

팔·다리를 벌리고 있는 사람을 정면에서 바라본 모양.

⁰ 【大】 큰 대 大
③

부수 大(큰 대)부
찾기 大³ = 3획

一	ナ	大			

글자뿌리 상형(象形) 문자. 팔과 다리를 벌리고 서 있는 사람을 정면에서 바라본 모양을 본떠 하늘 다음으로 사람이 '크다'는 뜻.

大 ⇒ 大 ⇒ 大

글자풀이 1 크다. 2 대강. 대개.

[大家] (대가) 어떤 분야에서 유명한 사람. 학문이나 예술에 뛰어난 사람.

[大權] (대권) 국가의 원수가 나라를 다스리는 권한.

[大器晚成] (대기 만성) 큰 그릇은 늦게 이루어진다는 뜻으로, 크게 될 인물은 늦게 성공한다는 말.

[大吉] (대길) 매우 길함.

[大同小異] (대동 소이) 거의 같고 조금 다름. 비슷비슷함.

[大量] (대량) 많은 분량.

[大路] (대로) 큰 길.

[大陸] (대륙) 큰 육지.

[大部分] (대부분) 반이 훨씬 넘는 수효나 분량. 거의 모두.

[大雪] (대설) ① 많이 내린 눈. ② 24 절기의 하나로 12월 7일경을 이름.

[大聲痛哭] (대성 통곡) 큰 소리로 목을 놓아 슬피 욺.

[大食家] (대식가) 음식을 남달리 많이 먹는 사람.

[大洋] (대양) 큰 바다.

[大韓民國] (대한 민국) 우리 나라의 이름.

¹ 【夫】 지아비 부 夫
④

부수 大(큰 대)부
찾기 大³ + 一¹ = 4획

一	二	夫	夫		

글자뿌리 회의(會意) 문자. 큰 대(大)에 한 일(一)을 합친 자로, 관례〔一〕를 올린 성인〔大〕 남자, 곧 '지아비'를 뜻함.

(글자풀이) 1 지아비. 2 사나이.

[夫婦](부부) 남편과 아내.

[夫婦有別](부부유별) 오륜(五倫)의 하나. 부부 사이에는 각기 직분이 있어 서로 침범하지 못할 구별이 있음.

[夫唱婦隨](부창 부수) 남편의 주장에 아내가 따르는 것이 부부 화합의 도리라는 뜻.

[夫妻](부처) 남편과 아내.

[農夫](농부) 농사 짓는 남자.

[丈夫](장부) ① 다 자란 건장한 남자. ② 사내답고 씩씩한 남자. ¶ 大丈夫(대장부).

[匹夫](필부) ① 한 사람의 남자. ② 신분이 낮은 사내.

1
④ 【天】 하늘 천   天

부수 大(큰 대)부

찾기 大³+一¹ = 4획

一	二	千	天				

(글자뿌리) 회의(會意) 문자. 큰 대(大)에 한 일(一)을 합친 자로, 사람〔大〕의 머리 위에 있는 〔一〕넓은 '하늘'을 뜻함.

(글자풀이) 1 하늘. 2 천체. 태양. 3 임금. 아버지.

[天國](천국) ① 세상에서 가장 살기 좋은 나라. ② 죽은 후에 갈 수 있다고 하는, 영혼이 축복받는 나라.

[天倫](천륜) 부자(父子)·형제 사이의 변하지 않는 도리.

[天命](천명) ① 하늘의 명령. ② 하늘이 내린 목숨. 타고난 수명.

[天方地軸](천방 지축) ① 못난 사람이 주책없이 덤벙거림. ② 매우 급하여 정신없이 허둥지둥 날뛰는 모양.

[天罰](천벌) 하늘이 내린 벌.

[天使](천사) ① 신이나 하느님의 심부름꾼. ② 마음씨가 깨끗하고 고운 사람을 이르는 말.

[天生緣分](천생 연분) 하늘이

미리 마련하여 준 연분.

[天性] (천성) 선천적으로 타고 난 성질. 본성.

[天然] (천연) 사람이 손대거나 만들지 아니한, 자연 그대로의 상태.

[天才] (천재) 태어날 때부터 갖춘 뛰어난 재주. 또는 그런 재주를 갖춘 사람.

[天地] (천지) 하늘과 땅. 온 세상을 이르는 말.

[開天節] (개천절) 우리 나라의 건국을 기념하는 국경일. 10월 3일.

1 ④ **【太】** 클 태

부수 大(큰 대)부

찾기 大 ³+丶 ¹=4획

一	ナ	大	太			

(글자뿌리) 지사(指事) 문자. 큰 대(大)를 두 개 겹쳐서 썼으나, 같은 자를 겹쳐 쓸 때는 점(⺀→丶)을 찍는 데서 유래된 자.

(글자풀이) 1 크다. 2 첫째. 처음.

[太古] (태고) 아주 오랜 옛날.

[太極旗] (태극기) 우리 나라의 국기.

[太陽] (태양) 해.

[太祖] (태조) 나라를 세운 임금에게 붙이는 호칭.

[太初] (태초) 하늘과 땅이 맨 처음 생겨났을 때.

[太平聖代] (태평 성대) 어질고 착한 임금이 다스리는 평화로운 세상.

[太平洋] (태평양) 아시아와 남·북 아메리카 및 오스트레일리아에 둘러싸인 세계에서 제일 큰 바다.

[明太] (명태) 대구과의 바닷물고기. 동해에서 많이 잡히는 중요한 수산물의 하나.

2 ⑤ **【失】** 잃을 실

부수 大(큰 대)부

찾기 大 ³+𠂉 ²=5획

ノ	𠂉	二	失	失		

(글자뿌리) 형성(形聲) 문자. 손 수(手〈뜻〉)에 새 을(乙〈음〉)을 합친 자로, 손에서 도망간다〔乙〕는 뜻. 즉, 화살이 손에서 도망가니 '잃는다'는 뜻.

(글자풀이) 1 잃다. 놓치다. 2 그르치다. 잘못하다.

[失禮] (실례) 예의에 어그러짐. 또는 그러한 일.

[失望](실망) 희망을 잃음.

[失明](실명) 눈이 멂.

[失性](실성) 정신에 이상이 생겨 본성을 잃어버림.

[失笑](실소) ① 알지 못하는 사이에 나오는 웃음. ② 실수로 나오는 웃음.

[失手](실수) ① 잘못하여 그르침. 또는 그런 짓. ② 실례.

[失神](실신) 정신을 잃음. 의식을 잃은 상태.

[失言](실언) 실수로 말을 잘못함. 해서는 안 될 말을 함. 또는 그 말.

[失業](실업) 직업을 잃음.

[失踪](실종) 종적을 감춤. 모습을 숨김. 있는 곳이나 생사(生死)를 알 수 없음.

[失敗](실패) 일을 잘못하여 그르침.

[過失](과실) 잘못이나 허물.

[記憶喪失](기억 상실) 어떤 사실이나 있었던 일 등이 생각나지 않게 되는 일.

[得失](득실) ① 얻음과 잃음. ② 이익과 손해.

[損失](손실) 축나거나 잃어버려 손해를 봄. 또는 그 손해.

[遺失](유실) 갖고 있던 물건을 잃어버림. 떨어뜨림. ¶遺失物(유실물).

[自失](자실) 자기 자신을 잊음. 멍하니 있음.

5
⑧ 【奉】 받들 봉

奉

부수 大(큰 대)부

찾기 大³ + 丰⁵ = 8획

一	二	三	丯	夫	奏	奉

글자뿌리 회의(會意) 문자. 무성한 봉(丰)에 양 손(𠬞)과 손수(手)를 합친 자로, 두 손으로 물건을 떠받들고 있다는 데서 '받들다'의 뜻.

글자풀이 받들다.

[奉仕](봉사) 남을 위하여 자기를 돌보지 않고 노력함.

[奉養](봉양) 조부모나 부모를 받들어 모심.

[奉職](봉직) 공무에 종사함.

[信奉](신봉) 믿고 받듦.

³ 女 (계집 녀) 部

여자가 손을 앞으로 모으고 무릎을 꿇고 얌전하게 앉아 있는 모양을 본뜬 글자.

0
③【**女**】계집 녀 　女

부수 女 (계집 녀) 부
찾기 女³ = 3획

く	女	女			

글자뿌리 상형(象形) 문자. 손을 앞으로 모으고 무릎을 꿇고 얌전하게 앉아 있는 여자의 모양을 본뜬 글자.

글자풀이 1 계집. 여자. 2 딸.

[女軍] (여군) 여자 군인. 여자로 조직된 군대.

[女史] (여사) ① 시집간 여자의 높임말. ② 사회적으로 덕망이 있고 유명한 여자의 이름 아래에 쓰는 말.

[女性] (여성) 여자.

[女神] (여신) 여자인 신(神).

[女丈夫] (여장부) 남자 이상으로 씩씩하고 용기가 있고 강한 의지가 있는 여자.

[宮女] (궁녀) 궁궐 안에서 왕이나 왕비 등을 가까이 모시던 여인들을 이르는 말.

[美女] (미녀) 얼굴이 아름다운 여자.

[少女] (소녀) 나이가 어린 여자 아이.

[淑女] (숙녀) ① 정숙하고 품위 있는 여자. ② 다 자란 여자를 아름답게 이르는 말.

[烈女] (열녀) 죽음을 무릅쓰고 절개를 굳게 지키는 여자.

[長女] (장녀) 맏딸. 큰딸.

[處女] (처녀) 아직 결혼하지 않은 여자.

[海女] (해녀) 바닷속에 있는 해산물을 따는 것을 직업으로 하는 여자.

3
⑥【**如**】같을 여　如

부수 女 (계집 녀) 부
찾기 女³ + 口³ = 6획

く	女	女	如	如	如

글자뿌리 형성(形聲) 문자. 계집 녀(女〈음〉)에 입 구(口〈뜻〉)를 합친 자로, 여자의 미덕은 부모·남편·자식의 말을 자기의 뜻과 같이 함에 있다는 데서 '같다'의 뜻이 된 자.

글자풀이 1 같다. 2 어떠하다. 어찌.

[如干] (여간) 보통으로. 어지간 하게.

[如反掌] (여반장) 손바닥을 뒤 집는 것처럼 일이 아주 쉬움을 이르는 말.

[如前] (여전) 전과 다름없음.

[如何間] (여하간) 어떠하든 간 에.

[百聞不如一見] (백문 불여일 견) 여러 번 말로만 듣는 것 보다 실제로 한 번 보는 것이 더 낫다는 뜻.

³ ⑥ [好] 좋을 호　好

부수 女 (계집 녀) 부
찾기 女³＋子³＝6획

| く | 女 | 女 | 女 | 好 | 好 |

글자뿌리 회의(會意) 문자. 계 집 녀(女)에 아들 자(子)를 합친 자로, 젊은 여자의 아름다움을 나 타냄. 또는 어머니와 아이는 서로 떼어 놓을 수 없다는 데서 '좋아 하다'의 뜻이 된 자.

⇒ ⇒ 好

글자풀이 1 좋다. 2 사이 좋다. 3 좋아하다.

[好感] (호감) 좋은 느낌. 좋게 여기는 감정.

[好奇心] (호기심) 새로운 것,

신기한 것을 알고자 하는 마음.

[好事多魔] (호사 다마) 좋은 일 이 있을 때는 이를 방해하는 일이 뒤따르기 쉬움.

[好衣好食] (호의 호식) 잘 입 고 잘 먹음. 또는 그런 생활.

[好轉] (호전) 잘 안 되던 일이 잘 되어 나가기 시작함.

[好評] (호평) 좋은 평판.

[同好人] (동호인) 어떤 사물을 같이 좋아하는 사람. 또는 취미 나 오락이 같은 사람.

[愛好] (애호) 사랑하고 즐김.

[良好] (양호) 매우 좋음.

[友好] (우호) 서로 친함. 사이 가 좋음.

⁴ ⑦ [妙] 묘할 묘　妙

부수 女 (계집 녀) 부
찾기 女³＋少⁴＝7획

| く | 女 | 女 | 女 | 妙 | 妙 | 妙 |

글자뿌리 형성(形聲) 문자. 계집 녀(女〈뜻〉)에 젊을 소(少〈음〉) 를 합친 자로, 젊은〔少〕여자〔女〕 는 예쁘고 묘하다는 데서 '묘하 다'의 뜻이 된 자.

글자풀이 1 묘하다. 2 젊다.

[妙技] (묘기) 절묘한 재주. 훌 륭한 기술.

[妙齡] (묘령) 20세 안팎의 여

자의 나이.

[妙味](묘미) 썩 좋은 재미. 묘한 맛.

[妙手](묘수) 뛰어난 솜씨. 또는 솜씨가 뛰어난 사람.

[妙策](묘책) 절묘한 계책.

[巧妙](교묘) ① 솜씨나 재치가 있고 약삭빠름. ② 매우 잘 되고 묘함.

[奇妙](기묘) 기이하고 묘함.

[絶妙](절묘) 매우 신기함.

5
⑧【妹】 손아랫누이
매

부수 女(계집 녀)부

찾기 女³＋未⁵＝8획

| く | 夕 | 女 | 女ー | 奸 | 妹 | 妹 |

(글자뿌리) 형성(形聲) 문자. 계집 녀(女〈뜻〉)에 아닐 미(未〈음〉)를 합친 자로, 아직 철이 없는 〔未〕 계집〔女〕이라는 데서 '손아랫누이'의 뜻이 된 자.

옛글자 ⇒ 옛글자 ⇒ 妹

(글자풀이) 손아랫누이. 누이.

[妹夫](매부) 누이의 남편.

[男妹](남매) 오빠와 누이. 또는 누이와 남동생.

[姉妹](자매) ① 손윗누이와 손아랫누이. 여자 형제. ② 같은 계통에 속하거나 서로 비슷한 점을 많이 가진 둘 또는 그 이상의 관계. ¶ 姉妹結緣(자매결연).

5
⑧【姓】 성 성

부수 女(계집 녀)부

찾기 女³＋生⁵＝8획

| く | 夕 | 女 | 女 | 女一 | 女丨 | 姓 |

(글자뿌리) 형성(形聲) 문자. 계집 녀(女〈뜻〉)에 날 생(生〈음〉)을 합친 자로, 한 여자〔女〕가 낳은〔生〕, 같은 겨레붙이임을 뜻함.

(글자풀이) 1 성. 2 겨레. 씨족.

[姓名](성명) 성과 이름. 이름.

[姓氏](성씨) 성(姓)의 높임말.

[同姓](동성) 같은 성씨.

[同姓同本](동성 동본) 성과 본관이 같음.

[百姓](백성) 그 나라에 사는 사람들.

[通姓名](통성명) 처음 인사할 때 서로 성과 이름을 알려 줌.

⑤
⑧ 【始】 비로소 시 始

부수 女 (계집 녀) 부
찾기 女³＋台⁵ = 8획

| 〈 | 𠃋 | 女 | 女⁻ | 女ᄼ | 始 | 始 |

글자뿌리 형성(形聲) 문자. 계집 녀(女〈뜻〉)에다 기를 이(台〈음〉)를 합친 자로, 여자(女)가 아이를 배어서 기르기 시작한다는 데서 '비로소', '처음'의 뜻.

글자풀이 1 비로소. 비롯하다. 시작하다. 2 처음. 최초. 3 근본.

[始動] (시동) 기계 등이 움직이기 시작함.
[始作] (시작) ① 처음으로 함. ② 어떤 행동·현상 등의 처음.
[始祖] (시조) ① 한 겨레의 맨 처음 되는 조상. ② 어떤 학문·기술 등을 처음 연 사람.
[始終一貫] (시종 일관) 처음부터 끝까지 똑같은 방침이나 태도로 나감.
[開始] (개시) 처음 시작함.
[原始] (원시) ① 사물의 처음. ② 자연 그대로 있어서 아직 진보나 변화가 없는 것.

⑤
⑧ 【姉】 손윗누이 자 姉

부수 女 (계집 녀) 부
찾기 女³＋市⁵ = 8획

| 〈 | 𠃋 | 女 | 女⁻ | 女ᅮ | 姉 | 姉 |

글자뿌리 형성(形聲) 문자. 계집 녀(女〈뜻〉)에다 그칠 자(帀〈음〉)를 합친 자로, 다 자란[帀] 여자[女]라는 데서 '손윗누이'를 뜻함. '姊'는 본자.

글자풀이 손윗누이. 누이.

[姉妹] (자매) ① 손윗누이와 손아랫누이. ② 여자끼리의 언니와 아우.
[姉母會] (자모회) 유치원·초등학교 등에서 효과적인 교육을 위하여 손윗누이나 어머니들이 구성하는 후원 단체.

⑤
⑧ 【妻】 아내 처 妻

부수 女 (계집 녀) 부
찾기 女³＋圭⁵＝8획

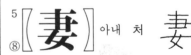

글자뿌리 회의(會意) 문자. 빗

자루를 뜻하는 풀잎 돋을 철(屮)에 손 수(又:手의 변형)와 계집 녀(女)를 합친 자로, 손에 비를 들고 있는 여자, 곧 집안일을 돌보는 '아내'를 뜻함.

𤰔⇒ 𡚳 ⇒ 妻

글자풀이 1 아내. 2 시집보내다.

[妻家] (처가) 아내의 본집.
[妻男] (처남) 아내의 남동생이나 오빠.
[妻子] (처자) 아내와 자식.
[妻弟] (처제) 아내의 여동생.
[妻兄] (처형) 아내의 언니.
[夫妻] (부처) 남편과 아내.
[愛妻家] (애처가) 아내를 몹시 소중히 여기는 사람.
[賢母良妻] (현모 양처) 어진 어머니인 동시에 착한 아내.

6
⑨ 〔威〕 위엄 위 威

부수 女 (계집 녀) 부
찾기 女³+戌⁶ = 9획

⼃	厂	厂	仄	反	戻	威
威	威					

글자뿌리 형성(形聲) 문자. 도끼 월(戌=戉〈음〉)에 계집 녀(女〈뜻〉)를 합친 자로, 큰 도끼(戌)로 약한 여자(女)를 위협한다는 데서 '위엄'의 뜻.

글자풀이 1 위엄. 2 세력. 3 으르다. 협박하다.

[威力] (위력) 남을 복종시키는 강한 힘.
[威勢] (위세) ① 사람을 두렵게 여기게 하고 복종시키는 힘. ② 맹렬한 세력.
[威信] (위신) 위엄과 신용.
[威嚴] (위엄) 존경하고 어려워할 만큼 듬직한 모습.
[威風] (위풍) 위엄이 있는 모습이나 기세. ¶威風堂堂(위풍 당당).
[威脅] (위협) 힘으로 으르고 두려움을 갖게 함.
[國威] (국위) 나라의 위력. ¶國威宣揚(국위 선양).
[權威] (권위) ① 남을 강제로 복종시키는 힘. ② 어떤 분야에서 능히 남이 신뢰할 만한 뛰어난 지식이나 기술.

8
⑪ 〔婦〕 며느리 부 婦

부수 女 (계집 녀) 부
찾기 女³+帚⁸ = 11획

⼃	⼥	女	女⼃	女⼃⼃	女⼃	女⼃
婦	婦	婦	婦			

글자뿌리 회의(會意) 문자. 계

집 녀(女)에 비 추(帚)를 합친
자로, 집 안에서 비〔帚〕를 들고
청소하는 여자〔女〕, 곧 '며느리'
를 뜻함.

ⵂ木 ⇒ ⵂ木 ⇒ 婦

(글자풀이) 1 며느리. 2 지어미.

[婦女子](부녀자) 여자. 여성.
[婦人](부인) 결혼한 여자.
[貴婦人](귀부인) 신분이 높은
　부인. 상류 계급의 부인.
[夫婦](부부) 남편과 아내.
[新婦](신부) 갓 결혼한 여자.
[妊産婦](임산부) 아기를 밴 부
　인 및 출산 전후의 부인을 이
　르는 말.
[主婦](주부) 한 가정의 가장
　의 아내.
[孝婦](효부) 효도하는 며느리.

8
⑪[婚] 혼인할 혼 婚

부수 女 (계집 녀) 부
찾기 女³+昏⁸ = 11획

く	ⵂ	女	ⵂ′	妒	妒	婚
婚	婚	婚	婚			

(글자뿌리) 회의(會意)·형성(形
聲) 문자. 계집 녀(女〈뜻〉)에 저
물 혼(昏〈음〉)을 합친 자로, 옛

날에는 저녁에 신랑이 신부집에
서 신부를 맞아 혼례를 올렸던
데서 '혼인하다'의 뜻이 된 자.

(글자풀이) 혼인하다.

[婚談](혼담) 결혼을 하기 위한
　의논. 결혼에 대하여 오가는 말.
[婚禮](혼례) 혼인의 예절. 혼
　인의 의식.
[婚姻](혼인) 장가들고 시집가
　는 일. 결혼.
[結婚](결혼) 남녀가 정식으로
　부부 관계를 맺음.
[新婚](신혼) 갓 결혼함.
[約婚](약혼) 결혼하기로 약속
　함. 또는 그 약속.
[再婚](재혼) 두 번째 혼인함.
　또는 그 혼인.
[請婚](청혼) 결혼하기를 청함.

³ 子 (아들 자) 部

두 팔을 벌리고 있는 아기의
모양을 본뜬 글자.

0
③[子] 아들 자 子

부수 子 (아들 자) 부
찾기 子³ = 3획

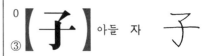

フ	了	子			

(글자뿌리) 상형(象形) 문자. 두

팔을 벌리고 있는 아기의 모양을 본뜬 글자.

글자풀이 1 아들. 2 첫째 지지. 3 사람. 4 씨. 열매.

[子女] (자녀) 아들과 딸. 자식.

[子婦] (자부) 며느리.

[子孫] (자손) ① 아들과 여러 대의 손자. ② 후손.

[子午線] (자오선) 날줄. 지구의 남과 북을 그은 상상의 줄.

[子正] (자정) 밤 12시. 곧 0시.

[子弟] (자제) 남을 높여서 그의 '아들'을 이르는 말.

[君子] (군자) 학문과 덕이 높고 행실이 바르며 품위를 갖춘 사람.

[男子] (남자) 남성인 사람. 사나이. ⑫ 女子(여자).

[母子] (모자) 어머니와 아들.

[父子] (부자) 아버지와 아들.

[養子] (양자) ① 조카뻘 되는 이를 데려다가 삼는 아들. ② 입양으로 아들이 된 사람.

[原子力] (원자력) 원자로 내에서 핵반응의 결과로 나오는 에너지.

[利子] (이자) 맡은 돈이나 꾸어 쓴 돈에 대해 붙여 주는 일정한 비율의 돈.

[長子] (장자) 맏아들.

[種子] (종자) 채소·곡식 등의 씨. 씨앗.

[孝子] (효자) 부모를 잘 섬기는 아들.

³ 【字】 글자 자 字
⑥

부수 子 (아들 자) 부

찾기 子³＋宀³＝6획

丶 丶 宀 宀 宁 字

글자뿌리 회의(會意)·형성(形聲) 문자. 집 면(宀〈뜻〉)에 아들 자(子〈음〉)를 합친 자로, 한 집 안이 자식을 낳아 식구가 늘듯이 글자도 기본자를 바탕으로 늘어난다는 데서 '글자'의 뜻.

(글자풀이) **1** 글자. 문자. **2** 기르다. 사랑하다.

[字義] (자의) 글자의 뜻.

[字解] (자해) 글자의 풀이. 문자의 해석.

[甲骨文字] (갑골 문자) 거북의 등이나 짐승의 뼈에 새긴, 중국 고대의 상형 문자.

[文字] (문자) ① 글자. ② 예로부터 전해 오는 한자로 된 숙어나 격언 등의 문구.

[略字] (약자) 글자의 점·획 등을 줄여 간단하게 쓴 한자.

[赤十字] (적십자) 흰 바탕에 붉은 십자형을 그린 휘장. ¶赤十字會談(적십자 회담).

[點字] (점자) 점으로 이루어진 맹인용 글자.

[千字文] (천자문) 옛날에 한문을 처음 배우는 사람에게 교과서로 쓰이던 책.

[漢字] (한자) 중국어를 표기하는 중국 고유의 문자. 우리 나라·일본 등지에서도 널리 쓰이고 있음.

[活字] (활자) 인쇄에 쓰이는 일정한 규격의 글자.

³ ⑥ 【**存**】 있을 존 *存*

부수 子 (아들 자) 부
찾기 子³+ 𠂉³ = 6획

一 𠂇 𠂇 存 存 存

(글자뿌리) 형성(形聲) 문자. 재주 재(才)의 변형인 '𠂇(어린 새싹의 뜻〈음〉)'에 아들 자(子〈뜻〉)를 합친 자로, 어린 새싹 같은 아들이 잘 있는지 살핀다는 데서 '있다'의 뜻.

🌱 ⇒ 子 ⇒ 存

(글자풀이) 있다.

[存續] (존속) 그대로 계속함. 또는 계속하여 있음.

[存在] (존재) ① 현재 있음. 또는 있는 것. ② 세상에 알려질 만하게 이름이 있음.

[共存] (공존) ① 서로 다른 두 가지 이상의 성질이 함께 존재함. ② 서로 도우며 살아감.

[旣存] (기존) 이미 존재함.

[保存] (보존) 잘 지니어 상하거나 잃지 않도록 함.

[生存] (생존) 생명을 유지하고 있음. 살아 남음. ¶生存權(생존권).

[現存] (현존) 현재에 있음. 지금 살아 있음.

⁴ ⑦ 【**孝**】 효도 효 *孝*

부수 子 (아들 자) 부
찾기 子³+ 耂⁴ = 7획

一	十	土	耂	耂	孝	孝

(글자뿌리) 회의(會意) 문자. 아들 자(子)에 늙을 로(耂=老)를 합친 자로, 아들이 노인을 업은 모양에서 '효도'의 뜻이 된 자.

(글자풀이) 효도.

[孝道] (효도) 부모를 잘 섬기는 도리.

[孝婦] (효부) 효성이 지극한 며느리.

[孝誠] (효성) 마음을 다하여 어버이를 섬기는 정성.

[孝心] (효심) 효성스러운 마음.

[孝子] (효자) 효성스러운 아들.

[孝行] (효행) 부모를 잘 섬기는 행실.

[忠孝] (충효) 나라를 위한 정성과 부모를 잘 섬기는 도리. ¶ 忠孝思想(충효 사상).

5
⑧ 【季】 끝 계   季

부수 子 (아들 자) 부

찾기 子³+禾⁵ = 8획

一	二	千	禾	季	季	季

(글자뿌리) 회의(會意) 문자. 벼화(禾: 어리다는 뜻)와 아들 자(子)를 합친 자로, 어린아이라는 데서 '끝', '막내'의 뜻이 된 자.

(글자풀이) 1 끝. 마지막. 2 막내. 3 철.

[季刊] (계간) 잡지 등을 일 년에 네 번 계절에 따라 발간하는 일. 또는 그런 간행물. ¶ 季刊誌(계간지).

[季氏] (계씨) 상대자를 높이어 그의 아우를 이르는 말.

[季節] (계절) ① 한 해를 봄·여름·가을·겨울로 구분한 시기. ② 어떤 일을 하는 데 가장 알맞은 시기. ¶ 季節食品(계절식품).

[冬季] (동계) 겨울철.

[四季] (사계) 봄·여름·가을·겨울의 네 계절.

[夏季] (하계) 여름철.

7
⑩ 【孫】 손자 손   孫

부수 子 (아들 자) 부

찾기 子³+系⁷ = 10획

| ァ | 了 | 子 | 子 | 犭 | 犷 | 孫 |
| 孫 | 孫 | 孫 | | | | |

글자뿌리 회의(會意) 문자. 아들 자(子)에 이을 계(系)를 합친 자로, 아들〔子〕에서 아들로 이어지는〔系〕 것이 바로 '손자'라는 뜻.

글자풀이 손자. 자손.

[孫悟空](손오공) 〈서유기〉에 나오는, 도술을 부리는 원숭이.

[孫子](손자) 아들의 아들.

[代代孫孫](대대 손손) 대대로 이어 내려오는 자손. 통 子子孫孫(자자 손손).

[王孫](왕손) 임금의 손자 또는 후손.

[外孫子](외손자) 딸이 낳은 아들딸.

[子孫](자손) ① 아들과 손자. ② 후손.

[宗孫](종손) 종가의 맏손자. 또는 종가의 대를 이을 자손.

---

13 ⑯ 【學】 배울 학 學

부수 子 (아들 자) 부
찾기 子³+與¹³ = 16획

´	´	´	𦥯	𦥯	𦥯	𦥯
𦥯	𦥯¹	𦥯¹	𦥯¹	𦥯	與	學
學	學					

글자뿌리 회의(會意) 문자. 양손 국(臼)·본받을 효(爻)·덮을 멱(冖=家)·아들 자(子)를 합친 자로, 아이가 집 안에서 책을 잡고 스승의 가르침, 예의 범절〔爻〕을 '배운다'는 뜻.

글자풀이 1 배우다. 익히다. 2 학문.

[學校](학교) 여러 가지 시설을 갖추어 놓고 공부를 계속해서 가르치는 곳. ¶ 中學校(중학교).

[學級](학급) 한 교실에서 같

이 수업을 받는 학생의 집단.

[學問] (학문) 지식을 배우고 익힘. 또는 배우고 익힌 지식.

[學父母] (학부모) 학생의 부모.

[學生] (학생) 학교에서 공부하는 사람.

[學習] (학습) 배워서 익힘.

[學用品] (학용품) 공부하는 데 필요한 물건들. 연필·필통·공책 등.

[學友] (학우) 한 학교에서 함께 공부하는 친구.

[學園] (학원) 학문을 가르치는 곳을 통틀어 이르는 말.

[開學] (개학) 방학·휴교 등으로 한동안 쉬었다가 수업을 다시 시작함.

[放學] (방학) 학교에서 학기가 끝난 뒤나 더위와 추위를 피하여 얼마 동안 수업을 쉬는 일.

[留學] (유학) 외국에서 한동안 머물면서 학문이나 예술 등을 공부함. ¶ 留學生(유학생).

[入學] (입학) 공부하기 위하여 학교에 들어가 학생이 됨.

[就學] (취학) 학교에 입학하여 공부함.

---

3 宀 (갓머리) 部

지붕이 덮어 씌워져 있는 모양으로, 방이 있는 깊숙한 집. 곧, 움집을 뜻함.

---

3 【守】 지킬 수 守
⑥

부수 宀 (갓머리) 부
찾기 宀³+寸³ = 6획

丶 丷 宀 宀 守 守

(글자뿌리) 회의(會意) 문자. 움집 면(宀)에 법도 촌(寸)을 합친 자로, 집이나 관청[宀]을 지키는 데는 법도[寸]가 필요하다는 데서 '지키다'의 뜻이 된 자.

(글자풀이) 1 지키다. 막다. 2 직무. 직책. 3 살피다.

[守門將] (수문장) 문을 지키는 사람. 문지기.

[守備] (수비) 지키어 막음. ⑫ 攻擊(공격).

[守節] (수절) 절개를 지킴.

[守則] (수칙) 지켜야 하는 규칙. ¶ 安全守則(안전 수칙).

[守護] (수호) 지키어 보호함.

[固守] (고수) 굳게 지킴.

[保守](보수) 오랜 습관·제도· 방법 등을 소중히 여겨 그대로 지킴.

³⑥ 【安】 편안할 안 安

부수 宀(갓머리) 부

찾기 宀³＋女³＝6획

` 宀 宀 宎 安 安

글자뿌리 회의(會意) 문자. 움집 면(宀)에 계집 녀(女)를 합친 자로, 집〔宀〕 안에 여자〔女〕가 있어야 편안하다는 데서 '편안하다'의 뜻.

 ⇒ 宀 ⇒ 安

글자풀이 1 편안하다. 걱정이 없다. 2 즐기다. 좋아하다.

[安寧](안녕) ① 마음이 편안하고 몸이 건강함. ② 만나거나 헤어질 때에 쓰는 인사말.

[安堵](안도) ① 아무 일 없이 편안함. ② 마음을 놓음.

[安樂](안락) 편안하고 즐거움.

[安否](안부) 편안히 잘 있는지를 묻는 인사.

[安貧樂道](안빈 낙도) 가난한 생활 속에서도 평안한 마음으로 도(道)를 즐김.

[安心](안심) 근심 걱정이 없이 마음을 편안히 가짐.

[安全](안전) 위험이 없음. 편안하고 아무 탈이 없음.

[安定](안정) 안전하게 자리잡음. 큰 변화 없이 일정한 상태로 자리잡힘.

[問安](문안) 웃어른에게 안부를 물음.

[保安](보안) ① 안전을 유지하는 일. ② 사회의 안녕과 질서를 지키는 일.

[不安](불안) 걱정이 되어서 마음이 편하지 않음. 또는 그런 마음.

[慰安](위안) 위로하여 마음을 편안하게 함.

[治安](치안) ① 나라를 편안하게 다스림. 또는 나라가 편안히 다스려짐. ② 국가 사회의 안녕 질서를 보전함. 또는 보전됨.

³⑥ 【宇】 집 우 宇

부수 宀(갓머리) 부

찾기 宀³＋于³＝6획

（글자뿌리） 형성(形聲) 문자. 움집 면(宀〈뜻〉)과 클 우(于〈음〉)를 합친 자로, 지붕, '집'을 뜻하고, 지붕처럼 땅을 덮고 있는 것은 천만 년이 지나도 변함없는 하늘이라는 데서 '하늘'을 뜻함.

（글자풀이） 1 집. 2 하늘.

[宇宙] (우주) 지구·태양·별 등이 있는 끝없이 넓은 세계.

3
⑥
【宅】 ❶ 집 택
❷ 댁 댁

宅

부수 宀 (갓머리) 부
찾기 宀³+乇³=6획

（글자뿌리） 형성(形聲) 문자. 움집 면(宀〈뜻〉)에 맡길 탁(乇：托의 획 줄임〈음〉)을 합친 자로, 집에 의지하고 산다는 데서 '집'을 뜻함.

⇒ 宀 乇 ⇒ 宅

（글자풀이） ❶ 1 집. ❷ 2 댁. ※ 남의 집안의 높임말.

[宅地] (택지) 집터.
[家宅] (가택) 사람이 사는 집.
[自宅] (자택) 자기 집.
[住宅] (주택) 사람이 살 수 있게 지은 집.

4
⑦
【完】 완전할 완

完

부수 宀 (갓머리) 부
찾기 宀³+元⁴=7획

' 宀 宀 宀 宀 宇 完

（글자뿌리） 형성(形聲) 문자. 근본 원(元〈음〉)에 움집 면(宀〈뜻〉)을 합친 자로, 근본이 있는 집안은 '완전하다'는 뜻.

宀 ⇒ 完 ⇒ 完

（글자풀이） 1 완전하다. 온전하다. 2 완전하게 하다. 3 끝내다.

[完決] (완결) 일·사무 등을 완

전히 결정함. 또는 그 결정.

[完結] (완결) 완전히 마무리함.

[完了] (완료) 완전히 마침.

[完璧] (완벽) 사소한 결점도 없이 완전함.

[完封] (완봉) ① 완전히 막음. ② 야구에서 투수가 상대팀에게 득점을 주지 않는 일.

[完備] (완비) 완전히 갖추어짐. 또는 갖춤.

[完成] (완성) 본디의 계획대로 다 이룸. ⑫ 未完成(미완성).

[完全] (완전) 부족함이 없음.

[完製品] (완제품) 일정한 조건에 맞추어 완전하게 만든 물건.

[完快] (완쾌) 병이 다 나음.

[補完] (보완) 모자라는 것을 더하여 완전하게 함.

⑧ **官** 벼슬 관 官

부수 宀(갓머리) 부

찾기 宀³＋目⁵＝8획

（글자뿌리） 회의(會意) 문자. 움집 면(宀)에 많은 사람이 모인다는 '目'를 합친 자로, 많은 사람이 일하는 집은 '관청', 그 안에서 많은 사람을 다스리는 사람은 '관리'라는 뜻.

（글자풀이） 1 벼슬. 벼슬아치. 2 관청.

[官家] (관가) 지난날, 관리들이 나랏일을 맡아 보던 곳. ⑧官廳(관청).

[官僚] (관료) ① 같은 관직에 있는 동료. ② 관리.

[官吏] (관리) 관청의 일을 맡아 보는 사람. 공무원.

[官運] (관운) 벼슬을 할 운수. 관리로서의 운수.

[官印] (관인) 관청 또는 관리가 직무상으로 사용하는 도장.

[官製葉書] (관제 엽서) 정부에서 만들어 파는 우편 엽서.

[敎官] (교관) ① 학교에서 교련을 가르치는 교사. ② 훈련소 등에서 훈련을 가르치는 장교.

[九官鳥] (구관조) 사람의 말이나 다른 동물의 울음소리를 흉내내는 찌르레기과의 새.

[軍醫官] (군의관) 군대에서 다치거나 병든 군인을 치료하는 장교.

[法官] (법관) 법원에서 법률에 의하여 재판을 담당하는 사람.

[士官學校] (사관 학교) 장교가 되는 과정을 가리치는 학교.

[外交官] (외교관) 외국과의 교제에 관련된 사무를 맡아보는 공무원들을 통틀어 이르는 말.

[長官] (장관) 나라의 일을 맡은 행정 각부의 우두머리.

⑤
⑧ 【定】 정할 정 定

부수 宀 (갓머리) 부
찾기 宀³+疋⁵ = 8획

丶	宀	宀	宇	宇	宇	定

글자뿌리 회의(會意)·형성(形聲) 문자. 움집 면(宀〈뜻〉)에 바를 정(疋 : 正의 변형〈음〉)을 합친 자로, 집안을 바르게 다스린다는 데서 '정하다', '편안하다'의 뜻이 된 자.

⇒ ⇒ 定

글자풀이 1 정하다. 2 정해지다.

[定價] (정가) ① 정해진 값. ② 값을 정함.

[定說] (정설) 확정된 설. 결정적으로 인정된 설.

[定時] (정시) 일정한 시간.

[定食] (정식) 식당·음식점 등에서 일정한 식단에 따라 차리는 음식.

[定義] (정의) 어떤 뜻을 뚜렷이 밝힌 것. 말의 뜻을 결정함.

[定評] (정평) 모든 사람들이 인정하는 평판.

[假定] (가정) ① 임시로 정함. ② 사실이 아니거나, 사실인지 아닌지 아직 분명하지 않은 것을 사실인 것처럼 인정함.

[決定] (결정) 어떻게 하겠다고 정함. 또는 정한 그 내용.

[否定] (부정) 그렇지 않다고 단정함.

[作定] (작정) 어떤 일을 마음으로 결정함. 또는 그 결정.

[限定] (한정) 수량이나 범위를 제한하여 정함.

⑤
⑧ 【宗】 마루 종 宗

부수 宀 (갓머리) 부
찾기 宀³+示⁵ = 8획

丶	宀	宀	宇	宗	宗

글자뿌리 회의(會意) 문자. 움집 면(宀)에 땅귀신 기(示)를 합친 자로, 귀신이 있는 집이라는 데서 '종묘', '사당'을 뜻함.

⇒ ⇒ 宗

글자풀이 1 마루. 으뜸. 근본. 2 사당. 종묘. 3 갈래.

[宗家] (종가) 한 문중에서 맏이

로만 내려온 큰 집.

[宗敎] (종교) 신이나 어느 절대자를 인정하여 일정한 양식 아래 그것을 믿고, 숭배하고, 받듦으로써 마음의 안정과 행복을 얻고자 하는 것.

[宗廟] (종묘) 역대의 왕들을 모시는 사당.

[宗廟社稷] (종묘 사직) 왕실과 나라를 아울러 이르는 말.

[宗親] (종친) ① 임금의 친족. ② 친족. ¶宗親會(종친회).

[改宗] (개종) 믿던 종교를 그만두고 다른 종교를 믿음.

[世宗] (세종) 조선 제4대 임금. 훈민정음을 만들고, 민족 문화를 일으킨 업적을 남겼음.

⁵
⑧ 【宙】 집 주 宙

부수 宀 (갓머리) 부
찾기 宀³＋由⁵ = 8획

丶	宀	宀	宀	宙	宙	宙	宙

(글자뿌리) 형성(形聲) 문자. 움집 면(宀〈뜻〉)에 말미암을 유(由〈음〉)를 합친 자로, 지붕에 말미암는 것은 '집'이라는 뜻.

(글자풀이) 1 집. 주거. 2 하늘.

[宇宙] (우주) 지구·태양·별 등이 있는 끝없이 넓은 세계.

⁶
⑨ 【客】 손 객 客

부수 宀 (갓머리) 부
찾기 宀³＋各⁶ = 9획

丶	丶	宀	宀	宀	安	客
客	客					

(글자뿌리) 형성(形聲) 문자. 움집 면(宀〈뜻〉)에 각각 각(各 : 이른다는 뜻〈음〉)을 합친 자로, 외부 사람이 집으로 이른다는 데서 '손님'을 뜻함.

(글자풀이) 1 손. 손님. 나그네. 2 붙이다. 의탁하다.

[客氣] (객기) 쓸데없는 혈기.

[客死] (객사) 타향이나 여행지에서 죽음.

[客室] (객실) ① 손님을 접대하거나 거처하게 하려고 마련해

놓은 방. ② 유람선 따위에서
손님이 타는 곳.

[客地] (객지) 고향 이외의 땅.
집을 떠나 임시로 가 있는 곳.

[顧客] (고객) 장사를 하는 사
람에게 찾아오는 손님.

[不請客] (불청객) 청하지 않았
는데 오거나 우연히 온 손님.

[食客] (식객) ① 예전에 세력이
있는 사람의 집에서 손님이 되
어 지내던 사람을 이르는 말.
② 하는 일 없이 남의 집에 얹
혀서 얻어먹고 지내는 사람.

[弔客] (조객) 남의 죽음에 슬
픔을 표하기 위해 온 사람.

[賀客] (하객) 축하하는 손님.

글자풀이 1 집. 거처. 2 방.

[室內] (실내) 방의 안. ¶室內
樂(실내악).

[居室] (거실) 일상 생활을 하
는 방. 거처하는 방.

[敎室] (교실) 학교에서 수업하
는 데 쓰는 방.

[病室] (병실) ① 병을 치료하기
위하여 환자를 두는 방. ② 병
자가 누워 있는 방.

[溫室] (온실) 식물이나 추위에
약한 동물 등을 기르기 위해
알맞은 온도와 습도를 유지할
수 있게 만든 건물이나 방.

[王室] (왕실) 왕의 집안.

[寢室] (침실) 잠을 잘 수 있게
마련된 방.

6
⑨ 【室】 집 실 室

부수 宀 (갓머리) 부

찾기 宀³＋至⁶ = 9획

ヽ	ヽ	宀	宀	宀	宀	室

| 室 | 室 | | | | | |

글자뿌리 회의(會意) · 형성(形
聲) 문자. 움집 면(宀〈뜻〉)에 이
를 지(至〈음〉)를 합친 자로, 사
람이 이르러 머무르는 곳, 즉
'집'을 뜻함.

7
⑩ 【家】 집 가 家

부수 宀 (갓머리) 부

찾기 宀³＋豕⁷ = 10획

ヽ	ヽ	宀	宀	宀	宀	宀

| 家 | 家 | 家 | | | | |

글자뿌리 형성(形聲) 문자. 움
집 면(宀〈뜻〉)에 돼지 시(豕＝
豭〈음〉)를 합친 자로, 본디는 돼
지 울을 뜻했고, 돼지는 새끼를
많이 낳는다는 데서, 식구가 많이
모여 있는 '집'을 뜻함.

△⊕ ⇒ 宀豕 ⇒ 家

글자풀이 **1** 집. 집안. **2** 자기 집. **3** 학문·기예의 전문가.

[家計] (가계) 한 집안의 살림 살이.

[家具] (가구) 집안 살림에 쓰 이는 장롱·책상 등의 기구.

[家門] (가문) ① 집안과 가까운 살붙이. ② 대대로 내려오는 그 집안의 사회적인 신분·지위.

[家寶] (가보) 집안의 보배. 대 대로 전하여 내려오는 집안의 값진 물건.

[家事] (가사) 집안의 살림살이 에 관한 일.

[家産] (가산) 집안의 재산.

[家業] (가업) 한 집안에서 전 해 내려온 생업.

[家屋] (가옥) 사람이 사는 집.

[家運] (가운) 집안의 운수.

[家庭] (가정) 한 가족을 단위 로 하여 살림하고 있는 사회의 가장 작은 집단.

[家族] (가족) 부모·형제·부부· 자녀 등 혈연에 의하여 맺어지 며 생활을 함께 하는 공동체. 또는 그 구성원.

[家風] (가풍) 한 집안의 규율 과 풍습. 각 가정의 특유한 생 활 형식.

[家訓] (가훈) 조상이 자손에게 남긴 교훈.

7
⑩ 【容】 얼굴 용   容

부수 宀 (갓머리) 부

찾기 宀³+谷⁷ = 10획

'	ハ	宀	宀	宀	宀	宀
宀	容	容				

글자뿌리 회의(會意) 문자. 움 집 면(宀)에 골짜기 곡(谷 : 浴의 생략형)을 합친 자로, 집이나 골 짜기는 사물을 잘 받아들인다는 데서 '담다', 또 사람이 깨끗이 씻 어야 아름답다는 데서 '얼굴'의 뜻이 된 자.

글자풀이 **1** 얼굴. 모습. **2** 넣다. 담다. **3** 용납하다.

[容器] (용기) 물건을 담아 두 는 그릇.

[容納] (용납) 남의 언행을 너 그러운 마음으로 받아들임.

[容貌] (용모) 모습. 얼굴 모양.

[容恕] (용서) 잘못이나 죄를 꾸 짖거나 벌하지 않고 끝냄.

[容積] (용적) 속에 담을 수 있

는 물건의 부피.

[寬容](관용) 너그럽게 받아들 이거나 용서함.

[威容](위용) 위엄 있는 모양 이나 모습.

[許容](허용) ① 허락하고 용납 함. ② 막았어야 할 것을 막지 못하고 받아들임.

7 ⑩ 【害】 해칠 해   害

부수 宀(갓머리)부
찾기 宀³+害⁷ = 10획

＇	＂	宀	宀	宀	宀	生

| 害 | 害 | 害 | | | | |

글자뿌리 회의(會意) 문자. 움 집 면(宀)에 자라 흩어질 개(害) 와 입 구(口)를 합친 자로, 집에 앉아 마구 사람을 헐뜯는다는 데 서 '해치다'의 뜻이 된 자.

⿱宀害 ⇒ 宀害 ⇒ 害

글자풀이 1 해치다. 2 손해. 3

훼방놓다. 4 방해하다.

[害惡](해악) 해가 되는 나쁜 영향.

[害蟲](해충) 사람이나 농작물 에 해를 끼치는 벌레.

[加害](가해) ① 남에게 손해를 끼침. ② 남을 상처나게 하거나 죽임. ¶ 加害者(가해자).

[妨害](방해) 남의 일에 짓궂 게 훼방을 하여 못 하게 함.

[殺害](살해) 남을 죽임. 남의 생명을 해침.

[水害](수해) 큰물로 인한 재 해. ⑧ 水災(수재).

[有害](유해) 해가 됨. 해로움. ¶ 有害食品(유해 식품).

[被害](피해) 신체·재물·정신 상의 손해를 입는 일. 또는 그 손해.

8 ⑪ 【密】 빽빽할 밀   密

부수 宀(갓머리)부
찾기 宀³+宓⁸=11 획

＇	＂	宀	宀	宀	宓	宓

| 宓 | 宓 | 密 | 密 | | | |

글자뿌리 형성(形聲) 문자. 빽빽 할 밀(宓〈음〉)에 메 산(山〈뜻〉) 을 합친 자로, 산에 나무가 빽빽 하다는 데서 '빽빽하다'의 뜻.

⇒ 宓山 ⇒ 密

글자풀이 1 빽빽하다. 2 비밀하다. 3 가깝다. 친하다.

[密告] (밀고) 비밀히 일러 바침. 몰래 고함.

[密林] (밀림) 나무가 빽빽하게 들어선 숲.

[密使] (밀사) 비밀리에 보내는 심부름꾼.

[密語] (밀어) 비밀히 하는 말. 남이 알아듣지 못하게 소곤대는 말.

[密接] (밀접) ① 단단히 붙음. ② 관계가 매우 깊음.

[密閉] (밀폐) 꼭 닫음.

[密會] (밀회) 비밀히 모임. 비밀히 만남. 특히 남녀가 몰래 만나는 것.

[緊密] (긴밀) 관계가 서로 밀접함.

[祕密] (비밀) ① 숨겨져 있어서 외부에서는 알 수 없는 상태. 또는 그 내용. ② 아직 밝혀지지 않은 사실.

[細密] (세밀) 자세하고 빈틈이 없음.

[精密] (정밀) ① 가늘고 촘촘함. ② 아주 잘고 자세함.

[親密] (친밀) 사이가 아주 친하고 가까움.

8
⑪ 【宿】 ❶ 잘 숙
❷ 별 수

宿

부수 宀 (갓머리)부

찾기 宀³+佰⁸ = 11획

`	´	宀	宀	宀	宀	宀
宿	宿	宿	宿			

글자뿌리 형성 (形聲) 문자. 움집 면 (宀〈뜻〉)에 백 사람의 어른 백 (佰〈음〉)을 합친 자로, 여러 사람이 들어가 자는 집이라는 데서 '자다'의 뜻이 된 자.

⇒ 宀百 ⇒ 宿

글자풀이 ❶ 1 자다. 묵다. 2 지키다. 3 오래다. 4 여관. ❷ 5 별.

[宿命] (숙명) 태어날 때부터 타고난 운명.

[宿泊](숙박) 여관·주막 등에 머물러 묵음.

[宿所](숙소) 머물러 묵는 곳.

[宿題](숙제) ① 학교에서 미리 내주어 해 오게 하는 문제. ② 두고 생각할 문제.

[宿主](숙주) 기생(寄生) 생물이 기생의 대상으로 삼는 생물.

[宿直](숙직) 직장에서 잠자며 밤을 지킴. 또는 그 사람.

[宿患](숙환) 오래 묵은 병.

[露宿](노숙) 한데서 잠.

[下宿](하숙) 정기적으로 일정한 액수의 돈을 내고 비교적 오랜 기간 남의 집에 머물면서 먹고 잠. 또는 그 집.

[合宿](합숙) 여러 사람이 한 곳에서 묵음.

---

⑧ ⑪ 〔**寅**〕 셋째 지지
인 **寅**

부수 宀 (갓머리)부
찾기 宀³ + 頁⁸ = 11 획

丶	丶	宀	宀	宀	宁	宙
宙	宙	寅	寅			

(글자뿌리) 회의(會意) 문자. 움집 면〔宀〕에 큰 대(大 : 大의 변형)와 양손 국(臼)을 합친 자로, 집안의 어른〔大〕을 두 손〔臼〕으로 부축하여 모신다는 데서 '삼가

다'의 뜻이 된 자.

(글자풀이) **1** 셋째 지지. ※동물로는 범, 시각으로는 오전 3시~5시, 달로는 정월을 뜻함. **2** 삼가다. 공경하다.

[寅時](인시) 오전 3시부터 5시까지의 사이.

---

⑨ ⑫ 〔**富**〕 넉넉할 부 **富**

부수 宀 (갓머리)부
찾기 宀³ + 畐⁹ = 12획

丶	丶	宀	宁	宁	宫	宫
宫	宫	富	富	富		

(글자뿌리) 형성(形聲) 문자. 움집 면(宀〈뜻〉)에 찰 복(畐〈음〉)을 합친 자로, 집 안에 보화가 가득한 집은 '부자'라는 뜻.

⇒ 宀畐 ⇒ 富

(글자풀이) **1** 넉넉하다. 가멸다. 부자. **2** 풍성하다. **3** 성하다.

[富強](부강) 나라의 살림이 넉넉하고 군대의 힘이 강함.

[富國](부국) ① 나라를 부유하게 함. ② 재물이 풍부한 나라.

[富貴](부귀) 재산이 많고 신분이 귀함.

[富裕](부유) 재물이 넉넉함.

[富益富] (부익부) 부자는 더욱 부자가 됨. 빤 貧益貧(빈익빈).

[富者] (부자) 재산이 많아 넉넉한 사람.

[富豪] (부호) 재산이 많고 세력이 있는 사람. 큰 부자.

[貧富] (빈부) 가난함과 넉넉함. 가난한 사람과 부자.

⁹⑫ 【寒】 찰 한 　寒

부수 宀 (갓머리) 부
찾기 宀³＋㐄⁹ = 12 획

`	⼼	宀	宀	宁	宀	宀

宲	宲	実	寒	寒

글자뿌리 회의(會意) 문자. 틈하(寒:宀〔움집〕＋㐄〔艸(풀 초)〕＋人)에 얼음 빙(冫)을 합친 자로, 얼음이 얼면 사람들이 집 안에 풀을 두껍게 깔고 생활한다는 데서 '차다', '춥다'의 뜻.

글자풀이 1 차다. 차게 하다. 춥다. 2 떨다. 오싹하다.

[寒氣] (한기) ① 추위. ② 몸에 느껴지는 으스스한 기운.

[寒冷] (한랭) 춥고 차가움.

[寒流] (한류) 한대 지방에서 적도 쪽으로 흐르는 찬 바닷물의 흐름.

[寒心] (한심) ① 안타깝고 어이가 없음. ② 가엾고 딱함.

[寒波] (한파) 찬 공기가 갑자기 이동하여 모진 추위가 오는 기류의 흐름.

[防寒] (방한) 추위를 막음.

[惡寒] (오한) 갑자기 몸에 열이 나면서 오슬오슬 추워지는 증세.

[酷寒] (혹한) 만물이 얼어붙을 정도의 몹시 심한 추위.

¹¹⑭ 【實】 열매 실 　實

부수 宀 (갓머리) 부
찾기 宀³＋貫¹¹ = 14획

`	⼼	宀	宀	宁	宀	宀

宲	實	實	實	實	實	實

글자뿌리 회의(會意) 문자. 움집 면(宀)에 꿸 관(貫)을 합친 자로, 집 안에 꿴 재물[貫], 즉 돈이 가득 차 있다는 뜻이었다가 '열매'의 뜻이 된 자.

(글자풀이) 1 열매. 2 실제. 사실.
3 참되다. 4 차다.

[實感](실감) ① 실물에 접했을
  때 일어나는 감정. ② 실제로
  체험하는 듯한 감정.

[實力](실력) 실제로 가지고 있
  는 힘.

[實錄](실록) ① 사실을 있는 그
  대로 적은 역사. ② 한 임금의
  재위 기간 동안의 사적(事蹟)
  을 적은 기록.

[實利](실리) 실지로 얻은 이
  익. 현실적인 이익.

[實名](실명) 예명에 대해 본
  명을 이르는 말. ¶金融實名制
  (금융 실명제).

[實物](실물) 실제로 있는 물
  건 또는 사람.

[實相](실상) 실제의 모양이나
  형편. 있는 그대로의 상황.

[實用](실용) 실제로 씀. 실제
  로 쓸모가 있음.

[實益](실익) 실제의 이익.

[實情](실정) 실제의 사정.

[實踐](실천) 실제로 행함. 몸
  소 실제로 이행함.

[實驗](실험) ① 실지로 시험하
  여 봄. 일정한 연구 대상을 여
  러 가지 조건으로 변화를 일으
  키게 하여 그 현상을 관찰함.
  ② 실제의 경험.

[實話](실화) 실지로 있었던 이
  야기.

[結實](결실) ① 열매를 맺음.
  ② 일의 결과가 잘 맺어짐.

[不實](부실) ① 내용이 충실하
  지 못함. ② 믿음성이 적음. ③
  몸이 튼튼하지 못함. ④ 곡식이
  잘 여물지 못함.

[事實](사실) 실제로 있었거나
  있는 일.

[誠實](성실) 태도나 말씨 등
  이 정성스럽고 참됨. 착하고 거
  짓이 없음.

[眞實](진실) 거짓이 없이 바르
  고 참됨.

[行實](행실) 일상의 행동.

11
⑭ **[察]** 살필 찰　察

부수 宀 (갓머리) 부

찾기 宀³+祭¹¹ = 14획

'	'	宀	宀	宀	宀	宀

宀	宀	宀	宀	察	察	察

(글자뿌리) 형성 (形聲) 문자. 움집
면(宀〈뜻〉)에 제사 제(祭〈음〉)를

합친 자로, 신이 하늘에서 인간이 제사 지내는 정성을 본다는 데서 '살피다'의 뜻이 된 자.

(글자풀이) 1 살피다. 2 조사하다.

[考察] (고찰) 깊이 생각하여 살펴봄.

[觀察] (관찰) 사물의 동태 등을 주의 깊게 살펴봄.

[省察] (성찰) 자신이 한 일을 돌이켜 보고 깊이 생각함.

[視察] (시찰) 실지 사정을 돌아다니며 살펴봄.

[診察] (진찰) 의사가 여러 가지 수단으로 병의 유무나 증세 따위를 살피는 일.

---

³ 寸 (마디 촌) 部

손목에서 맥이 뛰는 곳까지의 거리를 뜻함.

⁰ ③ 【寸】 마디 촌   寸

부수 寸 (마디 촌) 부
찾기 寸³ = 3획

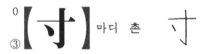

(글자뿌리) 지사(指事) 문자. 손목[寸=又]에서 맥박이 뛰는 곳

[丶=一]까지의 길이가 한 치[寸]라는 뜻.

(글자풀이) 1 마디. 2 치. ※길이의 단위.

[寸刻] (촌각) 아주 짧은 시간.

[寸劇] (촌극) 아주 짧은 연극.

[寸志] (촌지) 자그마한 뜻. 자기 뜻을 겸손히 이르는 말.

---

3 ⑥ 【寺】 ❶절   사   寺
          ❷내시 시

부수 寸 (마디 촌) 부
찾기 寸³ + 土³ = 6획

一	十	土	吉	圭	寺

(글자뿌리) 회의(會意) 문자. 갈지(土 : 之의 변형)에 마디 촌(寸)을 합친 자로, 일정한 법도로써 일을 해 나가는 곳, 즉 관청. 나아가 '절'의 뜻이 된 자.

글자풀이 ❶ 1 절. ❷ 2 내시. 관청.

[寺院] (사원) 절이나 암자.
[寺刹] (사찰) 절.

7
⑩ [射] 쏠 사 射

부수 寸 (마디 촌) 부
찾기 寸³+身⁷ = 10획

ノ	亻	竹	竹	身	身	身
身	射	射				

글자뿌리 회의(會意) 문자. 몸 신(身 : 본디는 활에 화살을 나타 낸 모양)에 화살 시(矢)를 합친 자임. 몸에서 화살이 떠난다는 데 서 '쏘다'의 뜻이 된 자.

글자풀이 쏘다.

[射殺] (사살) 총이나 활 등으로 쏘아 죽임.
[射手] (사수) 활이나 총을 쏘는 사람.
[亂射] (난사) 활·총 등을 표적을 정하지 않고 함부로 쏨.
[反射] (반사) 빛 또는 소리가 다른 물체의 표면에 부딪쳐서 그 방향을 바꿔 나아가는 현상.
[發射] (발사) 총포나 로켓 따위를 쏨.

8
⑪ [將] 장수 장 將

부수 寸 (마디 촌) 부
찾기 寸³+爿⁸ = 11획

丨	丬	丬	爿	爿	丬	丬
丬	丬	將	將			

글자뿌리 형성(形聲) 문자. 조 각 널 장(爿〈음〉)에 육달 월(夕= 肉)과 법도 촌(寸)을 합친 자로, 신 앞에 많은 제물을 차려 놓고 법도 있게 많은 씨족을 거느린 사람은 '장수'라는 뜻.

글자풀이 1 장수. 2 장차. 어찌. 3 나아가다.

[將軍] (장군) 군대를 지휘하는 군인.
[將來] (장래) 앞날. 앞으로 닥 쳐올 날.
[將星] (장성) 장군.
[將帥] (장수) 군대를 거느리는 장군.
[將次] (장차) 차차. 앞으로.
[老將] (노장) ① 늙은 장군. ② 경험이 많은 노련한 장군. ③ 어떤 분야에서 많은 경험을 쌓 아 노련한 사람을 비유하여 이 르는 말.
[猛將] (맹장) 날렵하고 용감한

장수.

[名將] (명장) 뛰어난 장수. 이름난 장수.

9
⑫〔**尊**〕높을 존 尊

부수 寸(마디 촌)부
찾기 寸³+酋⁹ = 12 획

⟋	⟋⟍	⟋⟍⟍	丷	首	酋	酋

| 酋 | 酋 | 酋 | 尊 | 尊 | | |

글자뿌리 회의(會意) 문자. 술 익을 추(酋)에 법도 촌(寸)을 합친 자로, 술단지[酋]를 오른손[寸]에 들고 윗사람에게 바쳐 따른다 하여 '공경한다'의 뜻이 된 자.

글자풀이 1 높다. 높이다. 2 우러러보다.

[尊敬] (존경) 받들어 공경함.

[尊卑] (존비) 존귀함과 비천함. 신분의 높음과 낮음.

[尊嚴] (존엄) ① 존귀하고 엄숙함. ② 지위 또는 인품이 높아서 범할 수 없음.

[尊重] (존중) 높이 받들고 귀중하게 여김.

[尊稱] (존칭) 존경하여 부르는 명칭.

[尊銜] (존함) 남을 높여서 그의 이름을 이르는 말.

11
⑭〔**對**〕대답할 대 対

부수 寸(마디 촌)부
찾기 寸³+丵¹¹ = 14 획

⎸	⎸⎸	⎪⎨	丱	业	业	丵

| 丵 | 丵 | 丵 | 丵 | 丵 | 對 | 對 |

글자뿌리 회의(會意) 문자. 종(鐘)을 매다는 판자 기둥을 본뜬 '丵'에 마디 촌(寸)을 합친 자로, 종걸이는 서로 마주 보도록 되어 있다는 데서 '마주 보다', '상대'의 뜻.

글자풀이 1 대답하다. 2 대하다. 마주 보다. 3 상대. 짝.

[對決] (대결) 양자가 맞서서 이기고 짐, 또는 옳고 그름을 결

정함.

[對談] (대담) 서로 마주 보고 이야기함.

[對答] (대답) ① 묻는 말에 대하여 자기의 뜻을 나타냄. ② 부름에 응함.

[對等] (대등) 서로 견주어 낫고 못함이 없음.

[對立] (대립) ① 마주 섬. ② 서로 반대되거나 모순됨.

[對比] (대비) 서로 비교함. 또는 그 비교.

[對應] (대응) ① 서로 마주 대함. 상대함. ② 상대에 따라 그에 맞게 일을 함. ③ 쌍방이 서로 같음. 서로 어울림.

[對照] (대조) ① 둘 이상의 대상을 마주 대어 비교함. ② 서로 반대되거나 상대적으로 대비됨. 또는 그런 대비.

[對抗] (대항) 서로 겨룸. 맞서서 서로 저항함.

[反對] (반대) ① 사물의 위치·방향·순서 따위가 정상이 아니고 거꾸로 임. 또는 그런 상태. ② 어떤 의견이나 제안 등에 찬성하지 아니함.

[相對] (상대) ① 서로 마주 대함. 또는 그 대상. ② 서로 겨룸. 또는 그럴 만한 대상.

[絕對] (절대) 비교되거나 대립될 것이 없는 상태. 또는 구속이나 제약을 받지 않고 그 자체로서 존재하는 것.

---

³ 小 (작을 소) 部

아주 작은 점 세 개를 찍어 '작음'을 나타냄.

⁰
③ 【小】 작을 소   小

부수 小 (작을 소) 부
찾기 小³＝3획

﹚	⺌	小			

(글자뿌리) 상형 (象形)·지사 (指事) 문자. 작은 점 세 개를 찍어서 '작음'을 나타낸 자.

∙ ∙ ⇒ ⼩ ⇒ 小

(글자풀이) 작다. 적다. 조금.

[小盤] (소반) 음식을 놓고 먹는 작은 상. 밥상.

[小心] (소심) ① 좁은 마음. ② 담력이 작음. 조심성이 많음.

[小兒] (소아) 어린아이.

[小人] (소인) ① 나이 어린 사

람. ② 덕(德)이 부족한 사람. 마음이 간사한 사람. ③ 자신을 낮추어 이르는 말.

[小品](소품) ① 조그만 물건. ② 규모가 작은 예술 작품.

[極小](극소) 아주 작음.

[弱小](약소) 약하고 작음. ⑱ 強大(강대).

[縮小](축소) 줄여서 작아지거나 작게 함.

[狹小](협소) 좁고 작음.

【少】④ 젊을 소 / 적을 소

少

부수 小 (작을 소) 부

찾기 小³ + ノ¹ = 4 획

글자뿌리 형성(形聲) 문자. 작을 소(小〈음〉)에 삐침 별(ノ〈뜻〉)을 합친 자로, 작은 것의 일부분을 떨어 낸다는 데서 양이 더욱 '적다'는 뜻이 된 자.

글자풀이 1 젊다. 2 적다.

[少年](소년) 나이 어린 남자.

[少量](소량) 적은 분량.

[減少](감소) 줄어서 적어짐.

[老少](노소) 늙은이와 젊은이. ¶ 男女老少(남녀 노소).

[多少](다소) ① 분량이나 정도의 많음과 적음. ② 조금. 약간. 어느 정도.

[年少](연소) 나이가 젊음. 또는 어림.

[稀少](희소) 드물고 적음.

【尙】⑧ 오히려 상

尙

부수 小 (작을 소) 부

찾기 小³ + 向⁵ = 8 획

글자뿌리 형성(形聲) 문자. 향할 향(向〈음〉)에 여덟 팔(八〈뜻〉)을 합친 자로, 높은 토대〔向〕위에 조금〔小〕 더 쌓아올려 '오히려', '높다'는 뜻이 된 자.

글자풀이 1 오히려. 도리어. 2 높다. 3 숭상하다.

[高尙](고상) 인품이나 학문·취미 등의 정도가 높으며 품위가 있음.

[崇尙](숭상) 우러러 높이어 소중하게 여김.

³尢 (절름발이 왕) 部

정상적인 사람을 본뜬 큰 대(大)자에 준하여, 한쪽 정강이가 굽은 사람의 모양을 본뜬 글자.

¹
④〔**尤**〕더욱 우 尤

부수 尢 (절름발이 왕) 부
찾기 尢³ + 丶¹ = 4획

一	ナ	尢	尤		

(글자뿌리) 형성(形聲) 문자. 새을(乙〈뜻〉)에 또 우(又〈음〉)를 합친 글자.

(글자풀이) 1 더욱. 2 허물. 탓하다.

⁹
⑫〔**就**〕나아갈 취 就

부수 尢 (절름발이 왕) 부
찾기 尢³ + 京ˊ⁹ = 12획

丶	亠	宀	古	古	亨	京
京	京	尌	就	就		

(글자뿌리) 회의(會意) 문자. 서울 경(京)에 더욱 우(尤)를 합친 자로, 높은 데 쌓은 언덕〔京〕이

남다르다〔尤〕는 뜻으로, 원뜻은 '높다'이었으나 '나아가다', '이루다'의 뜻으로 쓰이게 됨.

(글자풀이) 1 나아가다. 2 이루다. 3 좇다. 따르다.

[就任] (취임) 맡은 자리에 나아가 임무를 봄.

[就職] (취직) 일자리를 얻음. 직업을 얻음.

[就寢] (취침) 잠자리에 듦. 잠을 잠.

[去就] (거취) ① 사람이 어디로 나다니는 움직임. ② 어떤 일, 특히 일신상의 진퇴에 대하여 취하는 태도.

[成就] (성취) 일을 생각했던 대로 다 이룸.

³尸 (주검 시) 部

사람이 팔을 뻗고 옆으로 누운 모양을 본뜬 글자로, 죽어서 몸이 굳어진 모양을 나타냄.

1 ④ 【尺】 자 척 尺

부수 尸 (주검 시)부

찾기 尸³+ 乀¹ = 4획

ㄱ	ㄱ	尸	尺			

글자뿌리 지사(指事) 문자. 몸시(尸)에 굽을 을(乀=乙)을 합친 자로, 팔을 구부린 모양의 자로, 손목에서 팔꿈치까지는 한 '자'라는 뜻.

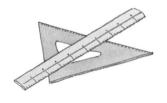

글자풀이 **1** 자. ※ 길이의 단위 및 재는 도구. **2** 짧다. 작다.

[尺度](척도) ① 자로 재는 길이의 표준. ② 평가하거나 측정하는 기준.

[咫尺](지척) 썩 가까운 거리.

4 ⑦ 【尾】 꼬리 미 尾

부수 尸 (주검 시)부

찾기 尸³+毛⁴=7획

ㄱ	ㄱ	尸	尸	厚	厚	尾

글자뿌리 회의(會意) 문자. 꽁무니 고(尸 : 尻의 변형)에 터럭 모(毛)를 합친 자로, 새나 짐승의 꽁무니 뒤의 털이라는 뜻으로, '꼬리'를 나타내며, 전하여 '뒤', '끝'을 뜻함.

글자풀이 **1** 꼬리. **2** 끝.

[尾蔘](미삼) 가는 인삼 뿌리.

[尾行](미행) 남의 행동을 감시하기 위하여 그 사람 몰래 뒤를 따라다님.

[九尾狐](구미호) ① 꼬리가 아홉 개 달린 여우. ② 교활한 사람을 비유하여 이르는 말.

[大尾](대미) 맨 끝.

[後尾](후미) ① 뒤쪽의 끝. ② 대열의 맨 끝.

5 ⑧ 【居】 살 거 居

부수 尸 (주검 시)부

찾기 尸³+古⁵ = 8획

ㄱ	ㄱ	尸	尸	尺	居	居

글자뿌리 형성(形聲) 문자. 몸

시(尸〈뜻〉)에 예 고(古〈음〉)를 합친 자로, 옆으로 눕거나〔尸〕 무릎을 펴고〔古〕 편안히 있다는 데서 '있다', '살다'의 뜻이 된 자.

글자풀이 **1** 살다. **2** 있다.

[居留] (거류) ① 임시로 머물러 삶. ② 남의 나라 영토에 머물러 삶.

[居室] (거실) 일상 생활을 하는 방. 거처하는 방.

[居處] (거처) 일정하게 자리를 잡고 살거나 묵는 일. 또는 그러한 곳.

[起居] (기거) 일정한 장소에서 일상 생활을 함. 또는 그 생활.

[同居] (동거) 한 집 안에서 같이 삶.

[別居] (별거) 부부 또는 한 가족이 따로 떨어져서 삶.

6
⑨ 〚**屋**〛 집 옥 屋

부수 尸 (주검 시) 부

찾기 尸³＋至⁶ ＝ 9획

ㄱ	ㄱ	尸	尸	尿	屋	屋
屋	屋					

글자뿌리 회의 (會意) 문자. 몸 시(尸)에 이를 지(至)를 합친 자로, 사람이 이르러 머물러 있는 곳이라는 데서, '집'을 뜻함.

글자풀이 **1** 집. **2** 지붕. 덮개.

[屋上] (옥상) 지붕 위.

[家屋] (가옥) 사람이 사는 집.

[社屋] (사옥) 회사로 쓰는 집. 회사의 건물.

[洋屋] (양옥) 서양식으로 지은 집. ⑪ 한옥(韓屋).

7
⑩ 〚**展**〛 펼 전 展

부수 尸 (주검 시) 부

찾기 尸³＋㞒⁷ ＝ 10획

ㄱ	ㄱ	尸	尸	尸	屈	屈
屈	展	展				

글자뿌리 형성 (形聲) 문자. 몸 시(尸〈뜻〉)에 붉은 비단옷 전(㞒 : 襄의 생략형〈음〉)을 합친 자로, 비단옷을 벗고 누워 팔·다리를 편히 한다는 데서 '펴다'의 뜻.

글자풀이 1 펴다. 2 벌이다. 3 나아가다. 잘되다.

[展開](전개) 펴서 벌림. 또는 펴져서 벌어짐.

[展望](전망) ① 멀리 바라봄. 또는 멀리 바라다보이는 경치. ¶ 展望臺(전망대). ② 앞을 헤아려 내다봄.

[展示](전시) 여러 가지 물건을 벌여 놓고 보임.

[發展](발전) ① 세력 등이 성하게 뻗어 나감. ② 어떤 상태가 보다 좋은 상태로 되어 감. ③ 어떤 일이 낮은 단계에서 보다 높거나 복잡한 단계로 나아감.

³ 山 (메 산) 部

산의 모양을 본뜬 글자.

0
³ [山] 메   산   山

부수 山(메 산)부
찾기 山³ = 3 획

글자뿌리 상형(象形) 문자. 산의 모양을 본뜬 글자.

⩜ ⇒ 山 ⇒ 山

글자풀이 1 메. 산. 2 무덤. 뫼.

[山間](산간) 산 속. 산골짜기.

[山林](산림) 산과 숲. 산에 있는 숲.

[山脈](산맥) 산줄기.

[山寺](산사) 산 속에 있는 절.

[山蔘](산삼) 깊은 산 속에 저절로 나서 자라난 삼.

[山所](산소) ① 무덤을 높여서 이르는 말. ② 무덤이 있는 곳.

[山水](산수) ① 산과 물. 산하의 경치. ② 산에 흐르는 물.

[山野](산야) ① 산과 들. ② 시골.

[山莊](산장) 산에 있는 별장.

[山戰水戰](산전 수전) 세상의 온갖 고생과 어려움을 다 겪음을 이르는 말.

[山中豪傑](산중 호걸) 호랑이를 이르는 말.

[山海珍味] (산해 진미) 산과 바다의 산물을 모두 갖춘 진귀한 음식. 온갖 귀한 재료로 만든 맛 좋은 음식.

[登山] (등산) 산에 오름.

[名山] (명산) 이름난 산.

[火山] (화산) 땅 속의 용암이 밖으로 내뿜어지는 곳이나 그 내뿜어진 것이 쌓여 이루어진 산.

7
⑩ 【島】 섬 도 島

부수 山 (메 산) 부

찾기 山³ + 鳥⁷ = 10 획

글자뿌리 형성 (形聲) 문자. 새 조 (鳥 : 鳥의 생략형 〈음〉)에 메 산 (山 〈뜻〉)을 합친 자로, 사람이 살지 않고 새가 사는 산이라는 데서 '섬'의 뜻이 된 자.

글자풀이 섬.

[島嶼] (도서) 크고 작은 섬을 두루 이르는 말.

[群島] (군도) 무리를 이룬 많은 섬. 제도 (諸島).

[落島] (낙도) 육지에서 멀리 떨어진 외딴 섬.

[半島] (반도) 대륙에서 바다 쪽으로 길게 뻗어 나와 삼면이 바다인 육지.

8
⑪ 【崇】 높일 숭 崇

부수 山 (메 산) 부

찾기 山³ + 宗⁸ = 11획

글자뿌리 형성 (形聲) 문자. 메 산 (山 〈뜻〉)에 마루 종 (宗 〈음〉)을 합친 자로, 산마루는 높다는 데서 '높다', '높이다'의 뜻이 된 자.

글자풀이 1 높이다. 높다. 2 존중하다. 공경하다.

[崇高] (숭고) 훌륭하고 높음.

[崇拜] (숭배) 마음으로부터 우러러 공경함.

[崇尙] (숭상) 높이어 소중하게 여김.

[隆崇] (융숭) 대우하는 태도가 정중하고 극진함.

20 ㉓ 〔巖〕 바위 암 巖

부수 山 (메 산) 부
찾기 山³+嚴²⁰ = 23 획

'	屮	山	屵	峃	峃	峃
峃	峃	岸	巌	岸	巌	巌
岸	岸	巌	巌	巌	嚴	巖

글자뿌리 형성 (形聲) 문자. 메 산(山〈뜻〉)에 엄할 엄(嚴〈음〉) 을 합친 자로, 험준하여 가까이할 수 없는 엄한 산이라는 데서 '바 위'의 뜻이 된 자.

글자풀이 1 바위. 2 가파르다. 험하다. 3 낭떠러지. 벼랑.

[巖盤] (암반) 암석으로 된 지 반. 땅 속의 큰 암석층.
[巖壁] (암벽) 벽 모양으로 깎 아지른 듯이 험하게 솟아 있는 바위.
[巖石] (암석) 바위.
[奇巖怪石] (기암 괴석) 기묘하 고 괴상하게 생긴 바위와 돌.

³ 巛 (개미허리) 部

양 기슭 사이로 물이 흘러가 는 모양을 본뜬 글자.

0 ③ 〔川〕 내 천 川

부수 巛 (개미허리) 부
찾기 川³=3획

)	刂	川			

글자뿌리 상형(象形) 문자. 양 쪽 기슭 사이로 물이 흘러가는 모양을 본뜬 글자.

$$ \text{川川} \Rightarrow \text{///} \Rightarrow \text{川} $$

글자풀이 내.

[山川] (산천) 산과 내.
[河川] (하천) 시내. 강.

³ 工 (장인 공) 部

목수가 사용하는 자·곱자의 모양을 본뜬 글자.

0
③ 【工】 장인 공 工

부수 工 (장인 공) 부
찾기 工³ = 3 획

一	丁	工			

글자뿌리 상형(象形) 문자. 목수가 사용하는 자·곱자의 모양을 본뜬 글자.

기 ⇒ 工 ⇒ 工

글자풀이 1 장인. 2 공교하다.

[工巧] (공교) ① 솜씨가 좋음. 교묘함. ② 생각지 않던 우연한 사실과의 마주침이 썩 기이함.

[工事] (공사) 토목·건축 등에 관한 일.

[工藝] (공예) 실용적인 물건에 본래의 기능을 살리면서 아름다움을 조화시키는 솜씨. 또는 그 제품.

[工作] (공작) ① 물건을 만드는 일. ② 어떤 목적을 위하여 일을 미리 꾸밈.

[工場] (공장) 사람들을 모아 기계 등을 사용하여 물건을 만들어 내거나 손질하는 곳.

[加工] (가공) 재료나 물품 등에 손을 더 대어 새로운 물건을 만드는 일.

[木工] (목공) ① 나무를 다루어 물건을 만드는 일. ② 목수.

[手工] (수공) ① 손으로 하는 공예. ② 손으로 하는 일의 품. 또는 그 품삯.

[職工] (직공) ① 자기의 기술로 물건을 만드는 일을 업으로 하는 사람. ② 공장에서 일하는 근로자.

2
⑤ 【巨】 클 거 巨

부수 工 (장인 공) 부
찾기 工³ + ㅋ² = 5획

一	厂	戸	巨	巨	

글자뿌리 상형(象形) 문자. 손잡이〔ㅋ〕가 달린 큰 자〔匸〕를 손에 쥔 모양을 본뜬 자로, 큰 자라는 데서 '크다'의 뜻.

글자풀이 1 크다. 2 많다.

[巨金] (거금) 큰 돈. 많은 돈.
[巨物] (거물) ① 거창한 물건.
② 학문이나 세력이 중요한 위
치에 있는 사람.
[巨富] (거부) 큰 부자.
[巨匠] (거장) 특정한 분야의 기
능에 남달리 뛰어난 사람.

² **【左】** 왼 좌   左
⑤

부수 工(장인 공) 부
찾기 工³+ナ² = 5 획

一	ナ	𠂇	左	左			

글자뿌리 회의(會意) 문자. 왼
손 좌(ナ=左)에 장인 공(工)을
합친 자로, 목수가 자를 잴 때 왼
손으로 쥐므로 '왼쪽'. 또, 왼손은
바른손을 돕는다는 데서 '돕다'의
뜻도 됨.

글자풀이 1 왼. 왼쪽. 2 증거.
3 돕다. 4 옳지 못하다.

[左右] (좌우) ① 왼쪽과 오른
쪽. ② 곁. 측근자.
[左之右之] (좌지 우지) 제 마음
대로 다루거나 휘두름.
[左遷] (좌천) 높은 직위에서 낮
은 직위로 떨어짐.
[左衝右突] (좌충 우돌) 이리저
리 마구 찌르고 치고 받고 함.
[左側] (좌측) 왼쪽.

---

³ 己 (몸 기) 部

구부러진 실 끝 모양을 본뜬
글자.

⁰ **【己】** 몸 기   己
③

부수 己(몸 기) 부
찾기 己³ = 3 획

ㄱ	ㄱ	己					

글자뿌리 상형(象形) 문자. 실
타래에서 당겨 놓은, 구부러진 실
끝 모양, 또는 만물이 몸을 굽혀
서 숨기는 모양을 본뜬 글자로
'처음'을 뜻했다가 '자기'를 뜻하
게 됨.

🐛 ⇒ 乙 ⇒ 己

글자풀이 1 몸. 자기. 2 여섯째
천간(天干). ※ 방위(方位)로는

중앙, 오행(五行)으로는 토(土)에 해당함.

[克己] (극기) 자기의 욕심 따위를 자기 힘으로 억눌러 이김.

[利己] (이기) 자기 이익만 꾀함. ¶利己主義(이기주의).

[自己] (자기) 저. 제 몸.

⁰
_③ 【**巳**】 뱀 사

부수 己(몸 기)부

찾기 己³(巳) = 3획

| フ | コ | 巳 | | | |

글자뿌리 상형(象形) 문자. 뱀이 몸을 사리고 꼬리를 드리우고 있는 모양을 본뜬 글자.

글자풀이 1 뱀. 2 여섯째 지지 (地支). ※ 동물로는 뱀, 방위로는 동남, 시간으로는 오전 9~11시, 달로는 음력 4월에 해당함.

[巳時] (사시) 12시간 중, 여섯째 시간. 곧, 오전 9~11시까지의 사이를 말함.

[巳月] (사월) 음력 4월.

⁰
_③ 【**已**】 이미 이

부수 己(몸 기)부

찾기 己³(已) = 3획

| フ | コ | 已 | | | |

글자뿌리 상형(象形) 문자. 이 (目=以)의 변한 글자로, 나무로 만든 쟁기를 본떠서, '끊는다', '그친다'는 뜻.

글자풀이 1 이미. 2 그치다. 말다. 3 너무. 4 뿐. 따름.

[已往] (이왕) 이전(以前).

[已往之事] (이왕지사) 이미 지나간 일.

---

³ 巾 (수건 건) 部

한 폭의 천〔冂〕을 띠에 차서 드리우고〔丨〕 있는 모양을 본뜬 글자로, 원뜻은 '행주'이며, 발전하여 '수건'을 나타냄.

²
_⑤ 【**市**】 저자 시

부수 巾(수건 건)부

찾기 巾³+亠² = 5획

| 丶 | 亠 | 宀 | 市 | 市 | |

글자뿌리 회의(會意) 문자. 미

칠 급(丿:及의 옛 글자)에 멀 경(冂)과 갈 지(屮:之의 변형)를 합친 자로, 물건을 사고 파는 곳 으로 간다는 데서 '저자'의 뜻.

글자풀이 **1** 저자. 시장. **2** 시가 (市街). **3** 행정 구역의 하나.

[市價](시가) 시장에서의 가격.

[市街](시가) 도시의 큰 거리.

[市立](시립) 행정 관청인 시 에서 세움.

[市民](시민) 행정 구역인 시 에서 사는 사람.

[市外](시외) 도시의 바깥. 반 市內(시내).

[市議會](시의회) 시민이 뽑은 의원으로 이루어진 의회.

[市長](시장) 행정 관청인 시 의 우두머리.

[市場](시장) 물건을 모아 팔 고 사는 곳.

[市中](시중) 시내의 안. 도시 의 안.

[市廳](시청) 행정 구역의 하 나인 시의 행정 사무를 맡아

보는 관청.

[都市](도시) 사람이 많고 상 업이나 공업 등이 발달한 곳.

[門前成市](문전 성시) 문 앞 에 저자를 이룬다는 뜻으로, 찾 아오는 사람이 많음을 두고 이 르는 말.

[波市](파시) 고기가 많이 잡 히는 철에 바다 위에서 열리는 생선 시장.

2
⑤ 【布】 베 포
펼 포 布

부수 巾 (수건 건) 부

찾기 巾³+ナ² = 5획

| 丿 | ナ | 大 | 右 | 布 | | |

글자뿌리 형성(形聲) 문자. 본 래는 아비 부(父→ナ〈음〉) 밑에 수건 건(巾〈뜻〉)을 합친 자로, 아버지가 아들을 매로 다스리듯 천을 다듬질하여 매만진다는 데 서 잘 다듬질한 '베'를 뜻함.

글자풀이 1 베. 2 펴다. 베풀다.

[布告] (포고) 일반 사람들에게 널리 알림. ¶宣戰布告(선전 포고).

[布敎] (포교) 종교를 널리 폄. ⑧ 선교(宣敎).

[布木] (포목) 베와 무명. ¶布木店(포목점).

[布石] (포석) ① 바둑에서, 처음에 넓은 곳을 차지하려고 돌을 벌려 놓는 일. ② 장래의 일을 위하여 미리 손을 씀.

[公布] (공포) 모든 사람에게 널리 알림.

[麻布] (마포) 삼베.

[綿布] (면포) 무명.

[毛布] (모포) 담요.

[分布] (분포) ① 나누어져 여러 곳에 널리 퍼져 있음. ② 나누어서 퍼뜨림.

[宣布] (선포) 세상에 널리 펴서 알림.

[流布] (유포) 널리 퍼뜨림.

4
⑦ 【**希**】 바랄 희　　希

부수 巾 (수건 건) 부
찾기 巾³+爻⁴ = 7획

ノ　ㄨ　ㄅ　爻　爻　希　希

글자뿌리 회의(會意) 문자. 형상할 효(爻 = 爻)에 수건 건(巾)

을 합친 자로, 무늬[爻]를 수놓은 수건(巾)은 흔하지 않으므로 이것을 탐내고 '바란다'는 뜻. '爻'는 실이 서로 엇갈려 된 무늬를 나타냄.

글자풀이 1 바라다. 2 드물다.

[希求] (희구) 바라고 구함.

[希望] (희망) 무엇을 이루거나 얻기를 바람. ㉘ 絶望(절망)

[希少] (희소) 드묾. 적음. ¶希少價値(희소 가치).

6
⑨ 【**帝**】 임금 제　　帝

부수 巾 (수건 건) 부
찾기 巾³+帝⁶ = 9획

丶	一	宀	立	产	产	产

글자뿌리 형성(形聲) 문자. 두 이(二 = 上)를 바탕으로 차(束 〈음〉)를 합친 자. 또는 하늘에 제사지낼 때 쓰는 나무 신주를 본뜬 자로, 하늘의 신 또는 그 아

들〔天子〕이란 데서 '왕', '임금'을 뜻함.

〔글자풀이〕 임금. 천자. 황제.

[帝國] (제국) 황제가 다스리는 나라. ¶ 帝國主義(제국주의).

[帝王] (제왕) 황제와 국왕.

[帝位] (제위) 황제의 자리.

[帝號] (제호) 황제의 이름.

[大帝] (대제) '황제'를 높여서 이르는 말.

[上帝] (상제) '옥황 상제(玉皇上帝)'의 준말로, 하느님을 이르는 말. ⑧ 천제(天帝).

[皇帝] (황제) 제국의 임금.

⁷【**師**】스승 사 師
⑩

부수 巾 (수건 건) 부
찾기 巾³+ 𠂤⁷ = 10획

'	𠂤	𠂤	𠂤	𠂤	𠂤	𠂤
師	師	師				

〔글자뿌리〕 회의(會意) 문자. 쌓일 퇴(𠂤 : 堆의 본자)에 두를 잡(帀)을 합친 자로, 언덕〔𠂤〕 위에서 군사 훈련을 시킨다고 해서 '스승'. 또, 겹겹이 두루 돈다는 데서 '모여 있음' 나아가 '군사', '군단'의 뜻이 됨.

𠂤昜 ⇒ 𠂤帀 ⇒ 師

〔글자풀이〕 **1** 스승. 선생님. **2** 전문가. **3** 군사.

[師團] (사단) 군대 편성의 한 단위. 군단의 아래, 연대의 위.

[師母] (사모) 스승의 부인.

[師範] (사범) ① 스승으로서 모범이 될 만한 사람. ② 권투·유도나 바둑 등의 기예를 가르치는 사람.

[師父] (사부) ① '스승'을 높여 이르는 말. ② 스승과 아버지.

[師恩會] (사은회) 졸업생이 스승의 은혜에 감사하기 위하여 베푸는 모임.

[教師] (교사) 지식이나 기술 등을 가르치는 스승.

[牧師] (목사) 교회를 맡아 신자를 가르치고 인도하는 사람.

[藥師] (약사) 약사 자격증을 가지고 약을 만들거나 의사의 지시에 따라 만들거나, 의약품을 파는 사람.

[恩師] (은사) 은혜를 베풀어 준 스승.

[醫師] (의사) 의술과 약으로 병을 고치는 일을 직업으로 하는

사람.

7
⑩ [**席**] 자리 석　席

부수 巾(수건 건)부
찾기 巾³+庶⁷ = 10획

| ` | 亠 | 广 | 广 | 庐 | 庐 | 庐 |
| 庐 | 庐 | 席 | | | | |

글자뿌리 형성(形聲) 문자. 무리 서(庶=庶〈음〉) 밑에 수건 건(巾〈뜻〉)을 합친 자로, 여럿이 앉을 수 있도록 넓은 천〔巾〕을 깐다는 데서 '자리'를 뜻함.

글자풀이 **1** 자리. 돗자리. **2** 깔다. **3** 베풀다.

[席卷](석권) 자리를 둘둘 만다는 뜻으로, 손쉽게 모조리 차지하거나 닥치는 대로 공격함을 이르는 말.
[席上](석상) 어떤 모임의 자리. 여러 사람의 모인 자리.

[席次](석차) ① 자리의 차례. ② 성적의 차례.
[客席](객석) ① 손님이 앉는 자리. ② 영화관 등의 구경하는 자리.
[缺席](결석) 학교나 모임 등에 나가지 아니함. 뺨出席(출석).
[末席](말석) ① 맨 끝자리. ② 모임 따위에서 지위가 낮은 사람이나 손아랫사람이 앉는 아랫자리. 뺨上席(상석). ③ 낮은 지위.
[首席](수석) ① 맨 윗자리. ② 석차 따위에서 첫째.
[座席](좌석) ① 앉는 자리. 뺨立席(입석). ② 여러 사람이 모인 자리.
[次席](차석) ① 맨 윗자리의 다음 자리나 지위. ② 성적 따위에서, 수석에 다음 가는 성적.
[着席](착석) 자리에 앉음.
[出席](출석) 공부하는 자리나 모임 등에 나감. 圖參席(참석). 뺨缺席(결석).

8
⑪ [**常**] 항상 상　

부수 巾(수건 건)부
찾기 巾³+尙⁸ = 11획

| ` | ` | ` | 兴 | 兴 | 兴 | 常 |
| 常 | 常 | 常 | 常 | | | |

글자뿌리 형성(形聲) 문자. 높을 상(尚〈음〉)에다 수건 건(巾〈뜻〉)을 합친 자로, 사람에게는 항상 옷이 필요하고, 옷을 입음은 예법에 맞으므로 '항상', '떳떳하다'의 뜻이 된 자.

글자풀이 1 항상. 늘. 2 떳떳하다. 3 보통. 4 상사람.

[常例](상례) 늘상 있는 보기.

[常綠樹](상록수) 나뭇잎이 가을이나 겨울이 되어도 떨어지지 않고 사철 푸른 나무.

[常民](상민) 상사람. 평민.

[常備](상비) 늘 갖추어 둠. ¶ 常備藥(상비약).

[常事](상사) 늘 있는 일.

[常設](상설) 시설이나 설비를 늘 갖추어 둠. ¶ 常設市場(상설 시장).

[常習](상습) 늘 하는 버릇. ¶ 常習犯(상습범).

[常識](상식) 보통의 지식. 일반으로 알려진 지식.

[常任](상임) 늘 계속해서 맡음. ¶ 常任理事(상임 이사).

[常情](상정) 보통의 정분이나 인정. ¶ 人之常情(인지상정).

[常住](상주) 늘 머물거나 삶. ¶ 常住人口(상주 인구).

[常套](상투) 늘 하는 버릇.

[非常](비상) ① 심상치 않음.

¶ 非常事態(비상 사태). ② 평범하지 않음.

[異常](이상) 보통과 다름.

[日常](일상) 날마다. 항상. ¶ 日常生活(일상 생활).

---

³干 (방패 간) 部

두 갈래진 나무 창을 본뜬 것으로, '찌르다', '방패'의 뜻을 나타냄.

부수 干 (방패 간) 부

찾기 干³ = 3획

一	二	干		

글자뿌리 상형(象形) 문자. 나뭇가지로 만든 두 갈래로 갈라진 창을 본뜬 글자로, 무기로 적을 '찌른다'는 뜻을 나타내고, 나아가 '방패', '방어'를 뜻함.

글자풀이 1 방패. 2 범하다. 3 마르다. 4 간여하다.

[干滿] (간만) 썰물과 밀물.

[干涉] (간섭) 남의 일에 끼여 들어 참견함.

[干證] (간증) ① 지난날, 범죄에 관련된 증언을 뜻하던 말. ② 기독교에서 지은 죄를 자백하고 믿음을 고백하는 일.

[干拓] (간척) 바다 또는 호수를 막아 물을 빼서 뭍으로 만듦. ¶ 干拓事業(간척 사업).

[欄干] (난간) 충계나 다리의 가장자리에 나무나 쇠로 세워 놓은 살.

[若干] (약간) 얼마 안 됨.

[如干] (여간) 보통으로. 어지간하게.

² ⑤ 【平】 평평할 평 平

부수 干 (방패 간) 부

찾기 一³＋八² ＝ 5획

一	一	一	一	平

글자뿌리 지사(指事) 문자. 간 (干＝亐)과 나눌 팔(八)로 된 글자로, 퍼져 오르는 싹이나 기운이 다시 나누어져 평평하게 깔린다는 데서 '평평하다'는 뜻.

亐 ⇒ 亐八 ⇒ 平

글자풀이 1 평평하다. 2 다스리다. 3 고르다. 4 보통.

[平均] (평균) 많거나 적지 않고 고름.

[平年] (평년) ① 윤년이 아닌 해. ② 농사가 보통으로 된 해. ¶ 平年作(평년작).

[平等] (평등) 고르고 한결같음. 차별이 없이 동등함. ¶ 男女平等(남녀 평등).

[平面] (평면) 평평한 겉면.

[平民] (평민) 벼슬이 없는 보통 사람.

[平凡] (평범) 뛰어나지 않고 보통임. ⑪ 非凡(비범).

[平素] (평소) 보통 때. 평상시.

[平安] (평안) 무사히 잘 있음. 마음에 걱정이 없음.

[平日] (평일) ① 휴일이나 명절이 아닌 보통 날. ② 보통 때. ⑧ 平素(평소).

[平定] (평정) 난리를 평화롭게 진정시킴.

[平地] (평지) 바닥이 평평한 땅.

[平坦] (평탄) ① 바닥이 평평함. ② 마음이 고요하고 편안함. ③

일이 순조롭게 진행됨.

[公平] (공평) 치우침이 없으며 공정함.

[不平] (불평) 편하지 아니하다는 뜻으로, 불만스럽게 생각함.

[水平] (수평) 잔잔한 물의 표면처럼 평평한 상태.

[地平線] (지평선) 땅과 하늘이 맞닿아 보이는 넓고 평평한 경계선.

[太平] (태평) 세상이 안정되고 풍년이 들어서 아무 걱정이 없이 평안함.

[泰平] (태평) ① 성격이 느긋하여 근심 걱정 없이 태연함. ② 마음과 몸 또는 집안이 평안함.

[和平] (화평) ① 마음이 평안함. ② 나라 사이가 화목함.

³ ⑥ 【年】 해 년 年

부수 干 (방패 간) 부
찾기 干³ + ⼈³ = 6획

| ノ | ⼂ | ⼆ | ⼂ | ⼆ | 年 |

글자뿌리 형성(形聲) 문자. 본자는 벼 화(禾〈뜻〉)에 일천 천(千〈음〉)을 합친 자로, 벼를 심어 수확하는 기간을 일 년으로 하여 '해'를 뜻함.

글자풀이 1 해. 1년. 2 나이.

[年金] (연금) 일정한 기간이나 죽을 때까지 해마다 지급되는 일정액의 돈.

[年內] (연내) 그 해의 안.

[年代] (연대) ① 지나 온 시대. ② 시대. ¶ 年代表(연대표).

[年度] (연도) 사무 처리상 구분한 1년간의 기간.

[年齡] (연령) 나이.

[年老] (연로) 나이가 많아 늙음. ㉫ 年少(연소).

[年末] (연말) 그 해의 끝 무렵. ㉫ 年始(연시).

[年上] (연상) 자기보다 나이가 위. ㉫ 年下(연하).

[年歲] (연세) '나이'를 높여 이르는 말.

[年少] (연소) 나이가 어림. ㉫ 年老(연로).

[年長] (연장) 자기보다 나이가 많음. ¶ 年長者(연장자).

[年中] (연중) 그 해의 동안. ¶ 年中無休(연중 무휴).

[年賀狀] (연하장) 새해를 축하하는 글을 적은 인사장.

[來年](내년) 다음 해. 동明年
(명년).
[老年](노년) 늙은 나이.
[少年](소년) 아주 어리지도 다
자라지도 않은 남자 아이. 반
少女(소녀).
[送年](송년) 한 해를 보냄. ¶
送年號(송년호).
[新年](신년) 새해.
[靑年](청년) 젊은이.

5
⑧【幸】다행 행   幸

부수 干(방패 간)부
찾기 干³+￧⁵ = 8획

| 一 | 十 | 土 | ￧ | ￧ | ￧ | 幸 |

글자뿌리 회의(會意) 문자. 본
자는 일찍 죽을 요(夭) 밑에 거
스를 역(屰)을 합친 자로, 일찍
죽지 않고 장수했으므로 '다행'한
일이라는 뜻.

夭干 ⇒ 夭屰 ⇒ 幸

글자풀이 1 다행. 다행하다. 2
요행.
[幸福](행복) 좋은 운수와 복.
반 不幸(불행).
[幸運](행운) 행복한 운수.
[幸運兒](행운아) 행복한 운수
를 만난 사람.
[多幸](다행) 일이 좋게 됨. 운

수가 좋음. 뜻밖에 잘 되어 좋음.
[不幸](불행) ① 행복하지 못
함. 반 幸福(행복). ② 운수가
나쁨. 반 多幸(다행).
[天幸](천행) 하늘이 준 행복
이나 좋은 운수.

³幺 (작을 요) 部

애벌레, 또는 갓 태어난 어린
아이를 본떠서 만든 글자로, '작
다'는 뜻을 나타냄.

2
⑤【幼】어릴 유   幼

부수 幺(작을 요)부
찾기 幺³+力² = 5획

| ㇄ | 幺 | 幺 | 幻 | 幼 | | |

글자뿌리 회의(會意) 문자. 幺
(작을 요)와 力(힘 력)을 합친
자로, 갓 태어나서 힘이 작고 약
하므로 '어리다'의 뜻.

⇒ 8力 ⇒ 幼

〔글자풀이〕 어리다. 어린아이.

[幼年] (유년) ① 나이가 어림. 어린아이. ② 어릴 때. ¶ 幼年期(유년기).

[幼兒] (유아) 어린아이.

[幼弱] (유약) 어리고 나약함.

[幼蟲] (유충) 애벌레.

[幼稚] (유치) ① 생각이나 하는 행동 등이 어림. ② 나이가 어림. ¶ 幼稚園(유치원). ③ 지식이나 기술 등이 아직 익숙하지 아니함.

[長幼] (장유) 어른과 어린아이. ¶ 長幼有序(장유 유서).

---

⑨ ⑫ 〔幾〕 몇 기 / 기미 기 幾

부수 幺(작을 요) 부

찾기 幺³+幾⁹ = 12획

⸝	纟	幺	纟⸝	纟纟	纟纟	丝
丝	丝	幾	幾	幾		

〔글자뿌리〕 회의(會意) 문자. 작을 요(纟纟)와 수자리 수〔戍〕를 합친 자로, 적은 수효〔纟纟〕의 군사로 지킬〔戍〕 때는 위태로운 기미를 알아채야 한다는 데서 '기미'의 뜻.

〔글자풀이〕 1 몇. 얼마. 2 기미.

[幾微] (기미) 낌새.

[幾何學] (기하학) 수학의 한 가

지로, 점·선·면·입체 등이 만드는 공간 도형의 성질을 연구하는 학문.

---

³ 广 (엄호) 部

언덕 (厂 : 민엄호) 위에 있는 지붕(丶)을 나타내어 한쪽이 벼랑에 붙은 집으로, '큰 집'을 뜻함.

---

⁴ ⑦ 〔序〕 차례 서 序

부수 广(엄호) 부

찾기 广³+予⁴ = 7획

丶	亠	广	庁	序	庁	序

〔글자뿌리〕 형성(形聲) 문자. 집 엄(广〈뜻〉)에 나 여(予〈음〉)를 합친 자로, 앞〔予:앞이라는 뜻 있음〕에 있는 바위 집〔广〕으로 들어간다는 데서 '처음', '차례'라는 뜻이 된 자.

(글자풀이) 1 차례. 2 실마리.

[序曲](서곡) ① 오페라 등에서 막이 오르기 전에 연주하는 악곡. ② 어떤 일의 시작을 비유하여 이르는 말.

[序頭](서두) 글이나 말의 첫머리.

[序論](서론) 본론의 머리말이 되는 말이나 글.

[序幕](서막) 연극 등에서 처음 여는 막.

[序文](서문) 머리말. ⑧序言(서언).

[序詩](서시) 서문 대신에 쓰는 시.

[序列](서열) 차례를 늘어놓음. 또는 그 차례.

[順序](순서) 차례.

[秩序](질서) 혼란이 없는 올바른 상태를 유지하기 위하여 지켜야 할 차례나 규칙. ¶社會秩序(사회 질서).

5
⑧ 【庚】 일곱째 천간 경 庚

부수 广(엄호) 부
찾기 广³+丰⁵ = 8획

ノ 亠 广 庐 庐 庚 庚

(글자뿌리) 회의(會意) 문자. 집엄(广)에 절굿공이 오(丰=與)를 합친 자로, 절굿공이로 곡식을

찧음을 뜻함.

(글자풀이) 일곱째 천간. ※ 방위로는 서쪽, 오행(五行)으로는 금(金), 계절로는 가을에 해당함.

5
⑧ 【店】 가게 점 店

부수 广(엄호) 부
찾기 广³+占⁵ = 8획

ノ 亠 广 庐 庐 店 店

(글자뿌리) 형성(形聲) 문자. 집엄(广〈뜻〉)에다가 차지할 점(占〈음〉)을 합친 자로, 집을 차지하고 물건을 파는 '가게'를 뜻함.

(글자풀이) 가게.

[店房](점방) 가겟방.

[店員](점원) 다른 사람의 가게에서 가게 일을 보는 사람.

[店主](점주) 가게 주인.

[店鋪](점포) 가게. 상점.

[開店](개점) 가게를 엶. ⑪閉店(폐점).

[本店](본점) 은행이나 백화점

등에서, 영업의 본거지가 되는 점포. 卿 支店(지점).

[書店] (서점) 책을 파는 가게. 책가게.

6 ⑨ 【**度**】 ❶법도 도 ❷헤아릴 탁

度

부수 广 (엄호) 부
찾기 广³+ 灾 ⁶ = 9획

丶	亠	广	广	庐	庐	庐
庐	度					

글자뿌리 형성(形聲) 문자. 무리 서(庶 = 庶〈음〉)에 오른손 우(又〈뜻〉)를 합친 자로, 여럿이 손으로 '헤아린다'는 뜻을 나타내며, 나아가 '법도(法度)'의 뜻도 됨.

 ⇒ 广灾 ⇒ 度

글자풀이 ❶ 1 법도. 2 자. 3 국량. 4 정도. 5 모양. 6 횟수. 도수. ❷ 7 헤아리다.

[度量] (도량) ① 너그러운 마음과 깊은 생각. ② 일을 잘 알아서 처리할 수 있는 품성. ③ 길이를 재는 것과 양을 재는 것. 자와 되.

[度量衡] (도량형) ① 길이·면적·부피·무게 등을 측정하는 기구인 자·되·말·저울을 통틀어 일컫는 말.

[度外視] (도외시) 범위나 한도 밖으로 여겨 문제삼지 않음.

[角度] (각도) ① 각의 크기. ② 사물을 보는 방향.

[強度] (강도) 강한 정도.

[過度] (과도) 정도에 지나침.

[速度] (속도) 빠른 정도.

[溫度] (온도) 덥고 찬 정도.

[進度] (진도) 일이 진행되어 가는 정도나 속도.

7 ⑩ 【**庭**】 뜰 정

庭

부수 广 (엄호) 부
찾기 广³+ 廷 ⁷ = 10획

丶	亠	广	广	庐	庄	庄
庄	庭	庭				

글자뿌리 회의(會意) 문자. 집 엄(广)에 조정 정(廷)을 합친 자로, 지붕을 덮은 조정의 마당을 나타내다가 나중에 일반 가정의 '뜰'을 뜻하게 됨.

⇒ 广廷 ⇒ 庭

글자풀이 1 뜰. 2 집안. 3 조정.

[庭園] (정원) 집 안의 뜰.

[庭園師] (정원사) 정원의 꽃밭이나 나무를 가꾸는 사람.

[家庭] (가정) 가족이 함께 살아가는 사회의 가장 작은 집단.

[校庭](교정) 학교의 운동장.
[宮庭](궁정) 대궐 안의 마당.

12
⑮ 【廣】 넓을 광 廣

부수 广(엄호) 부
찾기 广³+黃¹² = 15획

`	宀	广	广	庐	庐	庐

庐	庐	庐	庐	庙	廣	廣

글자뿌리 형성(形聲) 문자. 집
엄(广〈뜻〉)에 누를 황(黃〈음〉)
을 합친 자로, 앞이 터진 집은 빈
자리가 많아 '넓다'는 뜻.

글자풀이 1 넓다. 2 널리.

[廣告](광고) ① 널리 알림. ②
상품 따위를 많이 팔거나 널리
알리기 위하여 선전함. ¶廣告
主(광고주).
[廣大](광대) 넓고 큼.
[廣範](광범) 범위가 넓음.
[廣野](광야) 넓은 들.
[廣義](광의) 넓은 뜻. ⑪狹義
(협의).

[廣場](광장) 넓은 마당.

³
廴 (민책받침) 部

조금씩 걷는다는 뜻인 '彳
(두인 변)'을 늘어뜨린 것으로,
한자로는 '끌 인'이고, 부수로
는 '辶(책받침)'에 대하여 '민
책받침'이라 함.

6
⑨ 【建】 세울 건 建

부수 廴(민책받침) 부
찾기 廴³+聿⁶ = 9획

ㄱ	ㅋ	ㅋ	ㅋ	ㅋ	聿	聿

聿	建					

글자뿌리 회의(會意) 문자. 조정
정(廴 : 廷의 생략형)에 붓 율(聿)
을 합친 자로, 조정에서 법률을
만든다는 데서 '세우다'의 뜻.

글자풀이 1 세우다. 2 일으키다.

[建立] (건립) 만들어 세움.

[建物] (건물) 세워 놓은 물건이란 뜻으로, 집·사무실·공장·창고 등을 통틀어 이르는 말.

[建設] (건설) 세워서 설치함.

[建議] (건의) 의견이나 희망 사항을 말함. 또는 그 의논.

[建造] (건조) 세우고 만듦.

[建築] (건축) 흙·나무·돌·시멘트·쇠 등을 써서 집·다리 등을 세움.

[再建] (재건) 다시 세움.

[創建] (창건) 처음으로 세움.

---

³ 弋 (주살 익) 部

꺾은 나뭇가지 옆, 뾰족한 비늘 같은 것에 물건이 걸려 있는 모양을 본뜬 글자로, '주살'을 나타냄.

³
⑥ 【式】 법 식 式

부수 弋 (주살 익) 부

찾기 弋³+工³ = 6획

一	二	亍	工	式	式

글자뿌리 형성(形聲) 문자. 주살 익(弋〈음〉)에 장인 공(工〈뜻〉)을 합친 자로, 자〔工〕로 재고 먹물로 표〔弋〕를 하여 법식에 맞게

한다는 데에서 '의식'을 뜻함.

Ψ⅂ ⇒ 弋工 ⇒ 式

글자풀이 1 법. 제도. 2 예식. 의식.

[式順] (식순) 의식의 차례.

[式場] (식장) 의식을 거행하는 장소.

[結婚式] (결혼식) 시집가고 장가드는 예식.

[公式] (공식) ① 공적으로 정한 형식. ② 산수에서 계산의 법칙 등을 기호로 나타낸 것. ③ 틀에 박힌 방식.

[舊式] (구식) 낡은 방식. ⑪新式(신식).

[禮式] (예식) 예법에 따라 하는 의식. ¶禮式場(예식장).

[正式] (정식) 일정한 격식이나 의식.

[形式] (형식) 바깥으로 나타나 보이는 격식.

---

³ 弓 (활 궁) 部

나무나 대나무로 휘어 만든 활의 모양을 본뜬 글자로, '활'을 나타냄.

0
③ 【弓】 활 궁 弓

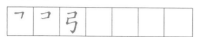

부수 弓 (활 궁) 부
찾기 弓³ = 3획

ㄱ	ㄱ	弓				

글자뿌리 상형(象形) 문자. 화살을 메기지 않은 활의 모양을 본뜬 글자.

글자풀이 활.

[弓術] (궁술) 활 쏘는 기술.
[明弓] (명궁) ① 활을 매우 잘 쏘는 사람. ② 이름난 활.
[良弓] (양궁) 좋은 활.
[洋弓] (양궁) ① 서양식의 활. ② 서양식의 활을 쏘아 일정한 거리에 있는 표적을 맞추어 얻는 점수를 겨루는 경기.

1
④ **[引]** 당길 인 引

부수 弓 (활 궁) 부
찾기 弓³ + |¹ = 4획

ㄱ	ㄱ	弓	引			

글자뿌리 지사(指事) 문자. 활 궁(弓)에 위아래 통할 곤(|)을 합쳐, 활에 화살을 먹여, 과녁을 향하여 나가게 한다는 데에서 '당기다'의 뜻.

글자풀이 **1** 당기다. 끌다. **2** 물러나다. **3** 이끌다.

[引繼] (인계) 하던 일을 다른 사람에게 넘겨 줌. ¶ 引受引繼 (인수 인계).
[引渡] (인도) 물건·권리 따위를 남에게 넘겨 줌.
[引導] (인도) 길이나 방법 등을 안내하거나 이끌어 줌.
[引力] (인력) 물체와 물체가 서로 끌어당기는 힘. ¶ 萬有引力 (만유 인력).
[引上] (인상) ① 끌어올림. ② 물건값 따위를 올림. ¶ 物價引上(물가 인상). ⑭ 引下(인하).
[引受] (인수) 물건이나 권리를 이어받음.
[引用] (인용) 다른 데에서 끌어다 씀. ¶ 引用文(인용문).

4
⑦ 【弟】 아우 제　弟

부수 弓(활 궁)부

찾기 弓³＋ノ⁴ ＝ 7획

`	`	⺌	⺌	弟	弟	弟

글자뿌리 상형(象形)·회의(會意) 문자. 무두질한 가죽으로 물건을 칭칭 묶어 다발로 만든 모양. 또는 가닥날 아(ㄚ)에 가죽위(弓＝韋)를 합친 자로, 가닥이진 막대에 가죽끈을 차례로 감아 내려감을 나타내어 형제 중에서 아래를 가리키는 '아우'의 뜻이된 자.

弟 ⇒ 弟 ⇒ 弟

글자풀이 1 아우. 2 제자.

[弟嫂](제수) 아우의 아내. 통 계수(季嫂).

[弟子](제자) 스승의 가르침을 받은 사람. 반 師父(사부).

[師弟](사제) 스승과 제자.

[子弟](자제) 남을 높이어 그의 아들을 이르는 말.

[兄弟](형제) 형과 아우.

7
⑩ 【弱】 약할 약　弱

부수 弓(활 궁)부

찾기 弓³＋弱⁷ ＝ 10획

ㄱ	ㄱ	弓	弓	弱	弱	弱
弱	弱	弱				

글자뿌리 상형(象形)·회의(會意) 문자. 어린 새 두 마리의 날개를 나란히 펼친 모양. 또는 구부러진 활〔弓〕두 개와 깃〔羽〕을 합쳐 '약하다'를 뜻함.

弱 ⇒ 弱 ⇒ 弱

글자풀이 1 약하다. 2 어리다. 젊다.

[弱骨](약골) 몸이 약한 사람. 약한 몸.

[弱冠](약관) 남자 나이 20세를 가리키는 말.

[弱小國](약소국) 힘이 약하고 작은 나라. 반 強大國(강대국).

[弱肉強食](약육 강식) 약한 자의 고기는 강한 자가 먹는다는 뜻으로, 약한 자는 강한 자에게 먹힘을 이르는 말.

[弱點](약점) 모자라서 남에게 뒤떨어지는 점. 통 缺點(결점).

[弱化] (약화) 힘이나 실력 등이 약해지거나 약하게 됨. ㉲ 强化(강화).

[貧弱] (빈약) 가난하고 허약함. 보잘것 없음.

[衰弱] (쇠약) 약해져서 전보다 못하여 감.

[虛弱] (허약) 몸이나 세력 따위가 약함.

8
⑪ 【強】 강할 강
　　　　 힘쓸 강

強

부수 弓 (활 궁) 부
찾기 弓³＋虫⁸ = 11획

ㄱ	ㄱ	弓	弘	弘	弘	弘
弘	弹	強	強			

글자뿌리 형성(形聲) 문자. 클 홍(弘〈음〉)에 벌레 충(虫〈뜻〉)을 합친 자로, 크고 단단한 껍데기를 한 곤충은 '군세다', '힘세다'의 뜻.

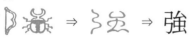

⇒ 強

글자풀이 1 강하다. 군세다. 2 힘쓰다. 3 억지 쓰다.

[強健] (강건) 몸과 마음이 튼튼하고 군셈.

[強國] (강국) 강한 나라.

[強權] (강권) ① 강한 권리. ② 억지로 누르는 권력.

[強大國] (강대국) 힘세고 큰 나라. ㉲ 약소국(弱小國).

[強力] (강력) ① 힘이 셈. 군센 힘. ② 효과나 작용이 강함.

[強烈] (강렬) 세차고 맹렬함.

[強壓] (강압) 강한 힘으로 억누름. 강제로 억누름.

[強弱] (강약) ① 강함과 약함. ② 강자와 약자.

[強要] (강요) 억지로 하도록 요구함. 무리하게 요구함.

[強者] (강자) 힘이나 세력이 센 사람이나 생물·집단. ㉲ 弱者 (약자).

[強制] (강제) 힘으로 남의 자유를 억제함. ¶ 強制勞動 (강제노동).

[強調] (강조) 힘차게 부르짖음. 특히 힘주어 주장함.

[強奪] (강탈) 억지로 빼앗음.

[強行] (강행) ① 어려움을 무릅쓰고 실행함. ② 강제로 시행함. 억지로 함.

[強化] (강화) 부족한 점을 보충하여 강하게 함. ㉲ 弱化(약화).

³ 彡 (터럭 삼) 部

터럭을 빗질하여 놓은 모양을 본뜬 글자로, '터럭'을 나타냄. 부수 이름으로는 '三'자를 변화시킨 것이라 하여 '삐친 석 삼'이라고도 함.

⁴
⑦ 【形】 형상 형 形

부수 彡(터럭 삼) 부
찾기 彡³+开⁴ = 7획

一 二 干 开 刑 形 形

(글자뿌리) 형성(形聲) 문자. 평평할 견(开: 幵의 변형〈음〉)에 터럭 삼(彡〈뜻〉)을 합친 자로, 털로 만든 붓으로 우물틀처럼 가로세로 그린 '형상'을 뜻함.

(글자풀이) 1 형상. 모양. 2 나타나다. 3 형세.

[形狀] (형상) 사람이나 물건의 생긴 모양.
[形成] (형성) 어떤 형태로 이루어짐.
[形勢] (형세) 어떤 일의 형편이나 상태.
[形式] (형식) 바깥으로 나타나 보이는 격식.
[形容] (형용) ① 생긴 모양. ② 사물의 어떠함을 나타냄.
[形態] (형태) 사물의 생김새.
[形便] (형편) ① 일이 되어 가는 모양이나 상태. ② 살림살이가 되어 가는 모양.
[圖形] (도형) ① 그림의 모양이나 상태. ② 선과 점·면이 모여서 이루어진 꼴.
[無形] (무형) 모양이 없음. ¶ 無形文化財(무형 문화재).
[象形] (상형) 모양을 본뜸. ¶ 象形文字(상형 문자).
[有形] (유형) 모양이 있음.

³ 彳 (두인 변) 部

넓적다리·정강이·발을 차례로 그려 걷기 시작함을 나타냄.

⁵
⑧ 【往】 갈 왕 往

부수 彳(두인변) 부
찾기 彳³+主⁵ = 8획

丿 彳 彳 彳 彳 往 往

(글자뿌리) 형성(形聲) 문자. 조

금 걸을 척(彳〈뜻〉)에 무성할 황(主:坒의 변형〈음〉)을 합한 자로, 풀이 뻗어 나가는 모양에서 '가다'의 뜻이 된 자.

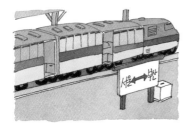

(글자풀이) **1** 가다. **2** 이따금. **3** 옛.

[往年](왕년) 지나간 해. 옛날.

[往來](왕래) ① 오고 감. ② 편지 따위를 주고받음.

[往復](왕복) 갔다가 돌아옴.

[往往](왕왕) 이따금.

[往診](왕진) 의사가 환자의 집으로 가서 진료함.

[旣往之事](기왕지사) 이미 지나간 일.

[說往說來](설왕 설래) 어떤 일의 옳고 그름을 따지느라 말로 옥신각신함.

⑤
⑧ 〔**彼**〕 저 피 *彼*

부수 彳(두인변) 부
찾기 彳³ + 皮⁵ = 8획

ノ　彳　彳　彳ᄀ　彳ノ　彼　彼

(글자뿌리) 형성(形聲) 문자. 조금 걸을 척(彳〈뜻〉)에 가죽 피(皮〈음〉)를 합친 자로, 벗겨 낸 가죽이 몸에서 떨어져 나가〔彳〕듯이 떨어져 나간 '저', '저것'을 뜻함.

(글자풀이) **1** 저. 저이. **2** 저편. 저것. **3** 그. 그이.

[彼此](피차) ① 저것과 이것. ② 서로.

[彼此一般](피차 일반) 서로가 마찬가지임.

[於此彼](어차피) 이렇게 하든 저렇게 하든.

[此日彼日](차일 피일) 이 날 저 날.

⑥
⑨ 〔**待**〕 기다릴 대 *待*

부수 彳(두인변) 부
찾기 彳³ + 寺⁶ = 9획

ノ　ソ　彳　彳　彳ᐟ　彳土　待

待　待

(글자뿌리) 형성(形聲) 문자. 조금 걸을 척(彳〈뜻〉)에 관청 시(寺〈음〉)를 합친 자로, 관청에 가면 '기다린다'는 뜻.

글자풀이 **1** 기다리다. **2** 대접하다. 대우하다.

[待機] (대기) 기회나 행동할 때를 기다림. 명령을 기다림.

[待令] (대령) 명령을 기다림.

[待遇] (대우) 예의를 갖추어 대함. 그 사람에 맞게 대접함.

[待接] (대접) ① 음식을 차려서 손님을 맞이함. ② 예를 차리어 맞이함.

[待避] (대피) 위험을 피하여 잠시 기다림.

[待合室] (대합실) 역이나 병원 등에서 손님이 쉬며 기다리도록 마련해 놓은 곳.

[苦待] (고대) 애써 기다림. ¶ 鶴首苦待 (학수 고대).

[期待] (기대) 어떤 일이 이루어지기를 바라고 기다림.

[薄待] (박대) 성의 없이 아무렇게나 대접함. 푸대접. ¶ 門前薄待 (문전 박대).

[接待] (접대) 손님을 대접함.

[招待] (초대) 손님을 오시라고 하여서 대접함. ¶ 招待狀 (초대장).

[虐待] (학대) 아주 못살게 굴어 괴롭힘.

⁶⁄₉ 【律】 법 률 律

부수 亻(두인변) 부

찾기 亻³+聿⁶ = 9획

′	⁄	亻	彳	彳⁻	彳⁼	律
律	律					

글자뿌리 형성(形聲) 문자. 조금 걸을 척(彳〈뜻〉)에 붓 율(聿〈음〉)을 합친 자로, 행하는 기준을 붓으로 써 놓았다고 해서 '법률'의 뜻이 된 자.

ᅴᅩᅶ ⇒ ᄀᆢᆞ聿 ⇒ 律

글자풀이 **1** 법. 법률. **2** 음률. **3** 율시. ※ 시(詩) 형식의 한 가지.

[律動] (율동) ① 규칙적으로 되풀이되는 운동. ② 리듬에 맞추어 추는 춤.

[律令] (율령) 법률과 명령.

[律法] (율법) 기독교에서, 종교적·사회적·도덕적인 생활에 대하여 신의 이름으로 만든 법.

[戒律] (계율) 불교에서, 승려가 지켜야 할 규칙.

[規律] (규율) ① 지켜야 할 행동의 본보기. ② 어떤 질서나 차례.

[法律] (법률) 사회 생활을 유지하기 위하여 정한 국민이 지켜야 할 규범.

[自律] (자율) 자기의 행동들을 스스로 억제함. ⑫ 他律(타율).

[調律] (조율) 악기의 음을 일정한 기준음에 맞추어 고름. ¶ 調律師(조율사).

6
⑨ [後] 뒤 후 後

부수 彳(두인변) 부
찾기 彳³ + 夋⁶ = 9획

丿 ⺄ 彳 彳 彳 彳 彳 彳

彳 後

글자뿌리 회의(會意) 문자. 조금 걸을 척(彳)에 작을 요(幺)와 뒤쳐올 치(夂)를 합친 자로, 어린아이가 조금씩 걸어서 앞으로 간다는 데서 '뒤지다', '뒤'의 뜻이 된 자.

글자풀이 1 뒤. 2 뒤지다.

[後繼] (후계) 뒤를 이음. ¶ 後繼者(후계자).

[後期] (후기) 뒤의 기간.

[後年] (후년) 다음 다음 해.

[後代] (후대) 앞으로 올 세대. ⑫ 前代(전대).

[後門] (후문) 뒷문. ⑫ 正門(정문).

[後半期] (후반기) 일정한 기간을 둘로 나눌 때 뒤의 동안. ⑫ 前半期(전반기).

[後方] (후방) ① 뒤쪽. ② 일선 뒤쪽의 안전한 지대. ⑫ 전방(前方).

[後輩] (후배) 학문이나 경험·나이 등이 자기보다 뒤늦은 사람. ⑫ 先輩(선배).

[後世] (후세) 뒷세상.

[後孫] (후손) 몇 대가 지나거나, 또는 자기 대로부터 뒤의 자손.

[後裔] (후예) 뒤에 태어난 사람. 핏줄을 이은 먼 후손.

[後援] (후원) 뒤에서 도와 줌.

[後進國] (후진국) 산업·경제·문화 등이 다른 나라보다 뒤진 나라. ⑫ 先進國(선진국).

[後退] (후퇴) 뒤로 물러섬. ⑫ 前進(전진).

[今後] (금후) 이제부터 뒤.

[讀後感] (독후감) 책이나 글을 읽고 난 후의 느낌이나 감상을

적은 글.

[前後] (전후) 앞과 뒤.

[最後] (최후) 마지막.

7
⑩ 【徒】 무리 도   徒

부수 亻(두인변) 부

찾기 亻³+走⁷ = 10획

ノ	⺁	彳	彳	彳	彳	彳
徒	徒	徒				

글자뿌리 형성(形聲) 문자. 조금 걸을 척(彳〈뜻〉)에 흙 토(土〈음〉)와 발 소(止=止〈뜻〉)를 합친 자로, 땅 위를 걸어다니는 여러 사람을 나타내어 '무리'의 뜻.

글자풀이 1 무리. 2 걸어다니다. 3 헛되다.

[徒步] (도보) 타지 않고 걸어서 감. ¶ 徒步旅行(도보 여행).

[敎徒] (교도) 종교를 믿는 사람. ⑤ 信徒(신도).

[無爲徒食] (무위 도식) 아무런 일도 하지 않고 먹기만 함.

[生徒] (생도) ① 학생. ② 사관 학교에서 교육을 받는 학생.

[暴徒] (폭도) ① 난폭한 무리. ② 폭동을 일으킨 무리.

[學徒] (학도) 배우는 무리. ¶ 學徒兵(학도병).

[花郞徒] (화랑도) 신라 시대에

청소년으로 조직되었던 수양 단체. 또는 그 중심 인물.

8
⑪ 【得】 얻을 득   得

부수 亻(두인변) 부

찾기 亻³+㝵⁸ = 11획

ノ	⺁	彳	彳	彳	彳	彳
彳	彳	得	得			

글자뿌리 회의(會意) 문자. 조금 걸을 척(彳)에 조개 패(貝)와 마디 촌(寸)을 합친 자로, 무엇을 구하러 다니다가[彳] 재물[貝]을 드디어 손에 쥐었다[寸]는 데서 '얻다'의 뜻이 된 자.

글자풀이 1 얻다. 이익. 2 깨닫다. 3 이루다. 만족하다.

[得男] (득남) 아들을 낳음.

[得道] (득도) 도를 깨달음. 이치를 깨달음.

[得勢] (득세) 세력을 얻음.

[得失] (득실) 얻음과 잃음.

[得意] (득의) 뜻대로 되어 만족하거나 뽐냄. ¶ 得意揚揚(득의 양양).

[得點] (득점) 점수를 얻음. 또는 그 점수.

[得票] (득표) 선거에서 표를 얻

거나 얻은 표의 수효.

[說得] (설득) 설명하여 알아듣게 함.

[所得] (소득) 일의 결과로 얻어지는 이익.

[拾得] (습득) 주워서 얻음.

[習得] (습득) 배워서 얻음.

[一擧兩得] (일거 양득) 한 가지의 일을 하여 두 가지의 이익을 얻음. ⑧ 一石二鳥(일석이조).

[自業自得] (자업 자득) 자기가 저지른 일의 과보를 자기 자신이 받는 일.

[取得] (취득) 자기 것으로 얻음. ¶ 取得稅(취득세).

8
⑪ [從] 좇을 종 / 따를 종 從

부수 亻(두인변) 부

찾기 亻³+从⁸ = 11획

ノ	⺅	彳	彳	从	从	從
從	從	從	從			

(글자뿌리) 회의(會意) · 형성(形聲) 문자. 조금 걸을 척(彳⟨뜻⟩)에 좇을 종(从 = 從⟨음⟩)을 합친 자로, 앞 사람의 뒤를 좇아간다는 데서 '좇다', '따르다'의 뜻.

彳+从 ⇒ 彳从 ⇒ 從

(글자풀이) 1 좇다. 종사하다. 종용하다. 2 따르다.

[從軍記者] (종군 기자) 부대를 따라서 싸움터에 나가 전쟁의 상황을 보도하는 신문·방송·잡지의 기자.

[從來] (종래) 이전부터 지금까지 지나 온 그대로.

[從事] (종사) 어떠한 일에 힘쓰거나 일삼아 함.

[從業員] (종업원) 어떠한 일에 종사하는 사람.

[白衣從軍] (백의 종군) 벼슬이 없는 사람으로 군대를 따라 전쟁터로 나감. 또는 그 일.

[服從] (복종) 남이 하자는 대로 따름.

[相從] (상종) 서로 따르며 사이 좋게 지냄.

[順從] (순종) 순순히 복종함.

9
⑫ [復] ❶ 회복할 복 / ❷ 다시 부 復

부수 亻(두인변) 부

찾기 亻³+复⁹ = 12획

´	㇒	彳	彳	彳	彳	彳
彳	彳	彳	復	復		

글자뿌리 형성(形聲) 문자. 조금 걸을 척(彳〈뜻〉)에다 거듭 복(夏〈음〉)을 합친 자로, 거듭해서 간다는 데서 '회복하다', '다시' 등의 뜻.

彐⊦夏 ⇒ 彐⁝夏 ⇒ 復

글자풀이 ❶ 1 회복하다. 2 돌이키다. 3 대답하다. 4 되풀이하다. 5 같다. ❷ 6 다시.

[復古](복고) ① 도로 옛 상태로 돌아감. ② 과거의 전통·생각 등을 본뜨려고 하는 일. ¶復古風(복고풍).

[復舊](복구) 옛 모양이나 상태로 돌아가게 함.

[復歸](복귀) 본래의 상태대로 되돌아옴.

[復讎](복수) 원수를 갚음.

[復習](복습) 배운 것을 다시 익힘.

[復唱](복창) 명령 또는 남의 말을 그대로 소리내어 외는 일.

[復活](부활) 죽었다가 다시 되살아남.

[復興](부흥) 쇠했던 일을 다시 일으킴. ¶復興會(부흥회).

[光復節](광복절) 우리 나라가 1945년에 일제로부터 해방된

것을 기념하는 날. 8월 15일.

[克復](극복) 어려움을 이겨 내어 본디의 상태로 돌아감.

[反復](반복) 되풀이함.

[報復](보복) 앙갚음.

[往復](왕복) 갔다가 되돌아옴.

[回復](회복) 예전 상태로 돌아옴.

$^{12}_{⑮}$ 〔**德**〕 큰 덕 德

부수 彳(두인변) 부

찾기 彳³+悳¹² = 15획

´	㇒	彳	彳	彳	彳	彳
彳	彳	彳	德	德	德	德

글자뿌리 형성(形聲) 문자. 조금 걸을 척(彳〈뜻〉)에 큰 덕(悳 : 悳의 변형〈음〉)을 합친 자로, 올곧은 마음을 지닌 행위를 나타내어 '크다', '덕'의 뜻이 된 자.

彐⊦古⊙ ⇒ 彐⁝心 ⇒ 德

글자풀이 1 크다. 덕(크고 너그러운 마음이나 품성). 2 은혜. 은혜를 베풀다.

[德談](덕담) 상대방이 잘 되기를 바라는 말이나 인사. ⑲ 악담(惡談).

[德望](덕망) 여러 사람이 우러러보는 높은 덕과 인격.

[德分] (덕분) 덕을 베풀어 준 보람. 통 德澤(덕택).

[德性] (덕성) 어질고 너그러운 품성.

[德行] (덕행) 어질고 너그러운 행실.

[道德] (도덕) 사람으로서 마땅히 지켜야 할 도리와 행동. ¶ 公衆道德(공중 도덕).

[變德] (변덕) 이랬다 저랬다 하며 잘 변하는 성질.

[福德房] (복덕방) 건물이나 토지 등의 매매나 전세·월세 등에 관한 일을 중간에서 맡아 해 주는 곳.

[恩德] (은덕) 은혜와 덕.

---

^{4} 心 (마음 심) 部

심장의 모양을 본뜬 글자로, ‘忄’은 ‘心’이 변으로 쓰일 때의 자형이고, ‘灬’은 ‘心’이 발로 쓰일 때의 자형임.

0
④ 【心】 마음 심 心丶

부수 心 (마음 심) 부
찾기 心^4 = 4획

| 丶 | 心 | 心 | 心 | | |

글자뿌리 상형(象形) 문자. 심장의 모양을 본뜬 글자.

글자풀이 1 마음. 생각. 2 염통. 3 가운데. 중심. 근본.

[心境] (심경) 마음의 상태.

[心亂] (심란) 마음이 산란하여 걷잡을 수 없음.

[心理] (심리) 마음의 움직임이나 마음의 상태. ¶ 心理學(심리학).

[心性] (심성) 본디부터 타고난 마음씨.

[心身] (심신) 마음과 몸.

[心臟] (심장) 온몸에 피를 보내는 복숭아 모양의 기관.

[心情] (심정) ① 마음과 정. ② 가슴 속.

[心血] (심혈) 심장의 피라는 뜻으로 ‘있는 대로의 힘’을 이르는 말.

[關心] (관심) 마음이 끌림. 마음에 두고 잊지 않음.

[銘心] (명심) 마음에 새김.

[良心] (양심) 옳고 그름을 가릴 줄 아는 어진 마음.

[眞心] (진심) 참된 마음.

1 **⑤【必】** 반드시 필 心

부수 心 (마음 심) 부
찾기 心⁴＋丿¹ ＝ 5획

丶	ノ	义	必	必		

글자뿌리 회의(會意) 문자. 주살 익(弋)에 여덟 팔(八)을 합친 자로, 어떤 표적으로 말뚝〔弋〕을 박아 놓고 그 경계를 갈라〔八〕놓아 분명히 한다는 데에서 '반드시'의 뜻이 된 자.

弌 ⇒ 心 ⇒ 必

글자풀이 1 반드시. 꼭. 2 오로지. 3 기약하다.

[必讀書] (필독서) 반드시 읽어야 하는 책.

[必死] (필사) 반드시 죽는다는 뜻으로, 죽음을 걸고 행함을 이르는 말.

[必須] (필수) 반드시 없어서는 안 됨. 꼭 필요로 함.

[必勝] (필승) 반드시 이김.

[必要] (필요) 꼭 소용이 됨. 없어서는 아니 됨.

[事必歸正] (사필 귀정) 모든 잘잘못은 반드시 바른 길로 돌아옴.

[生必品] (생필품) 일상 생활에 꼭 있어야 하는 물품.

[必要惡] (필요악) 좋지 못한 일이지만 어쩔 수 없이 필요한 일.

3 **⑥【忙】** 바쁠 망 忙

부수 心 (마음 심) 부
찾기 忄³(心)＋亡³ ＝ 6획

丶	丷	忄	忄	忙	忙	

글자뿌리 회의(會意) 문자. 심방변(忄 ＝ 心)에 잃을 망(亡)을 합친 자로, 중요한 일을 잊을 만큼 '바쁘다'는 뜻.

글자풀이 1 바쁘다. 2 조급하다.

[忙中閑] (망중한) 바쁜 가운데에의 한가한 때. '망중 유한(忙中有閑)'의 준말.

[公私多忙] (공사 다망) 공적인 일과 사적인 일로 매우 바쁨.

4
획

3
⑦ 【忘】 잊을 망　忘

부수 心 (마음 심) 부

찾기 心⁴＋亡³ = 7획

、	亠	亡	亡	忘	忘	忘

글자뿌리 형성(形聲) 문자. 잃을 망(亡〈음〉)에 마음 심(心〈뜻〉)을 합친 자로, 마음을 잃었다는 데서 '잊다'의 뜻이 된 자.

글자풀이 잊다. 잊어버리다.

[忘却](망각) 잊어버림.

[忘年會](망년회) 한 해가 바뀔 때 그 해에 있었던 좋지 못한 일들을 잊어버리자고 베푸는 연회. 또는 파티.

[忘失](망실) 잃어버림.

[健忘症](건망증) 기억력이 부족하여 잘 잊어버리는 증세.

[勿忘草](물망초) '나를 잊지 마세요.'라는 꽃말로 잘 알려진 지치과의 관상용 다년초.

[寤寐不忘](오매 불망) 자나깨

나 잊지 못함.

[備忘錄](비망록) 잊어버리지 않으려고 그때 그때 적어 두는 책자.

3
⑦ 【忍】 참을 인　忍

부수 心 (마음 심) 부

찾기 心⁴＋刃³ = 7획

ㄱ	刀	刃	刃	忍	忍	忍

글자뿌리 형성(形聲) 문자. 마음 심(心〈뜻〉)에 칼날 인(刃〈음〉)을 합친 자로, 마음 위에 칼날을 들이대고 있어 두려운 형편 또는 '참는다'는 뜻.

글자풀이 1 참다. 2 모질다. 잔인하다.

[忍苦](인고) 괴로움을 꾹 참고 견딤.

[忍耐](인내) 참고 견딤. ¶忍耐心(인내심).

[目不忍見](목불 인견) 눈 뜨고는 도저히 볼 수 없음.

[殘忍](잔인) 인정이 없고 몹시 모짊.

3
⑦ 【志】 뜻 지　志

부수 心 (마음 심) 부

찾기 心⁴＋士³ = 7획

4
획

一 十 士 士 志 志 志

(글자뿌리) 회의(會意) 문자. 갈지(士 : 之의 변형)에 마음 심(心)을 합친 자로, 마음이 가는 쪽을 나타내어 '뜻', '뜻하다'의 뜻이 된 자.

4 획

(글자풀이) 1 뜻. 뜻하다. 2 기록. 기록하다.

[志望] (지망) 뜻하여 바람.

[志士] (지사) 높은 뜻을 지닌 사람. ¶愛國志士(애국 지사).

[志願] (지원) 뜻하고 원함.

[同志] (동지) 뜻이 서로 같음. 또는 그러한 사람.

[三國志] (삼국지) 나관중이 지은 역사 소설로, 중국 촉나라 유비·관우·장비의 활약을 기록함.

[意志] (의지) ① 마음. 뜻. ② 결심하여 실행하려는 마음.

[立志] (입지) 뜻을 세움.

[初志] (초지) 처음에 품은 뜻. ¶初志一貫(초지 일관).

4
⑧ [念] 생각 념 念

부수 心 (마음 심) 부
찾기 心⁴+今⁴ = 8획

丿 人 人 今 今 念 念

(글자뿌리) 형성(形聲) 문자. 마음 심(心〈뜻〉)에 이제 금(今〈음〉)을 합친 자로, 이제 마음 속에 있는 것이라는 데서 '생각', '생각하다'의 뜻이 된 자.

(글자풀이) 1 생각. 생각하다. 2 외다. 소리를 내어 읽다. 3 주의하다.

[念頭] (염두) 머릿속의 생각.

[念慮] (염려) 걱정하는 마음.

[念佛] (염불) 부처를 생각하며 아미타불을 욈. 또는 그 일.

[念願] (염원) 마음 속으로 생각하여 바람.

[紀念] (기념) 어떤 일을 기리고 생각함. ¶紀念式(기념식).

[觀念] (관념) 사물에 대한 생각이나 견해.

[信念] (신념) 굳게 믿는 마음.

[留念] (유념) 마음에 새겨 두고 생각함.

[理念] (이념) 옳다고 생각하는 이상적인 생각.

[執念] (집념) 어떤 일이나 사물만을 끈질기게 생각함. 또는 그런 생각.

④ 【忠】 충성 충 忠

부수 心 (마음 심) 부
찾기 心⁴+中⁴ = 8획

| 丶 | 丨 | 口 | 中 | 虫 | 忠 | 忠 |

글자뿌리 형성(形聲) 문자. 마음 심(心〈뜻〉) 위에 가운데 중(中〈음〉)을 합친 자로, 마음 한가운데 있는 뜻이라는 데서 '충성'을 뜻함.

中🌸 ⇒ 中心 ⇒ 忠

글자풀이 충성. 충성하다.

[忠告] (충고) 진실된 마음으로 남의 잘못을 타이름.

[忠武公] (충무공) 이순신이 죽은 뒤 그의 공을 기려 임금이 내린 이름.

[忠僕] (충복) 충성스러운 종.

[忠誠] (충성) 국가 또는 임금을 위하여 거역하지 않고 몸바침. 또는 그런 마음가짐.

[忠臣] (충신) 충성스러운 신하.

[忠言] (충언) 충직하고 바른말.

[忠直] (충직) 충성스럽고 곧음.
[忠孝] (충효) 충성과 효도.

⑦ 【快】 쾌할 쾌 快

부수 心 (마음 심) 부
찾기 忄³(心)+夬⁴ = 7획

| 丶 | 忄 | 忄 | 忄 | 忄 | 快 | 快 |

글자뿌리 형성(形聲) 문자. 심방변(忄〈뜻〉)에 결단할 쾌(夬〈음〉)를 합친 자로, 화살이 손에서 떠나 나아가는 순간은 마음이 좋다는 데서 '상쾌함'의 뜻이 된 자.

🌸夬 ⇒ 心夬 ⇒ 快

글자풀이 1 쾌하다. 시원하다. 2 빠르다.

[快感] (쾌감) 상쾌하고 즐거운 느낌.

[快擧] (쾌거) 가슴이 후련해질 만큼 장한 일이나 행동.

[快樂] (쾌락) 기분이 좋고 즐거움. 또는 그러한 감정.

[快哉] (쾌재) 통쾌하게 여김.

[快適] (쾌적) 몸과 마음에 알맞아 기분이 썩 좋음.

[快晴] (쾌청) 날씨가 좋음.

[快活] (쾌활) 씩씩하고 활발함.

[輕快] (경쾌) 마음이 홀가분하고 상쾌함.

4
획

[明快] (명쾌) 말이나 글 등이 조리가 분명하여 시원스러움.

[不快] (불쾌) 기분이 좋지 않음. ¶ 不快指數(불쾌 지수).

[完快] (완쾌) 병이 완전히 다 나음.

[愉快] (유쾌) 마음이 즐거움.

5
⑨ 【急】 급할 급 急

부수 心(마음 심)부
찾기 心⁴ + 彐⁵ = 9획

ノ	⺈	刍	⺕	乌	刍	急
急	急					

(글자뿌리) 형성(形聲) 문자. 마음 심(心〈뜻〉)에 미칠 급(彐 = 及〈음〉)을 합친 자로, 쫓기는 마음을 나타내어 '급하다', '빠르다'의 뜻이 된 자.

(글자풀이) 1 급하다. 급작스럽다. 서두르다. 2 빠르다.

[急求] (급구) 급히 구함.

[急激] (급격) 급하고 세참. 갑작스러움.

[急流] (급류) 급히 흐르는 물.

[急變] (급변) 갑자기 달라짐.

[急報] (급보) 급히 알림. 급한 보고나 보도.

[急先務] (급선무) 급하게 먼저 해야 할 일.

[急襲] (급습) 상대방이나 적의 방심을 틈타서 갑자기 공격함.

[急停車] (급정거) 달리던 차가 급히 섬. 또는 차를 급히 세움.

[急增] (급증) 갑자기 늘어남.

[急進] (급진) 앞으로 급히 나아감. ⒮ 점진(漸進).

[急行] (급행) ① 급히 감. ② '급행 열차'의 준말.

[救急] (구급) 매우 위급한 처지에 있는 사람을 구함. ¶ 救急藥(구급약).

[性急] (성급) 성질이 급함.

[時急] (시급) 때가 몹시 급함.

[危急] (위급) 위태롭고 급함.

[至急] (지급) 매우 급함.

5
⑨ 【怒】 성낼 노 怒

부수 心(마음 심)부
찾기 心⁴ + 奴⁵ = 9획

ㄑ	ㄠ	女	奵	奴	奴	怒

怒 怒

(글자뿌리) 형성(形聲) 문자. 마음 심(心〈뜻〉)에 종 노(奴〈음〉)를 합친 자로, 천대 받고 희롱당하는 종의 마음을 나타내어 '성냄', '성내다'의 뜻.

(글자풀이) 1 성내다. 화내다. 노여워하다. 2 세차다.

[怒氣](노기) 노여운 기색. 성이 난 얼굴빛.

[怒氣衝天](노기 충천) 노여운 기색이 하늘을 찌를 듯함.

[激怒](격노) 격렬하게 성냄.

[大怒](대로) 크게 성냄.

[忿怒](분노) 분하여 성냄.

[震怒](진노) 윗사람이 성내어 노여워함. 또는 그런 노여움.

[天人共怒](천인 공노) 하늘과 사람이 함께 노여워함.

5
⑨ 【思】 생각할 사 田
心\

부수 心 (마음 심) 부
찾기 心⁴+田⁵ = 9획

丶 冂 冊 田 田 田 思
思 思

(글자뿌리) 회의(會意) 문자. 마음 심(心)에 정수리 신(田 : 囟의 변형)을 합친 자로, 머리로 생각한다는 데서 '생각', '생각하다'의 뜻이 된 자.

🧠 ⇒ ⊕ ⟍⟋ ⇒ 思

(글자풀이) 1 생각하다. 생각. 2 그리워하다.

[思考](사고) 생각하고 궁리함.

[思慕](사모) ① 애틋하게 생각하며 몹시 그리워함. ② 우러러 받들고 마음으로 따름.

[思想](사상) 사회나 인생 등에 대한 일정한 생각이나 견해.

[思索](사색) 사물의 줄거리나 이치를 따져 깊이 생각함.

[思潮](사조) 어떤 시대에 일반적으로 널리 유행하는 흐름이나 경향.

[思春期](사춘기) 봄을 생각하는 시기라는 뜻으로, 이성(異性)에 관심을 가지게 되는 나이를 이르는 말.

[不可思議](불가사의) 인간의 생각으로는 미루어 헤아릴 수 없을 만큼 이상하고 야릇함. 또는 그 일.

[相思](상사) 남녀가 서로 그

4
획

리워함. ¶相思病(상사병).

[深思熟考](심사 숙고) 깊이 생각함. 또는 그 생각.

5
⑧ 【性】　성품 성　性

부수 心 (마음 심) 부

찾기 忄³(心)＋生⁵ = 8획

ノ	｜	忄	忄	忄	忄	性

글자뿌리 회의(會意) 문자. 심방변(忄)에 날 생(生)을 합친 자로, 사람이 태어날 때부터 갖게 되는 마음을 나타내어 '성품'을 뜻함.

🌱 ⇒ 心生 ⇒ 性

글자풀이 1 성품. 2 바탕. 3 남녀의 구분.

[性格](성격) 사람마다 제각기 지니고 있는 성질.

[性急](성급) 성질이 급함.

[性能](성능) 기계가 일을 해내는 힘. 기계의 성질과 능력.

[性別](성별) 남녀의 구별.

[性質](성질) 사람이 본디부터 가지고 있는 본바탕이나 타고난 기질.

[性稟](성품) 본디 가지고 있는 성격.

[感受性](감수성) 외부의 자극을 받아 느낌을 일으키는 성질이나 능력.

[個性](개성) 사람마다 지니고 있는 남과 다른 특성.

[急性](급성) 병이 갑자기 심해지는 성질. 맨慢性(만성).

[德性](덕성) 어질고 너그러운 성질.

[民族性](민족성) 그 민족만이 가지고 있는 독특한 성질.

[本性](본성) 본디부터 타고난 성질.

[食性](식성) 음식에 대하여 좋아하거나 싫어하는 성미.

[心性](심성) 마음의 바탕.

[理性](이성) 논리적으로 생각하고 판단·행동하는 능력.

[異性](이성) ① 성질이 다름. ② 남자와 여자로 구별짓는 말.

[主體性](주체성) 자기의 의지나 판단에 바탕을 둔 태도나 성질.

[知性人](지성인) 이성적인 사고나 판단 능력을 지닌 사람.

[品性](품성) 타고난 성질.

5
⑨ 【怨】　원망할 원　怨

부수 心 (마음 심) 부

찾기 心⁴＋夗⁵ = 9획

ノ	ク	タ	夘	夗	夗	怨

怨	怨				

글자뿌리 형성(形聲) 문자. 마음 심(心〈뜻〉)에 누워 뒹굴 원(夗〈음〉)을 합친 자로, 자리에서 뒹굴며 생각하는 마음이라는 데서 '원망'의 뜻이 된 자.

글자풀이 1 원망하다. 원망. 원한. 2 원수.

[怨望] (원망) ① 남을 못마땅하게 여기고 탓함. ② 마음에 불평을 품고 미워함.

[怨聲] (원성) 원망하는 소리.

[怨讎] (원수) 해를 끼쳐 원한이 맺히게 한 사람이나 집단.

[怨恨] (원한) 원통하고 한스러운 생각.

[報怨] (보원) 원한이나 원수를 갚음. 앙갚음.

6
10
【恩】 은혜 은

부수 心 (마음 심) 부
찾기 心⁴ + 因⁶ = 10획

一	冂	日	用	因	因	因

恩	恩	恩			

글자뿌리 형성(形聲) 문자. 마음 심(心〈뜻〉)에 인할 인(因〈음〉)을 합친 자로, 참마음에서 도와줌으로 인한 보답이라는 데서 '은

혜'의 뜻이 된 자.

글자풀이 1 은혜. 2 은혜로 여기다. 고맙게 생각하다.

[恩功] (은공) 은혜와 공.

[恩德] (은덕) 은혜와 덕. 은혜를 베푸는 덕.

[恩師] (은사) 은혜로운 스승이라는 뜻으로, 자기를 직접 가르쳐 준 스승을 이르는 말.

[恩人] (은인) 자기에게 은혜를 베풀어 준 사람.

[恩寵] (은총) ① 은혜와 총애라는 뜻으로, 높은 사람으로부터 받는 특별한 은혜와 사랑. ② 인간에 대한 하느님의 사랑.

[恩惠] (은혜) 베풀어 주는 고마운 혜택.

[背恩忘德] (배은 망덕) 은혜를 저버리고 배반함.

[報恩] (보은) 은혜를 갚음. ¶ 結草報恩(결초 보은).

[謝恩會] (사은회) 졸업생이 스승의 은혜에 감사하는 뜻으로 베푸는 연회나 다과회.

4
획

4
획

6
⑨ 【恨】 한할 한 恨

부수 心 (마음 심) 부
찾기 忄³(心)＋艮⁶ = 9획

＇	＂	忄	忄丁	忄コ	忄ヨ	恨

| 恨 | 恨 | | | | | |

글자뿌리 형성(形聲) 문자. 심방변(忄 = 心〈뜻〉)에 그칠 간(艮〈음〉)을 합친 자로, 마음 속에 상처가 남아 있다는 데서 '한하다', '뉘우치다'의 뜻이 된 자.

글자풀이 1 한하다. 원통히 여기다. 2 뉘우치다.

[恨歎] (한탄) 원통한 일이 있거나 잘못을 뉘우쳤을 때에 한숨 짓는 탄식.

[餘恨] (여한) 풀지 못하고 남은 원한.

[怨恨] (원한) 몹시 원통하고 한스러운 생각.

[痛恨] (통한) 가슴이 아프도록 몹시 한탄함. 또는 그런 한.

[悔恨] (회한) 뉘우치고 한탄함.

6
⑨ 【恒】 항상 항 恒

부수 心 (마음 심) 부
찾기 忄³(心)＋亘⁶ = 9획

＇	＂	忄	忄一	忄亡	恒	恒

| 恒 | 恒 | | | | | |

글자뿌리 회의(會意) 문자. 심방변(忄 = 心)에 뻗칠 궁(亘)을 합친 자로, 참마음이 한없이 뻗친다는 데서 '항상', '영원히'의 뜻이 된 자.

글자풀이 항상. 늘. 언제나.

[恒常] (항상) 늘. 언제나.

[恒星] (항성) 태양처럼 스스로 빛을 내면서 늘 같은 자리에 있는 별.

[恒時] (항시) 보통 때.

7
⑩ 【悅】 기쁠 열 悅

부수 心 (마음 심) 부
찾기 忄³(心)＋兌⁷ = 10획

＇	＂	忄	忄丷	忄丷	忄丷	怡

| 怡 | 怡 | 悅 | | | | |

글자뿌리 형성(形聲) 문자. 심방변(忄 = 心〈뜻〉)에 기쁠 태(兌〈음〉)를 합친 자로, 사람의 입이

열려 '기쁘다'를 뜻함.

글자풀이 기쁘다. 즐겁다.

[喜悅] (희열) 기뻐하고 즐거워함. 또는 기쁨과 즐거움.

7
⑩ **悟** 깨달을 오 悟

부수 心 (마음 심) 부
찾기 忄³(心)+吾⁷ = 10획

丶	丷	忄	忄一	忄丆	忄五	忄五

| 悟 | 悟 | 悟 | | | | |

글자뿌리 형성(形聲) 문자. 심방변(忄 = 心〈뜻〉)에 나 오(吾〈음〉)를 합친 자로, 마음 속으로 나를 인식하는 데서 '깨닫다'의 뜻.

글자풀이 깨닫다. 깨우치다.

[覺悟] (각오) ① 도리를 깨달음. ② 미리 마음 속으로 단단히 정함.

7
⑪ **患** 근심 환 患

부수 心 (마음 심) 부
찾기 心⁴+串⁷ = 11획

丶	冂	口	吕	吕	串

| 串 | 患 | 患 | 患 | | |

글자뿌리 형성(形聲) 문자. 마음 심(心〈뜻〉)에 꼬챙이 관(串〈음〉)을 합친 자로, 꼬챙이로 찌르듯이 마음이 아프다는 데서 '근심'의 뜻이 된 자.

글자풀이 1 근심. 근심하다. 2 병. 앓다.

[患部] (환부) 병 또는 상처가 난 곳.

[患者] (환자) 병을 앓는 사람.

[病患] (병환) 윗사람의 병을 높여 이르는 말.

[宿患] (숙환) 오래 된 병환.

[有備無患] (유비 무환) 준비가 있으면 근심할 것이 없음.

[後患] (후환) 어떤 일로 말미암아 뒷날에 생기는 근심이나 걱정.

8
⑫ **悲** 슬플 비 悲

부수 心 (마음 심) 부
찾기 心⁴+非⁸ = 12획

丿	亅	刂	非	非	非	非

4
획

4
획

<글자뿌리> 형성(形聲) 문자. 마음 심(心〈뜻〉)에 아닐 비(非〈음〉)를 합친 자로, 마음으로 바라던 것이 아니어서 '슬프다'는 뜻.

<글자풀이> 슬프다. 슬퍼하다.

[悲觀] (비관) 무엇이든 슬프게만 봄. ⊕ 樂觀(낙관).

[悲劇] (비극) ① 슬픈 내용으로 된 연극. ⊕ 喜劇(희극). ② 슬프고 끔찍한 일.

[悲鳴] (비명) 몹시 위태롭거나 무서움을 느꼈을 때 지르는 외마디 소리.

[悲哀] (비애) 슬픔과 설움.

[悲運] (비운) 슬픈 운명. 불행한 운명.

[悲慘] (비참) 차마 눈 뜨고 볼 수 없이 슬프고 끔찍함.

[悲歎] (비탄) 슬퍼서 탄식함.

[慈悲] (자비) 고통받는 사람을 사랑하고 불쌍히 여기는 마음. ⊕ 無慈悲(무자비).

⑪ 【惜】 아낄 석 惜

부수 心(마음 심) 부

찾기 ↑³(心)＋昔⁸ ＝ 11획

<글자뿌리> 형성(形聲) 문자. 심방변(↑〈뜻〉)에 옛 석(昔〈음〉)을 합친 자로, 오래 된 물건을 잃으면 마음이 아쉽다는 데서 '아깝다'는 뜻이 된 자.

<글자풀이> 아끼다. 아깝게 여기다.

[惜別] (석별) 헤어지기를 안타깝게 여김.

[哀惜] (애석) 슬프고 안타깝게 여김.

⑫ 【惡】 ❶악할 악 惡
　　　　 ❷미워할 오

부수 心(마음 심) 부

찾기 心⁴＋亞⁸ ＝ 12획

| 一 | 丆 | 亐 | 亞 | 亞 | 亞 | 亞 |

| 亞 | 亞 | 惡 | 惡 | 惡 |

글자뿌리 형성(形聲) 문자. 마음 심(心〈뜻〉)에 버금 아(亞:등이 굽은 곱추의 모양〈음〉)를 합친 자로, 등이 굽은 것처럼 마음이 굽었다 해서 '악하다', '미워하다'의 뜻이 된 자.

글자풀이 ❶ 1 악하다. 나쁘다. 2 더럽다. 추하다. ❷ 3 미워하다.

[惡鬼] (악귀) 악한 귀신.

[惡談] (악담) 남을 나쁘게 말하거나, 남이 잘못되게 저주하는 말. ⑪德談(덕담).

[惡德] (악덕) 도덕에 어긋나는 나쁜 마음이나 나쁜 짓.

[惡毒] (악독) 마음이 몹시 모질고 독함.

[惡童] (악동) 성질이나 행실이 나쁜 아이. 장난꾸러기.

[惡靈] (악령) 원한을 품고 재앙을 내린다는 죽은 이의 영혼.

[惡魔] (악마) ① 사람에게 재앙을 내리거나, 나쁜 짓을 하도록

꾀는 마귀. ② 흉악한 사람을 비유하는 말. ⑪天使(천사).

[惡名] (악명) 악하기로 소문난 이름. 나쁜 평판.

[惡夢] (악몽) 좋지 못한 무서운 꿈. ⑪吉夢(길몽).

[惡法] (악법) 나쁜 법률.

[惡性] (악성) ① 모질고 악독한 성질. ② 고치기 어려운 병의 성질.

[惡習] (악습) 나쁜 버릇.

[惡緣] (악연) 불행한 인연. 나쁜 인연.

[惡用] (악용) 나쁘게 씀. ⑪善用(선용).

[惡運] (악운) 사나운 운수.

[惡意] (악의) 남을 해치려는 나쁜 마음. ⑪善意(선의).

[惡人] (악인) 마음이 나쁜 사람. 악한 사람.

[善惡] (선악) 착함과 악함.

[憎惡] (증오) 몹시 미워함.

[最惡] (최악) 어떤 조건·상태 등이 가장 나쁨.

[凶惡] (흉악) ① 성질이 몹시 거칠고 사나움. ¶凶惡無道(흉악무도). ② 겉모습이 험상궂게 생김.

8
⑪ 【情】 뜻 정 情

부수 心 (마음 심) 부

4
획

찾기 ↑³(心)＋靑⁸ = 11획

⼁	⼂	忄	忄	忄	忄	怈

| 悏 | 情 | 情 | 情 | | | |

글자뿌리 형성(形聲) 문자. 심방변(↑〈뜻〉)에다 푸를 청(靑〈음〉)을 합친 자로, 마음이 맑고 푸른 하늘처럼 환히 드러남을 나타내어 '뜻', '정'을 뜻하게 된 자.

글자풀이 1 뜻. 무엇을 하려고 하는 마음. 2 정. 사랑.

[情感] (정감) 사람의 마음 속에 호소해 오는 것 같은 느낌.

[情景] (정경) 마음 속에 감흥을 불러일으킬 만한 경치나 장면.

[情談] (정담) 정다운 이야기.

[情報] (정보) 사정이나 상황에 대한 자세한 소식. 또는 그 내용이나 자료.

[情緒] (정서) 사물에 부딪쳤을 때 일어나는 온갖 감정.

[情勢] (정세) 사정과 형세. 일이 되어 가는 형편.

[情熱] (정열) 뜨겁게 달아오른 감정.

[感情] (감정) 사물에 따라 느끼어 일어나는 마음.

[冷情] (냉정) 마음이 매정하고 쌀쌀함.

[同情] (동정) 남의 어려운 처지를 딱하게 여김. 또는 그러한 마음.

[無情] (무정) 인정이나 동정심이 없음.

[物情] (물정) 세상의 인심이나 사정. ¶ 世上物情(세상 물정).

[溫情] (온정) 따뜻한 인정. 정다운 마음.

[友情] (우정) 친구 사이에 오가는 정.

[人情] (인정) ① 사람이 본래부터 가지고 있는 마음씨. ② 남을 위하거나 동정하는 마음.

[表情] (표정) 마음 속의 생각이나 느낌이 얼굴에 나타남. 또는 그 나타난 것.

8
⑫ 【惠】 은혜 혜

부수 心 (마음 심) 부
찾기 心⁴＋叀⁸ = 12획

一	乛	戸	弖	旦	甫	車

| 叀 | 車 | 惠 | 惠 | 惠 | | |

글자뿌리 회의(會意) 문자. 마음 심(心)에 삼갈 전(恵)을 합친 자로, 언행을 삼가고 어진 마음을 베푼다는 데서 '은혜', '인자하다'의 뜻이 된 자.

글자풀이 1 은혜. 은혜롭다. 2 인자하다. 3 주다.

[惠存](혜존) 자기가 지은 책이나 작품을 남에게 보낼 때 '받아 간직해 주십시오.'하는 뜻으로 쓰는 말.

[惠澤](혜택) 베풀어 주는 고마움.

[恩惠](은혜) 자연이나 남에게서 받는 고마운 혜택.

[特惠](특혜) 특별한 혜택.

글자풀이 1 느끼다. 2 감동하다. 3 고맙게 여기다.

[感覺](감각) 느끼어 깨닫는다는 뜻으로, 눈·코·혀·귀·살갗 등을 통하여 받아들이는 느낌.

[感慨無量](감개 무량) 마음에 사무치는 느낌이 한이 없음.

[感激](감격) ① 느끼어 마음이 몹시 움직임. ② 매우 고맙게 여김.

[感氣](감기) 온몸이 오슬오슬 추워지며 코가 막히고, 머리가 아프며, 열이 나는 병. 고뿔.

[感動](감동) 깊이 느끼어 마음이 움직임.

[感銘](감명) 깊이 느끼어 마음에 새김.

[感謝](감사) ① 고마움. 고맙게 여김. ② 고맙게 여기어 그 뜻을 나타냄.

[感電](감전) 전기가 몸에 통하여 충격을 받음.

[感情](감정) 어떤 사물에 대하여 느끼어 일어나는 마음.

[感歎](감탄) 마음 속에 느끼어 칭찬함.

_{4획}

⑨
⑬ 【感】 느낄 감 感

부수 心(마음 심)부

찾기 心⁴+咸⁹ = 13획

ノ	厂	厂	斤	咸	咸	咸
咸	咸	咸	感	感	感	

글자뿌리 형성(形聲) 문자. 마음 심(心〈뜻〉)에 다 함(咸〈음〉)을 합친 자로, 마음을 다한다는 데서 '느끼다'의 뜻이 된 자.

誠心 ⇒ 咸心 ⇒ 感

4 획

[同感](동감) 남과 똑같게 생각하거나 느낌. 또는 그러한 생각이나 느낌.

[敏感](민감) 감각이 날카롭고 민첩함. ⟺ 鈍感(둔감).

[反感](반감) ① 남의 말·태도 등에 반발하거나 반항하는 감정. ② 노여워하는 감정.

[所感](소감) 느낀 바 생각.

[立體感](입체감) 위치·넓이·길이·두께를 가지고 있는 물체의 느낌.

[體感溫度](체감 온도) 사람의 몸으로 느껴지는 외부의 온도.

[快感](쾌감) 상쾌하고 즐거운 느낌.

[好感](호감) 사람이나 사물에 대하여 좋게 여기는 감정.

⑨
⑬ 〔**想**〕 생각할 상 想

부수 心 (마음 심) 부
찾기 心⁴＋相⁹ ＝ 13획

一	十	才	朮	机	相	相
相	相	相	想	想	想	

글자뿌리 형성(形聲) 문자. 마음 심(心〈뜻〉)에 서로 상(相〈음〉)을 합친 자로, 서로가 마음을 바라보며 살핀다는 데서 '생각하다'의 뜻이 된 자.

木 ⟱ ⇒ 目 ⟱ ⇒ 想

글자풀이 생각하다. 생각.

[想念](상념) 마음에 떠오르는 생각.

[想像](상상) 마음 속으로 그리며 미루어 생각함.

[空想](공상) 이루어질 수 없는 헛된 생각.

[妄想](망상) 있지도 않은 일을 상상하여 마치 사실인 것처럼 굳게 믿는 일. 또는 그러한 생각.

[瞑想](명상) 조용히 눈을 감고 깊이 생각함. 또는 그 생각.

[夢想](몽상) 꿈을 꾸는 듯한 헛된 생각.

[理想](이상) 실제로는 불가능해도 각자가 생각할 수 있는 범위 안에서 가장 완전한 상태 또는 목표. ¶ 理想主義(이상주의).

[着想](착상) 어떤 일의 실마리가 될 만한 생각.

[回想](회상) 지난 일을 돌이켜 생각함. 또는 그 생각.

⑨
⑬ 〔**愁**〕 근심 수 愁

부수 心 (마음 심) 부
찾기 心⁴＋秋⁹ ＝ 13획

ノ	ニ	千	禾	禾	禾	利
秒	秋	秋	愁	愁	愁	

(글자뿌리) 형성(形聲) 문자. 마음 심(心〈뜻〉)에 가을 추(秋〈음〉)를 합친 자로, 가을에는 추수 때문에 농부의 마음이 걱정스럽다는 데서 '근심'을 뜻함.

(글자풀이) 1 근심. 시름. 2 근심하다. 시름하다.

[愁心] (수심) 근심스러운 마음.

[哀愁] (애수) 마음 속으로 스며드는 것 같은 슬픈 시름.

[旅愁] (여수) 나그네의 시름. 여행지에서 느끼는 시름.

[憂愁] (우수) 근심과 걱정.

[鄕愁] (향수) 고향을 그리워하거나 근심하는 마음.

 【愛】 사랑 애

⑬

부수 心 (마음 심) 부

찾기 心⁴ + 愛⁹ = 13획

ノ	ハ	ハ	ハ	ハ	ハ	ハ
愛	愛	愛	愛	愛	愛	

(글자뿌리) 회의(會意) 문자. 손〔爪〕으로 물건을 건네 주는〔冖〕 마음〔心〕을 행하는〔夊〕 것을 나타내어 '사랑'의 뜻이 된 자.

(글자풀이) 1 사랑. 사랑하다. 2 즐기다. 3 아끼다.

[愛嬌] (애교) 다른 사람에게 귀엽게 보이는 태도.

[愛國] (애국) 자기 나라를 사랑함. ¶愛國歌(애국가).

[愛讀] (애독) 즐겨 읽음. ¶愛讀者(애독자).

[愛惜] (애석) 슬프고 안타깝게 여김.

[愛玩犬] (애완견) 사랑하여 가까이 두고 기르는 개.

[愛用] (애용) 즐겨 씀.

[愛人] (애인) ① 사랑하는 사람. ② 남을 사랑함.

[愛情] (애정) ① 사랑하는 마음. ② 귀엽게 여기는 마음.

[愛族] (애족) 겨레를 사랑함. ¶愛國愛族(애국 애족).

[愛之重之] (애지중지) 몹시 사랑하고 소중히 여김.

[愛着] (애착) 사랑하고 아끼는 마음에 사로잡혀 그 생각을 버릴 수 없음.

4획

[愛唱曲] (애창곡) 좋아하여 즐겨 부르는 곡.

[愛鄕心] (애향심) 자기의 고향을 사랑하는 마음.

[敬愛] (경애) 존경하고 사랑함.

[友愛] (우애) 형제간의 사랑.

9
⑬ 【意】 뜻 의 意

부수 心 (마음 심) 부
찾기 心⁴ + 音⁹ = 13획

`	亠	宀	宀	立	产	音
音	音	音	意	意	意	

글자뿌리 회의(會意) 문자. 마음 심(心)에 소리 음(音)을 합친 자로, 마음 속으로 생각하는 일은 소리가 되어 밖으로 나타난다는 데서 '뜻', '생각'의 뜻이 된 자.

글자풀이 1 뜻. 생각. 2 의미.

[意見] (의견) 마음 속에 지니고 있는 생각.

[意氣] (의기) 씩씩한 마음. 장한 마음. ¶意氣揚揚(의기 양양).

[意圖] (의도) 마음 속으로 꾀함. 또는 그 생각이나 계획.

[意味] (의미) ① 어떤 일의 숨겨진 뜻. ② 말이나 글이 가지고 있는 뜻.

[意思] (의사) 마음먹은 생각. 무엇을 하고자 하는 뜻. ¶意思表示(의사 표시).

[意識] (의식) 사람이 깨어 있을 때의 마음 상태.

[意外] (의외) 뜻밖. 생각 밖.

[意慾] (의욕) 어떤 일을 하고자 하는 마음.

[意義] (의의) ① 뜻. ② 어떤 말이나 행위가 가지는 가치나 중요한 정도.

[意中] (의중) 마음 속.

[意志] (의지) ① 마음. 뜻. ② 무엇을 생각하고 결심하여 실행하려는 마음.

[意向] (의향) 무엇을 하고자 하는 생각.

[決意] (결의) 의논해서 결정함. 또는 회의에서 결정된 일.

[敬意] (경의) 존경하는 마음.

[故意] (고의) 딴 뜻을 가지고 일부러 함.

[同意] (동의) 같은 뜻. ¶同意語(동의어).

[善意] (선의) 착한 마음. 좋은 뜻. ⑩ 惡意(악의).

[誠意] (성의) 정성스러운 뜻. ¶誠心誠意(성심 성의).

[失意] (실의) 기대에 어긋나서 의욕을 잃어버리는 일.

[留意] (유의) 마음에 새겨 두어 조심함.

[敵意] (적의) 해치려고 하는 마음. 적으로 대하는 마음.

[注意] (주의) ① 마음에 새기어 조심함. ② 알아듣도록 타이름.

[厚意] (후의) 남을 위해 베푸는 두텁고 인정 있는 마음.

⑬ 9 [慈] 사랑 자 慈

부수 心 (마음 심) 부
찾기 心⁴+玆⁹ = 13획

丶	丷	亠	兰	玄	玄	玆
玆	玆	玆	慈	慈	慈	

(글자뿌리) 형성(形聲) 문자. 마음 심(心〈뜻〉) 위에다 이 자(玆〈음〉)를 합친 자로, 자식에 대한 도타운 이 마음이 고루 베풀어짐을 나타내어 '사랑', '인자함'을 뜻하게 된 자.

(글자풀이) 1 사랑. 2 어머니.

[慈堂] (자당) 남의 '어머니'를 높여 이르는 말.

[慈悲] (자비) ① 크게 사랑하고 가엾게 여김. ② 불교에서, 중생에게 복을 주어 괴로움을 없앰. 또는 그 일.

[慈善] (자선) 불쌍히 여겨 은혜를 베풂. 또는 그 일.

[慈愛] (자애) 아랫사람을 도탑게 사랑함. 또는 그 사랑.

[仁慈] (인자) 마음이 매우 어질고 너그러움.

⑮ 11 [慶] 경사 경 慶

부수 心 (마음 심) 부
찾기 心⁴+慶¹¹ = 15획

丶	亠	广	广	庐	庐	庐
庐	庐	鹿	慶	慶	慶	慶

(글자뿌리) 회의(會意) 문자. 사슴 록(严:鹿의 변형)에 마음 심(心)과 뒤져올 치(夂)를 합친 자로, 옛날에는 이웃의 기쁜 일에 사슴의 가죽을 가지고 가서 축하해 주었다는 데서 '축하하다', '경사'의 뜻이 된 자.

(글자풀이) 1 경사. 2 경사스럽다.

[慶事](경사) 축하할 만한 좋
　은 일. 매우 즐겁고 기쁜 일.
[慶弔](경조) 경사와 슬픈 일.
[慶祝](경축) 기쁘고 좋은 일
　을 축하함. ¶慶祝日(경축일).
[國慶日](국경일) 나라에서 경
　사스러운 날로 정하여 온 국민
　이 기념하는 날. 삼일절·제헌
　절·광복절 등.

4획

11
⑮ 〔憂〕 근심 우 　憂

부수 心 (마음 심)부
찾기 心⁴+憂¹¹=15 획

一	一	宀	万	百	百	百
直	直	惪	惪	憂	憂	憂

글자뿌리 형성(形聲) 문자. 마
음 심(心〈뜻〉)에 머리 수(百:
首의 변형〈음〉)와 민갓머리(冖
〈뜻〉)를, 아래에 뒤져올 치(夂
〈뜻〉)를 합친 자로, 뒤미쳐올 일
이 마음을 덮어 머리에서 떠나지
않는다는 데서 '근심'을 뜻함.

글자풀이 1 근심. 걱정. 2 근심
하다. 걱정하다. 3 병. 병을 앓다.
4 상제가 되다.

[憂國](우국) 나라의 일을 걱
　정함. ¶憂國之士(우국지사).
[憂慮](우려) 걱정함. 염려함.
[憂愁](우수) 근심과 걱정.
[憂鬱](우울) 마음이 개운하지
　않고 답답함.
[憂患](우환) ① 근심. ② 집안
　에 복잡한 일이 있거나 환자가
　생겨서 겪는 근심.
[杞憂](기우) 쓸데없는 근심. 옛
　날 중국의 기(杞)나라 사람이
　하늘이 무너지지 않을까 걱정
　했다는 이야기에서 유래됨.
[內憂外患](내우 외환) ① 안팎
　의 근심거리. ② 나라 안의 근
　심스러운 일과 나라 밖에서의
　어려운 문제.

13
⑯ 〔憶〕 생각할 억 　憶

부수 心 (마음 심)부
찾기 忄³(心)+意¹³=16 획

′	′	忄	忄	忄	忄	忄
忄	忄	憶	憶	憶	憶	憶
憶	憶					

글자뿌리 형성(形聲) 문자. 심방

변(忄 = 心〈뜻〉)에 뜻 의(意〈음〉)를 합친 자로, 마음 속에 지니고 있는 뜻이라는 데서 '기억하다', '생각하다'의 뜻이 된 자.

(글자풀이) 1 생각하다. 생각. 2 기억하다.

[記憶] (기억) 지난 일을 잊지 아니함. ¶ 記憶力(기억력).

[追憶] (추억) 지난 일이나 가버린 사람을 돌이켜 생각함. 또는 그 생각.

[應答] (응답) 물음에 대답함.

[應當] (응당) ① 당연함. ② 당연히.

[應對] (응대) 부름·물음·요구 등에 응하여 대답함.

[應募] (응모) 모집에 응함.

[應分] (응분) 제 신분에 맞거나 맞도록 함.

[應試] (응시) 시험을 치름.

[應用] (응용) 어떤 원리를 실제로 활용하거나 사용함. ¶ 應用問題(응용 문제).

[應援] (응원) 뒤에서 힘을 내도록 도와 줌.

[應接] (응접) 손님을 맞이하여 접대함. ¶ 應接室(응접실).

[適應] (적응) 생물의 생김새나 기능이 주위의 사정에 알맞게 되는 것.

13
⑰ [**應**] 응할 응 / 응당 응   應

부수 心 (마음 심) 부

찾기 心⁴＋雁¹³＝17 획

、 亠 广 广 疒 庁 府
庁 庁 府 麻 雁 雁 雁
應 應 應

(글자뿌리) 형성(形聲) 문자. 마음 심(心〈뜻〉) 위에 매 응(雁〈음〉)을 합친 자로, 매가 주인의 마음에 따라 꿩을 잡는다는 데서 '응하다'의 뜻이 된 자.

(글자풀이) 1 응하다. 대답하다. 2 응당.

[應急] (응급) 급한 대로 우선 처리함. ¶ 應急治療(응급 치료).

---

⁴ 戈 (창 과) 部

가늘고 긴 나무 막대기 끝에 가닥이 난 날카로운 칼을 달아 맨 모양을 본떠서 만든 글자로, 나아가서 '싸움', '전쟁'을 뜻하기도 함.

1
⑤ [**戊**] 다섯째 천간 / 무   戊

부수 戈 (창 과) 부

찾기 戈⁴＋丿¹＝5 획

ノ	厂	仄	戊	戊	

(글자뿌리) 상형(象形)·가차(假借) 문자. 양쪽에 날이 있는 큰 도끼의 모양을 본뜬 글자. 가차하여 십간의 하나가 됨.

(글자풀이) 다섯째 천간. ※방위로는 중앙, 오행으로는 土(토), 시각은 오전 3시~5시 사이.

[戊夜] (무야) 오경(五更). 새벽 3시~5시 사이.

[戊辰] (무진) 육십 갑자(六十甲子)의 다섯째.

2
⑥ 【戌】 열한째 지지 술 戌

부수 戈(창 과)부

찾기 戈⁴+ㅏ²=6 획

ノ	厂	ㄏ	氏	戌	戌

(글자뿌리) 지사(指事) 문자. 다섯째 천간 무(戊)에 한 일(一)을 더한 글자.

(글자풀이) 1 열한째 지지. ※방위로는 서북, 오행으로는 토(土), 시각으로는 오후 7~9시 사이, 동물로는 개에 해당함. 2 개.

[戌時] (술시) 오후 7시~9시 사이의 동안.

[甲戌] (갑술) 육십 갑자(六十甲子)의 열한째.

3
⑦ 【成】 이룰 성 成

부수 戈(창 과)부

찾기 戈⁴+ㅏ³=7 획

ノ	厂	F	厈	成	成	成

(글자뿌리) 회의(會意)·형성(形聲) 문자. 무성할 무(戊=茂〈뜻〉)에 장정 정(丁〈음〉)을 합친 자로, 혈기 왕성한 장정이 되면 무엇이든 이룰 수 있다는 데서 '이루다', '이루어지다'의 뜻이 된 자.

(글자풀이) 이루다. 이루어지다. 되다.

[成功] (성공) 목적이나 뜻 등을 이룸. ⑧ 成就(성취). ⑭ 失敗(실패).

[成果] (성과) 일의 이루어 내거나 이루어진 결과.

[成年] (성년) ① 성인이 되는 나이. 곧, 만 20세. ② 어른.

[成立] (성립) 일이 이루어짐.

[成分] (성분) 무엇을 이룬 바탕

이 되는 것.

[成事] (성사) 어떤 일을 이룸.

[成熟] (성숙) ① 열매가 익음. ② 생물이 다 자람.

[成員] (성원) ① 구성하고 있는 인원. ② 성립시키는 데 필요한 인원.

[成人] (성인) 어른. 만 20세 이상이 된 남녀.

[成長] (성장) 자라서 점점 커짐. 자라남.

[成蟲] (성충) 다 자란 벌레. 어른 벌레.

[成就] (성취) 목적한 대로 일을 다 이룸. ¶ 所願成就(소원 성취). 통達成(달성).

[成敗] (성패) 성공과 실패.

[成形] (성형) 일정한 모양을 이룸. ¶ 成形手術(성형 수술).

[結成] (결성) 모임을 만들어 단체를 이룸.

[構成] (구성) 얽어 짜서 하나로 만듦. 또는 그런 일.

[旣成服] (기성복) 주문을 받지 않고 미리 만들어 놓은 옷.

[生成] (생성) 무엇이 일어나거나 생겨남.

[速成] (속성) 빨리 이룸.

[養成] (양성) 길러 냄.

[自手成家] (자수 성가) 물려받은 재산 없이 혼자만의 힘으로 한 살림을 이루는 일.

[作成] (작성) 만들어 이룸.

[完成] (완성) 완전히 다 이룸.

[集大成] (집대성) 여럿을 모아 하나로 크게 완성함.

³
⑦ [我] 나 아 我

부수 戈(창 과)부

찾기 戈⁴+手³=7 획

| ノ | 二 | 千 | 手 | 扐 | 我 | 我 |

글자뿌리 회의(會意) 문자. 창 과(戈)에 손 수(手)를 합친 자로, 손에 창을 들고서 자기의 몸을 지킨다는 데서 '나'를 뜻하게 된 자.

🖐 ✦ ⇒ ✦✦ ⇒ 我

글자풀이 1 나. 2 우리.

[我國] (아국) 우리 나라.

[我軍] (아군) ① 우리 편의 군대. ② 우리 편.

[我田引水] (아전 인수) 내 논에 물을 댄다는 뜻으로, 자기에게만 이롭게 되도록 말하거나 행동함을 이르는 말.

[我執] (아집) 자기의 생각에만 집착함. 또는 그런 일.

[無我境] (무아경) 마음이나 정신이 한 곳으로 온통 쏠려 자기를 잊고 있는 상태.

[自我] (자아) 나. 자기 자신을 이르는 말.

4
⑧ 〔或〕 혹 혹 　或

부수 戈(창 과) 부
찾기 戈⁴＋口⁴＝8 획

一	厂	冂	丆	或	或	或

글자뿌리 회의(會意) 문자. 창과(戈)에 입 구(口)와 한 일(一)을 합친 자로, 창을 들고 일정한 땅〔一〕을 지킨다〔口〕는 데서 원래 '나라'를 뜻했다가, 뒤에 적이 쳐들어올까 의심한다는 데서 '혹', '혹시'의 뜻이 된 자.

글자풀이 혹. 혹시.

[或是] (혹시) 만일에. 만약에.
[或如] (혹여) 혹시.
[或者] (혹자) ① 혹시. ② 어떤 사람.
[間或] (간혹) 어쩌다. 가끔.
[設或] (설혹) 설령.

12
⑯ 【戰】 싸울 전 　戰

부수 戈(창 과) 부
찾기 戈⁴＋單¹²＝16 획

丶	丷	丷	吅	吅	吅	吅

吅	吅	吅	單	單	單	戰

戰	戰					

글자뿌리 형성(形聲) 문자. 창과(戈〈뜻〉)에 오랑캐 임금 선(單〈음〉)을 합친 자로, 오랑캐와 창을 들고 싸운다는 데서 '싸움'을 뜻하게 된 자.

글자풀이 1 싸우다. 싸움. 2 두려워 떨다.

[戰略] (전략) 전쟁하는 꾀.
[戰死] (전사) 전쟁에서 싸우다 죽음.
[戰線] (전선) 적의 전투 부대와 마주 대하고 있는 지역. ¶休戰線(휴전선).
[戰術] (전술) ① 전쟁하는 기술이나 술책. ② 어떠한 목적을 효과적으로 이루기 위한 방법.
[戰友] (전우) 같은 부대 또는 전쟁터에서 같이 생활하는 벗. ¶戰友愛(전우애).
[戰爭] (전쟁) 나라 사이에서 벌어진 큰 싸움. ⑧戰鬪(전투).
[決戰] (결전) 승부를 결판내는 싸움.
[反戰] (반전) 전쟁을 반대함.

[百戰百勝] (백전 백승) 싸울 때마다 번번이 다 이김.

[山戰水戰] (산전 수전) 산과 물에서의 싸움이라는 뜻으로, 세상의 온갖 고생을 다 겪음을 이르는 말.

[速戰速決] (속전 속결) 싸움을 오래 끌지 않고 빨리 끝을 냄.

[惡戰苦鬪] (악전 고투) 조건이 나쁜 전쟁에서 괴롭게 싸움.

[終戰] (종전) 전쟁이 끝남.

[參戰] (참전) 전쟁에 참가함. ¶ 參戰國(참전국).

---

⁴ 戸 (지게 호) 部

두 짝으로 된 문의 한 짝인 지게문을 본뜬 글자.

⁰ ④ 【戸】 지게 호 戸

부수 戸 (지게 호) 부
찾기 戸⁴=4 획

ノ	戸	戸	戸		

글자뿌리 상형(象形) 문자. 지게문, 곧 두 짝으로 된 문의 한 짝을 본뜬 자로, '지게', '지게문'을 뜻함.

 ⇒  ⇒

글자풀이 1 지게. 지게문. 2 집.

[戸口] (호구) 집과 식구의 수. ¶ 戸口調査(호구 조사).

[戸別訪問] (호별 방문) 집집마다 찾아다님.

[戸數] (호수) 집의 수효.

[戸籍] (호적) 그 집안 식구의 이름이나 생년월일 등을 기록한 장부.

[戸主] (호주) 한 집안의 가장이 되는 사람.

[門戸] (문호) ① 집으로 드나드는 문. ② 출입구가 되는 요긴한 곳. ¶ 門戸開放(문호 개방).

⁴ ⑧ 【房】 방 방 房

부수 戸 (지게 호) 부
찾기 戸⁴＋方⁴=8 획

ノ	戸	戸	戸	戸	房	房

글자뿌리 형성(形聲) 문자. 지게 호(戸〈뜻〉)에 모 방(方〈음〉)을 합친 자로, 지게문에 이어진 모진 곳이라는 데서 '방'의 뜻.

(글자풀이) 1 방. 2 집. 가옥.

[房門] (방문) 방을 드나드는 문.

[房子] (방자) 조선 때, 지방 관아에서 부리던 남자 하인.

[金銀房] (금은방) 금이나 은 등을 가공하여 팔고 사는 가게.

[暖房] (난방) 실내를 따뜻하게 함. 또는 그 일이나 그런 방. ㉤ 冷房(냉방).

[門間房] (문간방) 대문이나 중문 바로 옆에 있는 방.

4 ⑧【所】바 소 所

부수 戶(지게 호)부

찾기 戶⁴+斤⁴=8 획

(글자뿌리) 형성(形聲) 문자. 지게 호(戶〈음〉)에 도끼 근(斤〈뜻〉)을 합친 자로, 문에서 나는 도끼 소리가 그 '것'이나 '곳'을 알린다는 데서 '바', '곳'을 뜻함.

(글자풀이) 1 바. 2 곳.

[所感] (소감) 느낀 바(것). 느낀 바의 생각.

[所見] (소견) 무엇을 보고 갖게 되는 생각이나 의견.

[所得] (소득) ① 얻은 것. ② 얻은 이익이나 수입.

[所望] (소망) 바라는 일.

[所聞] (소문) 들려 오는 말.

[所要] (소요) 필요로 하는 것. ¶ 所要人員(소요 인원).

[所用] (소용) ① 쓸데. ② 쓰임.

[所願] (소원) 바라는 바.

[所謂] (소위) 이른바.

[所有] (소유) 자기 것으로 가짐. ¶ 所有權(소유권).

[所長] (소장) 연구소나 사무소 등과 같은 직장 일을 돌보는 책임자.

[所在地] (소재지) 어떤 건물이나 기관 등이 있는 곳.

[所重] (소중) 매우 귀중함.

[所行] (소행) 하는 행동.

[便所] (변소) 대소변을 볼 수 있게 만들어 놓은 곳. 뒷간.

[山所] (산소) '무덤'을 높여서 이르는 말.

[宿所] (숙소) 머물러 묵는 곳.

[場所] (장소) 곳. 자리.

[住所] (주소) 살고 있는 곳.

[注油所] (주유소) 거리의 요소 요소에 특별한 장치를 갖추고 자동차에 연료를 넣어 주는 곳.

⁴手(손 수)部

다섯 손가락을 펼친 손의 모양을 본뜬 글자로, '扌'은 변으로 쓰일 때의 자형이며 '재방변'이라 함.

0
④【手】 손   수   手

부수 手(손 수)부
찾기 手⁴=4획

| 一 | 二 | 三 | 手 | | |

(글자뿌리) 상형(象形) 문자. 다섯 손가락을 펼친 모양을 본뜬 글자.

⇒ 屮 ⇒ 手

(글자풀이) 1 손. 손으로 하다. 2 재주. 수단. 3 능한 사람. 4 잡다.

[手匣](수갑) 죄인의 양손목에 걸쳐서 채우는 쇠로 만든 형구(刑具).

[手巾](수건) 손·얼굴·몸 등을 닦기 위한 헝겊 조각. 타월.

[手工業](수공업) 기계를 사용하지 않고 손이나 간단한 기구를 써서 만들어 내는 공업.

[手記](수기) 자기의 체험을 손수 적음. 또는 그 기록.

[手段](수단) 일을 해 나가는 꾀와 솜씨.

[手配](수배) 범인을 잡기 위해 수사망을 폄.

[手法](수법) 일을 꾸미는 솜씨나 방법.

[手續](수속) 일을 하는 데 필요한 절차.

[手數料](수수료) 어떠한 일을 맡아서 처리해 주는 데 대한 보수.

[手術](수술) 살갗·살 등을 째거나 꿰매서 병을 치료하는 일.

[手腕](수완) 일을 꾸미거나 해 나가는 재간.

[手足](수족) ① 손과 발. ② 손이나 발처럼 마음대로 부리는 사람.

[手中](수중) ① 손 안. ② 자신의 힘이 미칠 수 있는 범위.

[手帖](수첩) 몸에 지니고 다니면서 여러 가지 일을 적는 조그만 공책.

[手票](수표) 은행과 당좌 계약을 맺고 돈처럼 사용하는 문서 쪽지.

[手話](수화) 벙어리가 손을 써서 하는 말.

[歌手](가수) 노래 부르는 일을 직업으로 삼는 사람.

[國手](국수) 그 나라에서 바둑 등을 가장 잘 두는 사람을 이르는 말.

[名手](명수) 어떤 일에 뛰어난 솜씨가 있는 사람.

[木手](목수) 나무를 다루어 집을 짓거나 물건을 만드는 일을 하는 사람.

[選手](선수) 경기에 출전하기 위하여 대표로 뽑힌 사람. ¶ 運動選手(운동 선수).

[洗手](세수) 얼굴을 씻음. 图 洗面(세면).

[失手](실수) ① 잘못하여 그르침. ② 실례.

[着手](착수) 어떤 일을 손대어 시작함.

[投手](투수) 내야의 중앙에서 타자에게 공을 던지는 야구 선수. 凹 捕手(포수).

[訓手](훈수) 바둑이나 장기 등에서, 좋은 수를 가르쳐 줌. 또는 그 수.

⁰
③【才】재주 재

부수 手 (손 수)부
찾기 扌³(手)＝3획

| 一 | 十 | 才 | | | |

글자뿌리 지사(指事) 문자. 나무나 풀의 줄기가 어떤 것은 땅〔一〕을 뚫고 내밀고〔丨〕, 또 어떤 것은 아직 땅 밑에 있는〔丿〕모양을 본뜬 글자로, 새싹과 같이 지금은 여리지만 장차 여러 가능성이 있다는 데서 '재주'의 뜻이 된 자.

글자풀이 1 재주. 재간. 2 근본. 기본. 3 능하다.

[才幹](재간) 일을 잘 처리하는 능력. 图 才能(재능).

[才能](재능) 재주와 능력. 图 才幹(재간).

[才談](재담) 익살을 섞어 가며 재치 있게 하는 말.

[才弄](재롱) 어린아이의 슬기롭고 귀여운 말과 짓.

[才色](재색) 뛰어난 재주와 아름다운 얼굴.

[才致](재치) 눈치 빠르게 응하는 재주.

[多才](다재) 재주가 많음. ¶ 多才多能(다재 다능).

[秀才](수재) 재주가 뛰어난 사람. 또는 뛰어난 재주. ⑲둔재(鈍才).

[天才](천재) 태어나면서 갖춘 뛰어난 재주. 또는 그런 재주를 갖춘 사람.

$^2_{⑤}$ 【打】 칠 **타** 打

부수 手 (손 수) 부
찾기 扌^3(手)＋丁^2＝5 획

一	十	扌	扌	打

글자뿌리 형성 (形聲) 문자. 손수 (扌＝手〈뜻〉)에 못 정 (丁〈음〉)을 합친 자로, 손에 망치를 들고 못을 박는다는 데서 '치다'의 뜻이 된 자.

글자풀이 1 치다. 때리다. 2 타다스. ※물품 12개를 한 단위로 하여 세는 말.

[打開](타개) 얽히고 막혀 있는 일을 잘 처리함.

[打擊](타격) ① 때리고 침. ② 손해. 손실.

[打倒](타도) 때리거나 쳐서 부수어 버림.

[打令](타령) ① 우리 나라 전통 음악의 한 곡조. ② 광대의 판소리나 잡가를 함께 이르는 말. ③ 무엇에 대하여 자꾸 이야기하거나 뇌까리는 일.

[打撲傷](타박상) 부딪치거나 맞아서 생긴 상처.

[打算](타산) 이로움과 해로움을 따져 헤아려 봄.

[打席](타석) 야구에서, 타자가 투수의 공을 치기 위하여 서는 장소.

[打者](타자) 야구에서, 배트로 공을 치는 공격진의 선수. ¶指名打者(지명 타자).

[打字](타자) 타자기로 종이 위에 글자를 찍음. 또는 그 일. ¶打字機(타자기).

[打盡](타진) 모조리 잡음. ¶一網打盡(일망 타진).

[打破](타파) 나쁜 관습·제도·규율·생각 등을 깨뜨려 버림. ¶迷信打破(미신 타파).

[強打](강타) 세게 침.

[毆打](구타) 사람을 함부로 때리고 침.

[安打](안타) 야구에서, 타자가 베이스에 나아갈 수 있도록 안전하게 친 공.

4
⑦ 〔技〕재주 기 技

부수 手(손 수)부
찾기 扌³(手)+支⁴=7 획

| 一 | 十 | 扌 | 扌 | 扩 | 抟 | 技 |

글자뿌리 형성(形聲) 문자. 손수(扌 = 手〈뜻〉)에 지탱할 지(支〈음〉)를 합친 자로, 손으로 다루는 능력이 뛰어남을 나타내어 '재주'의 뜻이 된 자.

글자풀이 재주. 재능.

[技巧](기교) 아주 묘한 솜씨.
[技能](기능) 기술상의 재능.
[技法](기법) 기교를 나타내는 방법.
[技術](기술) 어떤 일을 정확하고 능률적으로 해내는 솜씨.
[技藝](기예) 기술상의 재주와 솜씨.
[競技](경기) 기량이나 기술의 우수함을 겨룸. ¶競技大會(경기 대회).

[妙技](묘기) 교묘한 기술이나 재주.
[實技](실기) 실지로 행하는 기술. ¶實技試驗(실기 시험).
[演技](연기) 사람들에게 연극이나 춤, 음악 등을 실지로 보여 줌. 또는 그 일.
[長技](장기) 가장 잘 하는 재주. 퉁 特技(특기).
[特技](특기) 특별한 기능이나 기술.

4
⑦ 〔扶〕도울 부 扶

부수 手(손 수)부
찾기 扌³(手)+夫⁴=7 획

| 一 | 十 | 扌 | 扌 | 扗 | 抙 | 扶 |

글자뿌리 형성(形聲) 문자. 손수(扌 = 手〈뜻〉)에 지아비 부(夫〈음〉)를 합친 자로, 손으로 남편을 부축함을 나타내어 '돕다', '부축하다'를 뜻함.

글자풀이 1 돕다.   2 부축하다. 붙들다.

[扶養](부양) '도와 주어 기른다'는 뜻으로, 혼자 살아갈 능력이 없는 사람을 돌보아 줌.
[扶助](부조) 잔칫집이나 상가에 돈이나 물건을 보냄.
[相扶相助](상부 상조) 서로서로 도와 줌.

⁴⑧ [承] 이을 승　承

부수 手 (손 수) 부
찾기 手⁴+㐅⁴=8 획

一 了 了 矛 矛 承 承

글자뿌리 회의(會意) 문자. 병부 절(⼹ = ⼮의 변형) 밑에 손수(手)와 받들 공(㐅)을 합친 자로, 임금의 명령을 받들어 나랏일을 돌본다는 데서 '이어받다', '받들다'의 뜻.

글자풀이 1 잇다. 이어받다. 2 받들다. 받아들이다. 3 돕다.

[承繼] (승계) 뒤를 이어받음.
[承諾] (승낙) 청하는 말을 들어 줌.
[傳承] (전승) 계통을 전하여 받아 이음.

⁴⑦ [投] 던질 투　投

부수 手 (손 수) 부
찾기 扌³(手)+殳⁴=7 획

一 十 扌 扌 扌 投 投

글자뿌리 형성(形聲) 문자. 손수(扌 = 手〈뜻〉)에 창 수(殳〈음〉)를 합친 자로, 손으로 창을 던진다는 데서 '던지다', '버리다'의 뜻이 된 자.

글자풀이 1 던지다. 2 버리다. 3 주다. 보내다. 4 머무르다. 묵다. 5 맞다.

[投稿] (투고) 신문·잡지 등에 원고를 보냄. 또는 그 원고.
[投機] (투기) 기회를 엿보아서 큰 이익을 얻고자 함. 또는 그러한 일.
[投書] (투서) 드러나지 아니한 사실이나 잘못을 글로 적어서 몰래 보냄. 또는 그 일.
[投石] (투석) 돌을 던짐.
[投宿] (투숙) 숙소나 여관 등에 들어가 묵음.
[投身] (투신) ① 높은 곳에서 아래로 몸을 던짐. ¶ 投身自殺 (투신 자살). ② 어떤 일을 위하여 온 힘을 다함.
[投獄] (투옥) 옥에 가둠.
[投資] (투자) 사업 밑천을 댐.
[投票] (투표) 선거 등에서 찬성과 반대 뜻을 적은 표를 함 속에 넣음. 또는 그 일.
[投降] (투항) 적에게 항복함.

5
⑨【拜】 절 배 拜

부수 手(손 수)부
찾기 手⁴+丰⁵=9획

ノ	二	三	手	𦫵	𦫵	𦫵
𦫵	拜					

글자뿌리 형성(形聲) 문자. 손 수(手〈뜻〉) 옆에다 㮎(휘〈음〉)를 합친 자. 또는 아래 하(丅:下의 옛 글자)와 손 수(手〈음〉)를 합친 자로, 두 손을 모아 몸을 아래로 구부린다는 데서 '절'을 뜻함.

글자풀이 1 절. 절하다. 2 삼가고 공경하다. 3 벼슬을 주다.

[拜金](배금) 돈을 지극히 소중하게 여김. ¶拜金主義(배금주의).

[拜上](배상) 편지 끝에 '절하고 올림'의 뜻으로 쓰는 말.

[拜謁](배알) 지체 높은 분을 만나 봄.

[敬拜](경배) 공경하여 공손히 절함.

[歲拜](세배) 새해에 웃어른들께 드리는 인사.

[崇拜](숭배) 마음 속으로부터 우러러 공경함.

[參拜](참배) ① 신에게 절하고 빎. ②무덤이나 기념비 등의 앞에서 경의나 추모의 뜻을 나타내는 일.

5
⑧【招】 부를 초 招

부수 手(손 수)부
찾기 扌³+召⁵=8획

一	十	扌	扣	扣	招	招

글자뿌리 회의(會意)·형성(形聲) 문자. 손 수(扌 = 手〈뜻〉)에 부를 소(召〈음〉)를 합친 자로, 윗사람이 아랫사람을 손으로 부른다는 데서 '손짓하다', '부르다'를 뜻함.

이리와

글자풀이 부르다. 불러 오다.

[招待](초대) ① 임금의 명으로 불러서 오게 함. ② 사람을 불러서 대접함. ¶招待狀(초대장).

[招來](초래) 어떤 결과가 오
　게 함. 불러 옴.
[招聘](초빙) 예를 갖추고 불
　러 맞아들임.
[招宴](초연) 연회에 초대함.
[招請](초청) 청하여 부름.
[問招](문초) 지난날, 죄인에게
　죄를 캐어 물음을 이르던 말.
[自招](자초) 제 스스로 어떤
　결과를 끌어들임.

5
⑧【抱】안을 포　抱

부수 手(손 수) 부
찾기 扌³(手)＋包⁵＝8획

一　十　扌　抖　抅　抅　抱

글자뿌리 형성(形聲) 문자. 손
수(扌＝手〈뜻〉)에 쌀 포(包〈음〉)
를 합친 자로, 물건을 싼 것을 두
손으로 에워싼다는 데서 '안다'의
뜻이 된 자.

글자풀이 안다. 품다.

[抱腹絶倒](포복 절도) 배를 안
　고 넘어진다는 뜻으로, '몹시

웃음'을 뜻함.
[抱負](포부) 마음에 품고 있
　는 앞날에 대한 계획과 희망.

6
⑨【拾】❶주울 습　拾
　　　　❷열　십

부수 手(손 수) 부
찾기 扌³(手)＋合⁶＝9획

一　十　扌　扩　扒　拾　拾
拾　拾

글자뿌리 형성(形聲) 문자. 손
수(扌＝手〈뜻〉)에다 합할 합(合
〈음〉)을 합친 자로, 손으로 주워
모은다는 데서 '줍다'의 뜻이 됨.

글자풀이 ❶ 1 줍다. 집다. ❷ 2
열. ※ 주로 문서·증서 따위에서
十(열 십)을 고쳐 쓰지 못하도록
갖은자로 씀.

[拾得](습득) 남이 잃어버린 물
　건을 주워 얻음. ¶拾得物(습
　득물).
[收拾](수습) ① 어수선하게 흩
　어진 것을 다시 주워 거두어

정돈함. ② 흩어진 마음을 가라 앉힘.

6
⑨ 【持】 가질 지 持

부수 手(손 수) 부

찾기 扌³(手)＋寺⁶＝9획

一	十	扌	扩	扩	扗	拝
持	持					

글자뿌리 형성(形聲) 문자. 손 수(扌＝手〈뜻〉)에다 관청 시(寺〈음〉)를 합친 자로, 관청에서 보낸 문서를 손에 지니고 있다는 데서 '가지다', '지키다'의 뜻이 된 자.

글자풀이 1 가지다. 지니다. 잡다. 2 지키다.

[持久力](지구력) 어떤 상태를 오래 견디는 힘.

[持久戰](지구전) 결정적인 싸움을 피하고 시간을 얻기 위하여 오래 끄는 싸움.

[持論](지론) 늘 가지고 있는 의견.

[持病](지병) 오랫동안 낫지 않아 늘 지니고 있는 질병.

[持續](지속) 유지하여 계속함.

[堅持](견지) 굳게 지님.

[維持](유지) 지탱하여 나감.

[支持](지지) 붙들어 버틴다는 뜻으로, 정책 등에 찬동하여 도와 줌을 이르는 말.

6
⑨ 【指】 손가락 지 指

부수 手(손 수) 부

찾기 扌³(手)＋旨⁶＝9획

一	十	扌	扩	拝	指	指
指	指					

글자뿌리 형성(形聲) 문자. 손 수(扌＝手〈뜻〉)에 맛 지(旨〈음〉)를 합친 자로, 맛이 있는 것에 손이 먼저 가게 된다는 데서 '손가락'; '가리키다'의 뜻.

글자풀이 1 손가락. 2 가리키다.

[指南鐵](지남철) 쇠붙이를 끌어당기는 성질이 있는 쇠. ⑧ 磁石(자석).

[指導](지도) 가르쳐서 인도함. ¶ 指導力(지도력).

[指令](지령) ① 관청에서 내리는 통지나 명령. ② 단체 등의 상부에서 하부나 구성원에게 내리는 활동 방침에 관한 지시 명령.

[指名](지명) 여러 사람 가운데서 어떠한 사람을 지정함.

[指目](지목) 무엇이 어떠하다고 가리켜 정함.

[指示](지시) ① 가리켜 보임. ② 어떤 일을 시킴.

[指章](지장) 손도장.

[指摘](지적) ① 손가락으로 가리킴. ② 잘못 등을 가려서 가리킴.

[指定](지정) 가리켜 정함.

[指針](지침) 생활이나 행동 등의 방향이나 방법 같은 것을 인도하여 주는 길잡이. ¶ 指針書(지침서).

[指向](지향) ① 뜻하여 향함. ② 지정하여 그 쪽으로 향하게 함. 또는 그 방향.

[指揮](지휘) 지시하여 일을 하도록 시킴.

[屈指](굴지) 손가락을 꼽아 헤아릴 만큼 뛰어남.

[中指](중지) 가운뎃손가락. ⑧ 長指(장지).

8
⑪〔授〕줄 수

부수 手(손 수)부

찾기 扌³(手)＋受⁸＝ 11획

一	亅	扌	扩	扩	扩	扩
扩	护	护	授			

글자뿌리 형성(形聲) 문자. 손 수(扌＝手〈뜻〉)에다 받을 수(受〈음〉)를 합친 자로, 손으로 물건을 내밀어 상대방에서 받게 한다는 데서 '주다'의 뜻.

글자풀이 1 주다. 2 가르치다.

[授粉](수분) 암꽃술에 수꽃술의 꽃가루를 붙여 줌.

[授賞](수상) 상을 줌.

[授受](수수) 주고받음.

[授業](수업) 학업을 가르쳐 줌.

[授與](수여) 상장·증서·상품·훈장 등을 줌.

[授乳](수유) 어린아이에게 젖

을 먹임.

[教授](교수) ① 학문·예술·기술을 가르쳐 줌. ② 대학에서 전문적인 학문을 가르치는 사람을 일컫는 말.

[傳授](전수) 전하여 줌.

⑧⑪ [接] 접할 접 接

부수 手 (손 수) 부
찾기 扌³(手)＋妾⁸＝11획

一	十	扌	扩	扩	扩	护
护	挓	挖	接			

글자뿌리 형성(形聲) 문자. 손 수(扌＝手〈뜻〉)에다 첩 첩(妾〈음〉)을 합친 자로, 남편에게 첩의 부드러운 손이 다가간다는 데서 '대다', '사귀다'의 뜻.

글자풀이 1 접하다. 맞대다. 잇다. 2 사귀다. 대접하다. 맞이하다.

[接見](접견) 맞아들여서 직접 만남.

[接近](접근) 가까이 다가옴. 바싹 다가붙음.

[接待](접대) 손님을 맞아 대접함.

[接受](접수) 문서류를 처리하기 위해 받아들임.

[接種](접종) 병을 미리 예방하기 위해 병원균이나 독소를 몸에 집어 넣는 일.

[接觸](접촉) ① 맞붙어서 닿음. ② 교섭함.

[間接](간접) 중간에 무엇을 두고 접함. ⊕ 直接(직접).

[待接](대접) 음식을 차려서 손님을 맞이함.

[面接](면접) 서로 대면하여 만나 봄. ¶ 面接試驗(면접 시험).

[密接](밀접) 매우 가깝게 맞닿음. 사이가 아주 가까움.

⑧⑪ [採] 캘 채 採

부수 手 (손 수) 부
찾기 扌³(手)＋采⁸＝11획

一	十	扌	扩	扩	扩	护
护	採	採	採			

글자뿌리 회의(會意)·형성(形聲) 문자. 손 수(扌＝手〈뜻〉)에 캘 채(采〈음〉)를 합친 자로, 손

끝으로 나무 열매를 따거나 뿌리를 캔다는 데서 '캐다', '따다'의 뜻.

글자풀이 1 캐다. 2 가려 내다.

[採鑛](채광) 광물을 캐어 냄.

[採掘](채굴) 땅을 파서 속에 묻혀 있는 광물 등을 캐어 냄.

[採石](채석) 바위에서 건축·토목 등에 쓰일 돌을 캐내는 일. ¶採石場(채석장).

[採用](채용) ① 의견이나 방법 등을 채택하여 씀. ② 사람을 선택하여 씀. ¶公開採用(공개 채용).

[採點](채점) 성적에 따라 점수를 매기는 일.

[採集](채집) 동식물의 종류를 찾아서 모음. ¶昆蟲採集(곤충 채집).

[採取](채취) ① 풀·나무 등을 찾아서 캐내거나 뜯어 냄. ② 연구나 조사를 위하여 필요한 것을 찾거나 챙김.

[採擇](채택) 골라서 가려 냄. 가려서 택함.

[伐採](벌채) 산의 나무를 베어 내는 일.

8
⑪ 【推】 ❶ 밀 추·퇴
        ❷ 옮길 추   推

부수 手(손 수)부
찾기 扌³(手)+隹⁸=11획

| 一 | 十 | 扌 | 扩 | 扎 | 扩 | 扩 |
| 扩 | 拊 | 推 | 推 | | | |

글자뿌리 형성(形聲) 문자. 손수(扌=手〈뜻〉)에 새 추(隹〈음〉)를 합친 자로, 새가 앞으로 날아가듯이 손으로 힘껏 민다는 데서 '밀다', '옮기다' 등을 뜻함.

글자풀이 ❶ 1 밀다. 2 미루어 헤아리다. 3 옮기다. ❷ 4 천거하다.

[推理](추리) 이미 아는 사실을 근거로 아직 모르는 사실을 미루어 알아 냄. ¶推理小說(추리 소설).

[推算] (추산) 어림 짐작으로 미루어 계산함. 또는 그 계산.

[推仰] (추앙) 높이 받들어 우러름.

[推移] (추이) 시간이 흐름에 따라 일이나 사물의 상태가 변하여 가는 일.

[推定] (추정) 미루어 헤아려서 판정함.

[推進] (추진) 앞으로 나아감. 힘을 써서 어떤 일이 잘 되도록 함. ¶推進力(추진력).

[推薦] (추천) ① 좋거나 알맞다고 생각되는 물건을 남에게 권함. ② 알맞은 사람을 소개함.

[類推] (유추) 비슷한 것을 가지고 다른 것을 미루어 생각함.

8
⑪ 【探】 찾을 탐 探

부수 手 (손 수) 부
찾기 扌³(手)＋罙⁸＝11 획

| 一 | 十 | 扌 | 扌 | 扩 | 扩 | 护 |
| 护 | 押 | 探 | 探 | | | |

(글자뿌리) 회의(會意)·형성(形聲) 문자. 손 수(扌＝手〈뜻〉)에 깊을 심(罙＝深〈음〉)을 합친 자로, 물건을 찾기 위하여 깊은 굴에 들어가 더듬는다는 데서 '더듬다', '찾다'의 뜻.

(글자풀이) 1 찾다. 2 더듬다. 3 염탐하다.

[探究] (탐구) 진리나 법칙 등을 더듬어 연구함.

[探査] (탐사) 더듬어 살펴 조사함. ¶石油探査(석유 탐사).

[探索] (탐색) ① 감추어진 사물을 이리저리 더듬어 찾음. ② 범죄 사건에 관계된 사람이나 물건 등을 더듬어 샅샅이 찾음.

[探偵] (탐정) 은밀히 남의 비밀이나 행동을 더듬어 살핌. 또는 그 사람.

[探知] (탐지) 더듬어 찾아 내거나 알아 냄.

[探險] (탐험) 어떤 발견을 위하여 위험을 무릅쓰고 험한 곳을 두루 찾아다니며 조사함. 또는 그 일. ¶探險家(탐험가).

9
⑫ 【揚】 날릴 양 揚

부수 手 (손 수) 부

찾기 扌³(手)+昜⁹=12획

一	十	扌	扌'	扌''	扫	扫

| 捐 | 捐 | 揚 | 揚 | 揚 | | |

글자뿌리 회의(會意)·형성(形聲) 문자. 손 수(扌 = 手〈뜻〉)에 해 양(昜 = 陽〈음〉)을 합친 자로, 해가 솟는 것같이 손으로 올린다는 데서 '끌어올리다', 나아가서 '날리다'의 뜻이 된 자.

글자풀이 1 날리다. 떨치다. 2 높이다. 끌어올리다. 3 드러내다. 칭찬하다.

[揚名](양명) 이름을 드러냄.

[揚水機](양수기) 모터나 발동기를 이용하여 물을 퍼 올리는 기계.

[揭揚](게양) 깃발 등을 높이 걺. ¶ 國旗揭揚(국기 게양).

[得意揚揚](득의 양양) 뜻을 이루어 우쭐거리며 뽐내는 모양.

[宣揚](선양) 드러내어서 널리 떨치게 함.

[讚揚](찬양) 아름다움과 착함을 기리고 드러냄.

14
⑱【擧】 들 거 擧

부수 手(손 수)부

찾기 手⁴+與¹⁴ = 18획

'	「	斤	斤	斤'	斫

斫	斫¹	斫¹	斫¹	與	與	與

| 與 | 與 | 擧 | 擧 | | | |

글자뿌리 회의(會意) 문자. 더불 여(與)에 손 수(手)를 합친 자로, 여럿이 더불어 마음을 합하여 일제히 손을 '든다'는 뜻.

글자풀이 1 들다. 2 일으키다. 3 행하다. 4 올리다. 5 모두. 6 거동. 거사.

[擧動](거동) 그 사람의 몸을 움직이는 짓이나 태도.

[擧手](거수) 손을 위로 들어 올림. ¶ 擧手敬禮(거수 경례).

[擧行](거행) 어떤 일을 정한 대로 함. 의식을 치름.

[選擧](선거) 많은 사람 가운데서 적당한 사람을 뽑음.

[列擧](열거) 여러 가지를 하나씩 들어 말함.

[義擧](의거) 옳은 일을 위해 큰 일을 일으킴. 또는 그 일.

[一擧兩得](일거 양득) 한 가지의 일을 하여 두 가지의 이익을 얻음.

⁴支 (지탱할 지) 部

사람이 대나무의 가지를 꺾어 들고 있음을 나타낸 자.

⁰④【支】 지탱할 지 支

부수 支 (지탱할 지) 부
찾기 支⁴ = 4 획

一	十	乡	支		

글자뿌리 회의(會意) 문자. 열 십(十)에 손 수(又 : 手의 변형)를 합친 자로, 댓가지(十 : 个모양)를 손으로 받치고 있는 모양에서 '지탱하다', '가르다'의 뜻이 된 자.

글자풀이 1 지탱하다. 2 흩어지다. 갈리다. 3 주다.

[支流](지류) 강의 원줄기로부터 갈려 흐르는 물줄기. 또는 원줄기로 흘러들어가는 물줄기. ⑩ 本流(본류).

[支配](지배) ① 일을 구분하여 처리함. ② 무엇을 도맡아서 다스림.

[支拂](지불) ① 물건 값을 내어줌. ② 돈을 치러 줌.

[支店](지점) ① 본점에서 갈리어 나온 가게. ② 본점에 딸리어 그 지휘·명령에 따르는 영업소. ⑩ 本店(본점).

[支柱](지주) ① 받침대. ② 의지할 수 있는 물체나 힘을 비유해 이르는 말.

⁴攴 (등글월문) 部

채찍〔卜〕을 들고 가볍게 치거나 두드림을 나타낸 자. '攵'은 '攴'이 방(旁)으로 쓰일 때의 자형임. 한자로는 칠 복.

²⑥【收】 거둘 수 收

부수 攴 (등글월문) 부
찾기 攵⁴(攴) + 丩² = 6획

丨	丩	收	收	收	收

글자뿌리 형성(形聲) 문자. 얽힐 구(丩〈음〉)에 칠 복(攵 = 攴〈뜻〉)을 합친 자로, 죄인을 쳐서 옭아 맨다는 데서 '거두다'의 뜻이 된 자.

(글자풀이) **1** 거두다. **2** 잡다.

[收監] (수감) 감옥에 가둠. ⑲ 釋放(석방).

[收金] (수금) 받아야 할 돈을 거두어들임.

[收入] (수입) ① 돈 또는 물품 따위를 거두어들임. ② 들어오는 돈. ⑲ 支出(지출).

[秋收] (추수) 가을에 익은 곡식을 거두어들이는 일. ¶ 秋收感謝節(추수 감사절).

3
⑦【改】고칠 개 改

부수 攴(등글월문)부

찾기 攵⁴(攴)+己³ = 7획

ㄱ	ㄱ	己	㔾	改	改	改

(글자뿌리) **형성(形聲)** 문자. 몸기(己〈음〉)에 칠 복(攵 = 攴〈뜻〉)을 합친 자로, 지난 자기 자신의 잘못을 질책하여 바로잡는다는 데서 '고치다'의 뜻.

己 艹 ⇒ 己 攴 ⇒ 改

(글자풀이) 고치다.

[改良] (개량) 품질이나 성능 등의 나쁜 점을 고치어 좋게 함. ⑧ 改善(개선).

[改正] (개정) 바르게 고침.

[改造] (개조) 고쳐 다시 만듦.

[改革] (개혁) 새롭게 고침.

4
⑧【放】놓을 방 放

부수 攴(등글월문)부

찾기 攵⁴(攴)+方⁴ = 8획

丶	亠	方	方	放	放	放

(글자뿌리) **형성(形聲)** 문자. 모방(方〈음〉)에 칠 복(攵 = 攴〈뜻〉)을 합친 자로, 회초리를 들고 먼 방향으로 내쫓는다는 데서 '놓아주다', '내쫓다'의 뜻.

艹 艹 ⇒ 方 攴 ⇒ 放

(글자풀이) **1** 놓다. **2** 내쫓다. **3** 방자하다. **4** 내버려 두다.

[放浪] (방랑) 일정한 거처 없이 떠돌아다님.

[放心] (방심) 마음을 놓음. 정신을 차리지 않음.

[放任] (방임) 되는 대로 내버려 둠. ¶ 放任主義(방임주의).

[放學] (방학) 학교에서 학기가 끝난 뒤, 또는 더위와 추위를 피

하여 얼마 동안 수업을 중지하는 일.

[追放] (추방) ①나쁜 짓 또는 잘못된 것을 그 사회에서 몰아 냄. ②쓸모 없는 사람을 그 직장이나 직위에서 쫓아 내거나 몰아 냄.

5
⑨ 【故】 연고 고

부수 攴 (등글월문) 부
찾기 攵⁴(攴)＋古⁵ = 9획

| 一 | 十 | 十 | 古 | 古 | 古¹ | 古¹ |
| 故 | 故 | | | | | |

글자뿌리 형성(形聲) 문자. 예고(古〈음〉)에 칠 복(攵＝攴〈뜻〉)을 합친 자로, 옛 일을 들추어 까닭을 캐묻는다는 데서 '연고'의 뜻.

글자풀이 1 연고. 일. 2 옛. 오래 되다. 3 죽다. 4 짐짓. 고로.

[故國] (고국) 조상 때부터 살던 나라.

[故事] (고사) 예로부터 전해 오는 일. ¶故事成語(고사 성어).

[故意] (고의) 일부러 함.

[故人] (고인) 세상을 떠난 사람. 죽은 사람.

[故鄕] (고향) 자기가 태어나서

자란 곳. ⑲ 他鄕(타향).

[緣故] (연고) ① 까닭. ② 핏줄 또는 법률상으로 맺어진 관계. ¶ 緣故者(연고자).

5
⑨ 【政】 정사 정

政

부수 攴 (등글월문) 부
찾기 攵⁴(攴)＋正⁵ = 9획

| 一 | T | F | 下 | 正 | 政 | 政 |
| 政 | 政 | | | | | |

글자뿌리 형성(形聲) 문자. 바를 정(正〈음〉)에 칠 복(攵＝攴〈뜻〉)을 합친 자로, 바르지 못한 자를 쳐서 바르게 만든다는 데서 '정사', '바르게 하다', '다스리다'의 뜻.

글자풀이 1 정사. 2 다스리다.

[政界] (정계) 정치 및 정치가의 세계.

[政黨] (정당) 나라를 다스리는

데 있어 같은 생각이나 주장을 갖는 사람들끼리 모인 단체.

[政府] (정부) ① 정치를 행하는 곳. ② 국가의 통치권을 행사하는 국가 기관. ③ 행정부.

[政治] (정치) 나라를 다스리는 일. ¶ 政治家(정치가).

---

⁶
⑩ **【效】** 본받을 효

부수 攴 (등글월문) 부

찾기 攵⁴(攴)＋交⁶ ＝ 10획

| ` | ㄴ | ㄷ | 六 | 亣 | 交 | 交丶 |

| 交丶 | 效 | 效 | | | | |

글자뿌리 형성(形聲) 문자. 사귈 교(交〈음〉)에 칠 복(攵＝攴〈뜻〉)을 합친 자로, 어질고 학식 있는 사람과 사귀도록 타이르면 좋은 점을 본받게 된다는 뜻.

글자풀이 1 본받다. 힘쓰다. 2 보람.

[效果] (효과) 보람. 좋은 결과. ¶ 展示效果(전시 효과).

[效用] (효용) ① 효험. 효과. 효능. ② 소용되는 바의 것.

[效率] (효율) 어떤 일에 들인 노력에 대해 얻은 결과의 좋은 정도.

[失效] (실효) 효력을 잃음.

[藥效] (약효) 약의 효력.

---

⁷
⑪ **【教】** 가르칠 교

부수 攴 (등글월문) 부

찾기 攵⁴(攴)＋孝⁷ ＝ 11획

| ノ | メ | ㅜ | 孝 | 耂 | 孝 | 孝 |

| 敎 | 敎 | 敎 | 敎 | | | |

글자뿌리 회의(會意) 문자. 인도할 교(孝)에 칠 복(攵＝攴)을 합친 자로, 어린아이를 가르치기 위하여 매를 친다는 데서 '가르치다'의 뜻이 된 자.

글자풀이 1 가르치다. 2 종교.

[教科] (교과) 학교에서 가르치는 과목. ¶ 教科書(교과서).

[教理] (교리) 종교에서 가르치는 이치나 원리. ¶ 教理問答 (교리 문답).

[教師] (교사) 학생에게 공부를 가르치거나 돌보는 사람.

[教育] (교육) 지식·기술을 가르치며 품성을 길러 줌. ¶ 全

人教育(전인 교육).

[敎會] (교회) ① 동일한 종교를 가진 사람들이 모여서 이룬 단체. ② 교회당.

[說敎] (설교) ① 종교의 가르침을 설명함. ② 단단히 타일러서 가르침. ⑤ 說得(설득).

7
⑪ [救] 구원할 구　救

부수 攴 (등글월문) 부
찾기 攵⁴(攴)+求⁷ = 11획

一	十	寸	寸	求	求	求
求	救	救	救			

（글자뿌리） 형성(形聲) 문자. 구할 구(求〈음〉)에 칠 복(攵=攴〈뜻〉)을 합친 자로, 무기를 들고 치려다가 항복하는 적을 구해 준다는 데서 '구원하다'의 뜻.

求 ⇒ 求攵 ⇒ 救

（글자풀이） 구원하다. 돕다.

[救國] (구국) 나라를 위태로운

형편에서 건져 냄.

[救急] (구급) ① 몹시 급한 것을 구원함. ② 위급한 환자에게 응급 치료를 하는 일. ¶救急車 (구급차).

[救命] (구명) 사람의 목숨을 구함. ¶救命帶(구명대).

[救援] (구원) 어려움에서 일어날 수 있도록 도와 줌. ⑤救濟 (구제).

7
⑪ [敗] 패할 패　敗

부수 攴 (등글월문) 부
찾기 攵⁴(攴)+貝⁷ = 11획

丨	冂	月	月	目	貝	貝
貝	貝	貝	敗			

（글자뿌리） 형성(形聲) 문자. 조개 패(貝〈음〉)에 칠 복(攵=攴〈뜻〉)을 합친 자로, 값진 조개를 두드려서 깨뜨려 버린다는 데서 '패하다', '무너지다'의 뜻.

貝 ⇒ 貝攵 ⇒ 敗

（글자풀이） 1 패하다. 2 무너지다. 헐다. 3 썩다.

[敗家] (패가) 집·재산 등을 다 써서 없애 버림. ¶敗家亡身 (패가 망신).

[敗亡] (패망) 싸움에 져서 망

하거나 죽음.

[敗北] (패배) 싸움에 짐. ⑪ 勝
利(승리).

[腐敗] (부패) ① 썩어서 쓸모가
없게 됨. ② 법규나 제도 등이
문란하여 바르지 못함.

[失敗] (실패) 일을 잘못하여
그르침. ⑪ 成功(성공).

⑧
⑫ [敢] 감히 감 敢

부수 攴 (등글월문) 부
찾기 攵⁴(攴)＋𠸄⁸ = 12획

| 一 | 丁 | 工 | 구 | 干 | 王 | 王 |

| 𠂤 | 𠂤 | 𠂤 | 𠂤 | 敢 |

글자뿌리 형성(形聲) 문자. 감
(𠸄＝古·甘〈음〉)에 칠 복(攵＝攴
〈뜻〉)을 합친 자로, 남이 가진
무기를 빼앗는다 하여 '용감하다'
의 뜻이 된 자.

글자풀이 1 감히. 2 용감하다.
결단성 있다.

[敢行] (감행) 어려움을 견디고
용감하게 일을 행함.

[果敢] (과감) 일을 딱 잘라서
결정하는 성질이 있고 용감함.

⑧
⑫ [散] 흩을 산 散
       헤어질 산

부수 攴 (등글월문) 부
찾기 攵⁴(攴)＋𦰩⁸ = 12획

| 一 | 十 | 卄 | 丗 | 丼 | 𦰩 | 𦰩 |

| 𦰩 | 𦰩 | 𦰩 | 散 | 散 |

글자뿌리 형성(形聲) 문자. 고기
육(月＝肉〈뜻〉)과 산(𢿱＝㪔 :
잘라 낸다는 뜻〈음〉)을 합친 자
로, 고깃덩이를 잘게 잘라 내니
여러 개로 '흩어진다'는 뜻.

글자풀이 1 흩다. 헤어지다. 흩
어지다. 2 한가롭다.

[散漫] (산만) 정돈되지 않고 어
수선하게 흩어져 있음.

[散文] (산문) 글자의 수나 운
율 따위에 얽매이지 않고 자유
롭게 쓰는 글. ⑪ 韻文(운문).

[散在] (산재) 여기저기 흩어져
있음.

[散策] (산책) 바람을 쐬기 위
해 구경도 하며 이리저리 거니
는 일. ⑧ 散步(산보).

[解散] (해산) 모였던 사람이 흩
어짐. 또는 흩어지게 함. ⑪ 集
合(집합).

⑨
⑬ [敬] 공경할 경 敬

부수 攴 (등글월문) 부
찾기 攵⁴(攴)＋苟⁹ = 13획

⺊	⺊	⺊	⺊	⺊	苟	苟

| 苟 | 苟 | 苟 | 苟 | 敬 | 敬 | |

글자뿌리 회의(會意) 문자. 진실할 구(苟)에 칠 복(夂 = 攴)을 합친 자로, 입을 삼가 조심〔苟〕할 것을 자신에게 급박하게 재촉한다〔攴〕는 데서 '삼가다'의 뜻.

글자풀이 공경하다. 삼가다.

[敬禮] (경례) 공경의 뜻을 나타내는 인사의 하나. ¶ 舉手敬禮(거수 경례).

[敬愛] (경애) 존경하고 사랑함.

[敬意] (경의) 공경하는 마음. 섬기어 받드는 뜻.

[恭敬] (공경) 공손하게 섬김.

[尊敬] (존경) 남의 인격 등을 높이어 공손히 섬김. 屠 恭敬(공경).

11
⑮ **【數】** 셈할 수 數

부수 攴 (등글월문) 부
찾기 夂⁴(攴)＋婁¹¹ = 15획

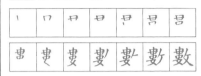

글자뿌리 형성(形聲) 문자. 끌루(婁〈음〉)에 칠 복(夂 = 攴〈뜻〉)을 합친 자로, 여성이 머리를 이중으로 틀어올린〔婁〕모양에서 '여러 번', 나아가 '세다', '수효'의 뜻이 된 자.

글자풀이 1 셈하다. 셈. 세다. 2 몇. 두서너. 3 운수. 4 꾀.

[數值] (수치) ① 계산하여 얻은 수. ② 어떤 양의 크기를 나타낸 수.

[術數] (술수) 꾀. 술책.

[運數] (운수) 사람에게 돌아오는 좋은 일과 나쁜 일.

11
⑮ **【敵】** 원수 적 敵

부수 攵 (등글월문) 부

찾기 攵⁴(攴)＋啇¹¹ = 15획

`	ㅗ	⺊	⺊	⼴	㪿	啇
啇	啇	啇	啇/	敵	敵	敵

(글자뿌리) 형성(形聲) 문자. 밑동 적(啇〈음〉)에 칠 복(攵 = 攴〈뜻〉) 을 합친 자로, 원수의 근거지 〔啇〕를 친다는 데서 '원수', '대적 하다'의 뜻.

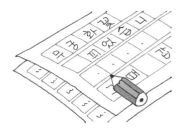

(글자풀이) **1** 원수. 대적하다. **2** 짝. 적수.

[敵國] (적국) 우리와 적이 되 어 있는 나라. 상대가 되어 싸 우는 나라.

[敵軍] (적군) 마주 싸우는 적 의 군사. ⑭ 我軍(아군)

[敵手] (적수) ① 재주나 힘이 서로 엇비슷한 상대. ② 싸움이 나 경쟁의 상대자.

---

⁴ 文 (글월 문) 部

사람의 몸에 그려 넣었던 무 늬의 모양을 본뜬 글자.

⓪
④ 【文】 글월 문 文

부수 文 (글월 문) 부

찾기 文⁴ = 4획

`	ㅗ	ナ	文

(글자뿌리) 회의(會意)·상형(象 形) 문자. 선(線)이 교차함을 뜻 함. 또, 사람의 몸에 그렸던 무늬 모양을 본뜬 자로, '무늬'의 뜻에 서 나아가 '글월'의 뜻이 된 자.

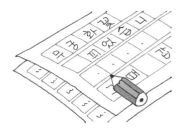

(글자풀이) **1** 글월. 글자. **2** 문서. **3** 무늬. 문채. **4** 제도. 교육. 법 도.

[文庫] (문고) ① 여러 사람들이 읽을 수 있도록 책을 모아서 놓아 둔 곳. ② 값이 싸고 가지 고 다니기 알맞게 만든 책에 붙이는 이름.

[文物] (문물) 문화의 발달로 이 루어진 것. 곧, 학문·예술·법 률·종교 등 문화에 관한 것을 통틀어 이르는 말.

[文書] (문서) 어떤 일에 필요 한 사항을 글로써 적어 나타낸 것. ¶祕密文書(비밀 문서).

[文身] (문신) 미신이나 맹세의

포시로 살갗을 바늘로 떠서 먹물·물감으로 글씨나 무늬 등을 새겨 넣는 일. 또는 그 글씨나 무늬.

[文藝] (문예) ① 학문과 예술. ② 시·소설·희곡·수필 등과 같이 말과 글로써 아름다움을 나타내는 예술.

[文彩] (문채) ① 무늬. ② 문장의 아름다운 광채.

[文豪] (문호) 문학에 뛰어난 사람. ¶ 大文豪(대문호).

[文化] (문화) 사람의 지혜가 깨이고 세상이 열리어 살기가 좋아지는 일. 또는 그런 활동.

---

⁴ 斗 (말 두) 部

자루가 달린 말의 모양을 본뜬 글자.

⁰
④ 【斗】 말 두 斗

부수 斗 (말 두) 부
찾기 斗⁴ = 4획

丶	丶	三	斗		

글자뿌리 상형(象形) 문자. 자루 달린 말의 모양을 본뜬 글자.

글자풀이 1 말. ※ 분량을 재는 기구. 또는 단위. 2 우뚝 솟다. 3 별 이름.

[斗量] (두량) 말로 될 만큼의 분량.

[斗星] (두성) 북두칠성.

[泰斗] (태두) 어떤 전문 분야에서 권위가 있는 사람을 이르는 말.

⁶
⑩ 【料】 되질할 료 / 거리 료 料

부수 斗 (말 두) 부
찾기 斗⁴ + 米⁶ = 10획

丶	丶	三	半	半	米	米
米	米	料				

글자뿌리 회의(會意) 문자. 쌀 미(米)에 말 두(斗)를 합친 자로, 쌀이 말 속에 들어 있다는 데서 '되질하다', '헤아리다'의 뜻이 된 자.

⇒ ⇒ 料

글자풀이 1 되질하다. 헤아리다. 세다. 2 거리. 감. 3 삯. 값.

[料金] (요금) 남의 수고나 사물을 사용·관람한 대가로 지불하는 돈.

[料量] (요량) 앞으로의 일에 대하여 잘 생각하여 헤아림.

[料理] (요리) ① 음식을 만드는 일. 또는 그 음식. ② 일을 적당히 처리함.

[給料](급료) 일을 한 보수로 주는 돈.

[材料](재료) ① 물건을 만드는 데 드는 원료. 동資材(자재). ② 예술적 표현의 제재.

---

⁴ 斤(날근변) 部

자루가 달리고 날이 선 도끼로 물건을 자르는 모양을 본뜬 글자.

⁹ ⑬ 【新】 새 신 新

부수 斤(날근변) 부
찾기 斤⁴ + 亲⁹ = 13획

`	亠	立	辛	亲	亲	亲

| 亲 | 亲 | 亲 | 新 | 新 | 新 | |

글자뿌리 회의(會意) 문자. 땔나무 신(亲: 薪의 본자〈음〉)에다 도끼 근(斤〈뜻〉)을 합친 자로, 나무를 도끼로 베어 내면 새것이 되는 데에서 '새롭다'의 뜻.

글자풀이 새. 새롭다.

[新年](신년) 새해.

[新大陸](신대륙) ① 새로 발견된 대륙. ② 남북 아메리카 및 오스트레일리아를 이르는 말.

[新綠](신록) 늦봄이나 초여름에 새로 나온 잎의 푸른빛.

[新聞](신문) 새로운 사건 등을 알려 주려고 정기적으로 발행하는 인쇄물.

[新陳代謝](신진 대사) ① 묵은 것이 없어지고 새것이 대신 생김. ② 몸의 새 성분을 만들고, 노폐물을 배설하는 생리 작용. 물질 대사.

[新婚](신혼) 갓 결혼함.

---

⁴ 方 (모 방) 部

뱃머리를 나란히 대 놓은 배 두 척을 본뜬 글자.

⁰ ④ 【方】 모 방 方

부수 方(모 방) 부
찾기 方⁴ = 4획

`	亠	方	方		

글자뿌리 상형(象形) 문자. 뱃머리를 나란히 대 놓은 두 척의 배를 본뜬 글자.

艸 ⇒ 万 ⇒ 方

글자풀이 **1** 모. 네모. **2** 방위.
방향. **3** 곳. 장소. **4** 방법. **5** 바
야흐로. **6** 처방.

[方今] (방금) 바로 지금. 이제
　막. 금방.

[方法] (방법) 어떤 목적을 이
　루기 위하여 취하는 수단. ⑧
　方途(방도).

[方位] (방위) 어떠한 쪽의 위
　치. 동서남북을 기준으로 16이
　나 32방위로 나눔.

[方舟] (방주) ① 네모난 배. ②
　구약 성서에서, 노아와 그의 가
　족이 홍수를 피해 탔다는 상자
　모양의 배.

[方針] (방침) 어떤 일을 하려
　고 하는 방향과 계획.

[方向] (방향) ① 향하는 쪽. ¶
　反對方向(반대 방향). ② 뜻이
　향하는 곳.

[近方] (근방) 가까운 곳.

[處方] (처방) ① 병을 다스리기
　위해 약을 조제하는 방법. ②
　잘못이나 결함을 고쳐서 바로

잡기 위한 대책.

⁴⁸ 【於】 어조사 어　於

부수 方 (모 방) 부
찾기 方⁴+仒⁴ = 8획

丶 亠 亍 方 於 於 於

글자뿌리 상형(象形)·가차(假
借) 문자. 까마귀가 날아가는 모
양을 본뜬 자로, ‘까옥’ 하고 우
는 소리를 흉내내어 감탄하는 어
조사로 쓴 가차. ‘…에’, ‘…에
서’ 등의 뜻.

글자풀이 어조사. ※ ‘…에’, ‘…
에서’, ‘…보다’ 등의 뜻.

[於中間] (어중간) ① 거의 중간
　쯤 되는 데. ② 넘거나 모자라
　어느 것에도 알맞지 않음.

[甚至於] (심지어) 더욱 심하다
　못해. 심하게는.

⁵⁹ 【施】 베풀 시　施

부수 方 (모 방) 부
찾기 方⁴+㐌⁵ = 9획

丶 亠 亍 方 方 方 施
施 施

글자뿌리 형성(形聲) 문자. 깃

발 언(㫃)에 잇기 야(也)를 합친 자로, 깃발을 단다〔也〕는 것은 군대가 진을 친다는 뜻이니, 곧 '베풀다'의 뜻.

글자풀이 1 베풀다. 2 주다.

[施工](시공) 공사를 시행함.

[施賞](시상) 상장이나 상품 또는 상금을 줌.

[施設](시설) 어떤 목적을 위해 건물 따위를 만들어 놓음. 또는 그 시설.

[施主](시주) 중이나 절에 돈이나 물건을 베풀어 주는 사람. 또는 그 일.

[實施](실시) 계획 따위를 실지로 실행함. ㊐ 施行(시행).

6 ⑩ **〔旅〕** 나그네 려 旅

부수 方(모 방)부

찾기 方⁴+㠯⁶=10획

글자뿌리 회의(會意) 문자. 깃발 언(㫃)에 따를 종(㠯 : 從의 변형)을 합친 자로, 바람에 나부끼고 있는 깃발 아래 여러 사람이 나란히 서 있는〔从〕 모양을 나타냄. 그래서 군기(軍旗)를 중심으로 모여 있는 '군사'를 뜻함.

글자풀이 1 나그네. 여행하다. 2 군사. 3 함께.

[旅客](여객) 여행하는 사람.

[旅館](여관) 여행하는 사람을 묵게 하는 것을 업으로 하는 집.

[旅券](여권) 국가가 해외 여행자의 신분·국적을 증명하고, 그 나라의 보호를 의뢰하는 문서.

[旅團](여단) 군대 조직에서 사단보다는 작으나, 연대보다는 큰 단위 부대. 보통 2개 연대로 구성됨.

[旅行](여행) 볼일이나 구경할 목적으로 다른 고장이나 다른 나라에 가는 일. ¶ 修學旅行(수학 여행).

[行旅](행려) 나그네가 되어 돌아다님. 또는 그 나그네.

7 ⑪ **〔族〕** 겨레 족 族

부수 方(모 방)부

찾기 方⁴+矢⁷=11획

```
丶  亠  ゟ  方  方  方  方
```
```
方  方  族  族
```

(글자뿌리) 회의(會意) 문자. 깃발 언(方)에 화살 시(矢)를 합친 자로, 목표점으로 세워 놓은 많은 깃발 아래 많은 무리가 모여 한 덩어리로 뭉쳐 있다는 데서 '겨레'를 뜻함.

(글자풀이) 1 겨레. 2 일가. 친족. 3 동류.

[族譜](족보) 한 집안의 대대로 내려온 계통을 적은 책.

[族屬](족속) 같은 종류에 속하는 사람들. 겨레붙이.

[家族](가족) 어버이와 자식·부부 등의 관계로 맺어져 한 집 안에서 생활을 같이하는 사람들. 동食口(식구).

[貴族](귀족) 문벌이나 지위가 높은 사람.

[民族](민족) 같은 지역에 살고, 말과 습관 따위가 같은 사람의 무리.

⁴无 (없을 무) 部

'無(없을 무)'의 옛 글자. '无'는 부수로 쓰일 때의 자형임.

---

⁷ ⑪ 【既】 이미 기 既

부수 无(없을 무) 부
찾기 旡⁴+皀⁷ = 11획

```
丶  ′  冂  冃  白  白  皀
```
```
皀  皀  旣  既
```

(글자뿌리) 형성(形聲) 문자. 고소할 급(皀〈뜻〉)에 숨막힐 기(旡〈음〉)를 합친 자로, 많은 음식〔皀〕을 다 먹고 밖을 내다보면〔旡〕 일이 끝난다는 데서 '이미'의 뜻이 된 자.

(글자풀이) 이미.

[旣得](기득) 이미 얻어서 차지함. ¶ 旣得權(기득권).

[旣成](기성) ① 사물이 이미 이루어짐. ② 주문을 받지 않고 미리 만들어 놓음. ¶ 旣成服(기성복).

[旣往](기왕) ① 이미. 벌써. ② 이전. 그 전.

[旣定](기정) 이미 정해져 있음. 반未定(미정).

[旣婚](기혼) 이미 결혼함. 반未婚(미혼).

⁴日 (날 일) 部

해의 모양을 본뜬 글자.

④ 【日】 날 일 日

부수 日 (날 일) 부
찾기 日⁴ = 4획

(글자뿌리) 상형(象形) 문자. 해의 모양을 본뜬 자로, '때', '날', '하루', '태양' 등의 뜻.

(글자풀이) 1 날. 2 해. 3 낮.

[日刊] (일간) 신문 따위를 날마다 발행하는 일.
[日課] (일과) 날마다 하는 일. 또는 그 과정.
[日光] (일광) 햇빛.
[日常] (일상) 늘. 항상. 평상.
[日出] (일출) 해가 뜸.

⑥ 【早】 일찍 조 早

부수 日 (날 일) 부
찾기 日⁴＋十² = 6획

(글자뿌리) 회의(會意) 문자. 날일(日)에 첫째 갑(十 : 甲의 변형)을 합친 자로, 해가 처음 떠오르고, 초목의 싹이 처음 돋는다 하여 '이르다'의 뜻이 된 자.

(글자풀이) 일찍. 이르다.

[早期] (조기) 이른 시기. ¶ 早期教育(조기 교육).
[早晩間] (조만간) 이르든지 늦든지. 어느 때든지.
[早熟] (조숙) ① 일찍 익음. ② 일찍 깨달아 앎.
[早失父母] (조실 부모) 어려서 부모를 여읨.
[早朝] (조조) 이른 아침.

⑧ 【明】 밝을 명 明

부수 日 (날 일) 부
찾기 日⁴＋月⁴ = 8획

글자뿌리 회의(會意) 문자. 날 일(日)과 달 월(月)을 합친 자로, 해는 낮, 달은 밤에 밝게 비쳐 준다는 데서 '밝다'의 뜻. 나아가 '낮', '나타나다'의 뜻.

글자풀이 1 밝다. 맑다. 똑똑하다. 2 날 새다. 3 이승.

[明年] (명년) 내년.

[明朗] (명랑) 밝고 쾌활함.

[明晳] (명석) 생각하고 판단함이 분명하고 똑똑함.

[明日] (명일) 내일.

[失明] (실명) 눈이 멂.

[幽明] (유명) ① 저승과 이승. ② 어둠과 밝음.

4
⑧【昔】옛 석 昔

부수 日 (날 일)부

찾기 日⁴+昔⁴ = 8획

| 一 | 十 | 卄 | 芇 | 昔 | 昔 | 昔 |

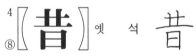

글자뿌리 회의(會意) 문자. 풀

초(艹=艸 : 말린 고기의 주름으로 보기도 함) 밑에 날 저물 혼(昏 : 昏)을 합친 자로, 풀 속으로 해가 빠지고 저무니 지난 때인 '옛날'을 뜻함.

글자풀이 옛. 접때.

[今昔] (금석) 지금과 옛적. ¶ 今昔之感(금석지감).

4
⑧【易】❶ 바꿀 역 易
❷ 쉬울 이

부수 日 (날 일)부

찾기 日⁴+勿⁴ = 8획

| 一 | 𠃌 | 日 | 𠀉 | 易 | 易 | 易 |

글자뿌리 상형(象形) 문자. 도마뱀의 머리와 네 개의 발을 그린 그림이 발달한 자.

글자풀이 ❶ 1 바꾸다. 변하다. 2 주역. ❷ 3 쉽다. 간략하다.

[易書] (역서) 점술에 관한 책.

[易學] (역학) 주역에 관해 연구하는 학문.

[交易] (교역) 물건을 서로 사고 파는 일.

[貿易] (무역) ① 상품을 팔고 사거나 교환하는 일. ② 외국과 물품을 수출 또는 수입하는 일.

[周易] (주역) 삼경(三經)의 하

나. 음양의 원리로 천지 만물의 변화하는 현상을 설명하고 해석한 유교의 경전. ⑧ 易經(역경).

[安易](안이) ① 어렵지 않음. ② 근심 없이 편안함.

[便易](편이) 편리하고 쉬움.

[平易](평이) 쉬움.

4
⑧ 【昌】 창성할 창 昌

부수 日(날 일)부
찾기 日⁴+曰⁴ = 8획

丨	冂	日	曰	吕	昌	昌

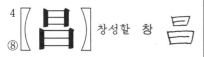

(글자뿌리) 회의(會意) 문자. 날 일(日)에 가로 왈(曰)을 합친 자로, 해〔日〕같이 밝고 공명하게 말〔曰〕함은 착한 것이니 '창성한다'는 뜻.

(글자풀이) 창성하다.

[昌盛](창성) 일이나 세력 등이 번성하고 잘 되어 감.

[繁昌](번창) 한창 잘 되어 성함. 번성함.

5
⑨ 【星】 별 성 星

부수 日(날 일)부
찾기 日⁴+生⁵ = 9획

丨	冂	日	曰	旦	旦	早

早	星				

(글자뿌리) 형성(形聲) 문자. 날 일(日〈뜻〉)에 날 생(生〈음〉)을 합친 자로, 해와 같이 빛을 발하는 '별'이라는 뜻.

🌸 ⇒ 🌟 ⇒ 星

(글자풀이) 1 별. 2 세월.

[星光](성광) 별의 빛.

[星霜](성상) 세월.

[星座](성좌) 별의 위치를 표시하는 별자리.

5
⑨ 【是】 이 시 是

부수 日(날 일)부
찾기 日⁴+疋⁵ = 9획

丨	冂	日	日	旦	루	루

县	是				

(글자뿌리) 회의(會意) 문자. 날 일(日)에 바를 정(疋=正)을 합친 자로, 태양의 운행은 '바르다'

는 뜻. 나아가 '이것'이라는 뜻도 나타냄.

⊙ ⊤ ⇒ 日 ⿱ ⇒ 是

（글자풀이） **1** 이. **2** 옳다. 바르다.

[是非] (시비) 옳음과 그름.

[是認] (시인) 옳다고 인정함.

[是正] (시정) 잘못을 바로잡음.

[國是] (국시) 그 나라의 근본이 되는 주의와 방침.

[必是] (필시) 반드시. 어김없이. 틀림없이.

5
⑨ 【昨】 어제 작 昨

부수 日 (날 일) 부
찾기 日⁴ + 乍⁵ = 9획

丨	冂	月	日	日'	日''	昨
昨	昨					

（글자뿌리） **형성(形聲)** 문자. 날 일(日〈뜻〉)에 잠깐 사(乍〈음〉)를 합친 자로, 하루가 잠깐 사이에 지나가니 '어제'라는 뜻.

（글자풀이） 어제.

[昨今] (작금) 어제와 오늘. 요즈음. 근래.

[昨年] (작년) 지난 해.

[再昨年] (재작년) 그러께. 2년 전의 해. 지지난해.

5
⑨ 【春】 봄 춘 春

부수 日 (날 일) 부
찾기 日⁴ + 夫⁵ = 9획

一	二	三	声	夫	夫	春
春	春					

（글자뿌리） **회의(會意)** 문자. 풀 초(艸) 밑에 어려울 준(屯)과 날 일(日)을 합친 자로, 햇빛을 받아 풀의 싹이 어렵게 돋아나는 계절은 '봄'이라는 뜻.

草 ⊙ ⇒ 屮 日 ⇒ 春

（글자풀이） 봄.

[春季] (춘계) 봄.

[春窮期] (춘궁기) 봄철에 농가에서 양식이 떨어져 궁하게 지낼 때. 곧, 음력 3~4월경.

[春分] (춘분) 24절기의 하나. 3월 21일경. 낮과 밤의 길이가 같음.

[春秋] (춘추) ① 봄과 가을. ② 어른의 나이를 높여 이르는 말.

[思春期](사춘기) 청년 초기로 이성을 그리워하는 15〜20세 경을 일컫는 말.

⁶【時】 때 시 時
⑩

부수 日(날 일)부

찾기 日⁴＋寺⁶＝10획

丨	冂	冃	日	日一	日㇀	旪

| 旹 | 時 | 時 | | | | |

글자뿌리 형성(形聲) 문자. 날 일(日〈뜻〉)과 관청 시(寺〈음〉)를 합친 자로, 옛날에는 절이나 관청에서 종을 쳐서 하루의 시간을 알려 주었으므로 '때'를 뜻함.

글자풀이 때. 철.

[時局](시국) 세상 형편. 사회의 안팎 사정.

[時急](시급) 때가 몹시 급함.

[時代](시대) 일정한 기준에 의하여 구분된 기간. ¶朝鮮時代

(조선 시대).

[時勢](시세) ①그 때의 형편. ②그 때의 물건 값.

[時速](시속) 한 시간을 단위로 하는 속력.

[時節](시절) ①철. 때. ②사람의 일생을 몇 단계로 구분한 동안. ¶靑年時節(청년 시절).

⁷【晚】 늦을 만 晚
⑪

부수 日(날 일)부

찾기 日⁴＋免⁷＝11획

丨	冂	冃	日	日′	日″	日‴

| 晚 | 晚 | 晚 | 晚 | | | |

글자뿌리 형성(形聲) 문자. 날 일(日〈뜻〉)에 면할 면(免〈음〉)을 합친 자로, 밝게 비춰 주던 일에서 면한다, 즉 저문다는 데서 '늦다'의 뜻이 된 자.

글자풀이 늦다. 저물다.

[晚年](만년) 나이 많은 노인의 시절.

[晚成](만성) 늦게야 이루어짐. ¶大器晚成(대기 만성).

[晚鐘](만종) 저녁때 절이나 교회 같은 데서 치는 종.

[晚秋](만추) 늦가을.

[晚學] (만학) 나이가 들어서 늦게야 공부함.

[早晚間] (조만간) 멀지 않아서. 이르든지 늦든지. 어느 때든지.

7
⑪ [晝] 낮 주 晝

<한자표 type="부수">日 (날 일) 부</한자표>
찾기 日⁴ + 書⁷ = 11획

글자뿌리 회의(會意) 문자. 날 일(日)에 가를 획(書=劃)을 합친 글자로, 해[日]가 뜨고 짐을 구획지어 '낮'을 뜻하게 된 자.

글자풀이 낮.

[晝間] (주간) 낮. 낮 동안.

[晝耕夜讀] (주경 야독) 낮에는 일하고, 밤에는 공부함.

[晝夜] (주야) 밤낮.

[晝夜長川] (주야 장천) 밤낮으로 쉬지 않고 잇따라서.

[白晝] (백주) 대낮.

8
⑫ [景] 빛 경 景

부수 日 (날 일) 부
찾기 日⁴ + 京⁸ = 12획

ノ	冂	冃	日	日	묘	昦
昻	昮	景	景	景		

글자뿌리 형성(形聲) 문자. 날 일(日〈뜻〉)에 지경 경(京 = 竟〈음〉)을 합친 자로, 어떤 지경의 햇빛이란 데서 '밝다'의 뜻. 또, 자연의 조화를 뜻하여 '경치'의 뜻.

글자풀이 1 빛. 볕. 2 경치.

[景觀] (경관) 산·강 등 자연의 아름다운 모습. ⑧景致(경치).

[光景] (광경) 모습. 벌어진 일의 형편이나 모양.

[絶景] (절경) 더할 수 없이 아름다운 경치.

8
⑫ [晴] 갤 청 晴

부수 日 (날 일) 부
찾기 日⁴ + 靑⁸ = 12획

｜	刀	刖	日	日¯	日⁺	日ᴴ
晴	晴	晴	晴	晴		

글자뿌리 형성(形聲) 문자. 날 일
(日〈뜻〉)에 푸를 청(靑〈음〉)을
합친 자로, 하늘이 푸르고 날이
맑다 하여 '개다', '맑다'의 뜻.

글자풀이 개다. 날이 개다.

[晴天](청천) 맑게 갠 하늘.
[快晴](쾌청) 날씨가 좋음.

⑬[暖] 따뜻할 난 暖

부수 日(날 일)부
찾기 日⁴＋爰⁹＝13획

글자뿌리 형성(形聲) 문자. 날 일
(日〈뜻〉)에 바꿀 원(爰〈음〉)을
합친 자로, 햇빛을 받아 따뜻하게
한다 하여 '따뜻하다'의 뜻.

글자풀이 따뜻하다.

[暖帶](난대) 열대와 온대의 중
간으로 기후가 따뜻한 지대.

[暖流](난류) 온도가 높고 소
금기가 많은 해류. ⑭寒流(한
류).
[暖房](난방) 따뜻한 방. 또는
방을 덥게 함. ⑭冷房(냉방).

⑬[暑] 더울 서 暑

부수 日(날 일)부
찾기 日⁴＋者⁹＝13획

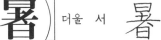

글자뿌리 형성(形聲) 문자. 날
일(日〈뜻〉)에 놈 자(者 : 타는 장
작불 모양〈음〉)를 합친 자로, 햇
빛이 강렬하여 장작불 같다는 데
서 '덥다'의 뜻이 된 자.

글자풀이 덥다. 더위.

[處暑](처서) 24절기의 하나.
8월 23일경으로, 입추와 백로
사이.
[避暑](피서) 시원한 곳으로 옮
겨 더위를 피하는 일.

⑨⑬〔暗〕 어두울 암 暗

부수 日(날 일)부

찾기 日⁴+音⁹ = 13획

l	⺆	月	日	日ˋ	日ˊ	日ˊ
日ˊ	日ˊ	日ˊ	暗	暗	暗	

글자뿌리 형성(形聲) 문자. 날 일(日〈뜻〉)에 그늘 음(音＝陰〈음〉)을 합친 자로, 해가 지자 그늘이 져서 소리만 들릴 정도로 깜깜하다는 데서 '어둡다'의 뜻.

글자풀이 1 어둡다. 2 가만히. 남몰래. 3 외다.

[暗記](암기) 머릿속에 외어 잊지 아니함.

[暗澹](암담) ① 어두컴컴하고 쓸쓸함. ② 희망이 없음.

[暗殺](암살) 아무도 모르게 사람을 죽임.

[暗示](암시) 넌지시 알림.

[暗室](암실) 햇빛이 들어오지 못하도록 어둡게 꾸민 방.

[暗行](암행) 자신의 신분을 숨기고 남모르게 다님. ¶暗行御史(암행 어사).

[暗黑](암흑) ① 어둡고 캄캄함. ② 아주 어지럽거나 억압되어 희망을 가질 수 없게 된 상태를 비유하여 이르는 말.

⑪⑮〔暮〕 저물 모 暮

부수 日(날 일)부

찾기 日⁴+莫¹¹ = 15획

ˋ	⺀	⻊	⺾	⺾	芇	芇
莒	苩	莫	莫	莫	幕	暮

글자뿌리 회의(會意) 문자. 저물 막(莫 : 暮의 원자)에 날 일(日)을 합친 자로, 해가 풀 속으로 숨었다는 데서 '저물다', '늦다'의 뜻.

글자풀이 1 저물다. 2 늦다.

[歲暮](세모) 한 해의 마지막 때. 한 해가 저물어 가는 무렵.

⑪⑮〔暴〕 ❶ 사나울 포·폭 ❷ 나타낼 폭 暴

부수 日(날 일)부

찾기 日⁴+㬥¹¹ = 15획

丨	冂	日	旦	早	昌	昻

昇	异	暴	暴	暴	暴	暴

글자뿌리 회의(會意) 문자. 날 일(日)에 낼 출(出 : 出의 변형)과 두 손 공(八=𠬞), 쌀 미(水=米)를 합친 자로, 쌀을 두 손으로 내어놓고 햇빛에 말린다는 데서 '드러내다', '쬐다'의 뜻.

⊙ 𦥑 ⇒ 日 𦥑 ⇒ 暴

글자풀이 ❶ 1 사납다. 2 지나치다. 3 갑자기. ❷ 4 나타내다. 드러내다. 5 쬐다.

[暴惡](포악) 성질이 사나움.

[暴君](폭군) 포악한 임금.

[暴騰](폭등) 물건 값이 별안간 크게 오름. ㊌暴落(폭락).

[暴露](폭로) 감춘 일이 드러남. 비밀이 드러남.

[暴利](폭리) 부당한 이익.

[暴炎](폭염) 혹독하게 사나운 더위. ㊌暴暑(폭서).

[暴行](폭행) 사납고 거친 행동. 남에게 마구 주먹을 휘두르는 일.

4 日 (가로 왈) 部

입 구(口) 가운데 혀를 뜻하는 한 일(一)을 그어 입을 열어 말하는 모양을 나타냄.

0
④ 【日】 가로되 왈 $\boxminus$

부수 日 (가로 왈) 부

찾기 日⁴ = 4획

丨	冂	日	日		

글자뿌리 지사(指事) 문자. 입 구(口) 가운데에 혀를 뜻하는 한 일(一)을 그은 자로, 입을 열어 말하는 모양을 나타내고, 마음에 있는 생각을 말로 나타낸다 하여 '말하다'의 뜻.

글자풀이 가로되. 이르되. 말하되.

[曰可曰否](왈가 왈부) 어떠한 일에 대해서 옳다느니 그르다느니 하고 말함.

[曰牌](왈패) 언행이 단정하지 못하고 수선스러운 사람.

2
⑥ 【曲】 굽을 곡 $\boxplus$

부수 日 (가로 왈) 부

찾기 日⁴ + ∥² = 6획

丨	冂	冂	曲	曲	曲

글자뿌리 상형(象形) 문자. 대나무나 싸리를 엮어 만든 바구니의 굽은 모양을 본뜬 자로, 그 굽은 모양에서 '굽다', 나아가 '가락'의 뜻도 됨.

(글자풀이) 1 굽다. 2 굽이. 구석.
3 가락. 악곡. 4 자세하다.

[曲線](곡선) 부드럽게 구부러
　진 선. ⑪ 直線(직선).
[曲藝](곡예) 아슬아슬하게 손
　발이나 몸을 놀려서 하는 재주.
[曲調](곡조) 음악이나 가사의
　가락.
[歌曲](가곡) ① 노래. ② 독창
　곡·중창곡·합창곡 등의 성악곡.
[序曲](서곡) ① 가극·성극 등
　의 주요한 부분을 시작하기 전에
　연주하는 기악곡. ② 일의 시작.

³ 【更】 ❶ 고칠 경
⑦　　　 ❷ 다시 갱

부수 曰(가로 왈) 부
찾기 曰 + 丈 = 7획

| 一 | 厂 | 兲 | 兲 | 曰 | 更 | 更 |

(글자뿌리) 형성(形聲) 문자. 본디
글자는 남녘 병(丙〈음〉)에 칠 복
(攵〈뜻〉)을 합친 자로, 밝은 길로

나아가도록 일깨운다는 데서 '다
시' 바르게 '고쳐 준다'는 뜻.

(글자풀이) ❶ 1 고치다. 2 바꾸
다. 대신하다. ❷ 3 다시.

[更迭](경질) 어떤 직위에 있
　는 사람을 다른 사람으로 바꿈.
[更年期](갱년기) 성숙기에서
　노년기로 접어드는 시기.
[更生](갱생) ① 거의 죽을 지
　경에서 다시 살아남. ② 신앙
　등에 의해 죄악에서 벗어나 바
　른 삶을 되찾음.
[更新](갱신) 다시 새롭게 함.
　다시 새로워짐.
[更紙](갱지) 신문이나 시험지
　등을 만들 때 쓰이는 좀 거친
　종이의 하나.
[變更](변경) 바꾸어서 고침.

⁶ 【書】 글 서
⑩

부수 曰(가로 왈) 부
찾기 曰⁴ + 聿⁶ = 10획

フ	コ	ユ	彐	彐	聿	聿
書	書	書				

(글자뿌리) 형성(形聲) 문자. 붓
율(聿〈뜻〉)에 지을 저(曰=者:
著의 생략형〈음〉)를 합친 자로
붓으로 글을 짓거나 적는다는 데
서 '글', '글씨'의 뜻이 된 자.

글자뿌리 1 글. 글씨. 2 책. 문서. 3 쓰다. 4 편지.

[書簡] (서간) 편지. ¶書簡文 (서간문).

[書記] (서기) ① 회의 같은 데서 기록을 맡아 보는 사람. ② 관공서 등에서 문서의 관리나 기록을 맡은 사람. ¶面書記 (면서기).

[書類] (서류) 글자로 쓴 문서. 사무에 관한 문서.

[書藝] (서예) 글씨를 쓰는 방법을 배우는 일. 붓으로 글씨를 맵시 있게 쓰는 기술.

[書籍] (서적) 책. 서책.

[淨書] (정서) 깨끗이 옮겨 씀.

8
⑫ 【曾】 일찍 증 曾

부수 日(가로 왈) 부
찾기 日⁴+㔾⁸ = 12획

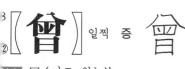

글자뿌리 상형(象形) 문자. 솥〔日〕에 얹은 시루〔㗊〕에서 김이 나가는 모양〔八〕을 본뜬 글자로, 시루를 뜻하다가 솥과 시루가 겹쳐진 데서 '거듭', 나아가 '일찍'의 뜻이 된 자.

글자풀이 1 일찍. 일찍이. 2 곧. 3 거듭.

[曾孫] (증손) 증손자.

[曾祖] (증조) 할아버지의 아버지. 삼대 위의 조상. 증조부.

[未曾有] (미증유) 이제까지 한 번도 있어 본 적이 없음. 일찍이 없음.

8
⑫ 【最】 가장 최 最

부수 日(가로 왈) 부
찾기 日⁴+取⁸ = 12획

글자뿌리 회의(會意) 문자. 무릅쓸 모(日 : 冒의 변형)에 취할 취(取)를 합친 자로, 위험을 무릅쓰고 적의 귀〔耳〕를 잘라〔又〕 오는 것은 '가장' 큰 모험이라는 뜻.

글자풀이 가장. 제일.

[最高] (최고) ① 가장 높음. ② 가장 나음. 좋음.

[最近] (최근) ① 가장 가까움. ② 얼마 안 되는 지나간 날.

[最善] (최선) ① 모든 힘. 전력. ② 가장 좋거나 훌륭한 것. ⑲ 最惡(최악).

[最新] (최신) 가장 새로움. ¶ 最新流行(최신 유행).

[最初] (최초) 맨 처음. ⑲ 最終 (최종).

---

⑨ ⑬ 【會】 모을 회 會

부수 日 (가로 왈) 부

찾기 日⁴＋會⁹ = 13획

| 丿 | 人 | 人 | 仒 | 今 | 侖 | 侖 |
| 侖 | 侖 | 會 | 會 | 會 | 會 | |

글자뿌리 회의(會意) 문자. 모을 집(亼:集의 본자)에 거듭 증(曾: 增의 생략형)을 합친 자로, 거듭 모은다는 데서 '모으다'의 뜻.

亼 ＋ 曾 ⇒ 會

글자풀이 1 모으다. 모이다. 만나다. 2 맞다. 3 기회. 4 회계.

[會見] (회견) 서로 만나 봄.

[會計] (회계) ① 따져서 셈함. ② 돈이나 물품을 주고받는 일

에 관한 사무.

[會談] (회담) 만나서 서로 의논함. 또는 그 일. ⑧ 會議(회의). ¶ 頂上會談(정상 회담).

[會心] (회심) 마음에 맞음. ¶ 會心作(회심작).

[機會] (기회) 어떤 일을 해 나가는 데 가장 알맞고 좋은 때.

---

⁴ 月 (달 월) 部

이지러진 달을 본뜬 글자.

⓪ ④ 【月】 달 월 月

부수 月 (달 월) 부

찾기 月⁴ = 4획

| 丿 | 刀 | 月 | 月 | | | |

글자뿌리 상형(象形) 문자. 이지러진 달의 모양을 본뜬 글자로 '달'을 뜻함. 나아가 '한 달'의 뜻으로도 쓰임.

⇒ ⇒ 月

글자풀이 **1** 달. **2** 세월.

[月刊](월간) 한 달에 한 번씩 펴냄. 또는 펴낸 것.

[月給](월급) 일한 삯으로 다 달이 받는 돈. 圖 俸給(봉급).

[歲月](세월) 흘러가는 시간.

2 【有】 있을 유 有
⑥

부수 月(달 월)부

찾기 月⁴+ナ² = 6획

ノ ナ オ 右 有 有

글자뿌리 회의(會意) 문자. 오른손 우(ナ: 又의 변형)에 고기 육(月: 肉의 변형)을 합친 자로, 손에 고기를 또 들고 있다 하여 '있다'의 뜻이 된 자.

글자풀이 **1** 있다. **2** 가지다.

[有口無言](유구 무언) 입이 있어도 할 말이 없다는 뜻으로, 변명할 말이 없음을 이르는 말.

[有能](유능) 재능이나 능력이 있음. 圖 無能(무능).

[有利](유리) 이익이 있음. 이로움.

[有識](유식) 아는 것이 많음. 圖 無識(무식).

[有益](유익) 도움이 될 만함.

[有罪](유죄) 죄가 있음. 圖 無罪(무죄).

[固有](고유) 본디부터 지니고 있거나 그것에만 특별히 있음.

[特有](특유) 그것만이 특별히 가지고 있음. 특별히 소유함.

[所有](소유) 자기 것으로 가지고 있음.

4 【服】 옷 복 服
⑧

부수 月(달 월)부

찾기 月⁴+艮⁴ = 8획

ノ 刀 月 月⁷ 肌 服 服

글자뿌리 회의(會意)·형성(形聲) 문자. 배 주(月: 舟의 변형)에 다스릴 복(艮)을 합친 자로, 배에서 선장의 다스림에 따른다는 데서 '좇다', '복종하다'의 뜻이 된 자. 또, 몸(月: 肉의 변형)을 다스리기 위하여 '약을 먹는다'거나 '옷을 입는다'는 데서 '옷'의 뜻으로도 쓰임.

글자풀이 1 옷. 옷을 입다. 2 일
하다. 복종하다. 3 제것으로 하
다. 4 약을 먹다.

[服務] (복무) 일을 맡아 봄. 의
　무를 치름.

[服裝] (복장) 옷차림.

[服從] (복종) 명령대로 따름.

[服藥] (복약) 약을 먹음.

[着服] (착복) 옷을 입음.

⁴
⑧ [朋] 벗　붕　朋

부수 月 (달 월) 부

찾기 月⁴+月⁴ = 8획

| ノ | 刀 | 月 | 月 | 月 | 朋 | 朋 |

글자뿌리 상형(象形) 문자. 재물
인 조개 다섯 개를 꿴 한 쌍을
본뜬 자로, '조개 열 개', 나아가
'무리'의 뜻. 또, 달 월(月)을 두
개 짝지어 놓은 자로, 새처럼 둘
이서 다정하게 붙어 다닌다는 데
서 '벗'의 뜻이 된 자.

글자풀이 1 벗. 2 무리.

[朋友] (붕우) 벗. 친구.

[朋友有信] (붕우 유신) 오륜의
　하나. 벗 사이에는 믿음이 있어
　야 한다는 말.

⁷
⑪ [望] 바랄 망　望

부수 月 (달 월) 부

찾기 月⁴+朢⁷ = 11획

| ` | 亠 | 亡 | 亡 | 亡ク | 亡夕 | 亡夕 |

| 亡夕 | 望 | 望 | 望 | | | |

글자뿌리 회의(會意) 문자. 본자
는 신하 신(亡=臣)과 달 월(月)
밑에 우뚝 설 정(壬)을 받친 자
로, 사람이 눈을 크게 뜨고〔臣〕
서서 달을 '바라본다'는 뜻.

글자풀이 1 바라다. 2 바라보다.
우러러보다. 3 원망하다. 4 보름.

[展望臺] (전망대) 멀리 바라볼
　수 있도록 높게 만들어 세운 대.

[望月] (망월) 보름달.

[望鄕] (망향) 고향을 그리워함.
　고향을 바라봄.

[怨望] (원망) 남을 못마땅하게
　여기어 탓함.

[責望] (책망) 허물을 들어 구
　짖음. 잘못을 나무람.

[希望] (희망) 앞일에 대한 소
　망. ⑲ 絶望 (절망).

8
⑫ 【期】 기약할 기　期

부수 月 (달 월) 부

찾기 月⁴＋其⁸ ＝ 12획

一	广	卝	卝	卙	其	其
其	其	期	期	期		

글자뿌리 형성(形聲) 문자. 그기(其〈음〉)에 달 월(月〈뜻〉)을 합친 자로, 달이 지구를 한 바퀴 도는 1개월을 뜻하며 '주기', '때'를 뜻하기도 함.

⇒ 其 ⇒ 期

글자풀이 1 기약하다. 목적을 세우고 바라다. 2 때. 기간.

[期間] (기간) 어느 일정한 시기의 사이.

[期待] (기대) 어떤 일이 이루어지기를 바라고 기다림.

[期末] (기말) 어느 기간의 끝. ¶ 期末考査(기말 고사).

[期成會] (기성회) 어떤 일을 이루고자 만든 모임.

[期約] (기약) 때를 정하여 약속함.

[期限] (기한) 미리 정하여 놓은 때.

[時期] (시기) ① 정하여진 때. ② 어떤 일을 하는 데 가장 적당한 때.

[定期] (정기) 정한 기한. 또는 기간. ¶ 定期國會(정기 국회).

[早期] (조기) 이른 시기. ¶ 早期敎育(조기 교육).

8
⑫ 【朝】 아침 조　朝

부수 月 (달 월) 부

찾기 月⁴＋卓⁸ ＝ 12획

一	十	十	古	吉	古	卓
卓	卓	朝	朝	朝		

글자뿌리 형성(形聲) 문자. 해돋을 간(卓 : 𠦝의 생략형)에 달 월(月)을 합친 자로, 아침 해가 빛나는데 서쪽 하늘에는 아직 달이 떠 있는 '아침'이라는 뜻.

⇒ 卓 ⇒ 朝

글자풀이 1 아침. 2 조정. 3 임금을 뵈다. 뵙다. 4 왕조.

[朝刊] (조간) 아침에 간행되는 신문. 조간 신문.

[朝飯] (조반) 아침밥.

[朝夕] (조석) 아침과 저녁.

[朝鮮] (조선) 고려가 망한 뒤, 이성계에 의해 새로이 세워진 우리 나라의 왕조.

[朝廷] (조정) 임금이 나라의 정치를 의논하고 집행하던 곳.

[朝會] (조회) 학교나 관청 등에서 일을 시작하기 전에 인사나 그 밖의 주의할 일 등을 이르는 아침의 모임. 图朝禮(조례).

[王朝] (왕조) ① 왕이 직접 다스리는 조정. ② 같은 왕가에 속하는 통치자의 계열. 또는 그 군림하는 시기.

---

⁴ 木 (나무 목) 部

땅에 뿌리를 박고 서 있는 나무의 모양을 본뜬 글자.

⁰④ 【木】 나무 목   木

부수 木 (나무 목) 부
찾기 木⁴ = 4획

| 一 | 十 | 才 | 木 | |

글자뿌리 상형(象形) 문자. 땅에 뿌리를 박고 가지를 벌리고 서 있는 나무의 모양을 본뜬 글자.

🌿 ⇒ 朮 ⇒ 木

글자풀이 1 나무. 2 질박하다.

[木刻] (목각) 그림 또는 글씨 등을 나무에 새김.

[木工] (목공) 나무를 재료로 여러 가지 물건을 만드는 일. 또는 만드는 사람. 图木手(목수). ¶木工所(목공소).

[木星] (목성) 태양에서부터 세어 다섯째의 행성. 태양계에 있는 아홉 개의 행성 중 가장 큼.

[木材] (목재) 어떤 물건을 만드는 데 쓰이는 나무로 된 재료.

[古木] (고목) 오래 묵은 나무. 나이 많은 나무.

[樹木] (수목) 살아 있는 나무.

[植木] (식목) 나무를 심음. ¶植木日(식목일).

---

¹⑤ 【末】 끝 말   末

부수 木 (나무 목) 부
찾기 木⁴ + 一¹ = 5획

| 一 | 二 | 宇 | 牙 | 末 | |

글자뿌리 지사(指事) 문자. ㄴ

무 목(木) 위에 한 일(一)을 합친 자로, 나무의 위쪽, 곧 '끝'을 가리킴.

$$朱 \Rightarrow 末 \Rightarrow 末$$

(글자풀이) **1** 끝. **2** 보잘것 없다. **3** 가루. **4** 가볍다.

[末期] (말기) 끝나는 시기.

[末端] (말단) 맨 아래. 맨 끄트머리.

[末日] (말일) ① 어느 기간의 마지막 날. ② 그 달의 마지막 날.

[末梢] (말초) ① 나무의 끝 가지. ② 사물의 끝. ¶末梢神經 (말초 신경).

[結末] (결말) 일을 맺는 끝.

[粉末] (분말) 가루.

[始末書] (시말서) 일을 잘못한 사람이 그 일의 시작부터 끝까지 자세히 적은 글.

[年末] (연말) 한 해의 마지막 때. 세밑. ⑲年初(연초).

[月末] (월말) 그 달의 끝 무렵.

[週末] (주말) 한 주일의 끝.

【未】 아닐 미　未

부수 木 (나무 목) 부

찾기 木⁴＋一¹ ＝ 5획

一	二	丰	才	未		

(글자뿌리) **상형(象形)** 문자. 나무〔木〕에 새로운 가지〔一〕가 돋아난 모양을 본뜬 글자로, 가지가 무성하나 열매 맛이 아직 들지 않았다는 데서 '되지 않음', '미처 못함', '하지 않는다'의 뜻이 된 자.

$$木 \Rightarrow 末 \Rightarrow 未$$

(글자풀이) 아니다. ※ '아직 아니함'과 같이 부정을 나타내는 말로 쓰임.

[未開] (미개) ① 문화가 발달하지 못한 모양. ⑧野蠻(야만). ¶未開人(미개인). ② 꽃이 피지 않음. ⑲開化(개화).

[未來] (미래) 앞으로 올 때.

[未滿] (미만) 정한 수나 정도에 차지 못함.

[未成年者] (미성년자) 법률에서, 아직 만 20세가 되지 않은 사람.

[未收] (미수) 아직 다 거두지 못함. ¶未收金(미수금).

[未然] (미연) 아직 그렇게 되지 않음.

[未定] (미정) 아직 결정을 하지 못함.

[未知數] (미지수) ① 짐작할 수 없는 앞일의 속셈. ② 방정식에서, 아직 알려지지 않은 수.

[未婚] (미혼) 아직 결혼을 하지 않음. ⑲旣婚(기혼).

1 ⑤ 【本】 근본 본

本

부수 木(나무 목) 부
찾기 木⁴+一¹ = 5획

| 一 | 十 | 才 | 木 | 本 | | |

글자뿌리 지사(指事) 문자. 나무〔木〕줄기의 밑부분에 한 일(一)을 그어 나무의 뿌리, 곧 '근본'되는 곳을 가리킴.

⇒ ⇒ 本

글자풀이 1 근본. 2 본디. 3 주가 되는 것. 4 자기 자신. 5 책.

[本能](본능) 생물이 태어날 때부터 가지고 있는 동작이나 성질·능력.
[本來](본래) 처음부터.
[本論](본론) 문장이나 말에서 주장이 되는 부분.
[本文](본문) 서론·부록 등을 제외한 본 줄거리가 되는 글.
[本部](본부) 어떠한 기관이나 단체의 중심이 되는 조직체.
[本分](본분) 그 사람이 마땅히 하여야 할 본디의 의무.
[本選](본선) 예선에 대하여 우승자를 결정하는 마지막 선발.
[本業](본업) 주가 되는 직업. ⑪副業(부업).
[本意](본의) 본래의 마음. 진정한 마음.

[本人](본인) 그 사람 자신. 당사자. 장본인.
[本籍](본적) 그 사람의 호적이 있는 곳. '본적지'의 준말.
[見本](견본) 미리 보이는 본보기가 되는 물건.
[基本權](기본권) 인간으로서 마땅히 누려야 할 기본적인 권리. '기본적 인권'의 준말.
[單行本](단행본) 총서나 전집과 달리 한 가지만을 단독으로 출판한 책.
[人本主義](인본주의) 인간이 모든 것의 중심이 된다는 사상.

2 ⑥ 【朱】 붉을 주

朱

부수 木(나무 목) 부
찾기 木⁴+ノ² = 6획

| ノ | 仁 | 二 | 牛 | 牛 | 朱 |

글자뿌리 지사(指事) 문자. 나무 목(木)의 중심에 한 일(一)과 점을 더한 자로, 소나무의 중간 가지를 자르면 송진이 나와 붉게 된다는 데서 '붉다'의 뜻.

(글자풀이) 붉다.

[朱丹] (주단) 곱고 붉은 빛깔.

[朱紅] (주홍) 노랑색과 빨강색의 중간색으로 붉은색에 가까운 색깔.

[朱黃] (주황) 빨강색과 노랑색의 중간색.

[印朱] (인주) 도장을 찍을 때 묻혀 쓰는 붉은 빛깔의 재료.

3
⑦ 【材】 재목 재 材

부수 木(나무 목) 부

찾기 木⁴+才³ = 7획

一 十 才 才 材 材 材

(글자뿌리) 형성(形聲) 문자. 나무 목(木〈뜻〉)에다 바탕 재(才〈음〉)를 합친 자로, 집을 지을 때 바탕이 되는 나무, 곧 '재목'을 뜻함. 또, 나무를 깎아 모양을 내므로 '재능'의 뜻도 있음.

⇒ 木 才 ⇒ 材

(글자풀이) 1 재목. 2 재료. 감.

3 재능.

[材料] (재료) ① 물건을 만드는 데 드는 원료. ② 예술적 표현의 제재.

[材能] (재능) 재주와 능력.

[材木] (재목) ① 건축·기구 등을 만드는 데 재료로 쓰는 나무. ② 어떤 직위에 합당한 인물.

[材質] (재질) 재료의 성질.

[骨材] (골재) 시멘트와 섞어서 콘크리트를 만드는 모래·자갈 등의 재료.

[敎材] (교재) 가르치고 배우는 데 쓰이는 재료.

[素材] (소재) ① 어떤 것을 만드는 데 바탕이 되는 재료. ② 예술 작품의 재료가 되는 모든 대상.

[藥材] (약재) 약을 짓는 재료. ¶ 漢藥材(한약재).

[人材] (인재) 학식과 능력이 뛰어나 큰 일을 할 수 있는 사람.

[資材] (자재) 어떤 물건을 만드는 물자와 재료.

3
⑦ 【村】 마을 촌 村

부수 木(나무 목) 부

찾기 木⁴+寸³ = 7획

一 十 才 才 村 村 村

(글자뿌리) 형성(形聲) 문자. 나

무 목(木〈뜻〉)에다 법도 촌(寸 〈음〉)을 합친 자로, 나무 밑에 법도 있게 모여 사는 곳이라는 데서 '마을'의 뜻이 된 자.

 ⇒ 木 寸 ⇒ 村

(글자풀이) 마을. 시골.

[江村] (강촌) 강가의 마을.

[農村] (농촌) 농사를 짓고 사는 사람들이 모여 사는 마을.

[無醫村] (무의촌) 의사나 의료 시설이 전혀 없는 마을.

[富村] (부촌) 부자가 많은 마을. 살기가 넉넉한 마을. ⑪貧村(빈촌).

[山村] (산촌) 산 속의 마을.

[漁村] (어촌) 어부들이 모여 사는 마을.

⁴⑧【果】 실과 과 果

부수 木 (나무 목) 부
찾기 木⁴+日⁴ = 8획

| 丨 | 冂 | 日 | 旦 | 甲 | 旱 | 果 |

(글자뿌리) 상형(象形) 문자. 나무〔木〕 위에 열매〔⊕〕가 열려 있는 모양을 본뜬 글자로, '과실', '열매'를 뜻함.

 ⇒ 果 ⇒ 果

(글자풀이) 1 실과. 과실. 2 결과. 3 결단성 있다. 4 과연.

[果敢] (과감) 일을 딱 잘라서 결정하는 성질이 있고 용감함.

[果樹園] (과수원) 과실 나무를 기르는 곳.

[果實] (과실) 먹을 수 있는 나무의 열매.

[果然] (과연) 알고 보니 참으로. 빈말이 아니라 정말로.

[結果] (결과) 어떤 원인으로 말미암아 생긴 일의 끝. ⑪原因(원인).

[無花果] (무화과) 뽕나무과에 속하는 과실 나무의 한 가지. 또는 그 열매.

[成果] (성과) 일을 이루어 내거나 이루어진 결과.

[水正果] (수정과) 생강을 달인 물에 설탕이나 꿀을 탄 다음, 곶감·계피를 담그고 잣을 띄운 음료.

[藥果] (약과) ① 밀가루를 기름과 꿀에 반죽한 후 기름에 지져서 만드는, 우리 나라 고유 과자의 한 가지. ② 감당하기

어렵지 않은 일.

[靑果] (청과) 신선한 과실과 채소를 통틀어 이르는 말. ¶靑果物(청과물).

[效果] (효과) 한 일로 말미암아 나타난 보람. ¶展示效果(전시 효과).

---

4 ⑧ 【東】 동녘 동 東

부수 木(나무 목)부

찾기 木⁴+日⁴ = 8획

一 厂 冂 日 申 東 東 東

(글자뿌리) 회의(會意) 문자. 나무 목(木)과 날 일(日)을 합친 자로, 해가 동쪽에서 떠올라 나무 중간에 걸쳐 있는 모양을 나타내어 '동쪽'을 뜻함.

東 ⇒ 東 ⇒ 東

(글자풀이) 동녘. 동쪽.

[東家食西家宿] (동가식 서가숙) 떠돌아다니며 이집 저집에서 얻어먹고 지냄. 또는 그런 사람.

[東問西答] (동문 서답) 동쪽을 묻는 데 서쪽을 대답한다는 뜻으로, 묻는 말에 대한 엉뚱한 대답을 이르는 말.

[東洋] (동양) 유럽 대륙인 서양에 대해 동쪽에 있는 아시아 전체를 일컫는 말.

[東風] (동풍) 동쪽에서 불어 오는 바람.

[東奔西走] (동분 서주) 이리저리 바쁘게 돌아다님.

[東西古今] (동서 고금) 동양과 서양, 옛날과 지금. 곧, '어디서나', '언제나'의 뜻.

[極東] (극동) 한국·일본·중국 등 아시아의 가장 동쪽에 있는 지역.

[海東] (해동) 발해의 동쪽에 있는 나라. 곧, 우리 나라를 말함.

---

4 ⑧ 【林】 수풀 림 林

부수 木(나무 목)부

찾기 木⁴+木⁴ = 8획

一 十 才 才 木 朴 村 林

(글자뿌리) 회의(會意) 문자. 나무 목(木)을 둘 겹친 자로 나무가 많이 서 있음을 나타내어 '수풀'이라는 뜻이 된 자.

林 ⇒ 林 ⇒ 林

글자풀이 수풀. 숲.

[林野](임야) 나무들이 들어서 있는 넓은 땅. 숲과 벌판.

[林業](임업) 인간 생활에 이용할 수 있는 나무를 가꾸고 베어 내는 산업.

[農林](농림) 농업과 임업. ¶ 農林水産部(농림 수산부).

[密林](밀림) 큰 나무들이 빽빽이 들어찬 수풀.

[山林](산림) 산과 숲. 산에 있는 숲.

[原始林](원시림) 옛날부터 사람이 벌목하거나 이용하지 않은 자연 그대로의 산림.

4
⑧ 【杯】 잔 배 杯

부수 木(나무 목)부
찾기 木⁴＋不⁴ = 8획

一 十 木 朩 朾 杯 杯

글자뿌리 형성(形聲) 문자. 나무 목(木〈뜻〉)에 아닐 불(不 : 술잔의 모양〈음〉)을 합친 자로, 옛날에는 나무로 만든 그릇으로 술을 마셨으므로 '술잔'의 뜻.

글자풀이 잔.

[乾杯](건배) 성공이나 건강을 빌며 모두가 술잔을 들어 마시는 일.

[苦杯](고배) ① 쓴 술잔. ② 쓰라린 경험의 비유.

[祝杯](축배) 축하하는 뜻으로 드는 술. 또는 그 술잔.

4
⑧ 【松】 소나무 송 松

부수 木(나무 목)부
찾기 木⁴＋公⁴ = 8획

一 十 木 朩 杉 松 松

글자뿌리 형성(形聲) 문자. 나무 목(木〈뜻〉)에 공변될 공(公 : 본래는 빽빽하다는 뜻〈음〉)을 합친 자로, 바늘 같은 잎이 빽빽이 나는 나무는 '소나무'라는 뜻.

글자풀이 소나무. 솔.

[松都](송도) 경기도 '개성(開城)'의 딴 이름.

[松林](송림) 소나무 숲. 솔숲.

[松栮](송이) 소나무의 잔뿌리에 붙어 사는 식용 버섯의 한 가지.

[老松](노송) 늙은 소나무.

④
[枝] 가지 지   枝

부수 木 (나무 목) 부
찾기 木⁴ + 支⁴ = 8획

| 一 | 十 | 才 | 木 | 枚 | 枋 | 枝 |

글자뿌리 형성(形聲) 문자. 나무 목(木〈뜻〉)에 가를 지(支〈음〉)를 합친 자로, 나무 줄기에서 갈라져 나간 것은 '가지'라는 뜻.

글자풀이 1 가지. 2 버티다.

[剪枝] (전지) 나뭇가지의 일부를 잘라 냄.

[金枝玉葉] (금지 옥엽) 황금으로 된 나뭇가지와 옥으로 만든 잎이라는 뜻으로, '임금의 자손이나 집안' 또는 '귀여운 자손'을 이르는 말.

⑤
⑨
[柳] 버드나무 류   柳

부수 木 (나무 목) 부
찾기 木⁴ + 卯⁵ = 9획

| 一 | 十 | 才 | 木 | 柯 | 柙 | 柳 |
| 柳 | 柳 | | | | | |

글자뿌리 형성(形聲) 문자. 나무 목(木〈뜻〉)에 넷째 지지 묘(卯 : 여기서는 나부낀다는 뜻임

〈음〉)를 합친 자로, 가지와 잎이 나부끼는 나무라는 데서 '버드나무'라는 뜻이 된 자.

글자풀이 버드나무. 버들.

⑤
⑨
[柔] 부드러울 유   柔

부수 木 (나무 목) 부
찾기 木⁴ + 矛⁵ = 9획

| 一 | 一 | 一 | 一 | 一 | 一 | 一 |
| 一 | 一 | | | | | |

글자뿌리 회의(會意) 문자. 창 모(矛)에 나무 목(木)을 합친 자로, 탄력성이 있어 창의 자루로 쓰이는 나무라는 데서 '부드럽다', '순하다'의 뜻이 된 자.

글자풀이 1 부드럽다. 2 온순하다. 순하다. 3 연약하다.

[柔道] (유도) 두 경기자가 맨손으로 맞잡고 서서 상대방의 힘을 이용하여 넘어뜨리거나 몸을 눌러 조르거나 하여 승부를 겨루는 운동.

[柔順] (유순) 성질이 부드럽고 순함.

[柔弱] (유약) 부드럽고 약함.

[柔軟] (유연) 부드럽고 연함.

[溫柔] (온유) 마음씨가 따뜻하고 부드러움.

⑩ 【校】 학교 교 校

부수 木(나무 목)부
찾기 木⁴+交⁶ = 10획

一	十	才	木	朩	朳	枋

栌	栌	校				

글자뿌리 형성(形聲) 문자. 나무 목(木〈뜻〉)에 사귈 교(交〈음〉)를 합친 자로, 본뜻은 '질곡(차꼬와 수갑)', '비교하다'의 뜻에서 구부러진 나무를 바로잡아 주듯이 학생들이 서로 사귀며 바르게 배우게 하는 곳이라는 데서 '학교'의 뜻.

글자풀이 1 학교. 2 교정하다. 3 장교.

[校歌](교가) 그 학교의 기풍을 높이기 위해서 특별히 만들어 학생들에게 부르도록 하는 노래.

[校友](교우) 같은 학교를 다니는 친구.

[校長](교장) 학교내의 사무를 관장하고, 직원을 통솔·감독하는 책임자.

[校正](교정) 글자가 잘못된 것을 대조하여 바르게 잡음.

[校庭](교정) 학교의 운동장.

[校訓](교훈) 학교의 교육 목표를 간단히 나타낸 표어.

[登校](등교) 학교에 감. ⑫ 下校(하교).

[將校](장교) 육·해·공군의 소위 이상의 군인.

[學校](학교) 여러 가지 시설을 갖추어 놓고 계속해서 가르치는 곳.

⑩ 【根】 뿌리 근 根

부수 木(나무 목)부
찾기 木⁴+艮⁶ = 10획

一	十	才	木	朾	栶	栶

栶	根	根				

글자뿌리 형성(形聲) 문자. 나무 목(木〈뜻〉)에 머무를 간(艮〈음〉)을 합친 자로, 나무의 가지가 위로 뻗지 않고 땅 밑으로 뻗는 것이 '뿌리'라는 뜻.

(글자뿌리) 형성(形聲) 문자. 편안할 안(安 : 여기서는 놓는다는 뜻〈음〉)에 나무 목(木〈뜻〉)을 합친 자로, 책을 놓고 편안하게 앉아 볼 수 있도록 나무로 만든 '책상'을 뜻함.

宷米 ⇒ 安木 ⇒ 案

(글자풀이) 1 책상. 안석. 2 생각하다. 생각. 3 인도하다.

[案件] (안건) 회의에서 토의하거나 연구할 거리.

[案內] (안내) 내용이나 사정 등을 알림. 데리고 가서 알려 줌.

[考案] (고안) 좋은 방법을 생각해 냄. 또는 그 생각.

[答案紙] (답안지) 시험 문제의 답을 쓸 종이.

[代案] (대안) 어떠한 의견을 대신하는 다른 의견.

[圖案] (도안) 미술·공예품 등을 만들기 위하여, 무늬·색·배치에 관하여 생각하고 연구하여 구상한 것을 그림으로 나타낸 것.

[方案] (방안) 일을 처리할 방법이나 계획.

(글자풀이) 1 뿌리. 2 근본. 밑.

[根幹] (근간) ① 뿌리와 줄기. ② 어떤 사물의 가장 중심이 되는 부분.

[根本] (근본) ① 사물이 발생하는 근원. ② 초목의 뿌리. ③ 자라 온 환경이나 경력.

[根源] (근원) 어떤 일이 생겨나는 본바탕. ⑧ 根本(근본).

[根絶] (근절) 어떤 일이 다시 일어나지 못하도록 뿌리째 없애 버림.

[毛根] (모근) 살갗 안에 박힌 털의 뿌리 부분.

[事實無根] (사실 무근) 사실이라는 근거가 없음. 사실과 다름.

6
⑩ 〔案〕 책상 안 案

부수 木(나무 목) 부

찾기 木⁴+安⁶ = 10획

ヽ	⼍	宀	灾	安	安
宰	穼	案			

6
⑩ 〔栽〕 심을 재 栽

부수 木(나무 목)

찾기 木⁴+𢧊⁶ = 10획

一	十	土	吉	丰	耒	耒

| 栽 | 栽 | 栽 | | | | |

글자뿌리 형성(形聲) 문자. 세울 재(𢦏〈음〉)에다가 나무 목(木〈뜻〉)을 합친 자로, 나무를 세워서 손질하여 '기른다'는 뜻. 나아가 '심다'의 뜻이 됨.

글자풀이 심다.

[栽培](재배) 풀이나 나무·곡식·채소 등을 심어 가꿈.

[盆栽](분재) 보고 즐기기 위하여 줄기나 가지를 아름답게 다듬거나 변형시켜 가꾼, 화분에 심은 나무. 또는 그렇게 가꾸는 일.

글자풀이 1 심다. 2 식물.

[植木](식목) 나무를 심음. 또는 심은 나무. 동 植樹(식수).

[植物](식물) 나무나 풀 등과 같이 줄기·뿌리·잎 등으로 되어 있는 생물. 반 動物(동물).

[植民地](식민지) 나라 밖의 땅으로서 본국이 다스리는 땅.

[植樹](식수) 나무를 심음. 동 植木(식목).

[移植](이식) 농작물이나 나무를 다른 데로 옮겨 심음.

8
⑫ 〔植〕 심을 식 植

부수 木 (나무 목) 부
찾기 木⁴＋直⁸ = 12획

一	十	才	木	朮	朮	柿

| 柿 | 柿 | 植 | 植 | 植 | | |

글자뿌리 형성(形聲) 문자. 나무 목(木〈뜻〉)에 곧을 직(直〈음〉)을 합친 자로, 식물을 곧게 세운다는 데서 '심다'의 뜻이 된 자.

米竜 ⇒ 木直 ⇒ 植

9
⑬ 〔極〕 지극할 극 極

부수 木 (나무 목) 부
찾기 木⁴＋亟⁹ = 13획

一	十	才	木	朮	朮	杤

| 朽 | 柯 | 柯 | 極 | 極 | 極 | |

글자뿌리 형성(形聲) 문자. 나무 목(木〈뜻〉)에 빠를 극(亟〈음〉)을 합친 자로, 그 집에서 가장 높은 곳〔亟〕에 있는 나무

〔木〕인 용마루를 뜻했다가, 가장 높다는 데서 '지극하다', '다하다'의 뜻.

글자풀이 1 지극하다. 2 다하다. 3 끝. 한계.

[極光](극광) 지구의 양극 지방의 공중에 나타나는 아름다운 광선. '오로라'라고도 함.

[極東](극동) 아시아에서 가장 동쪽에 있는 지역. 곧, 한국·중국·일본 등을 포함하는 지역.

[極烈](극렬) 지극히 열렬함.

[極貧](극빈) 몹시 가난함.

[極甚](극심) 매우 심함.

[極盡](극진) 정성을 다함.

[極形](극형) 더할 수 없이 무거운 형벌이라는 뜻으로, '사형'을 이르는 말.

[北極](북극) 지구의 가장 북쪽에 위치한 아주 추운 곳. ⑭ 南極(남극).

[兩極](양극) ① 남극과 북극. ② 양극(＋)과 음극(－).

⑨ 【業】 업 업 業 ⑬

부수 木 (나무 목) 부

찾기 木⁴+丵⁹ = 13획

丿 丨丨 丨丨丨 丬丬 业业 业业 业业

상형(象形) 문자. 북이나 종 따위의 악기를 다는 널을 본뜬 글자로, '종 다는 널'의 뜻. 나아가 글씨를 쓰는 판, 그것으로 배운다는 데서 '일', 나아가 '업'의 뜻.

글자풀이 1 업. 일. 직업. 2 선악의 소행.

[開業](개업) 영업을 시작함.

[農業](농업) 논밭을 갈아 곡식이나 채소 등을 가꾸고 거두는 일.

[事業](사업) 일정한 목적과 계획을 가지고 하는 일.

[産業](산업) 농업·수산업·임업·광업·공업 등 여러 가지 생산 사업을 통틀어 일컬음.

[商業](상업) 상품을 사고 팔고 하는 영업. 장사.

[自業自得](자업 자득) 자기가 저지른 일의 과보를 자기 자신이 받는 일.

[作業](작업) 일터에서 연장이나 기계 등을 가지고 일을 함. 또는 그 일.

[職業](직업) 생활을 꾸려 나가기 위하여 매일 하는 일.

[學業](학업) ① 학교의 공부. ② 공부하여 학문을 닦는 일.

9 ⑬ 〔楓〕 단풍나무 풍 楓

부수 木 (나무 목) 부
찾기 木⁴＋風⁹ = 13획

一	十	才	朮	朾	机	机
杌	枫	枫	楓	楓	楓	

글자뿌리 형성(形聲) 문자. 나무 목(木〈뜻〉)에 바람 풍(風〈음〉)을 합친 자로, 잎이 길어 바람에 잘 흔들리는 나무가 바로 '단풍나무'라는 뜻.

글자풀이 단풍나무.

[楓嶽山] (풍악산) 단풍으로 물든 산이라는 뜻으로, 가을의 금강산을 이르는 말.

[丹楓] (단풍) 늦가을에 빛깔이 붉게 변하거나 또는 누렇게 변한 나뭇잎.

10 ⑭ 〔榮〕 영화 영 榮

부수 木 (나무 목) 부
찾기 木⁴＋熒¹⁰ = 14획

丶	丷	少	火	炒	炒	炒
炒	炒	熒	炒	炒	榮	榮

글자뿌리 형성(形聲) 문자. 빛날 형(熒 : 熒의 생략형〈음〉)에 나무 목(木〈뜻〉)을 합친 자로, 나무에 핀 꽃이 불꽃처럼 반짝거려 '영화롭다', '번영하다'의 뜻이 된 자.

글자풀이 1 영화. 영화롭다. 2 성하다. 3 명예.

[榮光] (영광) 빛나는 명예.

[榮轉] (영전) 전보다 높은 지위에 오르는 일.

[榮華] (영화) 귀하게 되어 이름이 세상에 드러나고 빛남. ¶富貴榮華(부귀 영화).

[繁榮] (번영) 번성함. 일이 성하게 잘 됨.

[虛榮心] (허영심) 지나친 겉치레에 들뜬 마음.

11 ⑮ 〔樂〕 ❶ 풍류 악 ❷ 즐길 락 樂

부수 木 (나무 목) 부
찾기 木⁴＋鑅¹¹ = 15획

'	⺅	冇	白	白	泊	幼
幼	绐	幽	樂	樂	樂	樂

글자뿌리 상형(象形) 문자. 크고

작은 북이 받침 위에 놓여 있는 모양의 악기를 본뜬 글자로, '음악', '풍류'의 뜻이 되기도 하고, 음악을 들으면 즐거워지므로 '즐겁다'의 뜻이 된 자.

(글자풀이) ❶ 1 풍류. 음악. ❷ 2 즐기다.

[樂譜](악보) 음악의 곡조를 일정한 문자 또는 기호를 써서 나타낸 것.

[樂觀](낙관) ① 일이 잘 될 것으로 생각함. ② 인생이나 세상 형편을 희망적인 것으로 봄.

[樂園](낙원) 편안하게 살 수 있는 즐거운 곳.

[極樂](극락) 지극히 편안하여 아무 걱정이 없는 경우와 처지. 또는 그런 장소.

[樂天](낙천) 세상이나 인생을 즐겁게 생각하여 이를 즐김. ¶樂天主義(낙천주의).

[食道樂](식도락) 여러 가지의 맛있는 음식을 먹는 것을 즐거움으로 삼는 일.

[安樂死](안락사) 살아날 가망이 없는 병자의 고통을 덜어 주기 위하여 죽음에 이르게 하는 일.

[娛樂](오락) 재미있게 놀아서 기분을 즐겁게 하는 일.

12
⑯【橋】다리 교 橋

부수 木 (나무 목) 부
찾기 木⁴+喬¹² = 16획

一	十	才	木	术	朾	栌
栚	栿	栫	榺	椅	橋	橋
橋	橋					

(글자뿌리) 형성(形聲) 문자. 나무 목(木〈뜻〉)에 높을 교(喬〈음〉)를 합친 자로, 개울 위에 높고 구부러지게 걸쳐 놓은 나무라는 데서 '다리'의 뜻이 된 자.

(글자풀이) 다리. 교량.

[橋脚](교각) 다리를 받치고 있는 기둥.

[橋梁](교량) 강·개천·골짜기 또는 바다의 좁은 목 등에 건너다닐 수 있도록 높게 가로질러 걸쳐 놓은 시설. 다리.

[大橋](대교) 큰 다리. ¶漢江 大橋(한강 대교).

[陸橋](육교) 도로나 철도 위에 가로질러 놓은 다리.

[人道橋](인도교) 사람이나 자동차 따위가 건너다니게 만든 다리.

[鐵橋](철교) ① 쇠붙이로 만들어 놓은 다리. ② 철도가 지나는 다리.

¹²⑯【樹】나무 수 樹

부수 木(나무 목) 부
찾기 木⁴+尌¹² = 16획

一	十	才	木	朮	杧	枯
桂	桔	桔	桂	桔	樹	樹
樹	樹					

(글자뿌리) 형성(形聲) 문자. 나무 목(木〈뜻〉)에 세울 주(尌〈음〉)를 합친 자로, 나무를 심을 때는 반드시 세워서 심어야 한다는 데서 '나무', '심다'의 뜻.

🌱🍅🐦 ⇒ 木 尌 ⇒ 樹

(글자풀이) 1 나무. 초목. 2 심다. 3 세우다.

[樹立](수립) 국가·정부 제도·계획 등을 이룩하여 세움.

[樹木](수목) 나무.

[植樹](식수) 나무를 심음. ¶紀念植樹(기념 식수).

[針葉樹](침엽수) 잎이 가늘고 긴 나무들을 통틀어 이르는 말.

¹⁸㉒【權】권세 권 權

부수 木(나무 목) 부
찾기 木⁴+雚¹⁸ = 22획

一	十	才	木	朮	朮	朮
朮	朮	朮	朮	棤	棤	棤
棤	棤	椎	榫	權	權	權

(글자뿌리) 형성(形聲) 문자. 나무 목(木〈뜻〉)에 황새 관(雚〈음〉)을 합친 자로, 황새가 서로 울음을 주고받은 것과 같이 저울질한다는 뜻인데, 저울은 무게를 지배한다는 데서 '세다', 나아가 사람의 '권세'를 뜻하게 된 자.

🌱🐦 ⇒ 木雚 ⇒ 權

(글자풀이) 1 권세. 2 권도. 방편. 3 저울질하다.

[權能](권능) ① 권력과 능력

② 권리를 주장하고 행사할 수 있는 능력.

[權利] (권리) ① 자기의 이익을 주장하고 누릴 수 있는 힘. ② 권세와 이익.

[權威主義] (권위주의) 권위에 대하여 무조건 복종하거나, 권위를 이용하여 다른 사람들을 마음대로 억누르려고 하는 생각이나 행동.

[權勢] (권세) 세력과 위세. 남을 복종시키는 힘.

[公權力] (공권력) 국가나 공공 단체가 국민에 대하여 명령하고 강제하는 권력. 또는 그 권력을 행사하는 국가.

[國權] (국권) ① 국가의 주권. ② 국가의 통치권.

[永住權] (영주권) 일정한 자격을 갖춘 외국인에게 그 나라에서 영원히 살 수 있도록 주는 권리.

[人權] (인권) 인간으로서 당연히 가지는 기본적인 권리.

[著作權] (저작권) 저작물의 저작자가 그 저작물의 복제나 번역·방송·상연 등을 독점하는 권리.

[政權] (정권) 정치를 행할 수 있는 권력.

[主權] (주권) ① 주되는 권리. ② 국가를 이루는 가장 중요하고 중심이 되는 권리.

4 欠 (하품 흠) 部

그릇 따위가 깨짐을 뜻함. 또는 사람이 하품하는 모양을 본뜬 글자.

2 ⑥【次】 버금 차

부수 欠 (하품 흠) 부

찾기 欠⁴+二² = 6획

(글자뿌리) 형성(形聲) 문자. 두 이(二〈음〉)에 하품 흠(欠〈뜻〉)을 합친 자로, 사람이 여행 도중에 하품이 나서 쉬는 곳이라는 데서 나아가 '다음'의 뜻.

(글자풀이) 1 버금. 다음. 2 차례. 3 번. ※ 횟수를 세는 단위.

[次期] (차기) 다음 시기나 기회.

[次男] (차남) 둘째 아들.

[次例] (차례) 일정하게 하나씩 하나씩 일을 벌여 나가는 순서.

[次點] (차점) 최고 점수의 다음 가는 점수.

[席次] (석차) ① 자리의 차례. 석순. ② 성적의 차례.

[將次] (장차) 차차. 앞으로.

[四次元] (사차원) 상대성 이론

에서 쓰이는 개념으로, 공간과 시간을 합쳐서 생각한 세계.

[再次] (재차) 두 번째. 또다시.

7
⑪【欲】하고자 할 욕

부수 欠(하품 흠) 부
찾기 欠⁴＋谷⁷＝11획

ノ	ハ	グ	父	谷	谷	谷
谷	谷	欲	欲			

글자뿌리 형성(形聲) 문자. 하품 흠(欠〈뜻〉)에 골 곡(谷〈음〉)을 합친 자로, 골짜기처럼 텅 빈 마음을 채우려고 입을 크게 벌리고 욕심을 낸다는 데서 '탐내다'의 뜻이 된 자.

글자풀이 1 하고자 하다. 바라다. 2 탐내다.

[欲求] (욕구) 바라고 원함. 하고자 함. ¶欲求不滿(욕구 불만).

[欲望] (욕망) ① 바라고 원함. ② 부족을 느껴 이를 채우고자 하는 마음.

[欲心] (욕심) 자기만을 이롭게 하려는 마음. 탐내는 마음.

[食欲] (식욕) 음식을 먹고 싶은 마음. 밥맛.

10
⑭【歌】노래 가

부수 欠(하품 흠) 부
찾기 欠⁴＋哥¹⁰＝14획

一	丆	厅	哥	哥	哥	哥
哥	哥	哥	哥	歌	歌	歌

글자뿌리 형성(形聲) 문자. 노래할 가(哥〈음〉)에 하품 흠(欠〈뜻〉)을 합친 자로, 하품하듯이 입을 벌리고 노래를 부른다는 데서 '노래', '읊조리다'의 뜻.

글자풀이 노래. 노래하다.

[歌曲] (가곡) ① 노래. ② 독창곡·중창곡·합창곡 등의 성악곡.

[歌舞] (가무) 노래와 춤. 노래하고 춤을 춤.

[歌謠] (가요) 가락을 붙여 부르는 노래. 민요·동요·유행가 등을 통틀어 이르는 말.

[高聲放歌] (고성 방가) 높고 큰 목소리로 노래를 부름.

[校歌] (교가) 그 학교의 기풍을 높이기 위해서 특별히 만들어 학생들에게 부르도록 하는 노래.

[國歌] (국가) 나라를 상징하며 대표하는 노래. ¶愛國歌(애국가).

[流行歌] (유행가) 어느 한 시기에 널리 불리는 노래.

[祝歌] (축가) 축하하는 뜻으로 부르는 노래.

¹⁸
_㉒ 【歡】 기뻐할 환 歡

부수 欠 (하품 흠) 부
찾기 欠⁴＋雚¹⁸ ＝ 22획

⸍	⸍	⸍⸍	⸍⸍	⸍⸍	⸍⸍	⸍⸍
⸍⸍	⸍⸍	⸍⸍	⸍⸍	⸍⸍	⸍⸍	⸍⸍
⸍⸍	⸍⸍	⸍⸍	⸍⸍	歡	歡	歡

(글자뿌리) 형성(形聲) 문자. 황새 관(雚〈음〉)에 하품 흠(欠〈뜻〉)을 합친 자로, 어미황새가 먹이를 물어 오면 새끼들이 소리를 내며 입을 벌려〔欠〕 기뻐한다는 데서 '기뻐하다'의 뜻.

(글자풀이) 기뻐하다. 즐기다.

[歡談] (환담) 즐거운 마음으로 정답게 이야기함. 또는 그러한 이야기.

[歡待] (환대) 기쁘게 맞아 정성껏 대접함.

[歡聲] (환성) 기뻐서 부르짖는 소리.

[歡送] (환송) 기쁜 마음으로 보냄. ⊕歡迎(환영).

[歡心] (환심) 기뻐하고 즐거워하는 마음.

[歡迎] (환영) 기쁜 마음으로 맞이함.

[歡呼] (환호) 몹시 기뻐서 소리를 지름. ⊜歡聲(환성).

---

⁴ **止** (그칠 지) **部**

가만히 있는 발목 전체의 모양을 본뜬 글자.

⁰
_④ 【止】 그칠 지 止

부수 止 (그칠 지) 부
찾기 止⁴ ＝ 4획

⸍	⼧	⼧	止		

(글자뿌리) 상형(象形) 문자. 발목 전체의 모양을 본뜬 글자로, 움직이지 않고 가만히 있으므로 '그치다', '머무르다'의 뜻.

글자풀이 1 그치다. 멎다. 2 막다. 금지하다. 3 머무르다.

[止血] (지혈) 피가 나오다 그침. 또는 나오는 피를 그치게 함.
[禁止] (금지) 하지 못하게 함.
[防止] (방지) 어떤 일이 일어나지 못하도록 막음.
[停止] (정지) 중도에서 멎거나 그침. ᄈ進行(진행).

1
⑤ 【正】 바를 정   正

부수 止 (그칠 지) 부
찾기 止⁴+一¹ = 5획

| 一 | 丁 | 下 | 正 | 正 |

글자뿌리 회의(會意) 문자. 한 일(一)에 발 지(止)를 합친 자로, 해·달·별 등 하늘[一]의 움직임[止]이 정확하고 틀림이 없다는 데서 '바르다'의 뜻.

⌒ 🐾 ⇒ 一 ⊬ ⇒ 正

글자풀이 1 바르다. 바로잡다. 2 본. 주가 되는 것. 3 정월.

[正刻] (정각) 조금도 틀림없는 바로 그 시각.
[正規] (정규) 바른 규정. 정당한 법.
[正氣] (정기) ① 생명의 근원이 되는 기운. ② 정신과 기력.
[正當] (정당) 바르고 옳음. 이치에 알맞음.
[正大] (정대) 바르고 큼. 정정당당(正正堂堂)함.
[正月] (정월) 1년 중의 첫째 달. 1월.
[正義] (정의) ① 올바른 도리. ¶ 正義感(정의감). ② 바른 뜻.
[正常] (정상) 바르고 떳떳함.
[正色] (정색) 얼굴빛을 엄격하고 바르게 가짐.
[正午] (정오) 낮의 열두 시.
[正正堂堂] (정정당당) 바르고 떳떳함.
[正直] (정직) 거짓이나 꾸밈이 없이 마음이 바르고 곧음.
[正統] (정통) ① 바른 계통. ② 사물의 요긴한 부분.
[正確] (정확) 바르고 확실함.
[公正] (공정) 치우침 없이 바르고 공평함.
[公明正大] (공명 정대) 마음이 바르고 떳떳하며, 조금도 사사로움이 없이 바름.
[校正] (교정) 글자가 잘못된 것을 대조하여 바르게 잡음.
[修正] (수정) 잘못된 것을 바

르게 잡음.

[子正](자정) 밤 열두 시.

[訂正](정정) 잘못된 것을 바로잡아 고침.

[眞正](진정) 참되고 바름. 거짓이 없음.

---

⑥ [此] 이 차 此

부수 止(그칠 지)부
찾기 止⁴+匕² = 6획

| 丨 | 卜 | 卝 | 止 | 止- | 此 |

글자뿌리 회의(會意) 문자. 발목 지(止)에 따를 비(匕:比의 생략형)를 합친 자로, 발자국을 밟고 있는 자리라는 데서 가장 가까운 '이', '이것'의 뜻.

글자풀이 이. 이에.

[此日彼日](차일 피일) 오늘 내일 하고 기한을 물림.

[此後](차후) 이 다음. 이 뒤.

[於此彼](어차피) 이렇게 하든지 저렇게 하든지.

[如此](여차) 이와 같음.

---

⑦ [步] 걸음 보 步

부수 止(그칠 지)부
찾기 止⁴+少³ = 7획

| 丨 | 卜 | 卝 | 止 | 屮 | 屮 | 步 |

글자뿌리 상형(象形) 문자. 양쪽 다리의 모양을 본뜬 글자. 한 걸음 한 걸음 걸어간다는 데서 '걷다'의 뜻이 된 자.

글자풀이 1 걸음. 걷다. 2 여섯 자. ※ 지적(地積)의 한 단위.

[步道](보도) 사람이 걸어다니는 길. 사람이 다니는 길.

[步調](보조) ① 걸음걸이의 속도. ② 여러 사람의 행동이 맞고 안 맞는 정도.

[步行](보행) 탈것을 타지 않고 걸어서 감.

[競步](경보) 어느 한쪽 발이 반드시 땅에 닿은 상태로 하여 일정한 거리를 걸어서 빠르기를 겨루는 육상 경기의 한 가지.

[五十步百步](오십보 백보) 싸움에서 오십 보 달아난 사람이 백 보 달아난 사람을 비웃는다는 뜻으로, 차이가 심하지 않고 대체로 비슷함을 이르는 말.

[進步](진보) 점점 잘 되어 나감. 차차 발달함. 逬退步(퇴보).

[初步](초보) 학문·기술 등을 배우는 가장 낮고 쉬운 정도의 단계. ¶初步運轉(초보 운전).

⁴
⑧ 【武】 호반 무 武

부수 止 (그칠 지) 부
찾기 止⁴ + 弋⁴ = 8획

| 一 | 二 | 千 | 千 | 正 | 武 | 武 |

글자뿌리 회의(會意) 문자. 창과(弋 : 戈의 변형자)에 막을 지(止)를 합친 자로, 적이 싸울 의욕을 버리도록 하는 군대의 힘을 뜻하며, 나아가 '전쟁의 기술', '강한 힘'의 뜻.

 ⇒  ⇒ 武

글자풀이 1 호반. 군사. 전쟁. 2 굳세다. 3 발자취.

[武功](무공) 전쟁터에서 싸운 공적.

[武官](무관) ① 옛날 과거 시험의 하나인 무과 출신의 벼슬아치. ② 군대의 일을 맡아 보는 관리.

[武器](무기) 전쟁에 쓰는 기구. 동兵器(병기).

[武道](무도) ① 무술을 하는 사람이 마땅히 지켜야 할 도리. ② '무예·무술'을 통틀어 이르는 말.

[武藝](무예) 활·말·창·칼 등의 무술에 관한 재주. 동武術(무술).

[武勇](무용) ① 싸움에서의 용맹스러움. ② 무예와 용맹. ¶武勇談(무용담).

[文武](문무) 학문과 무예. 곧 글을 읽는 일과 말 타고 활 쏘는 일을 통틀어 이르는 말.

⁹
⑬ 【歲】 해 세 歲

부수 止 (그칠 지) 부
찾기 止⁴ + 戌⁹ = 13획

| 丿 | ト | 止 | 止 | 止 | 芦 | 芦 |

| 岸 | 芦 | 芦 | 歲 | 歲 | 歲 |

글자뿌리 형성(形聲) 문자. 걸음 보(步〈뜻〉)와 개 술(戌〈음〉)을 합친 자로, 날이 가서 9월이 되어 곡식을 거두어들이기까지를 한 해로 친다는 데서 '해', '세월'

의 뜻이 된 자.

글자풀이 **1** 해. **2** 나이. **3** 세월.

[歲拜] (세배) 새해에 웃어른들께 드리는 인사.

[歲月] (세월) 흘러가는 시간.

[萬歲] (만세) 앞일을 축하할 때나 길이 복을 누리라고 외칠 때 쓰는 말.

[年歲] (연세) '나이'의 높임말. ⑧ 春秋(춘추).

사회의 발자취. 또는 그것을 기록한 학문. ② 오늘날에 이르기까지의 변화된 자취.

[經歷] (경력) ① 여러 가지 겪어 온 일들. 겪어 지내 옴. ② 이력(履歷).

[來歷] (내력) 겪어 온 자취.

[履歷書] (이력서) 지금까지의 학업·직업 등의 경력을 적은 종이.

[前歷] (전력) 현재에 이르기까지의 행적.

[學歷] (학력) ① 학문을 쌓은 정도. ② 학문상의 실력.

12
⑯ 【歷】 지낼 력　歷

부수 止 (그칠 지) 부

찾기 止⁴+厤¹² = 16획

글자뿌리 형성(形聲) 문자. 책력 력(厤 : 曆의 생략형〈음〉)에다 그칠 지(止=之 : 걷는다는 뜻〈뜻〉)를 합친 자로, 책력과 같이 순서대로 두루 '지낸다'는 뜻.

글자풀이 **1** 지내다. 겪다. **2** 두루. **3** 책력. **4** 분명하다.

[歷代] (역대) 지난 여러 대.

[歷歷] (역력) 분명함. 또렷함.

[歷史] (역사) ① 인간이 살아 온

14
⑱ 【歸】 돌아올 귀　歸

부수 止 (그칠 지) 부

찾기 止⁴+帚¹⁴ = 18획

글자뿌리 회의(會意) 문자. 쫓을 추(追)의 변형인 '𠂤'에 비 추(帚 : 婦(지어미 부)의 생략형)를 합친 자로, 부인이 남편의 뒤를 따라 의지할 곳으로 간다는 데서 '돌아가다', '집으로 가다'의 뜻이 된 자.

글자풀이 **1** 돌아오다. 돌아가다.
2 붙좇다. **3** 시집가다.

[歸家] (귀가) 집으로 돌아감.

[歸國] (귀국) 외국에서 본국으로 돌아옴.

[歸結] (귀결) 끝을 맺음. 생각이나 의견의 결론을 맺음.

[歸路] (귀로) 돌아가거나 돌아오는 길.

[歸省客] (귀성객) 다른 고장에 있다가 부모를 뵈러 고향으로 돌아가는 사람들.

[歸順] (귀순) 반항하려는 마음을 버리고 스스로 돌아서 따라오거나 복종함.

[歸鄕] (귀향) 객지에서 고향으로 돌아감. 또는 돌아옴.

[歸化] (귀화) 다른 나라의 국적을 얻어 그 나라의 국민이 됨.

⁴ 歹 (죽을사변) 部

살을 발라 내고 남은 앙상한 뼈를 본뜬 자로, 한자로는 '뼈 앙상할 알'임.

---

² ⑥ 【死】 죽을 사   死

부수 歹 (죽을사변) 부
찾기 歹⁴ + 匕² = 6획

| 一 | ㄏ | ㄅ | 歹 | 歹 | 死 | |

글자뿌리 회의(會意) 문자. 뼈 앙상할 알(歹)에 사람 인(人)을 거꾸로 한 자인 '匕'를 합친 자로, 목숨이 다하여 앙상한 뼈로 변한다는 데서 '죽다'의 뜻.

글자풀이 **1** 죽다. 죽이다. 죽음.
2 생기가 없다. **3** 목숨을 걸다.

[死力] (사력) 죽기를 무릅쓰고 쓰는 힘.

[死守] (사수) 목숨을 걸고 지킴. 죽음으로써 지킴.

[死體] (사체) 사람이나 생물의 죽은 몸뚱이.

[死刑] (사형) 죄를 지은 사람의 목숨을 끊는 형벌.

[死活] (사활) 삶과 죽음.

[戰死] (전사) 전쟁터에서 싸우

다가 죽음.

[九死一生](구사 일생) 여러 차
례 죽을 고비를 겪고 겨우 살
아남.

[不死身](불사신) ① 어떤 고통
이라도 견디어 내는 강한 신체.
② 어떤 어려움이나 실패에도
꺾이지 않고 이겨 내는 사람의
비유.

---

⁴ 殳 (갖은등글월문) 部

부수로는 '攵(등글월문)'에 대
하여 '갖은등글월문'이라 하고,
한자로는 '몽둥이 수'임.

---

⑪ **[殺]** ❶죽일 살
❷덜 쇄 殺

부수 殳 (갖은등글월문) 부
찾기 殳⁴+ 朮⁷ = 11획

| ノ | メ | ㇏ | 乂 | 羊 | 朮 | 茶 |
| 朶 | 殺 | 殺 | 殺 | | | |

(글자뿌리) 형성(形聲) 문자. 몽
둥이 수(殳〈뜻〉)와 乂(爻의 생략
형〈뜻〉)을 바탕으로 朮(朮〈음〉)
을 합친 자로, 몽둥이로 쳐서
〔殳〕 희생물을 죽게〔朮〕 한다는
데서 '죽이다'의 뜻이 된 자.

(글자풀이) ❶ 1 죽이다. 2 없애
다. ❷ 3 덜다. 4 매우.

[殺氣](살기) 살인이라도 할 것
같은 무서운 분위기.

[殺伐](살벌) 분위기나 사람의
거동이 거칠고 무시무시함.

[殺身成仁](살신 성인) 옳은 일
을 위해 자기 몸을 희생함.

[殺人](살인) 사람을 죽임.

[殺害](살해) 남의 생명을 해
침. 사람을 죽임.

[暗殺](암살) 아무도 모르게 사
람을 죽임.

[自殺](자살) 스스로 자기 생
명을 끊음. ⑪ 他殺(타살).

[殺到](쇄도) 한꺼번에 세차게
몰려듦.

---

⁴ 毋 (말 무) 部

어머니 모(母)에 한 일(一)
을 더한 자로, 여자를 범하는
자를 '一'로 막는다는 뜻.

---

⑤ **[毋]** 어머니 모 母

부수 毋 (말 무) 부
찾기 毋⁴+ 丶¹ = 5획

| ㇄ | 勹 | 马 | 毌 | 母 | | |

(글자뿌리) 지사(指事) 문자. 계

집 녀(女)에 점 두 개를 찍어 여
자의 젖통을 나타내고, 여자가 젖
으로 아기를 기른다는 데서 '어
미'의 뜻이 된 자.

(글자풀이) **1** 어머니. 어미. **2** 모
체. 근본.

[母校] (모교) 자기가 졸업한 학
교. 자기의 출신 학교.
[母國] (모국) 외국에 가 있을
때 자기 나라를 이르는 말.
[母女] (모녀) 어머니와 딸.
[母性] (모성) 여성이 어머니로
서 가지는 근본적인 성질.
[母親] (모친) 어머니. ⑪ 父親
(부친).
[老母] (노모) 늙은 어머니.
[分母] (분모) 분수에서 가로 선
분의 아래쪽에 있는 수.
[叔母] (숙모) 작은 어머니.

3
⑦ **【每】** 매양 매　　每

부수 母 (말 무) 부

찾기 母⁴ + 𠂉³ = 7획

ノ	⸦	⸦	勾	毎	毎	每

(글자뿌리) 형성(形聲) 문자. 싹 나
올 철(𠂉 : 屮의 변형〈뜻〉)에 어
머니 모(母 : 풍부하다는 뜻〈음〉)
를 합친 자로, 풀의 싹이 잇달아 나
온다는 데서 '매양'의 뜻.

(글자풀이) 매양. 마다.

[每年] (매년) 해마다.
[每番] (매번) 번번이. 매회.
[每事] (매사) 일마다. 모든 일.
[每月] (매월) 다달이. 달마다.
[每日] (매일) 날마다. 하루하루.

---

⁴ 比 (견줄 비) 部

두 사람〔人〕이 나란히 서 있
는 모양을 본뜬 글자.

0
④ **【比】** 견줄　비
　　나란할 비　　

부수 比 (견줄 비) 부
찾기 比⁴ = 4획

ノ	ヒ	上ヒ	比		

(글자뿌리) 상형(象形) 문자. 두
사람이 나란히 서 있는 모습을
본뜬 글자로, 두 사람이 키를 서

로 '비교하다', '견주다'의 뜻.

<u>글자풀이</u> 1 견주다. 비례. 2 나란하다. 나란히 하다.

[比肩] (비견) 어깨를 나란히 함.
[比交] (비교) 서로 견주어 봄.
[比例] (비례) 물건 각 부분 사이의 비율.
[比率] (비율) 둘 이상의 수나 양을 비교할 때, 한쪽이 다른 쪽의 몇 배인가 또는 몇 분의 몇인가의 관계를 나타내는 수의 비의 값.

⁴ 毛 (터럭 모) 部

사람의 머리털이나 눈썹, 또는 짐승의 털 모양을 본떠 만든 글자.

【毛】 털 모 毛

<u>부수</u> 毛 (터럭 모) 부
<u>찾기</u> 毛⁴ = 4획

<u>글자뿌리</u> 상형(象形) 문자. 사람의 머리털, 혹은 짐승의 털 모양을 본뜬 글자.

<u>글자풀이</u> 1 털. 터럭. 2 가늘다. 작다. 가볍다. 3 풀.

[毛根] (모근) 살갗 안에 박힌 털의 뿌리 부분.
[毛髮] (모발) 사람의 머리털.
[毛皮] (모피) 털 가죽.
[不毛地] (불모지) 식물이 자라지 않는 거칠고 메마른 땅.
[二毛作] (이모작) 한 해에 같은 땅에서 두 차례 곡식을 거두어들이는 것.

⁴ 氏 (각시씨) 部

허물어져 가는 벼랑의 모양을 본뜬 글자. 또, 나무의 뿌리가 뻗어 나온 모양을 본뜬 글자라는 설도 있음.

0 ④ 【氏】
❶씨 씨
❷나라이름 지

氏

부수 氏 (각시씨) 부

찾기 氏⁴ = 4획

´	⺄	⺈	氏		

글자뿌리 상형(象形) 문자. 허물어져 가는 벼랑, 또는 땅 속의 나무 뿌리가 지상으로 조금 나온 모양을 본뜬 글자로, 사람의 씨족이 나무 뿌리처럼 뻗는다는 데서 '성씨(姓氏)'를 뜻함.

 ⇒ ⇒ 氏

글자풀이 ❶ 1 씨. ❷ 2 나라 이름.

[氏族] (씨족) 같은 조상을 가진 혈족.

[無名氏] (무명씨) 이름을 알지 못하는 사람을 높여 이르는 말.

[姓氏] (성씨) 성(姓)의 높임말.

[月氏] (월지) 기원전 5세기에 터키 계통의 민족이 세운 나라.

1 ⑤ 【民】
백성 민

民

부수 氏 (각시씨) 부

찾기 氏⁴ + ㄱ¹ = 5획

ㄱ	ㄱ	ㄹ	民	民	

글자뿌리 지사(指事) 문자. 어머니를 뜻하는 '氏'에 사람을 뜻하는 '一'을 합쳐 여인이 낳은 모든 사람을 가리키는 글자로, '백성'을 뜻함.

⇒ ⇒ 民

글자풀이 백성.

[民間] (민간) 일반 국민. 백성.

[民權] (민권) 국민의 권리.

[民生] (민생) 국민의 생활.

[民俗] (민속) 민간의 풍습이나 습관.

[住民] (주민) 그 땅에 사는 사람. ¶ 住民登錄(주민 등록).

⁴ 气 (기운 기) 部

수증기가 올라가는 모양을 본뜬 글자.

6 ⑩ 【氣】
기운 기

氣

부수 气 (기운 기) 부

찾기 气⁴ + 米⁶ = 10획

´	⺈	⺉	气	气	氕	氣

氣	氣	氣				

글자뿌리 형성(形聲) 문자. 기운 기(气〈음〉)에 쌀 미(米〈뜻〉)를 합친 자로, 쌀로 밥을 지을 때

증기〔气〕가 올라가는 데서 '기체', '기운'을 뜻함.

(글자풀이) 1 기운. 힘. 2 숨. 3 기체. 4 기후.

[氣力] (기력) 일을 맡아서 해 나갈 수 있는 힘.

[氣象] (기상) 대기 중에서 일어나는 비·눈·구름·기온 등의 여러 가지 현상.

[氣體] (기체) 공기나 가스 등과 같이 일정한 모양과 부피가 없는 물질.

[氣合] (기합) ① 정신과 힘을 신체에 나타내어 어떤 일을 하는 기세. 또는 그 때 지르는 소리. ② 군대나 단체 등에서 훈련삼아 주는 벌.

[氣候] (기후) 비가 오고, 맑고, 흐리고, 춥고, 덥고 하는 등의 모든 현상. 날씨.

⁴ 水 (물 수) 部

물이 흐르고 있는 모양을 본뜬 자. 변으로 쓰일 때의 자형은 'ㆍㆍㆍ'으로 '삼수변'이라 함.

【水】 물 수 水

부수 水 (물 수) 부
찾기 水⁴=4획

| ㅣ | ㆍㆍ | 小 | 水 | | |

(글자뿌리) 상형(象形) 문자. 물이 쉴새없이 흐르는 모양을 본뜬 글자.

(글자풀이) 1 물. 물이 일다. 2 수성(水星). 별 이름. 3 고르다.

[水道] (수도) 물을 소독하여 가정이나 그 밖의 필요한 곳으로 보내 주는 시설.

[水路] (수로) 물길. 뱃길. ⑪ 陸路(육로).

[水星] (수성) 태양계의 행성 가운데서 가장 작고, 태양에 가장 가까운 별.

[水深] (수심) 물의 깊이.

[水溫] (수온) 물의 온도.

[水平線] (수평선) 바다와 하늘이 맞닿아 보이는 선.

[湖水] (호수) 땅이 넓게 패어 물이 괸 곳으로, 못이나 늪보다 훨씬 크고 깊음.

【氷】 얼음 빙 氷

⑤

부수 水 (물 수) 부
찾기 水⁴+ 丶¹=5획

丿	刁	汐	沬	氷		

글자뿌리 회의(會意) 문자. 원자인 '冰'은 얼음 빙(冫)에 물 수(水)를 합친 자로, 물이 얼면 '얼음'이 된다는 뜻.

글자풀이 얼음. 얼다.

[氷菓](빙과) 얼음 과자. 아이스 크림. 아이스 케이크.

[氷山](빙산) 남극이나 북극의 빙하의 얼음이 밀려 내려와서 바다에 산처럼 떠 있는 것. 얼음산.

[氷雪](빙설) ① 얼음과 눈. ② 마음이 맑고 깨끗함을 비유하여 이르는 말.

[氷點](빙점) 물이 얼거나 얼음이 녹기 시작할 때의 온도. 곧, 0°C.

[製氷](제빙) 물을 얼려 얼음을 만드는 일.

【永】 길 영 永

⑤

부수 水 (물 수) 부
찾기 水⁴+ 丶¹=5획

丶	氵	永	永	永		

글자뿌리 지사(指事) 문자. 물수(水) 위에 점을 찍어 여러 갈래의 물줄기가 모여 합류함을 나타낸 자로, 물이 합류하여 멀리 흘러간다는 데서 '길다'의 뜻.

氷 ⇒ 氷 ⇒ 永

글자풀이 길다. 오래다.

[永劫](영겁) 영원한 세월.

[永久](영구) 길고 오램. ¶ 永久齒(영구치).

[永住權](영주권) 한 곳에서 영원히 살 수 있는 권리.

【求】 구할 구 求

②⑦

부수 水 (물 수) 부
찾기 水⁵(水)+ 乛²=7획

一	十	寸	才	求	求	求

글자뿌리 상형(象形) 문자. 털가죽을 달아맨 모양을 본뜬 자로, 갖옷 구(裘)의 본자. 가죽옷은 누구나 구하고 싶어한다는 데서 '구하다'의 뜻이 된 자.

汆 ⇒ 求 ⇒ 求

(글자풀이) 구하다. 탐내다.

[求道] (구도) 진리나 종교적인 깨달음의 경지를 구함.
[求人] (구인) 쓸 사람을 구함.
[求職] (구직) 직장을 구함.

³⑥【江】물이름 강 江

부수 水 (물 수) 부
찾기 氵³(水)+工³=6획

| ` | ¨ | 氵 | 氵 | 氵一 | 江 | 江 |

(글자뿌리) 형성(形聲) 문자. 물 수(水〈뜻〉)에 장인 공(工〈음〉)을 합친 자로, 육지를 뚫고〔工 : 관통한다는 뜻〕흐르는 '큰물'이 라는 데서 '강'을 뜻함.

(글자풀이) 물이름(양자강). 큰 내.

[江山] (강산) ① 강과 산. ② 나라의 영토.
[江村] (강촌) 강가에 있는 마을. 강마을.

³⑥【汝】너 여 汝

부수 水 (물 수) 부
찾기 氵³(水)+女³=6획

| ` | ¨ | 氵 | 氵𠃌 | 汝 | 汝 |

(글자뿌리) 형성(形聲) 문자. 물 수(水〈뜻〉)에 계집 녀(女〈음〉)를 합친 자로, 원래는 강 이름으로 쓰였으나, 지금은 가차하여 2인칭 대명사 '너'로 쓰임.

(글자풀이) 너.

[汝等] (여등) 너희들.

⁴⑦【決】결정할 결 決

부수 水 (물 수) 부
찾기 氵³(水)+夬⁴=7획

| ` | ¨ | 氵 | 氵一 | 氵二 | 決 | 決 |

(글자뿌리) 형성(形聲) 문자. 물 수(水〈뜻〉)에 터 놓을 쾌(夬〈음〉)를 합친 자로, 홍수로 큰 물이 지는 것을 막기 위해 상류 둑을 끊어 터 놓는다〔夬〕는 데서 '끊다', '결정하다'의 뜻.

北支 ⇒ 氵支 ⇒ 決

(글자풀이) 1 결정하다. 2 끊다. 끊어지다.

[決斷] (결단) 딱 잘라 결정함.
[決死] (결사) 죽기를 결심함.
[決心] (결심) 마음을 굳게 정
　함. 또는 그 정한 마음.
[可決] (가결) 좋다고 결정함.

5
⑧【法】법 법　法

부수 水 (물 수) 부
찾기 氵³(水)＋去⁵＝8획

`　氵　氵一　汁　汢　法　法

글자뿌리 회의(會意) 문자. 물
수(水)에 천거할 천(薦 : 사람의
옳고 그름을 가린다는 신령한 짐
승) 밑에 버릴 거(去)를 합친 자
로, 물이 평평하게 흘러가듯 옳고
그름을 가려 악을 없애는 '법'을
뜻함.

글자풀이 1 법. 2 방법. 본받다.

[法規] (법규) 국민들의 권리와
　의무를 정하여 활동을 제한하
　는 규정.

[法治國家] (법치 국가) 국민이
　만든 법률에 의하여 나라를 다
　스리는 국가.
[作法] (작법) 글이나 시 따위
　를 짓는 방법.

5
⑧【油】기름 유　油

부수 水 (물 수) 부
찾기 氵³(水)＋由⁵＝8획

`　氵　氵丶　氵冂　油　油　油

글자뿌리 형성(形聲) 문자. 물
수(水〈뜻〉)에 말미암을 유(由 :
부드럽다, 미끈적하다는 뜻〈음〉)
를 합친 자로, 열매에서 짜낸 물
은 미끈적하다〔由〕는 데서 '기름'
이라는 뜻.

글자풀이 기름.

[油印物] (유인물) 등사로 찍어
　낸 인쇄물.
[油田] (유전) 석유가 나는 곳.
[油脂肪] (유지방) 우유나 젖어

들어 있는 지방.

[注油所] (주유소) 자동차나 용기에 경유나 휘발유 등 기름을 넣어 주는 곳.

5/⑧ 【泣】 울 읍 泣

부수 水 (물 수) 부

찾기 ⺡³(水)＋立⁵＝8획

`丶 丶 氵 氵 汸 汸 泣`

(글자뿌리) 형성 (形聲) 문자. 물 수(水〈뜻〉)에다 설 립(立〈음〉)을 합친 자로, 눈물을 줄줄이 흘리며 느껴 운다는 데서 '운다'의 뜻이 된 자.

(글자풀이) 울다.

[感泣] (감읍) 감동하여 욺.

5/⑧ 【注】 물댈 주 注

부수 水 (물 수) 부

찾기 ⺡³(水)＋主⁵＝8획

`丶 丶 氵 氵 汁 沖 注`

(글자뿌리) 형성 (形聲) 문자. 물 수(水〈뜻〉)에 주인 주(主〈음〉)를 합친 자로, 물을 한 곳으로 흐르게〔主＝住 : 머물다〕한다는 데서 '물을 댄다'는 뜻.

(글자풀이) 1 물대다. 2 뜻을 두다. 정신을 쏟다. 3 주를 내다.

[注力] (주력) 힘을 들임. 힘을 기울임.

[注目] (주목) ① 어떤 일에 특별히 관심을 가지고 자세히 봄. ② 한 곳에다 시선을 모아 봄. 통 注視(주시).

[注文] (주문) ① 남에게 상품을 쓰겠다고 부탁하여 청구함. ② 특별히 이렇게 저렇게 해 달라고 부탁함.

[注入] (주입) ① 흘러들어가도록 쏟아서 넣음. ② 지식을 기계적으로 기억하거나 외우게 하여 가르침. ¶ 注入式敎育(주입식 교육).

[注解] (주해) 본문의 뜻을 알기 쉽게 풀이함. 또는 그 글.

5/⑨ 【泉】 샘 천 泉

부수 水 (물 수) 부

찾기 水⁴＋白⁵＝9획

`丿 亻 冖 白 白 身 身`
`泉 泉`

(글자뿌리) 상형 (象形) 문자. 땅 속이나 바위 틈 등에서 물이 솟아

나와서 떨어지는 모양을 본뜬 글자로, 물의 근원인 '샘'을 뜻함.

글자풀이 샘.

[溫泉] (온천) 땅 속으로 스며든 지하수가 땅 속 깊은 곳에서 데워져 다시 땅 위로 솟아 나오는 물.

[黃泉] (황천) 사람이 죽은 뒤에 그 혼령이 산다는 곳. 저승.

⁵⑧ 【治】 다스릴 치 治

부수 水 (물 수) 부
찾기 氵³(水)＋台⁵＝8획

`丶 氵 氵 沪 沪 治 治`

글자뿌리 형성(形聲) 문자. 물수(水〈뜻〉)에 기를 이(台〈음〉)를 합친 자로, 물을 다스리기 위하여 가래〔台＝目〕를 쓴다는 데서 불어나듯 잘 되게 '다스린다'는 뜻.

⇒ ⇒ 治

글자풀이 1 다스리다. 2 병을 고치다.

[治療] (치료) 병이나 다친 데를 고치기 위하여 손을 씀.

[治安] (치안) ① 잘 다스려 편안하게 함. ② 국가 사회의 안녕 질서를 보전하고 지켜 감.

[民主政治] (민주 정치) 주권이 국민에게 있고, 국민의 의사에 따라 행하여지는 정치.

[自治] (자치) ① 자기 일은 자기가 스스로 다스림. ② 국민이 국가의 일에 참가함.

⁵⑩ 【泰】 클 태 泰

부수 水 (물 수) 부
찾기 氺⁵(水)＋夫⁵＝10획

`一 二 三 丰 夫 夫 泰`

`泰 泰 泰`

글자뿌리 회의(會意) 문자. 큰대(大) 밑에 양 손〔㚖〕과 물 수(水)를 합친 자로, 두 손으로 물을 가득〔大〕 부어 빤다는 데서 '편하다', '크다'의 뜻.

글자풀이 1 크다. 2 편안하다.

[泰山] (태산) 높고 큰 산.

[泰然] (태연) 놀랄 만한 일을 당하여도 흔들림이 없이 침착한 모양.

[泰平] (태평) 몸이나 마음, 또는 집안이 평안함.

5
⑧ 【波】 물결 파 波

부수 水 (물 수) 부

찾기 氵³ (水) + 皮⁵ = 8획

`丶 氵 氵 氵 氵 波 波`

글자뿌리 형성 (形聲) 문자. 물수(水〈뜻〉)에 가죽 피(皮 : 기울어진다는 뜻〈음〉)를 합친 자로, 물의 움직임에 따라 수면이 기울어진다는 데서 '물결'을 뜻함.

글자풀이 1 물결. 2 진동하는 결.

[波高] (파고) 물결의 높이.

[波及] (파급) 어떤 일의 영향이 퍼져 멀리 미침.

[波動] (파동) ① 물결의 움직임. ② 사회적으로 일어난 큰 변동. ¶ 油類波動(유류 파동).

[音波] (음파) 소리로써 느껴지는 파동.

[電波] (전파) 전자파 중 전기 통신용으로 알맞은 파장. 무선 통신·라디오 등에 쓰임.

[寒波] (한파) 찬 공기가 갑자기 이동하여 모친 추위가 오는 기류의 흐름.

5
⑧ 【河】 물 하 河

부수 水 (물 수) 부

찾기 氵³ (水) + 可⁵ = 8획

`丶 氵 氵 氵 河 河 河`

글자뿌리 형성 (形聲) 문자. 물수(水〈뜻〉)에 옳을 가(可 : 굽이친다는 뜻〈음〉)를 합친 자로, 크게 굽이쳐 흐르는 물이라는 데서 '강', '물'을 뜻함. 원래는 중국의 황하(黃河)를 가리킴.

글자풀이 물. 강. 내.

[河口] (하구) 바다 등으로 흘러들어가는 강물의 어귀.

[河馬] (하마) 하마과에 속하는 포유 동물. 아프리카 열대 지방의 강이나 호수에서 삶.

[河川] (하천) 강과 내.

[山河] (산하) 산과 강.

[運河] (운하) 육지를 파서 배가 다닐 수 있게 만든 물길.

[銀河水] (은하수) 맑게 갠 날 밤에 남북으로 길게 보이는 별의 무리.

---

6 ⑨ 【洞】 골 동 洞

부수 水 (물 수) 부

찾기 氵³(水)＋同⁶＝9획

丶	冫	氵	汀	汀	洞	洞
洞	洞					

글자뿌리 형성(形聲) 문자. 물 수(水〈뜻〉)에 같을 동(同 : 관통한다는 뜻〈음〉)을 합친 자로, 원래는 물이 관통하여 흐른다는 뜻이었으나, 물로 움푹 팬 '골', 나아가 '마을'의 뜻이 된 자.

글자풀이 1 골. 구렁. 2 마을. 3 행정 구역의 한 단위.

[洞窟] (동굴) 깊고 넓은 굴.

[洞里] (동리) 동네. 마을. 부락.

[洞事務所] (동사무소) 행정 구역의 하나인 동의 행정 사무를 맡아 보는 곳.

---

6 ⑨ 【洗】 씻을 세 洗

부수 水 (물 수) 부

찾기 氵³(水)＋先⁶＝9획

丶	冫	氵	汐	汢	沙	浌
洝	洗					

글자뿌리 형성(形聲) 문자. 물 수(水〈뜻〉)에 먼저 선(先 : '跣'의 생략형으로 맨발이라는 뜻〈음〉)을 합친 자로, 물로 손발을 씻는다는 데서 '씻다', '깨끗하다'의 뜻

글자풀이 1 씻다. 2 깨끗하다.

[洗腦] (세뇌) 선전·계몽을 통하여 사람에게 새로운 사상을 주입시켜 거기에 물들게 함.

[洗鍊] (세련) 갈고 다듬어 우아하고 고상하게 함.

[洗禮] (세례) ① 기독교에서 죄악을 씻고 새사람이 된다는 뜻으로 하는 의식. ② 한꺼번에 몰아치는 비난이나 공격.

[洗手] (세수) 얼굴을 씻음.

[洗濯] (세탁) 빨래. 빨래를 함.

⁶⑨【洋】 큰 바다 양　洋

부수 水(물 수) 부
찾기 氵³(水)＋羊⁶＝9획

丶 丶 氵 ジ ジ 洋 洋
洋 洋

글자뿌리 형성(形聲) 문자. 물 수(水〈뜻〉)에 양 양(羊 : 크고 넓다는 뜻〈음〉)을 합친 자로, 물이 크고 넓은 모양을 나타내어 물결이 출렁이는 '넓은 바다'를 뜻함.

火 ⇒ 氵 ⇒ 洋

글자풀이 1 큰 바다. 2 서양.

[洋服](양복) 서양식의 옷.
[洋食](양식) 서양 음식.
[大洋](대양) 넓고 큰 바다.

⁶⑨【活】 살 활　活

부수 水(물 수) 부
찾기 氵³(水)＋舌⁶＝9획

丶 丶 氵 氵 汗 汗 汗
活 活

글자뿌리 형성(形聲) 문자. 물 수(水〈뜻〉)에 입 막을 괄(舌＝昏〈음〉)을 합친 자로, 막혔던 물이 터져 힘차게 흐르듯 활기가 있다는 데서 '살다'의 뜻.

火 ⇒ 氵 ⇒ 活

글자풀이 1 살다. 2 생기가 있다. 3 응용하다.

[活氣](활기) ① 활동할 수 있는 힘. ② 활발한 기운.
[活動](활동) ① 기운차게 움직임. ② 어떤 일을 이루기 위하여 힘씀. ⑧ 活躍(활약).
[活力](활력) 살아서 움직이는 힘. 생명력. 생활의 힘.
[活用](활용) 이리저리 잘 응용함. 변통하여 돌려 씀.

⁷⑩【浪】 물결 랑　浪

부수 水(물 수) 부
찾기 氵³(水)＋良⁷＝10획

丶 丶 氵 氵 氵 氵 氵
泪 浪 浪

글자뿌리 형성(形聲) 문자. 물

수(水〈뜻〉)에 어질 량(良〈음〉)을 합친 자로, 물이 맑게 찰랑거린다는 데서 '물결'의 뜻이 된 자.

水 浪 ⇒ 氵𩙿 ⇒ 浪

글자풀이 1 물결. 2 방랑하다. 3 함부로. 4 터무니없다.

[浪漫](낭만) 사물을 이성적이기보다는 감정적이며 달콤하게 느끼는 일.
[浪費](낭비) 시간·재물 등을 헛되이 함부로 씀.
[浪說](낭설) 터무니없는 헛소문. 뜬소문.
[放浪](방랑) 따로 정해 둔 거처가 없이 떠돌아다님.
[風浪](풍랑) ① 바람과 물결. ② 바람이 불어 일어나는 물결.

⁷
⑩ 【流】 흐를 류 流

부수 水 (물 수) 부
찾기 氵³(水) + 㐬⁷=10획

글자뿌리 회의(會意) 문자. 물 수(水)에 깃발 류(㐬)를 합친 자로, 태아가 머리를 밑 쪽으로 하여 양수〔㐬〕와 함께 흐르듯 순조

롭게 태어난다는 데서 '흐르다'의 뜻이 된 자.

氺 㐬 ⇒ 氵㐬 ⇒ 流

글자풀이 1 흐르다. 2 떠돌아다니다. 3 내치다. 귀양 보내다. 4 펴다. 5 품격. 계층.

[流浪](유랑) 일정한 목적 없이 떠돌아다님.
[流配](유배) 죄인을 귀양 보냄. ¶ 流配地(유배지).
[流水](유수) 흐르는 물.
[流布](유포) 어떤 소문 또는 물건 등이 세상에 널리 퍼지거나 널리 퍼뜨림.
[氣流](기류) 공기의 흐름.
[上流](상류) ① 강물이 흐르는 위쪽. ② 신분·지위·생활 정도가 높은 계층.

⁷
⑩ 【浮】 뜰 부 浮

부수 水 (물 수) 부
찾기 氵³(水)+孚⁷=10획

글자뿌리 형성(形聲) 문자. 물 수(水〈뜻〉)에 알깔 부(孚〈음〉)를 합친 자로, 어떤 물건이 물 위에 가볍게 덮인다는 데서 물 위

에 '뜨다'의 뜻.

(글자풀이) 1 뜨다. 2 떠 다니다. 3 가볍다.

[浮浪](부랑) 일정한 주소·직업이 없이 떠돌아다님. ¶浮浪者(부랑자).

[浮上](부상) ① 물 위로 떠오름. ② 불우한 처지에 있던 사람이 갑자기 좋은 자리로 올라서는 일.

7
⑩ 【消】 사라질 소 消

부수 水 (물 수) 부

찾기 氵³(水)＋肖⁷＝10획

丶	冫	氵	沙	沙	沙	沙

沿	消	消			

(글자뿌리) 형성(形聲) 문자. 물 수(水〈뜻〉)에 쇠할 소(肖〈음〉)를 합친 자로, 물의 흐름이 점점 쇠약해진다는 데서 '꺼지다', '사라지다'의 뜻.

火 肖 ⇒ 氵肖 ⇒ 消

(글자풀이) 1 사라지다. 2 쇠하여 줄어들다. 다하다. 3 물러나다. 4 거닐다.

[消却](소각) 태워 없애 버림.

[消極的](소극적) 무슨 일에도 앞장 서지 않는 태도나 남이 시키는 대로 따라서 하는 모양. ⑭ 積極的(적극적).

[消費](소비) 돈이나 물품·시간·노력 등을 들이거나 써서 없앰.

[消風](소풍) 운동 또는 자연 관찰을 위하여 야외로 나가는 일. 산책.

[消火](소화) 불을 끔.

[消化](소화) ① 먹은 음식물을 흡수될 수 있는 상태로 변화시키는 작용. ② 읽거나 들은 것을 잘 이해하여 자기 지식으로 만듦.

7
⑩ 【浴】 목욕 욕 浴

부수 水 (물 수) 부

찾기 氵³(水)＋谷⁷＝10획

丶	冫	氵	氵	浐	浐	浴

浴	浴	浴			

(글자뿌리) 형성(形聲) 문자. 물

수(水〈뜻〉)에 골짜기 곡(谷:‘容’의 생략형으로 받아들임, 들어감의 뜻〈음〉)을 합친 자로, 골짜기에 흐르는 물에 들어가 씻는다는데서 ‘목욕’의 뜻.

（글자풀이） 목욕. 목욕하다.

[浴室] (욕실) 목욕하는 방.
[沐浴] (목욕) 온몸을 씻음.
[海水浴] (해수욕) 바닷물에서 놀거나 수영하는 일.

7
⑩ 【海】 바다 해 海

부수 水 (물 수) 부
찾기 氵³(水)＋每⁷＝10획

丶	冫	氵	氵	沪	汁	海
海	海	海				

（글자뿌리） 형성(形聲) 문자. 물 수(水〈뜻〉)에 매양 매(每〈음〉)를 합친 자로, 물이 마르지 않고 매양 가득 차 있는 곳인 ‘바다’를 뜻함.

（글자풀이） 바다.

[海路] (해로) 바닷길. 뱃길.
[海流] (해류) 일정한 방향으로 움직이는 바닷물의 흐름.
[海邊] (해변) 바닷가.

8
⑪ 【涼】 서늘할 량 涼

부수 水 (물 수) 부
찾기 氵³(水)＋京⁸＝11획

丶	冫	氵	氵	汁	沪	沽
泞	凉	涼	涼			

（글자뿌리） 형성(形聲) 문자. 물 수(水〈뜻〉)에 높을 경(京＝良:맑다는 뜻〈음〉)을 합친 자로, 맑은 물 또는 물가의 높은 언덕은 ‘서늘하다’는 뜻.

（글자풀이） 서늘하다. 쓸쓸하다.

[納涼] (납량) 한여름에 서늘한 곳에서 더위를 피함.
[淸涼飮料] (청량 음료) 콜라나 사이다 등 맛이 산뜻하면서 시원한 음료수.
[荒涼] (황량) 황폐하여 거칠고 쓸쓸함.

8
⑪ 【淑】 맑을 숙 淑

부수 水 (물 수) 부
찾기 氵³ (水) + 叔⁸ = 11획

丶	冫	氵	汀	汁	沽	汁
沽	沐	淑	淑			

글자뿌리 형성 (形聲) 문자. 물 수(水〈뜻〉)에 아재비 숙(叔:'寂'의 생략형으로 고요하다는 뜻〈음〉)을 합친 자로, 잔잔하고 고요한 물이라는 데서 '맑다'의 뜻이 된 자.

글자풀이 1 맑다. 2 착하다. 암전하다.

[淑女] (숙녀) 교양이 있고 예의와 품격을 갖춘 점잖은 여자.
[貞淑] (정숙) 여자로서 몸가짐이 단정하고 마음씨가 고움.

8 ⑪ [深] 깊을 심 深

부수 水 (물 수) 부
찾기 氵³ (水) + 罙⁸ = 11획

丶	冫	氵	沪	沪	浑	深
深	深	深	深			

글자뿌리 형성 (形聲) 문자. 물 수(水〈뜻〉)에 깊을 심(罙〈음〉)을 합친 자로, 물이 '깊다'는 뜻.

火 罙 ⇒ 氵罙 ⇒ 深

글자풀이 1 깊다. 깊게 하다. 2 깊이.

[深刻] (심각) 정도가 아주 깊고 중대함.
[深思熟考] (심사 숙고) 깊이 잘 생각함. 또는 그러한 생각.
[深夜] (심야) 깊은 밤.
[深海] (심해) 깊은 바다.
[水深] (수심) 물의 깊이.

8 ⑪ [淨] 깨끗할 정 淨

부수 水 (물 수) 부
찾기 氵³ (水) + 爭⁸ = 11획

丶	冫	氵	浐	浐	浐	浐
浄	浄	淨	淨			

글자뿌리 형성 (形聲) 문자. 물 수(水〈뜻〉)에 다툴 쟁(爭=淸: 맑다는 뜻〈음〉)을 합친 자로, 물이 맑고 '깨끗하다'는 뜻.

글자풀이 깨끗하다. 깨끗이 하다.

[淨潔] (정결) 맑고 깨끗함.

[淨化] (정화) 깨끗하게 함. ¶
　淨化槽(정화조).

[淸淨] (청정) 맑고 깨끗함.

8 ⑪ 【淺】 얕을 천　淺

부수 水 (물 수) 부

찾기 氵³ (水) + 戔⁸ = 11획

글자뿌리 형성 (形聲) 문자. 물
수(水〈뜻〉)에 상할 잔(戔 : 적다
는 뜻이 있음〈음〉)을 합친 자로,
물이 적어서 건널 수 있다는 데
서 '얕다'는 뜻이 된 자.

글자풀이 얕다.

[淺薄] (천박) 학문 또는 생각
　이 얕음.

8 ⑪ 【淸】 맑을 청　淸

부수 水 (물 수) 부

찾기 氵³ (水) + 靑⁸ = 11획

글자뿌리 형성 (形聲) 문자. 물
수(水〈뜻〉)에 푸를 청(靑〈음〉)
을 합친 자로, 물이 푸르게 보이
면 '맑다', '깨끗하다'는 뜻.

글자풀이 1 맑다. 깨끗하다. 2
끝맺다.

[淸潔] (청결) 깨끗하고 더러움
　이 없음.

[淸廉潔白] (청렴 결백) 욕심이
　없고 마음이 깨끗함.

[淸白吏] (청백리) 행동이나 마
　음이 깨끗하고 재물을 탐내지
　않는 관리.

[淸算] (청산) 빚 따위를 셈하
　여 깨끗이 정리함.

[淸純] (청순) 맑고 순박함.

8 ⑪ 【混】 섞을 혼　混

부수 水 (물 수) 부

찾기 氵³(水)＋昆⁸＝11획

丶	冫	氵	浐	沪	沪	泪
浐	涃	泥	混			

(글자뿌리) 형성(形聲) 문자. 물 수(水〈뜻〉)에 같을 곤(昆 : 뭉친 다는 뜻〈음〉)을 합친 자로, 여러 갈래의 물이 흘러들어와 뭉친다 는 데서 '섞인다'는 뜻.

(글자풀이) 섞다. 섞이다.

[混沌] (혼돈) 사물의 구별이 확 실하지 않은 상태.

[混同] (혼동) ① 뒤섞음. ② 잘 못 판단함.

[混亂] (혼란) 뒤범벅이 되어서 어지러움. ⑧ 混雜(혼잡).

[混濁] (혼탁) ① 맑지 아니하고 흐림. ② 정치·사회 등이 어지 러움.

[混合] (혼합) ① 뒤섞어서 한데 합함. ② 두 가지 이상의 물질 이 화학적 결합을 하지 않고 섞임.

[混血] (혼혈) 서로 종족이 다 른 부모의 혈통이 섞임. 또는

그 혈통.

⑨
⑫ 〔渴〕 목마를 갈 渴

부수 水 (물 수) 부

찾기 氵³(水)＋曷⁹＝12획

丶	冫	氵	沪	沪	沪	泪
渇	渇	渇	渇	渴		

(글자뿌리) 형성(形聲) 문자. 물 수(水〈뜻〉)에 어찌 갈(曷 : 그치 다의 뜻〈음〉)을 합친 자로, 물이 그쳐서 '목마르다'는 뜻.

(글자풀이) 목마르다.

[渴求] (갈구) 몹시 애써 구함. 갈망하여 구함.

[渴症] (갈증) 목이 몹시 말라 서 자꾸 물을 찾는 증세.

[枯渴] (고갈) 물·돈·물자 등이 마르거나, 다하여 없어짐.

⑨
⑫ 〔減〕 덜 감 減

부수 水 (물 수)부
찾기 氵³(水)＋咸⁹＝12획

丶	冫	氵	沪	沪	沪	沪
沪	沪	減	減	減		

글자뿌리 형성(形聲) 문자. 물 수(水〈뜻〉)에 덜 감(咸〈음〉)을 합친 자로, 물이 줄어 간다는 데서 '덜다', '줄어들다'의 뜻.

글자풀이 덜다. 줄이다.

[減免] (감면) 형벌·세금 따위를 적게 해 주거나 면제함.
[減員] (감원) 사람 수를 줄임.
[減刑] (감형) 형벌을 줄여 가볍게 함.
[節減] (절감) 아껴서 줄임.
[增減] (증감) 많아짐과 적어짐. 늘임과 줄임.

⑫ ⁹ 【湖】 호수 호 湖

부수 水 (물 수)부
찾기 氵³(水)＋胡⁹＝12획

丶	冫	氵	沪	沽	沽	沽
沽	沏	湖	湖	湖		

글자뿌리 형성(形聲) 문자. 물 수(水〈뜻〉)에 멀 호(胡＝巨〈음〉)를 합친 자로, 멀고 큰 물은 '호수'라는 뜻.

글자풀이 호수.

[湖畔] (호반) 호숫가.
[湖水] (호수) 큰 못.

⑬ ¹⁰ 【溪】 시내 계 溪

부수 水 (물 수)부
찾기 氵³(水)＋奚¹⁰＝13획

丶	冫	氵	沪	沪	沪	沪
沏	泌	泌	溪	溪	溪	

글자뿌리 형성(形聲) 문자. 물 수(水〈뜻〉)에 어찌 해(奚: 골짜기라는 뜻〈음〉)를 합친 자로, 골짜기에서 흐르는 물은 '시내'라는 뜻.

글자풀이 시내.

[溪谷] (계곡) 두 산 사이에 물이 흐르는 골짜기.
[碧溪水] (벽계수) 푸른빛이 도는 맑고 깨끗한 시냇물.

⑬ ¹⁰ 【溫】 따뜻할 온 溫

부수 水 (물 수)부
찾기 氵³(水)＋昷¹⁰＝13획

丶	冫	氵	沪	沪	沪	沪
泗	泗	泗	溫	溫	溫	

〔글자뿌리〕 형성 (形聲) 문자. 물 수(水〈뜻〉)에 쌓일 온(昷 = 蘊의 생략형〈음〉)을 합친 자로, 수증기가 방 안에 가득하다는 데서 '따뜻하다', '온화하다'의 뜻.

〔글자풀이〕 **1** 따뜻하다. **2** 부드럽다. **3** 익히다.

[溫故知新] (온고 지신) 옛 것을 익히고, 그것으로 미루어 새로운 것을 앎.

[溫暖] (온난) 날씨가 따뜻함.

[溫度] (온도) 덥고 찬 정도. 온도계가 나타내는 도수.

[溫床] (온상) 사람의 힘으로 열을 가하여 식물을 빨리 자라게 하는 시설.

[溫順] (온순) 마음이 부드럽고 순함. ⑧ 柔順(유순).

[溫情] (온정) 따뜻한 마음.

[三寒四溫] (삼한 사온) 겨울철에 한국·만주·중국 등지에서 3일 가량 추웠다가 다음 4일 가량은 따뜻한 날씨가 되풀이되는 현상.

---

11 **【滿】** 찰 만 滿
⑭

부수 水 (물 수)부

찾기 氵³(水)＋㒼¹¹＝14 획

` ´ 氵 氵 氵 汁 汁 汁
汁 汁 滿 滿 滿 滿 滿

〔글자뿌리〕 형성 (形聲) 문자. 물 수(水〈뜻〉)에 평평할 만(㒼〈음〉)을 합친 자로, 물이 그릇에 가득 담겨 평평하게 차 있다는 데서 '차다', '가득하다'의 뜻.

〔글자풀이〕 **1** 차다. 가득하다. **2** 풍족하다. 넉넉하다.

[滿期] (만기) 정한 기한이 다됨. 기한이 참.

[滿喫] (만끽) 실컷 먹음. 마음껏 채움.

[滿了] (만료) 정하여진 기한이 다 차서 끝남.

[滿面] (만면) 온 얼굴. 또는 온 얼굴에 가득 차 있음.

[滿員] (만원) 정한 인원이 다 참. 사람이 꽉 차서 더 이상 들

어갈 수가 없음.

[滿場一致] (만장 일치) 회의에 모인 여러 사람의 뜻이 모두 한결같음.

[滿足] (만족) 마음에 흐뭇하여 모자람이 없음. ⑮ 不滿 (불만).

[圓滿] (원만) ① 성격이 모나지 않고 두루 좋음. ② 마음에 흡족함.

11
⑭ 【漁】 고기잡을 어 漁

부수 水 (물 수) 부
찾기 氵³ (水) + 魚¹¹ = 14획

丶	冫	氵	氵	汇	汻	汻	渔
泊	渔	渔	渔	渔	渔	漁	

(글자뿌리) 형성 (形聲) 문자. 물 수 (水〈뜻〉)에 고기 어 (魚〈음〉)를 합친 자로, 물 속에 있는 '물고기를 잡는다'는 뜻.

火 🐟 ⇒ 氵奐 ⇒ 漁

(글자풀이) 고기 잡다.

[漁撈] (어로) 물고기·조개·바닷말 등을 잡거나 채취함.

[漁父] (어부) 물고기를 잡아서 팔아 생활하는 사람.

[漁父之利] (어부지리) 도요새와 조개가 싸우고 있는 사이에 어부가 쉽게 둘을 다 잡았다는 뜻으로, 둘이 다투고 있는 사이에 엉뚱한 사람이 이익을 가로챔. 또는 그 이익.

11
⑭ 【漢】 물 이름 한 漢

부수 水 (물 수) 부
찾기 氵³ (水) + 菓¹¹ = 14획

丶	冫	氵	氵	汇	汫	汫	
汫	淓	淓	漢	漢	漢	漢	

(글자뿌리) 형성 (形聲) 문자. 물 수 (水〈뜻〉)에 진흙 근 (菓〈음〉)을 합친 자로, 진흙이 많은 양자강 상류의 '한수 (漢水)'를 뜻함.

火黃 ⇒ 氵黃 ⇒ 漢

(글자풀이) 1 물 이름. 한수. 2 왕조 이름. 한나라. 3 한족. 중국 민족. 4 사나이. 놈.

[漢詩] (한시) 한자로 된 시.

[漢字] (한자) 중국의 글자.

[漢族] (한족) 중국 본토 재래의 종족.

[惡漢] (악한) 몹시 나쁜 짓을 하는 사람.

12
⑮ 【潔】 깨끗할 결 　潔

부수 水 (물 수) 부
찾기 氵³(水)＋絜¹²＝15획

丶	氵	氵	氵	氵	沣	渺
渺	渺	潔	潔	潔	潔	潔

(글자뿌리) 형성 (形聲) 문자. 물 수(水〈뜻〉)에 깨끗이 할 결(絜〈음〉)을 합친 자로, 무엇이든 물로 빨면 깨끗해진다는 데서 '깨끗하다'의 뜻.

(글자풀이) 깨끗하다. 조촐하다.

[潔白] (결백) 깨끗하고 흼. 마음이 깨끗하고 허물이 없음.

[純潔] (순결) 몸과 마음이 아주 깨끗함.

[精潔] (정결) 깨끗하고 조촐함.

[淸潔] (청결) 맑고 깨끗함. ⑪ 不潔(불결).

⁴ 火 (불 화) 部

불이 활활 타오르는 모양을 본뜬 글자. 한자의 구성상 발로 쓰일 때에는 '灬'로 쓰고 '연화발'이라 함.

0
④ 【火】 불　화　火

부수 火 (불 화) 부
찾기 火⁴＝4획

丶	ⱽ	少	火			

(글자뿌리) 상형 (象形) 문자. 불이 활활 타오르는 모양을 본뜬 글자.

(글자풀이) 1 불. 2 불사르다. 3 급하다.

[火急] (화급) 대단히 급함.

[火力] (화력) ① 불의 힘. ② 총포 등 무기의 위력.

[火山] (화산) 땅 속의 용암이 밖으로 내뿜어지는 곳이나 그 내뿜어진 것이 쌓여 이루어진 산.

[火傷] (화상) 불에 덴 상처.

[火炎] (화염) 불꽃.

[火因] (화인) 화재의 원인.

[火刑] (화형) 불에 태워 죽이는 형벌.

[燈火可親] (등화 가친) 가을 밤

은 등불을 가까이하여 글 읽기에 좋음.

[明若觀火](명약관화) 불을 보듯이 명백함.

[防火](방화) 화재를 미리 막음.

[放火](방화) 일부러 불을 지름. ¶ 放火罪(방화죄).

[引火](인화) 불이 옮아 붙음.

[風前燈火](풍전 등화) 바람 앞의 등불이라는 뜻으로, 매우 위태로운 처지를 이름.

4
⑧ 【炎】 탈 염
　　　　더울 염

炎

부수 火(불 화)부

찾기 火⁴＋火⁴＝8 획

丶	丶	丷	火	炏	炎	炎

글자뿌리 회의(會意) 문자. 불화(火)를 두 개 합하여 '불꽃'이 활활 타오름을 뜻함.

글자풀이 1 타다. 불꽃. 2 불타다. 3 덥다.

[炎暑](염서) 심한 더위.

[鼻炎](비염) 코의 점막에 생기는 염증.

[中耳炎](중이염) 귀청의 속에 생기는 염증.

[暴炎](폭염) 매우 심한 더위.

6
⑩ 【烈】 세찰 렬
　　　　매울 렬

烈

부수 火(불 화)부

찾기 灬⁴(火)＋列⁶＝10획

一	ア	ᄼ	歹	歹刂	列	列
列	烈	烈				

글자뿌리 형성(形聲) 문자. 벌일 렬(列〈음〉)에 연화 발(灬＝火〈뜻〉)을 합친 자로, 불길이 여러 갈래로 번져〔列〕'맵고', '세차게' 타오른다는 뜻.

글자풀이 1 세차다. 사납다. 2 맵다. 3 굳세다. 절개가 굳다.

[烈女](열녀) 절개가 곧은 여자. ¶ 烈女門(열녀문).

[烈士](열사) 나라를 위해 절개를 굳게 지킨 사람.

[烈風](열풍) 맹렬한 바람.

[強烈](강렬) 세차고 맹렬함.

[先烈](선열) 나라를 위해 목숨을 바친 열사. ¶ 殉國先烈(순국 선열).

[熱烈](열렬) 주의·주장·실행

애정 등이 매우 맹렬함.
[壯烈] (장렬) 씩씩하고 열렬함.
[忠烈] (충렬) 충성스럽고 절의
가 굳음. ¶ 忠烈祠(충렬사).

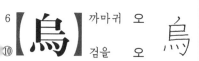

6
⑩
【烏】 까마귀 오
검을 오

烏

부수 火(불 화) 부
찾기 灬⁴(火)＋烏⁶＝10획

ノ	イ	亻	尸	自	烏	烏
烏	烏	烏				

글자뿌리 상형(象形) 문자. 까
마귀의 형상을 본뜬 글자. 까마귀
는 검기 때문에 멀리서는 눈으로
알아볼 수 없으므로, 새 조(鳥)
에서 한 획을 빼 '까마귀'를 뜻함.

글자풀이 1 까마귀. 2 검다.

[烏飛梨落] (오비 이락) 까마귀
날자 배 떨어진다는 뜻으로, 어
떤 일이 공교롭게도 같은 때에
일어나 남의 의심을 받게 됨을
이르는 말.
[烏鵲橋] (오작교) 칠월 칠석날

에 견우와 직녀가 만날 수 있
도록 까마귀와 까치가 놓는다
는 다리.
[烏竹軒] (오죽헌) 강원도 강릉
시에 있는 이율곡이 태어난 집.
보물 제165호.
[烏合之卒] (오합지졸) 까마귀
떼처럼 아무 규율도 질서도 통
일성도 없이 모여 있는 군대,
또는 군중.

8
⑫
【無】 없을 무

無

부수 火(불 화) 부
찾기 灬⁴(火)＋無⁸＝12획

ノ	⸢	亡	仁	缶	無	無
無	無	無	無	無		

글자뿌리 회의(會意) 문자. 큰
대(人＝大)와 수풀을 뜻하는 '無'
에 연화 발(灬)을 합친 자로, 큰
숲도 불이 나서 타 버리면 다 없
어진다는 뜻.

（글자풀이）없다.

[無故]（무고）① 연고가 없음.
② 아무 탈 없음.

[無窮]（무궁）끝이 없음. ¶ 無
窮無盡（무궁 무진）.

[無期限]（무기한）일정한 기한
이 없음.

[無能]（무능）재능이나 능력이
없음.

[無禮]（무례）예의가 없음.

[無名氏]（무명씨）이름을 모르
거나 드러내지 않은 사람.

[無分別]（무분별）사물의 옳고
그름을 분간할 힘이 없음.

[無爲]（무위）① 아무 일도 하
지 않음. ¶ 無爲徒食（무위 도
식）. ② 사람의 지혜나 힘을 더
하지 아니함.

[無作爲]（무작위）생각하지 않
고 우연에 따라 하는 일.

[無題]（무제）① 제목이 없음.
② 제목을 붙이지 아니한 예술
작품.

[無限定]（무한정）한정이 없음.

[百害無益]（백해 무익）해롭기
만 하고 조금도 이로울 것이
없음.

[眼下無人]（안하 무인）교만하
여 남을 업신여김.

[有備無患]（유비 무환）미리미
리 준비하면 근심할 것이 없음.

[前無後無]（전무 후무）전에도
없었고 앞으로도 있을 수 없음.

[虛無]（허무）① 아무것도 없이
텅 빔. ② 덧없음.

8
⑫【然】그러할 연　然

부수　火（불 화）부
찾기　灬⁴（火）＋狀⁸＝12 획

ノ	ク	タ	タ	タ	外	狀
狀	狀	狀	然	然		

（글자뿌리）형성（形聲）문자. 탈 염
（狀＝炎 : 불타오르다의 뜻〈음〉）
밑에 연화 발（灬〈뜻〉）을 합친 자
로, 불이 ‘타오른다’는 뜻이었으
나, 뒤에 가차하여 ‘그러하다’으
뜻이 된 자. ‘燃（연）’의 본자.

月狀⨅⨅⨅ ⇒ 月狀灬灬 ⇒ 然

（글자풀이）1 그러하다. 옳다. 2
그러면. 그러하면.

[然後]（연후）그러한 뒤.

[果然]（과연）알고 보니 정말.

[當然]（당연）마땅히 그럴 것임

[未然]（미연）아직 그렇게 되
지 아니함.

[本然]（본연）본디 타고난 상
태. 또는 그대로의 모습.

[偶然]（우연）뜻밖에 저절로 됨
또는 그 일.

[隱然中]（은연중）남이 모르는
가운데.

[自然] (자연) ① 사람의 힘을 더하지 아니한 상태. ② 지리적 또는 지질적 환경 조건.

[天然資源] (천연 자원) 천연적으로 존재하는 자원.

[泰然自若] (태연 자약) 태연하고 천연스러움.

[必然] (필연) 그리 되는 수밖에 다른 도리가 없음.

9 ⑬ 【煙】 연기 연 烟

부수 火 (불 화) 부

찾기 火⁴+堊⁹=13획

| ` | ´ | 丷 | 火 | 灯 | 炉 | 炉 |
| 炉 | 炳 | 炳 | 煙 | 煙 | 煙 | |

글자뿌리 형성(形聲) 문자. 불화(火〈뜻〉)에 향로의 모양을 가리키는 인(堊 : 연기가 난다는 뜻〈음〉)을 합친 자로, 향로에 불을 붙이면 '연기'가 남을 뜻함.

글자풀이 1 연기. 연기가 끼다. 2 그을음. 3 담배.

[煙氣] (연기) 무엇이 탈 때에 생기는 흐릿한 기체.

[煙幕] (연막) ① 적에게 자기편의 행동을 숨기기 위해 피운 연기. ② 본마음을 숨기기 위한 말이나 행동.

[煙草] (연초) 담배.

[禁煙] (금연) ① 담배를 피우는 것을 금함. ② 담배를 끊음.

[吸煙] (흡연) 담배를 피움.

11 ⑮ 【熱】 열 열 熱

부수 火 (불 화) 부

찾기 灬⁴(火)+埶¹¹=15획

| 一 | 十 | 土 | 寺 | 寺 | 去 | 坴 |
| 埶 | 埶 | 執 | 執 | 執 | 熱 | 熱 |

글자뿌리 형성(形聲) 문자. 심을 예(埶:藝의 생략형〈음〉)에 연화발(灬〈뜻〉)을 합친 자로, 불의 열기를 나타내어 '열', '덥다'의 뜻.

埶 灬 ⇒ 埶 灬 ⇒ 熱

글자풀이 1 열. 2 더위. 덥다. 3 몸달다.

[熱氣] (열기) 뜨거워진 기운이나 분위기.

[熱帶] (열대) ① 적도를 중심으로 남북 위도 각각 23° 27′ 이내의 지역. ② 1년간 평균 기

온이 20℃ 이상인 지대.

[熱量] (열량) 열을 에너지의 양으로 나타내는 것.

[熱望] (열망) 열렬하게 바람.

[熱病] (열병) 열이 심하게 나는 병.

[熱誠] (열성) 열렬한 정성.

[熱心] (열심) 어떤 일에 정신을 집중하는 일.

[熱意] (열의) 뜨거운 마음. 열렬한 성의.

[熱戰] (열전) ① 무력에 의한 맹렬한 전쟁. ② 운동 경기 등의 맹렬한 싸움.

[熱情] (열정) ① 열렬한 애정. ② 어떤 일에 열중하는 마음.

[熱中] (열중) 한 가지 일에 정신을 쏟음.

[熱河日記] (열하 일기) 조선 정조 때 연암(燕巖) 박지원(朴趾源)이 중국 열하까지 다녀와서 쓴 기행문.

[加熱] (가열) 열을 가함.

[過熱] (과열) ① 지나치게 뜨거워짐. ② 지나치게 활기를 띰.

[發熱] (발열) ① 열을 냄. ② 체온이 높아짐.

[以熱治熱] (이열 치열) 열로써 열을 다스린다는 뜻으로, 힘에는 힘으로 또는 강한 것에는 강한 것으로 상대함을 이름.

[地熱] (지열) 땅 속에 본디부터 있는 열.

12
⑯ 【燈】 등잔 등　燈

부수 火 (불 화) 부

찾기 火⁴＋登¹²＝16획

`	´	⺌	火	火′	火′	火′
炒	炒	烒	燃	燈	燈	燈
燈	燈					

글자뿌리 형성(形聲) 문자. 불화(火〈뜻〉)에 오를 등(登 : 굽이 높은 그릇〈음〉)을 합친 자로, 불을 켜는 기름 잔이란 데에서 '등잔', '등불'의 뜻이 됨.

글자풀이 1 등잔. 등불. 2 부처의 가르침.

[燈臺] (등대) 밤중에 뱃길이나 위험한 곳을 알리려고 해안에 세우고 등불을 켜 놓은 곳.

[燈油] (등유) 등불을 켜는 데 쓰는 기름.

[燈盞] (등잔) 기름을 담아서 등불을 켜는 그릇.

[燈燭] (등촉) 등불과 촛불.

[燈下不明](등하 불명) '등잔 밑이 어둡다'는 뜻으로, 가까이에 있는 것을 오히려 잘 모름을 이르는 말.

[燈火可親](등화 가친) 가을 밤은 등불을 가까이하여 글 읽기에 좋음.

[街路燈](가로등) 거리를 밝히기 위하여 설치한 등.

[觀燈](관등) 음력 4월 8일 밤에 등불을 달고 석가 모니의 탄생을 기리는 일.

[色燈](색등) 여러 가지의 빛깔로 비치는 등.

[石燈](석등) 돌로 만든 등.

[消燈](소등) 등불을 끔.

[屋外燈](옥외등) 집 밖에 켜는 등불.

[電燈](전등) 전기의 힘으로 빛을 내는 등.

[走馬燈](주마등) ① 안쪽에 그림을 붙인 틀이 돌아가면서 바깥 쪽에 그림이 비치게 만든 등. ② 사물이 덧없이 빨리 지나감을 비유하여 이르는 말.

---

⁴ 爪 (손톱 조) 部

손바닥을 아래로 향해 물건을 집어 올리려는 모양을 본뜬 글자로 '손톱'을 뜻함. '爫'은 머리로 쓰일 때의 자형.

---

⁴⑧ [爭] 다툴 쟁 爭

부수 爪 (손톱 조) 부

찾기 爫⁴ + 尹⁴ = 8획

ノ	⺁	⺈	⺈	爭	爭	爭

(글자뿌리) 회의(會意) 문자. 손톱 조(爪)에 오른손 우(ヨ : 又의 변형)와 갈고리 궐(亅)을 합친 자로, 물건을 빼앗으려고 서로 잡아당기면서 '다툰다'는 뜻.

爭 ⇒ 爭 ⇒ 爭

(글자풀이) 1 다투다. 다툼. 2 간하다.

[爭議](쟁의) 의견 차이 때문에 서로 다툼. ¶勞動爭議(노동 쟁의).

[爭點](쟁점) 논쟁의 중심이 되는 중요한 점.

[競爭](경쟁) 같은 목적을 두고 서로 이기거나 앞서려고 다툼. ¶生存競爭(생존 경쟁).

[論爭](논쟁) 사리를 따져 말이나 글로 다툼.

[紛爭](분쟁) 어떤 말썽 때문에 서로 시끄럽게 다툼.

[言爭](언쟁) 말다툼.

[戰爭](전쟁) 국가와 국가 사이의 무력에 의한 투쟁.

[鬪爭](투쟁) 어떤 목적을 이루려고 힘쓰거나 싸우는 일.

⑧
⑫ 〔**爲**〕 할 위

부수 爪 (손톱 조) 부
찾기 爫 ⁴＋爲 ⁸＝12획

ノ	⺁	⺁	⺁	⺁	⺁	⺁

爲	爲	爲	爲	爲

글자뿌리 상형(象形) 문자. 어미원숭이가 앞발톱으로 머리를 긁는 모양을 본뜬 글자로, 원숭이는 앞발을 손같이 쓴다고 하여 '하다'의 뜻.

글자풀이 1 하다. 되다. 행위. 만들다. 짓다. 2 위하다. 하여금.

[爲國] (위국) 나라를 위함. ¶ 爲國忠節 (위국 충절).

[爲民] (위민) 백성을 위함.

[爲始] (위시) 첫 번을 삼아 시작함.

[爲人] (위인) 사람됨.

[爲主] (위주) 주가 되는 것으로 삼음.

[當爲性] (당위성) 마땅히 그렇게 해야 할 성질.

[所爲] (소위) ① 하는 일. 하는 짓. ② 이미 행한 짓.

[利敵行爲] (이적 행위) 적을 이롭게 하는 행위.

[人爲的] (인위적) 사람이 일부러 한 모양이나 성질.

---

⁴ **父** (아비부) **部**

오른손에 매를 쥐고 있는 모양으로, 가족을 다스리고 가르치는 '아버지'를 뜻함.

⓪
④ 〔**父**〕 아비 부

부수 父 (아비부) 부
찾기 父 ⁴＝4획

ノ	八	⺉	父			

글자뿌리 회의(會意) 문자. 오른손〔又〕에 매〔丨〕를 들고서 가족을 거느리고 가르친다는 데서 '아버지'를 뜻함.

글자풀이 1 아비. 아버지. 2 연로한 사람의 경칭. 늙으신네.

[父系] (부계) 아버지 쪽의 혈연 계통. ⊕ 母系(모계).

[父權] (부권) 아버지의 친권. 가장권.

[父女](부녀) 아버지와 딸.

[父子有親](부자 유친) 오륜의 하나. 아버지와 아들 사이의 도(道)는 친애에 있음.

[父慈子孝](부자 자효) 부모는 자녀에게 자애롭고, 자녀는 부모에게 효도를 다함.

[父傳子傳](부전 자전) 대대로 아버지가 아들에게 전함.

[父親](부친) 아버지. ⑪ 母親(모친).

[家父長](가부장) 가족에 대하여 절대권을 가지는 사람.

[君師父一體](군사부 일체) 임금과 스승과 아버지의 은혜는 같음을 이르는 말.

[叔父](숙부) 작은아버지.

[祖父母](조부모) 할아버지와 할머니.

[早失父母](조실부모) 어려서 부모를 잃음.

[曾祖父](증조부) 아버지의 할아버지.

[親父母](친부모) 자기를 낳아 준 아버지와 어머니.

[學父母](학부모) 학생의 아버지와 어머니.

---

⁴ 片 (조각 편) 部

나무의 한가운데를 세로로 쪼개어 나눈 것 중 오른쪽 것의 모양을 본뜬 자.

⁰ ④ 【片】 조각 편 片

부수 片 (조각 편) 부
찾기 片 ⁴=4획

ノ	ノ′	广	片			

글자뿌리 상형(象形)·지사(指事) 문자. 나무 목(木=𣎸)의 한가운데를 세로로 쪼개어 나눈 것 중 오른쪽 반의 모양을 본뜬 자로, '조각', '한쪽'의 뜻이 된 자.

𣎸 ⇒ 𣎳 ⇒ 片

글자풀이 1 조각. 2 쪽. 한쪽.

[片道](편도) 가고 오는 길 중 어느 한쪽.

[片肉](편육) 얇게 썬 수육.

[片舟](편주) 작은 배. 조각배 ¶ 一葉片舟(일엽 편주).

[斷片](단편) 끊어지거나 쪼개진 조각. 일부분.

[一片丹心](일편 단심) 한 조각의 붉은 마음이라는 뜻으로, 변치 않는 참된 마음을 이름.

[破片](파편) 깨어진 조각.

⁴ 牛 (소 우) 部

소의 머리와 뿔 모양을 본뜬 글자. 변으로 쓰일 때의 자형은 '牜'이며 '소우 변'이라 함.

⁰ 【牛】 소 우 牛
④

부수 牛 (소 우) 부
찾기 牛⁴=4획

′	宀	二	牛		

글자뿌리 상형(象形) 문자. 소의 머리와 긴 뿔을 뒤에서 본 모양을 본뜬 글자.

글자풀이 1 소. 2 별 이름.

[牛角](우각) 쇠뿔.
[牛馬車](우마차) 소나 말이 끄는 수레.
[牛舍](우사) 외양간.
[牛市場](우시장) 소를 사고 파는 곳.
[牛乳](우유) 소의 젖. 밀크.
[牛耳讀經](우이 독경) 쇠귀에 경 읽기. 아무리 가르쳐도 알아듣지 못함을 이르는 말.
[九牛一毛](구우 일모) 썩 많은 것 가운데 극히 적은 것.
[牛皮](우피) 쇠가죽.

---

⁴ 【物】 만물 물 物
⑧

부수 牛 (소 우) 부
찾기 牛⁴+勿⁴=8획

′	宀	牛	牜	牣	物	物

글자뿌리 형성(形聲) 문자. 소 우(牛〈뜻〉)에 말 물(勿 : '얼룩'이라는 뜻이 있음〈음〉)을 합친 자로, 여러 가지 색깔을 한 소들이란 뜻. 나아가서 여러 가지 '잡다한 것'이란 데서 '물건'을 뜻함.

⇒ 牛勿 ⇒ 物

글자풀이 1 만물. 물건. 2 사물. 일. 3 헤아리다. 살피다.

[物價指數](물가 지수) 물가의 변동을 표시하는 통계 숫자.
[物理](물리) 모든 사물의 이치. 물리학.
[物望](물망) 여러 사람이 우러러보아 드러난 이름.
[物色](물색) ① 물건의 빛깔. ② 쓸 만한 사람이나 물건을 찾거나 고름.
[物心兩面](물심 양면) 물질적인 면과 정신적인 면.
[物議](물의) 여러 사람의 논의나 세상의 평판.
[物情](물정) ① 이러저러한 실정이나 형편. ② 세상의 인심.
[物證](물증) 물건으로 뚜렷이

드러난 증거.

[見物生心] (견물 생심) 물건을 보면 갖고 싶은 욕심이 생김.

[禁物] (금물) ① 매매나 사용을 금하는 물건. ② 해서는 안 되는 일.

[萬物] (만물) 세상에 있는 모든 것.

[賣物] (매물) 팔 물건.

[遺失物] (유실물) 잃어버린 물건.

[財物] (재물) 돈이나 값이 나가는 물건.

[特産物] (특산물) 그 지방에서만 나는 독특한 산물.

[風物] (풍물) ① 그 고장의 경치. ② 농악에 쓰이는 모든 악기를 통틀어 이르는 말.

6 ⑩ [特] 유다를 특 特

부수 牛 (소 우) 부

찾기 牛⁴ + 寺⁶ = 10획

| ノ | ト | 牛 | 牛 | 牛 | 牛 | 牛 |
| 牛 | 特 | 特 | | | | |

글자뿌리 형성 (形聲) 문자. 소 우(牛〈뜻〉)에 관청 시(寺〈음〉)를 합친 자로, 관청에서 기르는 소는 몸이 크고 힘이 세어 다른 소와는 '유다르다'는 뜻.

🐂 🐾 ⇒ 牛 🐾 ⇒ 特

글자풀이 1 유다르다. 특별하다. 2 홀로. 3 수소.

[特權] (특권) 일부의 사람만이 특별히 가지는 권리.

[特技] (특기) 특별한 기능이나 기술.

[特別] (특별) ① 보통보다 훨씬 뛰어남. ② 보통과 아주 다름.

[特報] (특보) 특별히 알림. 또는 그 보도.

[特色] (특색) 보통의 것과 다른 특별한 점. 통特徵(특징).

[特選] (특선) ① 재료 등을 특별히 고름. 또는 고른 물건. ② 특히 우수하다고 뽑힌 작품.

[特約] (특약) ① 특별한 조건을 붙인 약속. ② 특별한 편의나 이익이 있는 계약.

[特有] (특유) 일정한 사물에만 특별히 갖추어져 있음.

[特種] (특종) ① 특별한 종류. ② 특종 기사의 준말.

[特採] (특채) 특별히 채용함.

[特許] (특허) 특별히 허가함.

[特惠] (특혜) 특별한 혜택.

[特效] (특효) 특별한 효험. ¶
特效藥(특효약).

[大書特筆] (대서 특필) 뚜렷이
드러나 보이게 큰 글자로 씀.

[獨特] (독특) 견줄 만한 것이
없이 특별히 다르거나 뛰어남.

⁴ 犬 (개 견) 部

개의 옆 모양을 본뜬 글자로
'개'를 가리킴. 변으로 쓰일 때
의 자형은 '犭'이며 '개사슴록
변'이라 함.

⁰
④【犬】개 견 犬

부수 犬 (개 견) 부

찾기 犬 ⁴ = 4획

| 一 | ナ | 大 | 犬 | | |

글자뿌리 상형(象形) 문자. 개
의 옆 모양을 본뜬 글자로서 '개'
를 가리킴.

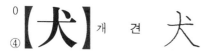

글자풀이 개.

[犬公] (견공) 개를 의인화하여
일컫는 말.

[犬馬之勞] (견마지로) 개나 말
의 수고로움이라는 뜻으로, 자
기 자신의 노력을 겸손하게 이
르는 말.

[猛犬] (맹견) 몹시 사나운 개.

[名犬] (명견) 이름난 개. 훌륭
한 개.

[愛犬] (애견) ① 개를 매우 사랑
함. ② 귀여워하며 기르는 개.

[忠犬] (충견) 충직한 개.

⁹
⑫【猶】오히려 유
원숭이 유 猶

부수 犬 (개 견) 부

찾기 犭 ³(犬)＋酋 ⁹ = 12획

| 丿 | 犭 | 犭 | 犭 | 犭 | 犭 | 犭 |
| 犭 | 犭 | 猶 | 猶 | 猶 | | |

글자뿌리 형성(形聲) 문자. 개
견(犭 = 犬〈뜻〉)에 우두머리 추
(酋〈음〉)를 합친 자로, 충직한
개가 못된 무리의 우두머리보다
'오히려' 낫다는 뜻.

글자풀이 1 오히려. 같다. 머뭇
거리다. 2 원숭이.

[猶豫] (유예) ① 시일을 미루거
나 늦춤. ② 할까 말까 하고 망

설임.

[猶太人] (유태인) 모세의 율법을 기초로 발달한 종교를 믿는 민족.

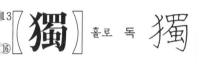

¹³⁶ [獨] 홀로 독 獨

부수 犬(개 견)부

찾기 犭³(犬)＋蜀¹³＝16 획

ノ	犭	犭	犭	犭¹	犭¹	犭¹
犭¹	犭¹	犭	犭	獨	獨	獨
獨	獨					

(글자뿌리) 형성(形聲) 문자. 개 견(犭＝犬〈뜻〉)에 촉나라 촉(蜀: 다툰다는 뜻이 있음〈음〉)을 합친 자로, 본래는 개가 싸운다는 뜻에서, 따로따로 떼어 놓아야 한다는 데서 '홀로'의 뜻이 된 자.

(글자풀이) **1** 홀로. **2** 외롭다.

[獨斷] (독단) 혼자서 판단하거나 결정함.

[獨立] (독립) ① 남에게 의지하지 않고 혼자의 힘으로 해 나감. ② 다른 나라의 지배를 받지 않고 스스로 정치를 함. ¶ 獨立宣言(독립 선언).

[獨白] (독백) ① 혼자서 중얼거림. ② 연극에서 배우가 혼자 말하는 대사.

[獨步的] (독보적) 남이 도저히 따를 수 없을 정도로 홀로 뛰어난 모양.

[獨不將軍] (독불 장군) ① 혼자서는 장군이 되지 못한다는 뜻으로, 남과 협조해야 함을 이름. ② 저 혼자 모든 일을 처리하는 사람.

[獨善] (독선) 자기 혼자만이 옳다고 믿고 행동하는 일.

[獨身] (독신) ① 형제나 자매가 없는 사람. ② 배우자가 없는 사람.

[獨也靑靑] (독야 청청) 홀로 푸르다는 뜻으로, 홀로 높은 절개를 지킴을 이르는 말.

[獨創] (독창) 혼자의 힘으로 처음 새롭고 독특한 것을 만들어 내거나 고안해 냄. ¶ 獨創性(독창성).

[獨學] (독학) 스승이 없이 혼자 힘으로 배움.

[孤獨] (고독) ① 외로움. ② 부모 없는 어린아이와 자식 없는 늙은이를 이르는 말.

[單獨] (단독) 혼자. 단 하나.

[無男獨女] (무남 독녀) 아들이
없는 집안의 외동딸.

---

⁵玉 (구슬 옥) 部

옥돌 세 개를 끈으로 꿴 모
양을 본뜬 글자. 변으로 쓰일
때의 자형은 '王'이며, '구슬 옥
변'이라 함.

⁰
④【王】 임금 왕 王

부수 玉 (구슬 옥)부
찾기 王⁴=4 획

一	丁	千	王			

글자뿌리 상형(象形) 문자. 도
끼의 날을 세로로 한 모양을 본
뜬 글자로, 무기를 사용하여 천하
를 정복하였다는 데서 '군주', '임
금'의 뜻이 된 자.

글자풀이 1 임금. 으뜸. 2 임금
노릇하다.

[王國] (왕국) ① 왕이 다스리는
나라. ② 하나의 큰 세력.
[王權] (왕권) 임금의 권력.
[王道] (왕도) ① 임금으로서 지
켜야 할 도리. ② 인덕(仁德)에
바탕을 둔 정치를 행하는 일.
¶ 王道政治(왕도 정치).
[王命] (왕명) 임금의 명령.
[王位] (왕위) 임금의 자리.
[王朝] (왕조) 한 왕가가 다스리
는 동안.
[國王] (국왕) 나라의 임금.
[聖王] (성왕) 너그럽고 훌륭한
임금. ⑧ 聖君(성군).
[帝王] (제왕) 황제와 국왕.
[天王星] (천왕성) 태양계의 안
쪽에서 7번째에 있는 떠돌이
별. 약 84년 걸려서 태양을 한
바퀴 돈다고 함.

⁰
⑤【玉】 옥 옥 玉

부수 玉 (구슬 옥) 부
찾기 玉⁵=5 획

一	丁	千	王	玉		

글자뿌리 상형(象形) 문자. 옥
돌 세 개를 꿴 모양〔王〕을 본뜬
글자로, 임금 왕(王)과 구별하기
위해서 점(、) 하나를 더하여 쓰
게 됨.

ー	T	F	王	玗	玾	玾
玾	玾	理	理			

글자뿌리 형성(形聲) 문자. 구슬 옥(王＝玉〈뜻〉)에 마을 리(里 : 주름의 뜻〈음〉)를 합친 자로, 옥의 주름에 따라 갈고 다듬는다는 데서 잘 '다스리다', '이치'의 뜻.

글자풀이 1 옥. 구슬. 2 아름답다. 사랑하다. 훌륭하다.

[玉童子] (옥동자) 옥같이 어여쁜 아들.

[玉色] (옥색) 약간 파르스름한 빛깔.

[玉石] (옥석) ① 옥과 돌. ② 좋은 것과 나쁜 것.

[玉體] (옥체) ① 임금의 몸. ② 남의 몸을 높이어 이름.

[玉篇] (옥편) 한자의 음과 새김을 풀어 엮은 책.

[玉皇上帝] (옥황 상제) 도가(道家)에서 말하는 하느님.

[金枝玉葉] (금지 옥엽) 금으로 된 가지와 옥으로 된 잎이라는 뜻으로, 임금의 자손이나 집안. 또는 귀여운 자손.

[白玉] (백옥) 흰 빛깔의 옥. 흰 구슬.

【理】 다스릴 리 理

부수 玉 (구슬 옥) 부

찾기 王⁴(玉)＋里⁷＝11획

글자풀이 1 다스리다. 2 이치. 도리. 3 깨닫다. 4 나뭇결.

[理科] (이과) 자연 과학의 이론과 현상을 연구하는 학과.

[理念] (이념) 옳다고 생각하는 이상적인 생각.

[理論] (이론) 줄거리를 세워서 생각을 마무리한 것.

[理想鄕] (이상향) 인간이 생각할 수 있는 완전한 세계.

[理性] (이성) 사물의 이치를 논리적으로 생각하고 판단을 하는 능력.

[理解] (이해) ① 사리를 분별하여 앎. ② 남의 마음이나 사정을 알아 줌. ¶ 理解心(이해심).

[道理] (도리) 마땅히 행하여야 할 바른 길.

[非理] (비리) 이치에 어그러짐.

[修理] (수리) 손보아 고침.

[倫理] (윤리) 사람으로서 지켜야 할 도리와 규범.

5 획

[眞理] (진리) ① 참된 이치. ② 언제나 누구에게나 타당하다고 인정되는 지식.

[推理] (추리) 알고 있는 사실을 바탕으로 미루어 생각함. ¶ 推理小說(추리 소설).

7
⑪ 【現】 나타날 현 現

부수 玉 (구슬 옥) 부
찾기 王⁴(玉)＋見⁷＝11획

一	二	三	王	玎	玑	玥
玥	珇	現	現			

(글자뿌리) 형성 (形聲) 문자. 구슬 옥(王＝玉〈뜻〉)에 뵈올 현 (見〈음〉)을 합친 자로, 구슬을 잘 갈고 닦으면 아름다운 빛깔이 '나타난다'는 뜻.

⇒ ⇒ 現

(글자풀이) 1 나타나다. 2 이제. 지금.

[現代] (현대) 지금의 시대. ¶ 現代文學(현대 문학).

[現實] (현실) 현재 행함. 또는 행하고 있음.

[現住所] (현주소) 현재 살고 있는 곳.

[現行] (현행) 현재 나타나 있는 사실. 현재 그대로의 상태.

[實現性] (실현성) 실제로 나타날 가능성.

[自我實現] (자아 실현) 자기의 가능성을 실현하는 일.

[再現] (재현) 다시 나타남. 또는 나타냄.

[出現] (출현) 나타남.

[表現] (표현) 생각·감정 등을 드러내어 나타냄. ¶ 表現力(표현력).

⁵ 瓦 (기와 와) 部

기와가 나란히 겹쳐 있는 모양을 본뜬 글자.

0
⑤ 【瓦】 기와 와 瓦

부수 瓦 (기와 와) 부
찾기 瓦⁵＝5획

一	厂	瓦	瓦	瓦

(글자뿌리) 상형 (象形) 문자. 지붕을 이은 기와가 나란히 겹쳐 있는 모양을 본뜬 글자.

(글자풀이) 1 기와. 2 질그릇.

【瓦家】(와가) 기와집.

【瓦器】(와기) 질그릇.

【瓦當】(와당) 기와의 마구리(막새와 내림새의 끝에 원형이나 반원형으로 되거나 좁고 긴 전이 붙어 있으며 무늬가 있는 부분).

【瓦解】(와해) 기와가 깨지듯이 조직, 기능이 무너져 흩어짐.

⁵ 甘 (달 감) 部

입 안에 무엇을 물고 있는 모양을 본뜬 글자.

⑨【甘】 달 감 甘

부수 甘 (달 감) 부

찾기 甘⁵=5획

| 一 | 十 | 卄 | 廿 | 甘 | | |

글자뿌리 상형(象形)·지사(指事) 문자. 입 구(口) 안에 점을 하나 찍어, 입 안에 맛있는 음식이 들어 있다는 데서 '달다'의 뜻.

글자풀이 **1** 달다. **2** 맛나다.

[甘露水](감로수) ① 깨끗하고 맛이 좋은 물. ② 설탕을 타서 끓인 물.

[甘味料](감미료) 설탕·사카린 등 단맛을 내기 위한 조미료.

[甘受](감수) ① 달게 받음. ② 주어진 것을 어쩔 수 없는 일이라고 생각하고 받아들임.

[甘言利說](감언 이설) 남의 비위를 맞추는 달콤한 말과 이로운 조건을 내세워 꾀는 말.

[甘酒](감주) 단술.

[甘草](감초) ① 한약재로 쓰이는 콩과의 여러해살이 풀. ② 어떤 일에나 빠지지 않고 한몫 끼여드는 사람. ¶藥房甘草(약방 감초).

[苦盡甘來](고진 감래) 쓴 것이 다하면 단 것이 온다는 뜻으로, 고생 끝에 즐거움이 옴을 이르는 말.

⁴ ⑨【甚】 심할 심 甚

부수 甘 (달 감) 부

찾기 甘⁵+匹⁴=9획

| 一 | 十 | 卄 | 廿 | 甘 | 茸 | 其 |
| 其 | 甚 | | | | | |

글자뿌리 회의(會意) 문자. 달 감(甘)에 짝 필(匹 : 부부의 뜻)을 합친 자로, 부부가 함께 맛있

는 음식을 먹는 일이 더없이 즐겁다는 데서 '더욱', '심하다'의 뜻.

글자풀이 1 심하다. 2 더욱.

[甚至於] (심지어) 심하다 못하여 나중에는.

[極甚] (극심) 극히 심함.

[深甚] (심심) 매우 깊음.

[滋甚] (자심) 점점 더 심함.

---

5 획

⁵生 (날 생) 部

새싹이 땅 위로 솟아 나온 모양을 본뜬 글자.

⁰
⑤ 【生】 날 생 生

부수 生 (날 생) 부
찾기 生⁵=5획

| ノ | ﹁ | ≒ | 牛 | 生 | | |

글자뿌리 상형(象形) 문자. 초목의 새싹이 땅 위로 솟아 나온 모양을 본뜬 글자.

글자풀이 1 나다. 낳다. 생기다 2 살다. 삶. 3 자라다. 4 설다. 서투르다. 5 싱싱하다. 날 것. 주로 말 끝에 붙어서 '젊은이', 또는 어른에게 자기를 낮추는 사람의 뜻을 나타냄.

[生計] (생계) 살아 나아갈 방도나 형편.

[生年月日] (생년월일) 태어난 해와 달과 날.

[生動感] (생동감) 살아 움직이는 듯한 느낌.

[生老病死] (생로병사) 불교에서 말하는 네 가지 고통. 곧 나고, 늙고, 병들고, 죽는 일.

[生命] (생명) ① 목숨. ② 사물의 중요한 점이나 유지 기간.

[生死] (생사) 삶과 죽음.

[生産] (생산) ① 인간의 생활에 필요한 물건을 만듦. ② 아이를 낳음. ⑧ 出産(출산).

[生涯] (생애) 살아 있는 동안. 일생 동안.

[生六臣] (생육신) 조선 시대에 세조가 단종으로부터 왕위를 빼앗자 벼슬을 버리고 지조를 지킨 여섯 신하. 이맹전(李孟專)·조려(趙旅)·원호(元昊)·김시습(金時習)·성담수(成聃壽)·남효온(南孝溫) 등을 이름.

[生存] (생존) 살아 있음. ¶ 生存競爭(생존 경쟁).

[生活] (생활) ① 살아서 활동함.

② 생계를 유지하여 살아 나감. ¶ 一日生活圈(일일 생활권).

[更生](갱생) ① 다시 살아남. ② 바른 삶을 되찾음.

[門下生](문하생) ① 문하에서 배우는 제자. ② 권세가 있는 집에 드나드는 사람.

[民生](민생) 국민의 생활.

[殺生](살생) 살아 있는 것을 죽임. ¶ 殺生有擇(살생 유택).

[十長生](십장생) 죽지 아니하고 오래 산다는 열 가지. 곧, 해·산·물·돌·구름·소나무·불로초·거북·학·사슴.

[餘生](여생) 앞으로 남은 삶.

[留學生](유학생) 외국에서 공부하는 학생.

[利用厚生](이용 후생) 편리한 기구 등을 잘 이용하여 생활을 윤택하게 함.

【產】 낳을 산 產

(부수) 生 (날 생) 부

(찾기) 生⁵+产⁶=11 획

丶 一 ナ ㅊ 立 产 产

产 斉 產 產

(글자뿌리) 형성(形聲) 문자. 선비 언(产 : 彦의 생략형으로, '열다'의 뜻이 있음〈음〉)에 날 생(生

〈뜻〉)을 합친 자로, 어머니의 태를 열어 아기를 '낳는다'는 뜻.

產 ⇒ 產 ⇒ 產

(글자풀이) 1 낳다. 2 생산하다.

[產苦](산고) 아이를 낳는 괴로움.

[產物](산물) ① 그 지방에서 생산되는 물건. ② 어떤 것에 의하여 생겨나는 것.

[產業](산업) 생산을 목적으로 하는 사업.

[國產](국산) 자기의 나라에서 생산함. 또는 그러한 물건.

[不動産](부동산) 땅이나 건물 등과 같이 쉽게 움직일 수 없는 재산.

[所産](소산) ① 생산된 바. 이루어진 바. ② 그 곳에서 생산되는 온갖 물건.

[原産地](원산지) ① 원료·제품 등의 생산지. ② 동식물의 본디 난 땅.

[財産](재산) 경제적인 가치가 있는 모든 것.

[增産](증산) 생산을 더 늘림.

5 획

[出産] (출산) 아기를 낳음.
[破産] (파산) 재산을 모두 잃어버림.

---

⁵ 用 (쓸 용) 部

점 복(卜)에 맞힐 중(中)을 합친 자로, 점을 쳐서 맞아야 시행했으므로 '쓰다'의 뜻.

⁰
⑤ 【用】쓸 용　用

부수 用 (쓸 용)부
찾기 用⁵ = 5 획

| 丿 | 冂 | 刀 | 月 | 用 | | |

글자뿌리 회의(會意) 문자. 점 복(卜)에 맞힐 중(中)을 합친 자로, 옛날에는 일을 결정할 때 점을 쳐서 맞아야 시행한 데서 '쓰다'의 뜻이 된 자.

 ⇒ 用 ⇒ 用

글자풀이 1 쓰다. 쓰이다. 2 용도. 도구. 3 씀씀이.

[用途] (용도) 쓰이는 곳.
[用務] (용무) 볼일.
[用法] (용법) 쓰는 방법.
[用語] (용어) 사용하는 말.
[公用] (공용) 공공의 목적으로 씀. ⑩ 私用(사용).

[過用] (과용) 너무 많이 씀. 지나치게 씀.
[信用] (신용) 틀림없을 것으로 믿음.
[惡用] (악용) 나쁘게 이용함.
[愛用] (애용) 즐겨 사용함.
[誤用] (오용) 잘못 씀.
[應用] (응용) 원리나 지식 등을 실제에 활용함. ¶應用問題 (응용 문제).
[利用] (이용) 이롭게 씀.
[引用] (인용) 필요한 것을 끌어다 씀. ¶引用文(인용문).
[借用] (차용) 빌려서 씀.
[採用] (채용) ① 사람을 뽑아서 씀. ② 채택하여 씀.
[學用品] (학용품) 학습에 필요한 물건.
[混用] (혼용) ① 섞어서 씀. ② 잘못 혼동하여 씀.

---

⁵ 田 (밭 전) 部

농토 주위의 경계와 그 속에 있는 논두렁 길을 본뜬 글자.

⁰
⑤ 【田】밭 전　田

부수 田 (밭 전)부
찾기 田⁵ = 5획

 | 丨 | 冂 | 皿 | 田 | 田 |

글자뿌리 **상형(象形) 문자.** 농토 주위의 경계와 그 속에 있는 논두렁 길 모양을 본뜬 글자로, '밭'을 뜻함.

글자풀이 1 밭. 밭 갈다. 2 사냥하다.

[田畓](전답) 논밭.

[田園](전원) 논밭과 동산. 곧, 시골이나 교외.

[田園都市](전원 도시) 도시 생활의 편리한 점과 시골 생활의 아름다움을 갖추어 교외에 건설한 도시.

[公田](공전) 국가 소유의 논밭. ↔ 私田(사전).

[我田引水](아전 인수) '제 논에 물대기'라는 뜻으로, 모든 일을 자기에게 이로운 대로만 하려고 함을 이르는 말.

[油田](유전) 석유가 땅 속에 있거나 생산되는 곳.

[火田](화전) 산이나 들에 불을 지른 다음, 그 땅을 일구어 농사를 짓는 밭.

0
⑤ 【甲】 갑옷 갑 甲

부수 田 (밭 전)부

찾기 田⁵＝5 획

| ⼁ | ⼌ | 冂 | 日 | 甲 | | |

글자뿌리 **상형(象形) 문자.** 초목의 새싹이 껍질을 뒤집어쓰고 땅위로 돋아 나오는 모양을 본뜬 자로, 그 겉껍질 모양이 갑옷과 같다는 데서 '갑옷'의 뜻이 된 자.

글자풀이 1 갑옷. 2 첫째 천간. 3 딱지. 껍데기. 4 첫째 가다. 5 아무개.

[甲骨文字](갑골 문자) 거북의 등딱지나 짐승의 뼈에 새긴 중국 고대의 상형 문자.

[甲富](갑부) 첫째 가는 부자.

[同甲](동갑) 같은 나이.

[六十甲子](육십 갑자) 십간(十干)과 십이지(十二支)를 차례로 배합하여 60가지로 배열한 순서.

[鐵甲](철갑) 쇠로 만든 갑옷.

[回甲](회갑) 예순한 살.

5획

5
획

0 ⑤ 【申】 납 신

부수 田(밭 전)부
찾기 田⁵=5 획

ㅣ	口	曰	曰	申

(글자뿌리) 상형(象形) 문자. 줄달음치는 번개의 모양을 본뜬 글자. 번개 전(電)의 원자.

(글자풀이) 1 납. 아홉째 지지. ※ 납은 원숭이의 옛말. 2 펴다. 말하다. 아뢰다.

[申告](신고) 해당 기관에 일정한 사실을 알리는 일. ¶出生申告(출생 신고).

[申聞鼓](신문고) 조선 태종 때, 대궐의 문루에 달아 놓고 백성들이 억울한 일을 호소할 때 치게 했던 북.

[申申當付](신신 당부) 몇 번이고 되풀이하여 간절하게 하는 부탁.

[申請](신청) 어떤 일을 청함.

[甲申政變](갑신 정변) 조선 고종 21년(1884년 ; 갑신년)에 김옥균(金玉均)·박영효(朴泳孝) 등의 개화당이 민비 일파를 물리치고 새로운 정부를 세우기 위해 일으킨 정변.

[內申](내신) 내용을 공개하지 아니하고 보고함.

0 ⑤ 【由】 말미암을 유

부수 田(밭 전)부
찾기 田⁵=5 획

ㅣ	口	巾	由	由

(글자뿌리) 상형(象形) 문자. 초목의 열매가 늘어져 매달린 모양을 본뜬 글자.

🦋 ⇒ 器 ⇒ 由

(글자풀이) 1 말미암다. 2 까닭. 3 …에서부터. …에서. 4 지나다.

[由來](유래) 사물의 연유하여 온 바. 내력.

[由緒](유서) ① 사물이 유래한 단서. ② 전하여 오는 까닭과 내력.

[經由](경유) 거치어 지나감.

[事由](사유) 일의 까닭.

[緣由](연유) 까닭. 유래.

[理由](이유) 까닭. 사유.

[自由](자유) 남에게 구속받거나 무엇에 얽매이지 않고 자기 마음대로 행동함.

²_⑦【**男**】사내 남　男

부수 田(밭 전)부
찾기 田⁵＋力²＝7 획

| ノ | 口 | 冂 | 田 | 田 | 虲 | 男 |

(글자뿌리) 회의(會意) 문자. 밭 전(田)에 힘 력(力)을 합친 자로, 밭에 나가서 힘써 일하는 '남자'를 뜻함.

(글자풀이) 1 사내. 남자. 2 아들. 3 작위 이름.

[男女老少](남녀 노소) 남자와 여자와 늙은이와 젊은이. 곧, 모든 사람.

[男妹](남매) 오누이.

[男兒一言重千金](남아 일언 중 천금) 남자의 말 한 마디는 천금같이 값지고 무거움.

[男便](남편) 여자의 짝이 되어 사는 남자를 그 여자에 대하여 일컫는 말.

[長男](장남) 맏아들. 큰아들.

[好男](호남) ① 쾌활하고 씩씩한 남자. ② 미남자.

⁴_⑨【**界**】지경 계　界

부수 田(밭 전)부
찾기 田⁵＋介⁴＝9 획

| ノ | 口 | 冂 | 田 | 田 | 聖 | 界 |
| 界 | 界 | | | | | |

(글자뿌리) 형성(形聲) 문자. 밭 전(田〈뜻〉)에 끼일 개(介〈음〉)를 합친 자로, 밭과 밭 사이를 나누는 경계라는 데서 '지경'의 뜻.

(글자풀이) 1 지경. 한계. 범위. 2 둘레. 경계 안. 3 구분하다. 한정하다.

[各界](각계) 사회의 여러 분야. ¶ 各界各層(각계 각층).

[分界線](분계선) 서로 나뉜 지역의 경계가 되는 선.

[世界史](세계사) 세계 인류의

5
획

역사.

[視界] (시계) 눈으로 바라볼 수 있는 범위. 동 視野(시야).

[外界人] (외계인) 지구 밖의 다른 별에서 온 사람.

[財界] (재계) 실업가나 금융업자의 사회.

[政界] (정계) 정치에 관계되는 분야.

[第三世界] (제삼 세계) 제2차 세계 대전 후, 아시아·아프리카·라틴아메리카의 개발 도상국을 일컬음.

[他界] (타계) ① 다른 세계. 타인의 세계. ② 죽음.

[學界] (학계) 학문이나 학자의 사회.

5
[留]⑩ 머무를 류

부수 田(밭 전)부
찾기 田⁵+𠬃⁵=10획

´	⺁	⺁	𠂉	𠂊	𠂊	留
留	留	留				

글자뿌리 형성(形聲) 문자. 무성할 묘(𠬃:卯〈음〉)에 밭 전(田〈뜻〉)을 합친 자로, 농부가 밭의 무성한 풀을 뽑기 위해 밭에 나가 오랫동안 일을 한다는 데서 '머무르다'의 뜻이 된 자.

글자풀이 1 머무르다. 묵다. 지체하다. 2 뒤지다. 늦다.

[留念] (유념) 마음에 깊이 새기고 생각함.

[留保] (유보) 뒷날로 미룸. 멈추어 두고 보존함.

[留意] (유의) 마음에 둠. ¶ 留意事項(유의 사항).

[留任] (유임) 그대로 머물러 일을 맡아 봄.

[留學] (유학) 외국에서 공부함.

[抑留] (억류) 강제로 머무르게 함. 붙잡아 둠.

[停留場] (정류장) 승객이 타고 내릴 수 있도록 버스나 자동차 등이 멈추는 일정한 장소.

6
[異]⑪ 다를 이

부수 田(밭 전)부
찾기 田⁵+共⁶=11획

⎹	口	⊞	田	田	甼	甼
甼	昱	異	異			

글자뿌리 회의(會意) 문자. 줄비(畀)에 두 손 공(廾)을 합친 자로, 두 손을 모아 물건을 나누어 줌을 나타내어, 그 마음씨가 남과 '다르다'는 뜻.

⇒ ⇒ 異

글자풀이 1 다르다. 2 이상하다.

[異見](이견) 다른 의견.

[異口同聲](이구 동성) 여러 사
   람의 말이 한결같음.

[異例](이례) 전에는 없었던 특
   별한 일.

[異變](이변) 전혀 예상하지 못
   한 사태.

[異性](이성) ① 성질이 다름.
   또는 다른 성질. ② 남성 쪽에
   서 본 여성, 또는 여성 쪽에서
   본 남성을 이르는 말.

[異議](이의) 남과 의견을 달
   리함. 또는 그 의견이나 주장.

[驚異](경이) 놀라서 이상하게
   여김.

[大同小異](대동 소이) 거의 같
   고 조금 다름.

[相異](상이) 서로 다름.

[特異](특이) 특별히 다름.

[判異](판이) 아주 다름.

7 【番】 번 번 番
②

부수 田(밭 전)부

찾기 田⁵＋釆⁷＝12획

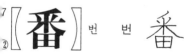

글자뿌리 상형(象形) 문자. 짐승
의 발자국을 본뜬 글자. '釆'는
발가락을, '田'은 발바닥의 모양
을 나타내며, 지나간 발자국이 번
갈아 나 있다 하여 '차례'의 뜻이
된 자.

글자풀이 1 번. 번을 들다. 번갈
다. 2 횟수.

[番地](번지) 땅을 나누어서 매
   겨 놓은 번호.

[番號](번호) 차례를 나타내는
   호수. ¶ 一連番號(일련 번호).

[單番](단번) 단 한 번. 한 차
   례. 단방.

[當番](당번) 차례에 당함. 또
   는 그 사람.

[每番](매번) 번번이.

[非番](비번) 당번이 아님.

[順番](순번) 차례로 돌아오는
   순서.

7 【畫】 ❶ 그림 화 畫
⑫   ❷ 가를 획

5
획

부수 田(밭 전)부

찾기 田⁵+畫⁷=12획

ㄱ	ㄱ	ㅋ	ㅋ	肀	聿	書
書	書	書	畵	畵		

글자뿌리 회의(會意) 문자. 붓 율(聿)에 画(사방으로 구획한 밭)를 합친 자로, 붓으로 선을 그어 밭의 경계를 표시한다는 데서 '그리다', '가르다', '긋다'의 뜻.

글자풀이 ❶ 1 그림. 그리다. ❷ 2 가르다. 긋다. 3 꾀. 꾀하다. 4 획.

[畫家](화가) 그림 그리는 일을 전문으로 하는 사람.

[畫具](화구) 그림을 그리는 데 필요한 여러 가지 기구.

[畫廊](화랑) 그림 등 미술품을 전시하거나 파는 곳.

[畫報](화보) 그림이나 사진으로 엮은 인쇄물.

[畫風](화풍) 그림을 그리는 경향. 또는 그림의 특징.

[漫畫](만화) 이야기를 그림으로 그려서 나타낸 것.

[原畫](원화) 복제한 그림에 대

한 본디의 그림.

[靜物畫](정물화) 정물을 소재로 하여 그린 그림.

[畫數](획수) 글자 획의 수효.

[畫順](획순) 글자 획의 순서.

[畫一](획일) 한결같음.

[畫策](획책) 일 등을 꾸미거나 꾀함.

[區畫](구획) 경계를 갈라 정함. 또는 그 가른 구역의 하나하나.

---

⁸
⑬ **當** 마땅할 당 當

부수 田(밭 전)부

찾기 田⁵+尙⁸=13획

ˋ	ˈ	ˇ	˘	尚	尚	尚
尚	尚	尚	當	當	當	

글자뿌리 형성(形聲) 문자. 짝 지을 상(尙 : 서로 어울린다는 뜻〈음〉)에 밭 전(田〈뜻〉)을 합친 자로, 밭의 가치가 서로 어울린다는 데서 '마땅하다'의 뜻이 된 자.

글자풀이 1 마땅하다. 마땅히. 2 당하다. 3 저당하다. 4 이. 그.

[當代](당대) ①그 시대. ②지금의 시대. ③사람의 일대.

[當到](당도) 어떠한 곳이나 일에 이름.

[當落](당락) 당선과 낙선.

[當面] (당면) ① 일이 바로 눈 앞에 닥침. ② 얼굴을 대함. 图 對面(대면).

[當事者] (당사자) 그 일에 직접 관계가 있는 사람.

[當選] (당선) 선거나 심사 등에 뽑힘.

[當然] (당연) 마땅히 그러함.

[當初] (당초) 일의 맨 처음.

[個當] (개당) 한 개 한 개에.

[相當數] (상당수) ① 어지간히 많은 수. ② 어떠한 기준에 상당하는 수.

[應當] (응당) 으레. 당연히.

[適當] (적당) 정도에 알맞음.

[正當化] (정당화) 바르고 마땅하게 함.

[充當] (충당) 보충하여 메움.

[合當] (합당) 꼭 알맞음.

⁵ 疒 (병질 엄) 部

병든 사람이 무엇에 기대어 누워 있는 모양을 본뜬 글자. 한자로는 '병들어 누울 녁'자이고, 부수 명칭은 '병질 엄'임.

⁵
⑩ 【病】 병 병 病

부수 疒 (병질 엄) 부
찾기 疒⁵＋丙⁵＝10획

글자뿌리 형성(形聲) 문자. 병들어 누울 녁(疒〈뜻〉)에 남녀 병(丙＝並〔나란할 병〕: 더한다는 뜻〈음〉)을 합친 자로, 병이 점점 심해진다는 데서 '병들다', '근심하다'의 뜻이 된 자.

글자풀이 1 병. 병들다. 앓다. 2 근심하다. 3 흠. 결점.

[病看護] (병간호) 병자를 보살펴 주는 일.

[病苦] (병고) 병으로 인한 괴로움.

[病理] (병리) 병의 원인·발생·경과 등에 관한 이론. ¶病理學(병리학).

[病名] (병명) 병의 이름.

[病席] (병석) 환자가 누워 있는 자리.

[病勢] (병세) 병의 형편.

[病院] (병원) 병자를 진찰하고

치료하는 곳.

[病患] (병환) 윗사람의 병을 높여 이르는 말.

[看病] (간병) 환자를 보살핌.

[難治病] (난치병) 고치기 어려운 병.

[問病] (문병) 아픈 사람을 찾아보고 위로함.

[發病] (발병) 병이 생김.

[持病] (지병) 잘 낫지 않아 늘 앓으면서 고통을 당하는 병.

[行旅病者] (행려 병자) 나그네로 다니다가 병이 들어 간호할 사람이 없는 사람.

5획

⁵ 癶 (필발머리) 部

두 다리를 꼬면서 제자리걸음하는 모양을 본뜬 글자. 한자로는 '걸을 발'자이나, '필 발(發)'의 부수인 데서, 부수 명칭은 '필발머리'라라 이름.

---

⁴⑨ 【癸】 열째 천간 계 癸

부수 癶 (필발머리) 부

찾기 癶⁵ + 天⁴ = 9획

기	기	기′	癶	癶	癶	癶

癸	癸					

글자뿌리 상형(象形) 문자. 칼

날이 세 갈래로 갈라져 있어 어느 쪽이나 찌를 수 있는 창의 모양을 본뜬 글자.

글자풀이 열째 천간.

[癸方] (계방) 24 방위의 하나. 동쪽에서 북쪽에 가까운 방위.

[癸丑] (계축) 육십 갑자의 쉰째의 간지(干支).

---

⑦⑫ 【登】 오를 등 登

부수 癶 (필발머리) 부

찾기 癶⁵ + 豆⁷ = 12획

기	기	기′	癶	癶	癶	癶

癶	癶	癶	登	登		

글자뿌리 형성(形聲) 문자. 걸을 발(癶〈뜻〉)에 제기 두(豆〈음〉)를 합친 자로, 두 발로 서서 높은 곳에다 제기를 올려놓는다는 데서 '오르다'의 뜻이 된 자.

$\bigtriangledown\boxdot$ ⇒ 癶豆 ⇒ 登

글자풀이 1 오르다. 2 올리다.

기재하다. 3 나아가다.

[登校] (등교) 학교에 나감. ⑪ 下校(하교).

[登極] (등극) 임금의 자리에 오름.

[登記] (등기) ① 공식적인 문서에 올려 적음. ② 등기 우편의 준말.

[登錄] (등록) 문서나 장부 등에 적어 올림.

[登山] (등산) 산에 오름. ⑪ 下山(하산).

[登用] (등용) 인재를 뽑아 씀.

[登龍門] (등용문) 출세의 어려운 관문을 비유하여 이르는 말.

[登場] (등장) ① 배우 등이 무대에 나타남. ② 어떠한 일에 관련된 인물이 나타남.

[登頂] (등정) 정상에 오름.

【發】 필 발
쏠 발 發

부수 癶 (필발머리) 부

찾기 癶 5 + 癶 7 = 12획

丿 癶 癶 癶 癶 癶 癶

癶 癶 癶 癶 發

(글자뿌리) 형성(形聲) 문자. 짓밟을 발(癶〈음〉)에다 활 궁(弓〈뜻〉)을 합친 자로, 두 발로 풀밭을 힘있게 딛고 서서 활을 쏜

다는 데서 '쏘다', '피다'의 뜻.

(글자풀이) 1 피다. 2 쏘다. 3 일어나다. 생기다. 4 떠나다. 5 일으키다. 6 나타나다. 드러내다. 들추다.

[發見] (발견) 알려지지 아니한 것을 먼저 찾아 냄.

[發給] (발급) 발행하여 줌.

[發端] (발단) 어떤 일이 벌어지는 실마리.

[發達] (발달) 점점 더 잘 되어 더욱 완전한 형태에 이름.

[發賣] (발매) 상품을 팖. 팔기 시작함.

[發明] (발명) 아직까지는 없던 새로운 것을 만들거나 생각해 내는 일.

[發射] (발사) 총포 등을 쏨.

[發言] (발언) 말을 꺼냄. 또는 그 말.

[發育] (발육) 발달하여 크게 자라남.

[發展] (발전) 보다 나은 상태로 되어 감.

[發行] (발행) ① 책 등을 인쇄하여 펴냄. ② 화폐·증명서 등

을 만들어 세상에 내놓음.

[滿發] (만발) 많은 꽃이 한꺼
   번에 활짝 핌.

[百發百中] (백발 백중) ① 쏘
   기만 하면 어김없이 명중함.
   ② 예상 따위가 매번 들어맞음.

[摘發] (적발) 숨겨진 사물을 들
   추어 냄.

[出發] (출발) ① 길을 떠남. ②
   일의 시작.

[暴發] (폭발) ① 갑자기 터짐.
   ② (어떤 일이) 별안간 벌어짐
   을 비유하여 이르는 말.

5
획

5 白 (흰 백) 部

해 일(日)에 삐칠 별(丿)을
합친 자로, 햇빛이 위를 향해
비친다는 뜻.

0
⑤ 【白】 흰 백

부수 白 (흰 백) 부
찾기 白⁵ = 5획

ノ	⺈	白	白	白

（글자뿌리） 지사(指事) 문자. 해
일(日)에 삐칠 별(丿)을 합친 자
로, 햇빛이 위를 향해 비친다는
데서 '희다', '깨끗하다'는 뜻.

（글자풀이） 1 희다. 흰빛. 2 깨끗
하다. 3 밝다. 4 아뢰다. 5 없다.

[白色] (백색) 흰 빛깔.

[白衣民族] (백의 민족) 예로부
   터 흰 옷을 즐겨 입은 데서 우
   리 민족을 이름.

[白日場] (백일장) ① 조선 시
   대 때에 시문을 짓는 시험. ②
   글짓기 대회.

[白紙] (백지) 흰 종이. 아무것
   도 쓰지 않은 종이.

[潔白] (결백) 행동이나 마음이
   깨끗하여 허물이 없음.

[告白] (고백) 마음 속에 숨기
   고 있는 것을 털어놓음.

[空白] (공백) 텅 비어 아무것도
   없음.

[明白] (명백) 분명하고 뚜렷함.

[純白] (순백) 순수하게 흼.

[餘白] (여백) 그림이나 글씨 이
   외의 빈 부분.

[自白] (자백) 자기 스스로 허물
   이나 죄를 고백함.

[黑白] (흑백) ① 검은빛과 흰
   빛. ② 잘잘못. 옳고 그름. ¶ 黑
   白論理(흑백 논리).

⑥【百】 일백 백　百

부수 白(흰 백)부
찾기 白⁵＋一¹＝6획

| 一 | 一 | 丆 | 丆 | 万 | 百 | 百 |

（글자뿌리） 형성(形聲) 문자. 한 일(一〈뜻〉)에 흰 백(白〈음〉)을 합친 자로, 하나에서 시작하여 가장 많은 수인 '일백'을 뜻함.

（글자풀이） 1 일백. 모든. 다수. 2 많다.

[百科] (백과) 온갖 학과. ¶ 百科事典(백과 사전).
[百年大計] (백년 대계) 먼 장래를 내다보고 세우는 계획.
[百聞不如一見] (백문 불여일견) 백 번 듣는 것보다 실제로 한 번 보는 것이 더 나음.
[百方] (백방) ① 온갖 방법. ② 여러 방면.
[百選] (백선) 백 개를 가려 뽑음. ¶ 名詩百選(명시 백선).
[百姓] (백성) 국민을 가리키는 예스러운 말.
[百戰百勝] (백전 백승) 싸울 때마다 다 이김.
[百出] (백출) 수없이 많이 나타남. ¶ 妙技 百出(묘기 백출).

[百貨店] (백화점) 온갖 상품을 부문별로 나누어 파는 대규모 판매점.
[五穀百果] (오곡 백과) 온갖 곡식과 과실.

⑧【的】 과녁 적　的

부수 白(흰 백)부
찾기 白⁵＋勺³＝8획

| ′ | ′ | 冇 | 白 | 白 | 的 | 的 |

（글자뿌리） 형성(形聲) 문자. 흰 백(白〈뜻〉)에 조금 작(勺〈음〉)을 합친 자로, 흰 동그라미 판에 찍어 둔 작은 점을 향해 활을 쏜다는 데서 '과녁'의 뜻이 된 자.

（글자풀이） 1 과녁. 목표. 2 확실하다. 3 형용사나 명사를 만드는 접미사.

[的中] (적중) 딱 들어맞음.
[的確] (적확) 벗어남이 없이 정확함.

[感動的](감동적) 느끼어 마음이 움직일 만한 (것).

[公的](공적) 공공(公共)에 관한 (것). ↔私的(사적).

[對內的](대내적) 나라나 단체 등의 내부에 상관되는 (것). ↔對外的(대외적).

[目的](목적) 이루려는 목표나 방향.

[消極的](소극적) 수동적이고 활동적이 아닌 (것). ↔積極的(적극적).

[一律的](일률적) 사물의 상태나 방법 등이 한결같은(것).

[靜的](정적) 움직임이라곤 없는 (것). ↔動的(동적).

4
⑨ 〔皆〕 다 개 皆

부수 白(흰 백)부
찾기 白⁵+比⁴=9획

'	⺍	⺍	比	比	比	皆
皆	皆					

글자뿌리 회의(會意) 문자. 나란히 선다는 뜻의 견줄 비(比)와 말한다는 뜻의 흰 백(白)을 합친 자로, 여러 사람이 나란히 입을 모아 찬성한다는 데서 '다', '모두'의 뜻.

글자풀이 1 다. 모두. 함께. 2

두루 미치다.

[皆勤](개근) 하루도 안 빠지고 출석함. ¶皆勤賞(개근상).

[皆兵](개병) 국민 모두가 병역의 의무를 지는 것.

4
⑨ 〔皇〕 임금 황 皇

부수 白(흰 백)부
찾기 白⁵+王⁴=9획

'	⺊	⺧	白	白	皀	皁
皁	皇					

글자뿌리 회의(會意) 문자. 스스로 자(自[시작])와 임금 왕(王), 또는 흰 백(白)에 임금 왕(王)을 합친 자로, 가장 오랜 왕의 뜻. 또는 태양의 아들로서 천명을 대신해서 인간을 다스리는 왕이 '황제'라는 뜻.

글자풀이 1 임금. 황제. 2 크다.

[皇國](황국) 황제의 나라.
[皇女](황녀) 황제의 딸.
[皇室](황실) 황제의 집안.
[皇帝](황제) 제왕. 임금.
[皇族](황족) 황제의 친족.
[皇太子](황태자) 황위(皇位)를 이을 황자.

[敎皇] (교황) 천주교 교회에서 가장 높은 성직자.

[天皇] (천황) 일본에서 그 임금을 일컫는 말.

---

⁵ 皮 (가죽 피) 部

손으로 가죽을 벗기는 모양을 본뜬 글자.

⁰⑤【皮】 가죽 피   皮

부수 皮 (가죽 피) 부

찾기 皮⁵=5획

| ノ | 厂 | 广 | 皮 | 皮 | |

(글자뿌리) 회의(會意) 문자. 손〔又〕으로 짐승 가죽을 벗기는 모양을 나타낸 글자.

자연보호

(글자풀이) 1 가죽. 2 껍질. 거죽.

[皮骨] (피골) 살가죽과 뼈. ¶皮骨相接 (피골 상접).

[皮下] (피하) 살가죽 밑. ¶皮下脂肪 (피하 지방).

[毛皮] (모피) 털가죽.

[外皮] (외피) 겉껍질. ⑪內皮 (내피).

[鐵面皮] (철면피) 뻔뻔스럽고 염치 없는 사람.

[脫皮] (탈피) ① 파충류·곤충류 따위가 허물을 벗는 일. ② 낡은 사고 방식에서 벗어남.

[表皮] (표피) 동식물의 겉표면을 덮고 있는 세포층.

---

⁵ 皿 (그릇 명) 部

그릇의 모양을 본뜬 글자.

---

⁵⑩【益】 더할 익   益

부수 皿 (그릇 명) 부

찾기 皿⁵+仌⁵=10획

ノ	八	公	公	公	公	谷
谷	益	益				

(글자뿌리) 회의(會意) 문자. 물 수(仌 : 水의 변형)에 그릇 명(皿)을 합친 자로, 그릇 위로 물이 넘치고 있는 모양을 나타내어 '더하다', '넘치다'의 뜻.

≈ ⇒ ≈皿 ⇒ 益

(글자풀이) 1 더하다. 보태다. 2 이익. 이롭다. 유익하다.

[益鳥](익조) 농사에 해가 되는 벌레를 잡아먹는 이로운 새.
[公益](공익) 공공의 이익.
[權益](권익) 권리와 이익.
[無益](무익) 전혀 이로움이 없음. ㉯ 有益(유익).
[損益](손익) 손해와 이익.
[實益](실익) 실제의 이익. ㉰ 實利(실리).
[利益](이익) 유익하고 도움이 됨. ㉰ 利得(이득).
[便益](편익) 편리하고 유익함.

7 【盛】 ⑫ 성할 성

부수 皿(그릇 명)부
찾기 皿⁵+成⁷=12획

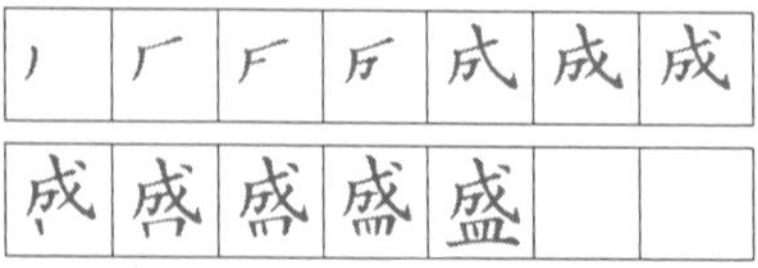

(글자뿌리) 형성(形聲) 문자. 이룰 성(成 : 쌓아올린다는 뜻〈음〉)에 그릇 명(皿〈뜻〉)을 합친 자로, 그릇마다 괴어 놓은 음식을 나타내어 '성하다'의 뜻.

(글자풀이) 1 성하다. 2 담다.

[盛大](성대) 성하고 큼.
[盛德](성덕) 크고 높은 덕.
[盛衰](성쇠) 성함과 쇠퇴함.
[盛業](성업) 사업이 썩 잘됨.
[盛行](성행) 매우 성하게 행하여짐.
[強盛](강성) 강하고 번성함.
[茂盛](무성) 나무·풀 등이 많이 나서 우거짐.
[全盛期](전성기) 한창 왕성한 시기.
[豐盛](풍성) 넉넉하고 많음.

9 【盡】 ⑭ 다할 진

부수 皿(그릇 명)부
찾기 皿⁵+⺻⁹=14획

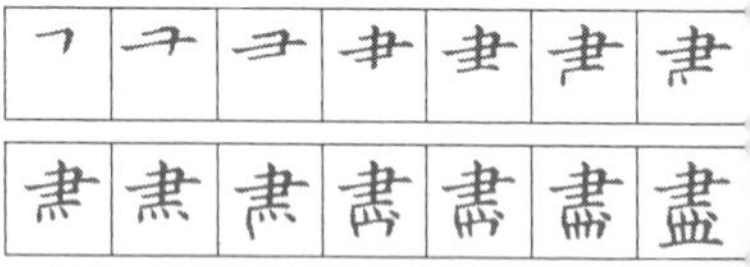

(글자뿌리) 회의(會意) 문자. 불이 다한다는 뜻의 '⺻'에 그릇 명(皿)을 합친 자로, 화로에 불씨가 다 꺼져 간다는 데서 '다하다'의 뜻이 된 자.

(글자풀이) 다하다.

[盡力](진력) 있는 힘을 다함.
[盡終日](진종일) 온종일. 하루 종일.
[極盡](극진) 그 이상 더할 수 없을 정도로 마음과 힘을 다함.
[賣盡](매진) 남김없이 모두 다 팔림.

[未盡](미진) 아직 하지 못함. 아직 충분하지 못함.

[消盡](소진) 다 써서 없어짐.

[打盡](타진) 모조리 잡음. ¶ 一網打盡(일망 타진).

[脫盡](탈진) 기운이 다 빠져 없어짐.

5 目 (눈 목) 部

사람의 눈을 본뜬 글자.

【目】 눈 목

부수 目(눈 목)부

찾기 目[5]=5획

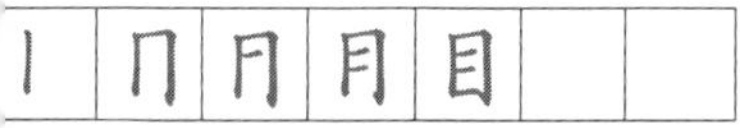

글자뿌리 상형(象形) 문자. 사람의 눈 모양을 본뜬 글자.

글자풀이 1 눈. 2 보다. 3 조목. 4 제목. 5 요점. 6 우두머리.

[目擊](목격) 직접 자기의 눈으로 봄.

[目禮](목례) 눈인사.

[目錄](목록) 어떤 물품의 이름을 일정한 차례로 적은 것.

[目不忍見](목불인견) 눈으로 차마 볼 수 없음.

[目的](목적) 일을 이룩하려는 목표. 도달하려고 하는 목표.

[目前](목전) 눈앞.

[目次](목차) 내용의 항목이나 제목을 차례차례로 배열한 것. 차례.

[目標](목표) 이루거나 도달하려는 대상이 되는 것.

[目下](목하) 바로 지금.

[曲目](곡목) ① 연주할 노래의 이름을 적어 놓은 목록. ② 노래의 이름.

[科目](과목) ① 사물을 분류한 조목. ② 학문의 구분. 교과를 나눈 영역.

[德目](덕목) 도덕의 내용을 분류한 명목.

[頭目](두목) 우두머리.

[面目](면목) ① 얼굴의 생김새. ② 남을 대하는 체면. ③ 일의 모양이나 상태.

[名目](명목) ① 겉으로 보이기 위해 붙인 이름. ② 이유. 핑계.

[耳目口鼻](이목구비) 귀·눈·입·코를 아울러 이름. 얼굴의 생김새.

[題目](제목) 작품 등의 내용을 보이거나 대표하는 이름.

[種目](종목) 종류의 이름.

[指目](지목) 사람이나 사물이 어떠하다고 가리키어 정함.

[眞面目](진면목) 본디 그대로의 참모습.

[品目]（품목）물건의 종류를 나타내는 이름.

③
⑧【直】곧을 직　　直

부수 目(눈 목)부
찾기 目⁵＋乚³＝8획

| 一 | 十 | 广 | 方 | 有 | 有 | 直 |

글자뿌리 회의(會意) 문자. 열 십(十) 밑에 눈 목(目)과 숨을 은(乚：隱의 옛 글자)을 합친 자로, 여러 사람이 보면 숨김 없이 볼 수 있다는 데서 '곧다', '바르다'의 뜻.

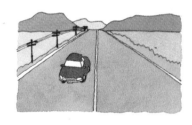

글자풀이 1 곧다. 바르다. 2 바로. 3 번. 당직.

[直感]（직감）설명이나 증명을 거치지 않고 즉각적으로 판단한 느낌.

[直立]（직립）똑바로 섬. ¶直立步行(직립 보행).

[直面]（직면）직접 부닥침.

[直線]（직선）곧은 선.

[直送]（직송）곧바로 보냄. 직

접 부침.

[直視]（직시）① 똑바로 봄. ② 사물의 진실을 바로 봄.

[直言]（직언）자기가 믿는 대로 기탄 없이 말함. 곧이 곧대로 말함.

[直前]（직전）바로 앞. 일이 생기기 바로 전.

[直接]（직접）중간에 다른 것을 거치지 않고 바로 접함. 빈 間接(간접).

[直進]（직진）곧게 나아감.

[直通]（직통）두 지점 간에 장애가 없이 바로 통함.

[直後]（직후）바로 뒤.

[強直]（강직）마음이 강하고 곧 직함.

[單刀直入]（단도 직입）요점으로 곧바로 들어감.

[率直]（솔직）거짓이나 꾸밈이 없이 바르고 곧음.

[宿直]（숙직）관청·회사 등의 직장에서 잠을 자며 지키는 일 또는 그 사람.

[正直]（정직）거짓이나 꾸밈이 없이 마음이 바르고 곧음.

[忠直]（충직）충성스럽고 곧음

④
⑨【看】볼 간　　看

부수 目(눈 목)부
찾기 目⁵＋手⁴＝9획

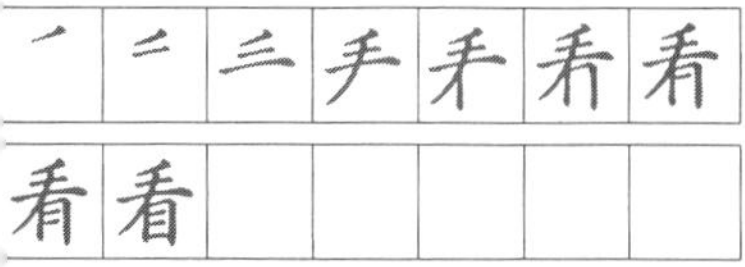

(글자뿌리) 회의(會意) 문자. 손 수(扌: 手의 변형)에 눈 목(目)을 합친 자로, 눈 위에 손을 얹고 '본다'는 뜻.

(글자풀이) 1 보다. 2 지키다.

[看過](간과) 대충 보아 넘김.
[看病](간병) 병자를 보살핌.
[看守](간수) ① 보살피고 지킴. ② 교도소에서 죄수를 감독하는 사람. 또는 그 직책.
[看破](간파) 꿰뚫어 보아 알아차림.
[看護](간호) 환자나 노약자를 보살펴 돌봄.
[走馬看山](주마 간산) 달리는 말 위에서 산천을 구경한다는 뜻으로, 겉만 대강 보고 지나침.

【相】 서로 상 相

부수 目(눈 목)부
찾기 目⁵+木⁴=9획

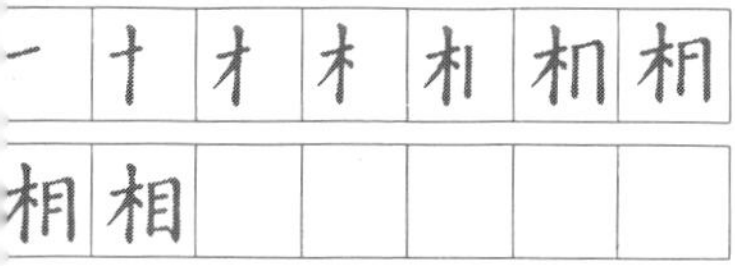

(글자뿌리) 회의(會意) 문자. 나무 목(木)에 눈 목(目)을 합친 자로, 눈으로 나무에 올라 보면 잘 바라보인다는 데서, '모양', '서로' 돕는다는 뜻.

(글자풀이) 1 서로. 2 보다. 3 돕다. 4 모습. 모양. 5 정승.

[相關](상관) ① 서로 관련을 가짐. ② 남의 일에 간섭함.
[相談](상담) 서로 의논함.
[相反](상반) 서로 반대됨.
[相逢](상봉) 서로 만남.
[相扶相助](상부 상조) 서로서로 도움.
[相思](상사) 서로 생각함. 서로 그리워함. ¶ 相思病(상사병).
[相續](상속) 재산이나 권리 등을 물려주거나 물려받음.
[相殺](상쇄) 셈 따위를 서로 비김.
[相應](상응) 서로 알맞음.
[相議](상의) 서로 논함.
[相通](상통) 서로 통함.

[相互] (상호) 피차가 서로.

[觀相] (관상) 사람의 생김새를 보고 그 사람의 운명 등을 판단하는 일.

[首相] (수상) 국무 총리.

[人相着衣] (인상 착의) 사람의 생김새와 옷차림.

[眞相] (진상) 사물의 참된 내용이나 형편.

客(귀성객).

[反省] (반성) 스스로를 돌아봄.

[人事不省] (인사 불성) ① 정신을 잃어 의식이 없음. ② 사람으로서의 예절(禮節)을 차릴 줄 모름.

[自省] (자성) 스스로 반성함.

[省略] (생략) 간단하게 줄이거나 뺌.

4
⑨ 【省】❶ 살필 성
❷ 덜 생　省

부수 目 (눈 목) 부

찾기 目⁵＋少⁴＝9획

丿 丶 小 少 少 宀 省

省 省

글자뿌리 회의(會意) 문자. 적을 소(少)에 눈 목(目)을 합친 자로, 작은 것까지 자세히 '살핀다'는 뜻.

小 👁 ⇒ 丿目 ⇒ 省

글자풀이 ❶ 1 살피다. 보다. 2 관청. 3 성. ※중국의 지방 행정 구획. ❷ 4 덜다. 생략하다.

[省墓] (성묘) 조상의 산소를 찾아 돌봄.

[省察] (성찰) 반성하여 살핌.

[歸省] (귀성) 객지에서 고향으로 돌아가거나 돌아옴. ¶ 歸省

5
⑩ 【眠】 잠잘 면　眠

부수 目 (눈 목) 부

찾기 目⁵＋民⁵＝10획

丨 冂 冂 目 目 目ー 目ー

目ー 目ー 眠

글자뿌리 형성(形聲) 문자. 눈 목(目〈뜻〉)에 백성 민(民 : 어둡다는 뜻이 있음〈음〉)을 합친 자로, 잠잘 때는 눈을 감는다〔民〕는 데서 '잠자다'의 뜻.

👁 🐾 ⇒ 目民 ⇒ 眠

글자풀이 잠자다. 쉬다.

[眠食](면식) 잠자는 일과 먹는 일. ⑧ 寢食(침식).

[多眠](동면) 뱀·개구리·곰 등의 동물이 겨울 동안 땅 속·물 속 등에서 생활 활동을 멈추고 잠자는 상태로 봄을 기다리는 일. 겨울잠.

[不眠](불면) 잠을 자지 않음. 또는 잠을 자지 못함.

[熟眠](숙면) 깊이 잠이 듦.

[安眠](안면) 편히 잠. ¶安眠妨害(안면 방해).

[休眠](휴면) 쉬고 활동 않음.

5
⑩ 【眞】 참   진   眞

부수 目(눈 목)부

찾기 目^5＋匕^5＝10획

﹁	㇆	㇃	㇆	㇆	㇆	㇆

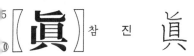

| 眞 | 眞 | 眞 | | | |

글자뿌리 상형(象形) 문자. 사람(匕＝人)이 눈알을 부라리고 있는(具) 모양을 본뜬 글자. 또는 사람 인(匕＝人)에 具(머리 수(首)를 거꾸로 쓴 모양)을 합친 회의(會意) 문자로, 머리 전(顚)의 원자였다가, 믿을 신(信)과 통용되어 '참', '진리'를 뜻하게 됨.

글자풀이 **1** 참. 진리. 진짜. 참으로. **2** 초상. 사진.

[眞假](진가) 진짜와 가짜.

[眞價](진가) 참된 값어치.

[眞談](진담) 참된 말.

[眞理](진리) 참된 이치.

[眞相](진상) 사물의 참된 모습. 실제의 형편.

[眞善美](진선미) 인간이 이상으로 삼는 참다움·착함·아름다움을 아울러 이르는 말.

[眞實](진실) 거짓이 없이 바르고 참됨.

[眞心](진심) 참된 마음.

[眞摯](진지) 진실하게 일에 당하며 흔들리지 않음.

[眞紅](진홍) 새빨간빛.

[寫眞](사진) 사진기로 물체의 형상을 찍어 낸 것.

[純眞](순진) 마음이 순박하고 꾸밈이 없이 참됨.

6
⑪ 【眼】 눈   안   眼

부수 目(눈 목)부

찾기 目⁵+艮⁶=11획

丨	冂	冂	目	目	目一	目一
目一	目一	眼	眼			

글자뿌리 형성(形聲) 문자. 눈 목(目〈뜻〉)에 머물 간(艮〈음〉) 을 합친 자로, 눈으로 볼 수 있는 범위는 일정한 한계에 머무른다 는 데서 '눈'의 뜻.

◑ 昆 ⇒ 目昆 ⇒ 眼

글자풀이 **1** 눈. **2** 고동. 요점.

[眼鏡](안경) 눈을 보호하거나 시력을 돕기 위하여 눈에 쓰는 기구.

[眼科](안과) 눈에 관한 질병 을 다루는 의학의 한 분과.

[眼目](안목) 사물을 보고 분 별하는 힘.

[眼下無人](안하 무인) 교만하 여 남을 업신여김.

[近視眼](근시안) ① 먼 곳에 있는 것이 잘 보이지 않는 눈. ② 눈앞의 일에 사로잡혀 앞일 을 바로 보지 못함.

[肉眼](육안) 맨눈.

[主眼點](주안점) 중요한 점.

[着眼](착안) 어떤 일을 눈여 겨 보아 그 일을 성취할 기틀 을 잡음.

[千里眼](천리안) 먼 곳의 일 까지도 꿰뚫어보는 능력.

[血眼](혈안) 핏발이 선 눈.

⁵ 矢 (화살 시) 部

화살촉과 깃의 모양을 본뜬 글자.

2
⑦ 〔矢〕 어조사 의　矢

부수 矢(화살 시)부
찾기 矢⁵+厶²=7획

𠃋	厶	𠂉	𠂆	𠀍	矢	矣

글자뿌리 형성(形聲) 문자. 써 이(厶:以〔멈춘다〕의 변형〈음〉) 에 화살 시(矢〈뜻〉)를 합친 자로, 화살이 날아가 무엇에 맞아 멈춘 다는 뜻에서, '어조사'로 쓰이게 됨.

글자풀이 어조사. ※ 단정·결정· 한정·의문·반어·영탄 등의 뜻을 나타냄.

[萬事休矣](만사 휴의) 모든 일 이 헛수고로 돌아감을 이름.

3
⑧ 〔知〕 알　지　知

부수 矢(화살 시)부
찾기 矢⁵+口³=8획

丿	𠂉	𠂊	乍	矢	知	知

(글자뿌리) 회의(會意) 문자. 화살 시(矢)에 입 구(口)를 합친 자로, 사람의 말을 마치 화살처럼 빨리 알아듣는다는 데서 '알다', '깨닫다'의 뜻이 된 자.

(글자풀이) 1 알다. 깨닫다. 분별하다. 2 알리다. 3 앎. 지식.

[知能](지능) 지적인 능력. ¶ 知能指數(지능 지수).

[知性](지성) 인식 및 이해의 능력.

[知識](지식) ① 사물을 아는 마음의 작용. ② 알고 있는 내용. 또는 알고 있는 범위.

[無知](무지) ① 아는 것이 없음. ② 어리석고 우악함.

[未知](미지) 아직 알지 못함. ¶ 未知數(미지수).

[親知](친지) 서로 잘 알고 친근하게 지내는 사람.

[探知](탐지) 더듬어 찾아 내거나 알아 냄.

[通知](통지) 기별하여 알림. ¶ 通知表(통지표).

7
⑫ 【短】 짧을 단 矢豆

부수 矢 (화살 시) 부
찾기 矢⁵+豆⁷=12획

ノ	ト	レ	午	矢	矢	知
知	知	知	短	短		

(글자뿌리) 형성(形聲) 문자. 화살 시(矢〈뜻〉)에 콩 두(豆 : 작다는 뜻이 있음〈음〉)를 합친 자로, 짧고 작은 화살이란 뜻에서 다시 '짧다'의 뜻이 된 자.

(글자풀이) 1 짧다. 모자라다. 2 허물. 결점.

[短期間](단기간) 짧은 기간. ⑪ 長期間(장기간).

[短命](단명) 명이 짧음. 짧은 목숨.

[短時日](단시일) 짧은 시일.

[短信](단신) ① 짧게 쓴 편지. ② 짤막한 뉴스. 토막 소식.

[短點](단점) 모자라거나 흠이

되는 점. 결점.

[短縮](단축) 짧게 줄임.

[短篇](단편) 길이가 짧은 작품. ¶短篇小說(단편 소설).

[長短](장단) ① 길고 짧음. ② 장점과 단점. ③ 곡조의 빠르고 느림. 박자.

---

⁵石 (돌 석) 部

언덕 아래에 굴러다니는 돌멩이의 모양을 본뜬 글자.

⁰⑤【石】 돌 석 石

부수 石(돌 석) 부
찾기 石⁵=5획

一	丆	石	石	石

글자뿌리 상형(象形) 문자. 언덕〔厂〕 아래에 굴러다니는 돌멩이〔口〕의 모양을 본뜬 글자로, '돌'을 나타냄.

글자풀이 1 돌. 2 섬. ※열 말을 뜻함.

[石工](석공) 돌을 다루어 여러 가지 물건을 만드는 사람.

[石材](석재) 토목이나 건축 및 비석·조각 등의 재료로 쓰이는 돌.

[石造](석조) 돌로 만듦.

[落石](낙석) 돌이 떨어짐.

[木石](목석) ① 나무와 돌. ② 무뚝뚝한 사람.

[巖石](암석) 바위.

[一石二鳥](일석 이조) 한 가지 일로 두 가지 이익을 얻음. ¶一擧兩得(일거 양득).

[定石](정석) 어떤 일을 처리할 때의 정해진 일정한 방식.

[齒石](치석) 이에 엉기어 붙은 단단한 물질.

[投石](투석) 돌을 던짐.

[化石](화석) 지질 시대의 동식물의 주검이나 흔적 등이 암석 속에 남아 있는 것.

---

⁵⑩【破】 깨뜨릴 파 破

부수 石(돌 석) 부
찾기 石⁵+皮⁵=10획

一	丆	石	石	石	矵	矵
矵	破	破				

글자뿌리 형성(形聲) 문자. 돌 석(石〈뜻〉)에 가죽 피(皮：깨어 진다는 뜻〈음〉)를 합친 자로, 돌 의 거죽이 깨어진다는 데서 '깨뜨 리다'의 뜻.

⇒ ⇒ 破

글자풀이 1 깨뜨리다. 깨어지다. 2 다하다. 3 쪼개다.

[破鏡] (파경) 깨어진 거울, 즉 부부의 이별을 이름. 이혼.

[破産] (파산) 재산을 모두 잃어버림.

[破損] (파손) 깨어져 못 쓰게 됨. 또는 깨뜨려 못 쓰게 함.

[破竹之勢] (파죽지세) 대를 쪼개는 기세라는 뜻으로, 맹렬한 기세를 이름.

[破紙] (파지) 찢어지거나 못 쓰게 된 종이.

[破片] (파편) 깨어진 조각.

[破婚] (파혼) 약혼을 깨뜨림.

[大破] (대파) ① 크게 쳐부숨. ② 크게 깨짐.

[讀破] (독파) 책을 다 읽어 냄.

[走破] (주파) 끝까지 달림.

[打破] (타파) 비합리적인 규율이나 관습 따위를 깨뜨려 버림.

6
⑪ 〔研〕 갈 연
연구할 연
研千

부수 石 (돌 석) 부
찾기 石⁵＋幵⁶＝11획

一	｢	｢	石	石	石	石

| 研 | 研 | 研 | 研 | | | |

글자뿌리 형성(形聲) 문자. 돌 석(石〈뜻〉)에 평평할 견(幵〈음〉)을 합친 자로, 돌을 반듯하게 갈고 닦는다는 데서 '갈다', 나아가 '연구하다'의 뜻. '硏'은 속자.

글자풀이 1 갈다. 2 연구하다. 3 벼루.

[研究] (연구) 특정한 것에 대하여 깊이 있게 조사하고 생각함. ¶ 研究所(연구소).

[研磨] (연마) 갈고 닦음.

[研修] (연수) 연구하고 닦음.

7
⑫ 〔硯〕 벼루 연
硯

부수 石 (돌 석) 부
찾기 石⁵＋見⁷＝12획

一	｢	｢	石	石	矵	矵

| 硯 | 硯 | 硯 | 硯 | 硯 | | |

글자뿌리 형성(形聲) 문자. 돌 석(石〈뜻〉)에다 볼 견(見：갈다〔研〕의 뜻도 있음〈음〉)을 합친 자로, 먹을 가는 돌이라는 데서 '벼루'를 뜻함.

정성껏

(글자풀이) 벼루.

[硯石] (연석) 벼룻돌.

[硯滴] (연적) 먹을 갈 때에 쓸
물을 담아 두는 그릇.

[硯池] (연지) 벼루 앞쪽의 물
을 담는 오목한 자리.

---

⁵ 示 (보일 시) 部

신을 제사지내는 제상 모양
을 본뜬 글자로, '보이다'의 뜻
을 가짐.

⁰
⑤ 【示】 보일 시 示

부수 示 (보일 시) 부
찾기 示⁵=5획

一	二	亍	亓	示

(글자뿌리) 상형(象形) 문자. 신
을 제사지내는 상의 모양〔示〕에,
거기에 바친 희생물 곧 짐승의
피가 떨어지는 모양〔示〕을 그려
서 '신령이 자리잡는 곳', '신령'
을 뜻하다가 신령은 인간에게 길

흉을 알려 준다는 데서 '보이다'
의 뜻.

禾 ⇒ 示 ⇒ 示

(글자풀이) 1 보이다. 2 지시하다.
가르치다. 알리다.

[示達] (시달) 상부에서 하부로
명령·통지 등을 전달함.

[示範] (시범) 모범을 보임.

[示威] (시위) 위력이나 기세를
드러내어 보임.

[教示] (교시) 가르쳐 보임.

[明示] (명시) 분명하게 나타내
보임.

[暗示] (암시) 넌지시 알림.

[展示] (전시) 늘어놓아 보임.
¶ 展示會(전시회).

[指示] (지시) ① 가리키어 보
임. ② 일러서 시킴.

[表示] (표시) 알아차리도록 겉
으로 드러내 보임.

[訓示] (훈시) 주의 사항을 주
거나 가르쳐 타이름.

---

⁵
⑩ 【神】 귀신 신 神

부수 示 (보일 시) 부
찾기 示⁵+申⁵=10획

一	二	亍	亓	示	示	礻
礻	礻	神				

글자뿌리 형성(形聲) 문자. 땅귀신 기(示〈뜻〉)에 펼 신(申〈음〉)을 합친 자로, 귀신의 뜻을 펼쳐 인간에게 길흉 화복을 내린다는 데서 '귀신', 나아가 '정신'의 뜻.

글자풀이 1 귀신. 신. 신령. 2 정신. 3 영묘하다.

[神經] (신경) ① 몸의 각 기관의 작용을 맡아 보는 기관. ② 사물을 느끼거나 생각하는 힘.

[神奇] (신기) 기묘하고 기이함.

[神童] (신동) 여러 가지 재주와 지혜가 남달리 뛰어난 아이.

[神明] (신명) 하늘과 땅의 신령. ¶ 天地神明(천지 신명).

[神父] (신부) 가톨릭교의 사제.

[神仙] (신선) 선도(仙道)를 닦아서 신통력을 얻은 사람.

[神聖] (신성) 거룩하고 성스러워 더럽힐 수 없음.

[神話] (신화) 부족이나 민족의 신앙적 대상에 대하여 전해 내려오는 설화. ¶ 檀君神話(단군 신화).

[入神] (입신) 기술이 영묘한 경지에 이름.

[精神] (정신) 마음이나 생각.

---

5 ⑩ 【祖】 할아비 조 / 조상 조

부수 示 (보일 시) 부

찾기 示⁵+且⁵=10획

一 二 于 示 示 初 初 祖 祖 祖

글자뿌리 형성(形聲) 문자. 땅귀신 기(示〈뜻〉)에 쌓일 저(且〈음〉)를 합친 자로, 대대로 내려오면서 쌓이는 것이라는 데서 '할아비', '조상'의 뜻.

글자풀이 1 할아비. 2 조상. 3 처음. 근본.

[祖國] (조국) 조상 때부터 살아 온 나라.

[祖父] (조부) 할아버지.

[祖上] (조상) 한 갈래의 핏줄을 받아 온 돌아가신 어른.

[祖業] (조업) 조상 때부터 전하여 오는 가업(家業).

[祖宗] (조종) 제왕의 조상.

[高祖] (고조) 할아버지의 할아버지.

[先祖] (선조) 먼 대의 조상.

[始祖](시조) ① 가장 처음이 되는 조상. ② 맨 처음 시작한 사람.
[元祖](원조) ① 첫대의 조상. ② 어떤 일을 처음으로 시작한 사람.
[曾祖父](증조부) 아버지의 할아버지.
[太祖](태조) 한 왕조를 일으킨 첫 임금.

5 【祝】 ⑩ 빌 축

부수 示(보일 시)부
찾기 示⁵+兄⁵=10획

(글자뿌리) 회의(會意) 문자. 땅귀신 기(示)에 입 구(口)와 어진 사람 인(儿)을 합친 자로, 사람이 축문을 읽으며 신에게 빈다는 데서 '빌다'의 뜻.

(글자풀이) 1 빌다. 기원하다. 2 축하하다. 3 축문.

[祝歌](축가) 축하하는 뜻으로 부르는 노래.
[祝文](축문) 제사 때 읽어 신명에게 고하는 글.
[祝杯](축배) 축하하는 뜻으로 마시는 술잔.
[祝福](축복) 앞날의 행복을 빎. 또는 비는 일.
[祝辭](축사) 축하하는 뜻의 글이나 말.
[祝願](축원) 신이나 부처에게 소원을 이루어 주기를 빎.
[祝典](축전) 축하하는 의식이나 행사.
[祝電](축전) 축하의 전보.
[祝祭](축제) 축하하여 벌이는 큰 규모의 행사.
[祝賀](축하) 기쁘고 즐겁다는 뜻으로 인사함. 또는 그 인사.
[慶祝](경축) 기쁘고 좋은 일을 축하함.
[自祝](자축) 스스로 축하함.

6 【祭】 ⑪ 제사 제

부수 示(보일 시)부
찾기 示⁵+𠂊⁶=11획

(글자뿌리) 회의(會意) 문자. 고기 육(⺼ : 肉과 같은 자)에 손 우(又=手)와 땅귀신 기(示)를 합친 자로, 제단에 손으로 고기를 바치며 신에게 '제사' 지낸다는 뜻.

(글자풀이) 제사. 제사지내다.

[祭禮] (제례) 제사를 지낼 때 지켜야 할 예절.

[祭文] (제문) 죽은 이를 조상 (弔喪) 하는 글.

[祭物] (제물) ① 제사에 쓰는 음식. ② 희생물의 비유.

[祭祀] (제사) 신령이나 죽은 사람의 넋에게 음식을 바치어 정성을 나타내는 예절.

[祭主] (제주) 제사를 주장하는 사람.

[祭天] (제천) 하늘에 제사 지냄. ¶ 祭天儀式(제천 의식).

[司祭] (사제) 천주교에서의 주교와 신부를 모두 이르는 말.

[前夜祭] (전야제) 어떤 행사의 전날 밤에 벌이는 축제.

[禁] 금할 금 禁
示

부수 示(보일 시)부

찾기 示⁵＋林⁸＝13획

一 十 才 木 木 杆 杜 林

林 杜 埜 埜 禁 禁

(글자뿌리) 형성(形聲) 문자. 수풀 림(林〈음〉)에 땅 귀신 기(示 : 신을 뜻함〈뜻〉)를 합친 자로, 출입을 금지한 신성한 지역의 수풀이란 뜻으로 '금지'의 뜻.

埜埜⇒林示 ⇒ 禁

(글자풀이) 1 금하다. 금지하다. 꺼리다. 2 대궐.

[禁忌] (금기) 꺼리어 금하거나 피함.

[禁斷] (금단) 어떤 행위를 엄중하게 금함.

[禁物] (금물) ① 매매나 사용을 금하는 물건. ② 해서는 안 되는 일.

[禁書] (금서) 출판·판매·독서를 법적으로 금지한 책.

[禁食] (금식) 얼마 동안 음식을 먹지 아니함.

[禁慾] (금욕) 욕구나 욕망 등을 억제함.

[監禁] (감금) 가두어 둠.

[嚴禁] (엄금) 엄하게 금지함.

[通禁] (통금) 어떤 지역이나 특정한 시간에 사람·차 등이 지나다니는 것을 금함.

[解禁] (해금) 금지 명령을 풂.

9
⑭ 【福】 복 복 福

부수 示 (보일 시) 부
찾기 示⁵+畐⁹=14획

| 一 | 二 | 亍 | 示 | 示 | 示 | 示 |
| 示 | 示 | 示 | 福 | 福 | 福 | 福 |

(글자뿌리) 회의(會意)·형성(形聲) 문자. 땅귀신 기(示〈뜻〉)에 찰 복(畐〈음〉)을 합친 자로, 신에게 제사를 드리고 집안에 가득히 '복'을 받는다는 뜻.

示畐 ⇒ 示畐 ⇒ 福

(글자풀이) 1 복. 2 음복하다.

[福利] (복리) 행복과 이익.

[福音] (복음) ① 기쁜 소식. ② 기독교에서, 그리스도의 가르침을 이르는 말.

[福祉] (복지) 만족할 수 있는 생활 환경. ¶福祉社會(복지 사회).

[飮福] (음복) 제사에 쓴 음식을 나누어 먹음.

[轉禍爲福] (전화 위복) 불행한 일이 바뀌어서 도리어 복(福)이 됨.

[祝福] (축복) 복되기를 빎.

[幸福] (행복) 모든 욕구가 충족되어 충분한 만족과 기쁨을 느끼는 상태.

13
⑱ 【禮】 예도 례 禮

부수 示 (보일 시) 부
찾기 示⁵+豊¹³=18획

一	二	亍	示	示	示	示
示	示	禮	禮	禮	禮	禮
禮	禮	禮	禮			

(글자뿌리) 회의(會意)·형성(形聲) 문자. 귀신 기(示〈뜻〉)에 예도 례(豊:禮의 옛 글자로, 제물을 담은 모양〈음〉)을 합친 자로, 신전에 제물을 차려 놓고 신에게 경의를 표한다는 데서 '예도', '예절'을 뜻함.

(글자풀이) 1 예도. 예절. 2 절. 인사. 3 예물. 4 예우하다.

[禮物] (예물) ① 사례의 뜻으로 주는 물건. ② 혼인 때 시부모가 신부에게 주는 물건. ③ 결혼식에서 신랑과 신부가 주고 받는 물건.

[禮拜] (예배) 신이나 부처 앞에 경배하는 의식.

[禮法] (예법) 예의나 몸가짐의 방식.

[禮式] (예식) 예법에 따라 행하는 식.

[禮遇] (예우) 예로써 대우함.

[禮儀] (예의) 사람이 지켜야 할 예절과 몸가짐.

[禮節] (예절) 예의와 범절.

[敬禮] (경례) 공경의 뜻을 나타내는 일. 또는 그 동작.

[答禮] (답례) 남으로부터 받은 예에 답함. ¶ 答禮品(답례품).

[無禮] (무례) 예의가 없음.

[謝禮] (사례) 고마운 뜻을 나타냄.

[終禮] (종례) 학교에서 공부를 마친 뒤에, 담임 선생님과 학생들이 모여서 나누는 인사. ⑫ 朝禮(조례).

[婚禮] (혼례) 혼인의 예절. 혼인식.

⁵ 禾 (벼 화) 部

벼 이삭이 고개 숙인 모양을 본뜬 글자.

---

² 【私】 사사 사 私
⑦

부수 禾 (벼 화) 부

찾기 禾⁵ + 厶² = 7획

| ノ | 二 | 千 | 禾 | 禾 | 私 | 私 |

글자뿌리 형성(形聲) 문자. 벼화(禾〈뜻〉)에 사사 사(厶 : 私의 옛 글자〈음〉)를 합친 자로, 자기〔厶〕의 벼〔禾〕라는 데서 '사사로이 하다'의 뜻.

글자풀이 사사. 사사로이 하다.

[私見] (사견) 개인의 사사로운 의견.

[私談] (사담) 개인적인 이야기. 사사로이 하는 이야기.

[私立] (사립) 개인 또는 민간 단체가 세움.

[私服] (사복) 제복이 아닌 보통 옷.

[私生活] (사생활) 개인의 사사로운 생활.

[私設] (사설) 개인이 설립함.

[私心] (사심) 사사로운 마음. 사욕을 채우려는 마음.

[私慾] (사욕) 자기의 이익만을 채우려는 욕심. ¶ 私利私慾(사리 사욕).

[公私] (공사) 공적인 일과 사사로운 일.

2
⑦ 【秀】 빼어날 수　秀

부수 禾 (벼 화) 부
찾기 禾⁵＋乃²＝7획

ノ	ニ	千	禾	禾	禾	秀

글자뿌리 회의(會意)·형성(形聲) 문자. 벼 화(禾〈뜻〉)에 이에 내(乃：늘어난다는 뜻〈음〉)를 합친 자로, 벼가 자라 늘어난 '이삭'이란 데서 '빼어나다'의 뜻.

글자풀이 빼어나다. 뛰어나다.

[秀麗] (수려) 빼어나게 아름다움. 옝 美麗(미려).

[秀才] (수재) 학문이나 재능이 뛰어난 사람.

[優秀] (우수) 훌륭하여 뛰어남. ¶ 優秀性(우수성).

[俊秀] (준수) 재주나 풍채 등이 뛰어남.

4
⑨ 【科】 품등 과　科

부수 禾 (벼 화) 부
찾기 禾⁵＋斗⁴＝9획

ノ	ニ	千	禾	禾	禾	科
科	科					

글자뿌리 회의(會意) 문자. 벼 화(禾)에 말 두(斗)를 합친 자로, 곡식을 말로 되어서 알맞게 한다는 데서 '품등', '조목'의 뜻.

글자풀이 1 품등. 조목. 2 법죄. 3 과거.

[科客] (과객) 과거(科擧)를 보러 가는 선비.

[科擧] (과거) 고려와 조선 시대에 관리를 뽑기 위한 시험.

[科落] (과락) 어떤 과목의 성적이 기준 점수에 미치지 못함.

[科目] (과목) 학문의 구분. 교과를 나눈 구분.

[科學] (과학) ①자연에 속하는 모든 것을 다루는 학문. ② 일정한 목적과 방법에 의하여 하나의 체계를 세우는 학문.

[教科書] (교과서) 학교에서 학생들을 가르치기 위해 쓰는 책.

[登科] (등과) 과거에 급제함.

[理科] (이과) 자연계의 사물과 현상을 연구하는 학과.

[學科] (학과) 교수 및 연구의 편의상 구분한 학술의 분과.

⁴
⑨【秋】가을 추 秋

부수 禾 (벼 화) 부
찾기 禾⁵+火⁴=9획

ノ	二	千	禾	禾	禾	秒
秋	秋					

글자뿌리 형성(形聲) 문자. 벼 화(禾〈뜻〉)에 거둬들인초(火 : 龝의 생략자〈음〉)를 합친 자로, 햇볕〔火〕을 받아 잘 익은 곡식을 거두어들인다는 데서 '가을'의 뜻.

글자풀이 가을.

[秋季] (추계) 가을철.
[秋穀] (추곡) 가을에 나는 곡식.
[秋分] (추분) 24절기의 하나. 낮과 밤의 길이가 같음.
[秋夕] (추석) 한가위.
[秋收] (추수) 가을에 익은 곡식을 거두어들이는 일.
[秋風] (추풍) 가을 바람. ¶秋風落葉(추풍 낙엽).

[晩秋] (만추) 늦가을.
[春秋] (춘추) ① 봄과 가을. ② 어른의 나이를 높여 이르는 말.
[春夏秋冬] (춘하추동) 봄·여름·가을·겨울의 네 계절.

⁶
⑪【移】옮길 이 移

부수 禾 (벼 화) 부
찾기 禾⁵+多⁶=11획

ノ	二	千	禾	禾	禾'	移
移	移	移	移			

글자뿌리 형성(形聲) 문자. 벼 화(禾〈뜻〉)에 많을 다(多 : 迆〔비스듬히 갈 이〕의 뜻〈음〉)를 합친 자로, 못자리에서 자란 많은 모를 논에 옮겨 심는다는 데서 '옮기다'의 뜻.

글자풀이 1 옮기다. 바꾸다. 2 모내다.

[移動] (이동) 옮기어 움직임.

[移民](이민) 다른 나라로 옮겨 가서 사는 일.

[移徙](이사) 사는 곳을 옮김.

[移植](이식) 옮기어 심음.

[移秧](이앙) 모내기. ¶ 移秧機(이앙기).

[移轉](이전) 장소나 주소, 권리 따위를 옮김.

[移住](이주) 딴 곳으로 옮겨 가서 삶.

[課稅](과세) 세금을 매김.

[關稅](관세) 외국에서 들여 오는 물건에 대하여 매기는 세금.

[國稅](국세) 국가의 경비로 쓰기 위하여 국민으로부터 받는 세금. ⑫地方稅(지방세).

[免稅品](면세품) 세금이 면제되는 상품.

[脫稅](탈세) 세금의 일부 또는 전부를 내지 않는 일.

---

7 ⑫【稅】 구실 세 稅

부수 禾(벼 화)부

찾기 禾⁵＋兌⁷＝12획

ノ	二	千	千	禾	禾	禾
秒	秒	秒	秒	稅		

글자뿌리 형성(形聲) 문자. 벼화(禾〈뜻〉)에 바꿀 태(兌〈음〉)를 합친 자로, 벼를 수확하여 그 일부를 '세금'으로 바친다는 뜻.

兌 ⇒ 禾兌 ⇒ 稅

글자풀이 구실. 세금.

[稅金](세금) 나라에서 쓰는 비용을 마련하기 위하여 국민으로부터 거두어들이는 돈. ⑧租稅(조세).

[稅務](세무) 세금을 매기고 거두어들이는 일.

---

9 ⑭【種】 씨 종 / 심을 종 種

부수 禾(벼 화)부

찾기 禾⁵＋重⁹＝14획

ノ	二	千	千	禾	禾	秆
秆	稻	稻	稻	種	種	種

글자뿌리 형성(形聲) 문자. 벼화(禾〈뜻〉)에다 무거울 중(重〈음〉)을 합친 자로, 물에 가라앉는 무거운 벼라는 데서 '씨앗'의 뜻.

重 ⇒ 禾重 ⇒ 種

글자풀이 1 씨. 씨앗. 2 심다.
3 종족. 4 종류.

[種類] (종류) 물건의 상태, 성
질 등을 어떤 기준에 따라 나
눈 갈래.

[種目] (종목) 종류의 이름.

[種別] (종별) 종류에 따라 나
눔. 또는 그 구별.

[種子] (종자) 씨.

[種族] (종족) ① 조상이 같고,
언어·풍속·습관 따위도 같은
사회 집단. ② 같은 종류에 딸
린 것.

[各種] (각종) 여러 가지 종류.
여러 가지. 갖가지.

[別種] (별종) ① 다른 종자. ②
다른 종류. ③ 별스러운 짓을
하거나 별스럽게 생긴 사람.

[純種] (순종) 딴 계통과 섞이
지 않은 순수한 종(種).

[新種] (신종) ① 새로운 종류.
② 새로 발견되거나, 새로이 만
들어진 생물의 종류.

[土種] (토종) 본디 그 땅에서
나는 종자. 재래종.

[品種] (품종) 가축·농작물 등
의 종류를 성질이나 특징으로
나눈 명칭.

0
⑮ [穀] 곡식 곡 穀

부수 禾 (벼 화) 부

찾기 禾⁵ + 殼¹⁰ = 15획

一	十	土	十	壴	壴	壴
壴	幸	韋	𡐉	𣪊	穀	穀

글자뿌리 형성(形聲) 문자. 벼
화(禾〈뜻〉)에 껍질 각(殼 : 穀의
본자〈음〉)을 합친 자로, 벼와 같
이 껍질로 싸여 있는 온갖 '곡식'
을 뜻함.

圅𣂼 ⇒ 𣂼 ⇒ 穀

글자풀이 곡식.

[穀氣] (곡기) 밥·죽·미음 등 곡
식으로 된 음식의 적은 분량.

[穀類] (곡류) 쌀·보리·밀 등의
곡식. 통 穀物(곡물)

[穀倉] (곡창) ① 곡식 창고. ②
곡식이 많이 나는 지방.

[米穀] (미곡) 쌀 또는 갖가지
곡식을 이르는 말.

[糧穀] (양곡) 양식으로 쓸 수
있는 곡식.

[五穀] (오곡) ① 쌀·보리·콩·
조·기장의 다섯 가지 곡식. ②
곡식의 총칭.

[雜穀] (잡곡) 쌀 이외의 여러
가지 곡식.

[秋穀] (추곡) 가을에 거두는 곡
식. ¶ 秋穀收買(추곡 수매)

[脫穀] (탈곡) ① 곡식의 낟알을
이삭에서 떨어 냄. ② 곡식의
겉겨를 낟알에서 떨어 냄.

⁵穴 (구멍 혈) 部

움집 면(宀〈뜻〉)에 나눌 팔
(八〈음〉)을 합친 자로, '구멍',
'굴'을 뜻함.

²
⑦ 〔**究**〕 궁구할 구 究

부수 穴 (구멍 혈) 부
찾기 穴⁵＋九²＝7획

丶 丶 宀 宀 宀 究 究

글자뿌리 형성(形聲) 문자. 구멍
혈(穴〈뜻〉)에 아홉 구(九 : 수의
끝을 뜻함〈음〉)를 합친 자로, 굴
속 끝까지 들어가 밝혀 낸다는
데서 '연구하다'의 뜻이 된 자.

글자풀이 궁구하다. 다하다.

[講究] (강구) ① 사물을 깊이 조
사하여 연구함. ② 알맞은 방법
을 연구함.
[研究] (연구) 사물을 깊이 생

각하거나 자세히 조사하여 어
떤 이치나 사실을 밝혀 냄. 또
는 그 내용.
[探究] (탐구) 진리나 법칙 따
위를 더듬어 깊이 연구함.
[學究] (학구) ① 오로지 학문 연
구에만 몰두함. ② 학문에만 열
중하여 세상일을 모르는 사람
을 빗대어 이르는 말.

³
⑧ 〔**空**〕 빌 공 空

부수 穴 (구멍 혈) 부
찾기 穴⁵＋工³＝8획

丶 丶 宀 宀 空 空 空

글자뿌리 형성(形聲) 문자. 구
멍 혈(穴〈뜻〉)에 장인 공(工 :
孔〔텅 빈 구멍 공〕의 뜻〈음〉)을
합친 자로, 속이 비어 있는 구멍
이란 데서 '비다', '아무것도 없
다', '쓸데없다'는 뜻이 된 자.

글자풀이 1 비다. 2 하늘. 공중

3 헛되다. 쓸데없다.

[空間] (공간) ① 비어 있어 아무것도 없는 장소. ② 무한하게 퍼져 있는 빈 곳.

[空軍] (공군) 항공기를 사용하여 공중 전투와 폭격 등의 임무를 맡은 군대.

[空氣] (공기) 지구를 둘러싸고 있는, 빛깔이나 냄새가 없는 투명한 기체.

[空白] (공백) 아무것도 없이 비어 있음.

[空想] (공상) 이루어질 수 없는 헛된 생각.

[空席] (공석) 비어 있는 자리 또는 지위.

[空日] (공일) 일을 하지 아니하고 쉬는 날. 일요일.

[空虛] (공허) 속이 텅 빔. 아무것도 없음.

[領空] (영공) 한 나라의 영토와 영해 위의 하늘.

[虛空] (허공) 텅 빈 공간.

6
[窓] 창 창 窓

부수 穴 (구멍 혈) 부

찾기 穴⁵+囱⁶=11획

` ´ ` ´ 宀 宀 穴 宓 窓

窓 窓 窓 窓

글자뿌리 형성(形聲) 문자. 구멍 혈(穴〈뜻〉)에 밝을 총(囪 : 悤의 변형〈음〉)을 합친 자로, 벽에 구멍을 내어 밝은 빛을 받아들이게 한 것이 '창문'이라는 뜻.

⇒ ⇒ 窓

글자풀이 창. 창문.

[窓口] (창구) 작은 물건을 내고 들일 수 있도록 하기 위하여 조그맣게 낸 창문.

[窓門] (창문) 바람이나 빛이 들어올 수 있도록 벽이나 지붕에 낸 작은 문.

[窓戶紙] (창호지) 문을 바르는 종이의 한 가지.

[同窓] (동창) 같은 학교에서 공부하거나 졸업한 사람.

[船窓] (선창) 배의 창문.

[車窓] (차창) 차의 창문.

[鐵窓] (철창) ① 창살이 쇠로 만들어진 창문. ② 감옥을 일컫는 말.

[學窓] (학창) 학문을 닦는 곳. 교실이나 학교를 통틀어 일컫는 말.

⁵立 (설 립) 部

사람[大]이 땅[一] 위에 서 있는 모습을 본떠서 '서다'의 뜻을 나타냄.

⁰【立】⑤ 설 립 立

부수 立 (설 립) 부
찾기 立⁵ = 5획

| ` | 亠 | 亠 | 立 | 立 | | |

(글자뿌리) 상형(象形)·지사(指事) 문자. 큰 대(大)와 한 일(一)을 합친 자로, 사람이 땅 위에 바로 서 있는 모양에서 '서다', '세우다'의 뜻이 된 자.

(글자풀이) 서다. 세우다.

[立件] (입건) 범죄 사실을 인정하여 사건을 성립시킴.
[立國] (입국) 나라를 세움.
[立法] (입법) 법률을 제정함.

[立證] (입증) 증거를 내세워서 증명함.
[立志] (입지) 뜻을 세움.
[國立] (국립) 나라에서 세움.
[起立] (기립) 일어섬.
[設立] (설립) 만들어 세움.
[樹立] (수립) 국가·정부·제도·계획 등을 이룩하여 세움.
[自立] (자립) 남에게 의지하거나, 남의 지배를 받지 않고 자기의 힘으로 해 나감.

⁶【章】⑪ 글 장 / 문채 장 章

부수 立 (설 립) 부
찾기 立⁵ + 무⁶ = 11획

| ` | 亠 | 亠 | 立 | 立 | 产 | 音 |
| 音 | 音 | 音 | 章 | | | |

(글자뿌리) 회의(會意) 문자. 소리 음(音)에 열 십(十)을 합친 자로, 수가 십을 단위로 끊어지듯이 노래나 문장 등이 나누어지는 '악장', '장'을 뜻함.

(글자풀이) 1 글. 2 문채. 3 장. 4 나타나다. 5 도장.

[文章] (문장) 생각이나 느낌을 글로 나타낸 것.
[印章] (인장) 도장.
[指章] (지장) 손도장.
[體力章] (체력장) 중·고등 학교

에서 종목별로 학생들의 기초 체력을 검사하여 그 결과를 적은 기록부.

[勳章](훈장) 나라에 공을 세운 사람에게 주는 휘장.

7 ②

아이 동   童

부수 立(설 립)부
찾기 立⁵+里⁷=12획

`	⊥	⊥	뇨	立	쇼	音
音	音	竜	童	童		

(글자뿌리) 형성(形聲) 문자. 매울 신(立=辛 : 문신하는 바늘 모양〈뜻〉)에 무거울 중(里 : 重의 생략형〈음〉)을 합친 자로, 문신을 한 노예를 가리키다가 '어린아이'를 뜻함.

(글자풀이) 아이. 어린이.

[童詩](동시) 어린이가 짓거나 어린이를 위해 지은 시.

[童顏](동안) 어린아이의 얼굴. 또는 그와 같은 얼굴.

[童謠](동요) 어린이의 정서를 표현한 노래.

[童子](동자) 사내아이.

[童話](동화) 어린이를 상대로 들려 주거나, 읽히기 위하여 만들어진 이야기.

[三尺童子](삼척 동자) 키가 석 자밖에 되지 않는 아이라는 뜻으로, 철부지 어린아이를 이르는 말.

[神童](신동) 여러 가지 재주와 지혜가 남달리 뛰어난 아이.

[兒童](아동) ① 어린아이. ② 초등 학교에 다니는 어린아이.

[惡童](악동) ① 행실이 얌전하지 못한 아이. ② 장난꾸러기.

[玉童子](옥동자) 옥같이 예쁜 어린 아들. 소중한 아들.

9 ⑭

끝   단
바를   단   端

부수 立(설 립)부
찾기 立⁵+耑⁹=14획

`	ㄴ	ㄴ	늄	立	並	並
並	立山	並	並	端	端	端

(글자뿌리) 형성(形聲) 문자. 설 립(立〈뜻〉)과 끝 단(耑〈음〉)을 합친 자로, 어린 싹의 끝이 삐죽 내밀어 올라오는 모양에서 '끝', '실마리'의 뜻이 된 자.

(글자풀이) 1 끝. 가. 2 바르다. 단정하다. 3 실마리.

[端緖] (단서) ① 일의 처음. ② 어떤 사건이나 문제를 푸는 실마리.

[端役] (단역) 연극이나 영화의 대수롭지 않은 역. 그 역을 맡은 사람.

[端午] (단오) 음력 5월 5일. 명절의 하나.

[端正] (단정) 모습이나 몸가짐이 흐트러진 데 없이 얌전하고 깔끔함.

[極端] (극단) ① 맨 끝. ② 한쪽으로 치우침.

[南端] (남단) 남쪽 끝.

[末端] (말단) 맨 끝. 맨 아래.

[發端] (발단) 어떤 일이 벌어지는 실마리.

[上端] (상단) 위쪽 끝.

15
⑳ [競] 다툴 경 竞竞

부수 立 (설 립) 부
찾기 立⁵+竞¹⁵=20획

'	ㅗ	ㅓ	나	立	立	音
音	竞	竞	竞'	竞`	竞ˉ	竞ˊ
竞ˉ	竞ˉ	竞ˉ	競	競	競	

(글자뿌리) 회의(會意) 문자. 다

투어 말할 경(誩:誩의 변형)에 사람 인(儿:人과 같은 자) 두 자를 합친 자로, 두 사람이 마주서서 말로 다툰다는 데서 '다투다'의 뜻.

(글자풀이) 다투다. 겨루다.

[競技] (경기) ① 기술의 낫고 못함을 서로 겨루는 일. ② 운동이나 무예 등의 기술·능력을 겨루어 승부를 가리는 일.

[競馬] (경마) 일정한 거리를 말을 타고 달려 승부를 겨루는 일.

[競賣] (경매) 살 사람이 많을 경우, 그들을 서로 경쟁시켜 가장 높은 값을 부르는 사람에게 파는 일.

[競步] (경보) 육상 경기의 한 가지. 일정한 거리를 어느 한쪽 발이 반드시 땅에 닿은 상태로 하여 걸어서 빠르기를 겨루는 경기.

[競爭] (경쟁) 같은 목적에 관하여 서로 겨루어 다툼.

[競走] (경주) 일정한 거리를 정하고 달려 빠름을 다툼.

⁶ 竹 (대 죽) 部

'ㅣㅣ'은 대나무 줄기를, 'ㅛ'은 아래로 드리워진 댓잎을 본떠 만든 글자.

⁰ 【竹】 대 죽 竹
⑥

부수 竹 (대 죽) 부
찾기 竹⁶=6획

ノ ╱ ╱ ╱ ⟋ 竹

글자뿌리 상형(象形) 문자. 대나무와 그 잎이 아래로 드리워진 모양을 본뜬 글자.

글자풀이 대. 대나무.

[竹刀] (죽도) ① 대나무로 만든 칼. ② 검도 연습에 쓰이는 제구의 한 가지. 길고 두꺼운 네 개의 대쪽을 동여서 만듦.
[竹馬故友] (죽마 고우) 어렸을 때부터의 친한 벗.

[竹夫人] (죽부인) 대오리로 길고 둥글게 만든 제구. 여름 밤에 이것을 끼고 자면서 서늘한 기운을 취함.

⁴ 【笑】 웃을 소 笑
⑩

부수 竹 (대 죽) 부
찾기 竹⁶＋夭⁴=10획

ノ	⟍	⟋	⟋	⟍⟋	⟍⟍	⟍⟍⟋

竺	竿	笑				

글자뿌리 형성(形聲) 문자. 대 죽(竹〈뜻〉)에 굽을 요(夭〈음〉)를 합친 자로, 대나무가 바람에 휘어지며 스치는 소리가 나듯 사람이 몸을 굽혀 움직이며 '웃는다'는 뜻.

글자풀이 웃다.

[冷笑] (냉소) 업신여겨 쌀쌀한 태도로 비웃음.
[談笑] (담소) 스스럼없이 웃으

6
획

며 이야기함.

[失笑] (실소) 더 참지를 못하고 저도 모르게 웃음.

[破顔大笑] (파안 대소) 즐거운 표정으로 한바탕 크게 웃음.

5
⑪ 【第】 차례 제　第

부수 竹 (대 죽) 부

찾기 竹⁶＋弗⁵＝11획

ノ	⸍	𝆑	𝆑	𝆑	𝆑	𝆑

| 𝆑 | 𝆑 | 第 | 第 | | | |

글자뿌리 회의(會意) 문자. 대죽(竹)에 아우 제(弗 : 弟의 생략형, 사물을 정리하는 데는 순서가 있다는 뜻)를 합친 자로, 죽간(竹簡)을 순서대로 늘어놓는다는 데서 '차례'의 뜻.

🦇 ⇒ 𝇊𝇊弗 ⇒ 第

글자풀이 1 차례. 2 과거. 3 집.

[第三國] (제삼국) 당사국 이외의 나라.

[第三世界] (제삼 세계) 제2차 세계 대전 후, 아시아·아프리카·라틴 아메리카의 개발 도상 국들을 통틀어 일컫는 말.

[第三者] (제삼자) 나와 너 이외의 다른 사람.

[第一人者] (제일인자) 어느 방

면에서 그와 견줄 자가 없을 만큼 뛰어난 사람.

[及第] (급제) ① 과거에 합격됨. ② 시험에 합격됨.

6
⑫ 【答】 대답할 답　答

부수 竹 (대 죽) 부

찾기 竹⁶＋合⁶＝12획

ノ	⸍	𝆑	𝆑	𝆑	𝆑	𝆑

| 𝆑 | 𝆑 | 答 | 答 | 答 | | |

글자뿌리 형성(形聲) 문자. 대죽(竹〈뜻〉)에 모을 합(合 : 대응한다는 뜻〈음〉)을 합친 자로, 옛날 대쪽에 써 보내 온 편지에 대응하여 답을 보낸다는 데서 '대답'의 뜻이 된 자.

🦇 ⇒ 𝇊𝇊合 ⇒ 答

글자풀이 1 대답하다. 대답. 2 갚다.

[答禮] (답례) 남에게서 받은 인사에 답하여 인사를 함.

[答辯] (답변) 물음에 대하여 대답함. 또는 그 대답.

[答辭] (답사) 식장에서 식사나 축사 등에 대하여 답하는 말.

[答案] (답안) 시험 문제에 대한 해답.

[對答] (대답) ① 묻는 말에 답함. ② 부름에 응함.

[名答] (명답) 아주 알맞고 뛰어난 답.

[問答] (문답) ① 물음과 대답. ② 서로 묻고 대답함.

[報答] (보답) 남의 은혜나 호의를 갚음.

[誤答] (오답) 잘못된 대답을 함. 또는 그 대답.

[應答] (응답) 물음에 응하여 대답함.

[正答] (정답) 옳은 답.

[解答] (해답) 어려운 일이나 문제를 풀어서 밝히거나 답함. 또는 그 답.

[回答] (회답) 물음에 대답함.

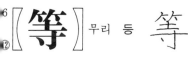

⑥ [等] 무리 등 等

부수 竹 (대 죽) 부
찾기 竹⁶+寺⁶=12획

ノ	⺊	⺊	⺀	⺀⺀	⺀⺀	⺀⺀

| 竺 | 竺 | 笁 | 等 | 等 | | |

(글자뿌리) 회의(會意) 문자. 대 죽(竹)에 관청 시(寺)를 합친 자로, 옛날 관청에서 대쪽에 쓴 서류를 같은 것끼리 정리한다는 데서 '같은 것', '무리' 등의 뜻.

⇒ 艸⇒ 等

(글자풀이) 1 무리. 들. 2 가지런하다. 같다. 3 등급. 4 기다리다.

[等高線] (등고선) 지도 등에서 표준 해면으로부터 같은 높이에 있는 지점들을 연결한 곡선.

[等級] (등급) 값·품질·신분 따위의 높고 낮음이나 좋고 나쁨의 차이를 여러 층으로 나누어 놓은 차례.

[等分] (등분) 수나 양을 똑같은 부분이 되도록 둘 또는 그 이상으로 갈라 나눔.

[等數] (등수) 차례를 매겨 붙인 번호.

[等差] (등차) 등급의 차이.

[等閑視] (등한시) 대수롭지 않게 보아 넘김.

[均等] (균등) 수량이나 상태 등이 차별 없이 고름.

[對等] (대등) 낮고 못함이 없이 서로 비슷함.

[同等] (동등) 자격·수준·입장 등이 같음.

[平等] (평등) 치우침이 없이 모두가 한결같음. 차별이 없이 동등함.

6 획

6
획

⑫【筆】 붓 필 筆

부수 竹(대 죽) 부

찾기 竹⁶+聿⁶=12획

ノ	⺈	⺊	⺊⼁	⺮⼀	⺮⺮	⺮
⺮	笔	笞	筆	筆		

글자뿌리 회의(會意) 문자. 대 죽(竹)에 붓 율(聿)을 합친 자로, '聿'만으로 붓을 뜻하나, 후에 대나무로 붓대를 만들어 쓰면서 대 죽을 위에다 붙였음.

글자풀이 붓. 글씨. 글.

[筆記](필기) ① 글씨를 씀. ② 강의·연설 등을 할 때 그 말을 받아 쓰는 일.

[筆名](필명) ① 글이나 글씨로 떨친 명성. ② 작가가 작품을 발표할 때에 쓰는, 본명 이외의 이름.

[筆順](필순) 글씨를 쓸 때 붓을 놀리는 차례.

[筆者](필자) 글 또는 글씨를 쓴 사람.

[筆體](필체) 글씨의 모양. 글씨체.

[加筆](가필) ① 붓을 대어 글씨를 고침. ② 글이나 그림 등의 일부를 지우거나 보태거나 하여 고침.

[達筆](달필) 빠르고도 잘 쓰는 글씨.

[大書特筆](대서 특필) 뚜렷이 드러나게 큰 글자로 씀.

[惡筆](악필) ① 잘 쓰지 못한 글씨. 서투른 글씨. ② 품질이 좋지 않은 붓.

[執筆](집필) 붓을 들고 글이나 글씨를 씀.

[親筆](친필) 손수 쓴 글씨.

⑧⑭【算】 셈할 산 算

부수 竹(대 죽) 부

찾기 竹⁶+具⁸=14획

ノ	⺈	⺊	⺊⼁	⺮⼀	⺮⺮	竹
竹	筲	筲	筲	筲	算	算

글자뿌리 회의(會意) 문자. 대 죽(竹)에 갖출 구(具)를 합친 자로, 본뜻은 '세다'임. '竹'은 대나무로 만든 산가지를 뜻하며, '具'는 수가 갖추어진다는 뜻으로, 합

하여 '셈'을 뜻함.

(글자풀이) 셈하다. 셈. 산가지.

[算數] (산수) 수나 도형의 기초적인 원리·법칙 등을 내용으로 하는 초등 학교 교과의 한 가지.

[算出] (산출) 계산해 냄. 셈함.

[加算] (가산) 더하여 셈함. 보탬.

[決算] (결산) 계산을 마감함.

[計算] (계산) ① 셈을 헤아림. ② 약속에 따라 수치를 구하거나 식을 간단히 함.

[勝算] (승산) 이길 가망.

[暗算] (암산) 필기 도구를 쓰거나 계산기를 이용하거나 하지 않고 머릿속에서 계산함.

[誤算] (오산) ① 잘못 셈함. 또는 잘못된 셈. ② 잘못된 추측이나 예상.

[利害打算] (이해 타산) 이익과 손해를 이모저모 따져 셈함.

[合算] (합산) 합하여 셈함. 합계(合計).

9
⑮ 〔節〕 마디 절   節

부수 竹 (대 죽) 부

찾기 竹⁶ + 卽⁹ = 15획

ノ	ト	⺮	⺮	⺮	⺮	⺮
⺮	節	節	節	節	節	節

(글자뿌리) 형성(形聲) 문자. 대죽(竹〈뜻〉)에 나아갈 즉(卽〈음〉)을 합친 자로, 대나무[竹]가 자라 감[卽]에 따라 '마디'가 생긴다는 뜻. 마디가 일정하게 생기므로 '절개'의 뜻도 있음.

(글자풀이) 1 마디. 토막. 2 예절. 3 절개. 4 절제하다. 5 계절.

[節氣] (절기) 한 해를 24등분하여 나타낸 하나. 입춘·우수·경칩 따위.

[節度] (절도) 말이나 행동 등을 똑똑 끊어 맺는 마디.

[節約] (절약) 아껴 씀. 함부로 쓰지 않고 꼭 필요한 데에만 씀.

6
획

[節電] (절전) 전기를 아껴 씀.

[節制] (절제) ① 정도에 맞추어 알맞게 조절함. ② 알맞도록 스스로 욕망을 억누름.

[節次] (절차) 일을 치르는 데 거쳐야 하는 차례와 방법.

[曲節] (곡절) 곡조의 마디.

[關節] (관절) 뼈와 뼈가 서로 움직일 수 있도록 연결되어 있는 부분.

[變節] (변절) ① 절개를 저버림. ② 내세워 오던 생각이나 주장을 바꿈.

[守節] (수절) 절의 또는 정절을 지킴.

[時節] (시절) ① 철. 때. ② 사람의 일생을 몇 단계로 구분한 한 동안.

[忠節] (충절) 충성스러운 절개와 의리.

9
⑮ [篇] 책 편 篇

부수 竹 (대 죽) 부
찾기 竹⁶+扁⁹=15획

ノ	ト	ド	ﬡ	⺮	⺮	⺮
竺	竻	笁	篃	篙	篇	篇

(글자뿌리) 회의(會意)·형성(形聲) 문자. 대 죽(竹〈뜻〉)에 현관 편(扁〈음〉)을 합친 자로, 대쪽에

글을 써서 가죽으로 꿰어 엮은 죽간, 곧 '책'의 뜻.

(글자풀이) 1 책. 2 편. ※ 책의 내용을 나누거나 시문을 세는 단위.

[短篇] (단편) ① 소설·영화 등에서 길이가 짧은 작품. ② 단편 소설의 준말.

[玉篇] (옥편) 한자를 모아 부수와 획수에 따라 배열하고, 그 음과 새김을 적은 책.

[長篇] (장편) ① 구수(句數)에 제한이 없는 한시체(漢詩體). ② 시나 소설·영화 따위에서 내용이 긴 작품.

[前篇] (전편) 두세 편으로 나뉜 책이나 영화 등의 앞의 편.

---

⁶ 米 (쌀 미) 部

곡식의 낟알을 본뜬 글자.

0
⑥ [米] 쌀 미 米

부수 米 (쌀 미) 부
찾기 米⁶=6획

、	丷	二	半	半	米

(글자뿌리) 상형(象形) 문자. 벼화(十 : 禾의 생략형)에다 낟알이 흩어져 있는 모양(ㄨ)을 그려 '쌀', '낟알'을 뜻함.

글자풀이) 쌀.

[米穀] (미곡) 쌀 또는 갖가지 곡식을 이르는 말.

[米飮] (미음) 쌀이나 잣을 넣어 푹 끓인 죽을 이르는 말.

[白米] (백미) 희게 찧은 멥쌀. 흰쌀.

[節米] (절미) 쌀을 절약함.

[精米所] (정미소) 기계를 이용하여 곡식을 찧거나 빻는 곳. 방앗간.

8
⑭ [**精**] 찧을 정
　　　　정할 정　　精

부수 米(쌀 미) 부

찾기 米⁶+靑⁸=14획

| 丶 | 丶 | 丷 | 半 | 米 | 米 | 米 |
| 米 | 米 | 粘 | 精 | 精 | 精 | 精 |

글자뿌리) 형성(形聲) 문자. 쌀미(米〈뜻〉)에 푸를 청(靑 : 淸의 생략자〈음〉)을 합친 자로, 깨끗

이 씻거나 찧은 쌀이라는 데서 '깨끗하다'의 뜻이 된 자.

글자풀이) 1 찧다. 2 정하다. 깨끗하다. 3 정신. 4 정성스럽다. 5 자세하다. 6 찧다. 7 날래다.

[精潔] (정결) 깨끗하고 조촐함.

[精巧] (정교) 정밀하고 교묘함.

[精氣] (정기) ① 생명의 근본이 되는 힘. ② 정신과 기력.

[精讀] (정독) 내용을 맛보거나 따져 가며 읽음. 새겨 읽음.

[精力] (정력) 활동할 수 있는 힘. 정신과 기력.

[精密] (정밀) ① 가늘고 촘촘함. ② 아주 잘고 자세함.

[精選] (정선) 공을 들여 좋은 것을 골라 뽑음.

[精誠] (정성) 참되고 거짓 없는 마음.

[精神] (정신) 마음이나 생각.

[精製] (정제) 정성을 들여 잘 만듦. 잘 골라 깨끗이 만듦.

[精進] (정진) ① 정성을 다하여 노력함. ② 몸을 깨끗이 하고 마음을 가다듬음.

[精通] (정통) 사물에 대하여 정확하고 자세히 앎.

[受精] (수정) 암수의 생식 세포가 새로운 개체를 이루기 위해 하나로 합쳐지는 일.

6 糸(실 사) 部

고치에서 나온 명주실을 감
아 묶은 실 모양을 본뜬 글자.

3
⑨ 【約】 대략 약 約

부수 糸(실 사) 부
찾기 糸⁶＋勺³＝9획

⼘	幺	纟	纟	纟	糸	糸	糹
約	約						

글자뿌리 형성(形聲) 문자. 실
사(糸〈뜻〉)에 잔질할 작(勺〈음〉)
을 합친 자로, 실로 작은 매듭을
지어 맺는다는 데서 '간추리다',
'약속'의 뜻이 된 자.

∅ ⼎ ⇒ 夅⼎ ⇒ 約

글자풀이 1 대략. 대개. 2 약속
하다. 3 간추리다. 4 맺다.

[約分] (약분) 분수의 분자와 분
모를 공약수로 나누어 간단하
게 하는 일.

[約束] (약속) 장래의 일에 대
하여 서로 다짐하여 정함.

[約定] (약정) 어떤 일을 약속
하여 정함.

[約婚] (약혼) 결혼하기로 약속
함. ¶ 約婚式(약혼식).

[公約] (공약) 여러 사람 앞에
서 약속함. ¶ 選擧公約(선거
공약).

[期約] (기약) 때를 정하여 약
속함.

[先約] (선약) 먼저 약속함. 또
는 그 약속.

[言約] (언약) 말로 약속함. 또
는 그 약속.

[要約] (요약) 말이나 글 등에
서 중요한 것만 추려냄.

[節約] (절약) 꼭 필요한 데에
만 씀. 아껴 씀.

[集約] (집약) 한데 모아서 요
약함.

[特約] (특약) ①특별한 조건을
붙인 약속. ②특별한 편의나
이익이 있는 계약.

[協約] (협약) 협의한 뒤 맺은
약속.

3
⑨ 【紅】 붉을 홍 紅

부수 糸(실 사) 부
찾기 糸⁶＋工³＝9획

紅 紅

글자뿌리 형성(形聲) 문자. 실사(糸〈뜻〉)에 장인 공(工〈음〉)을 합친 자로, 실에 붉은 물감을 들여 만들었다는 데서 '붉은 천'을 뜻하게 된 자.

⇒ 糸工 ⇒ 紅

글자풀이 붉다. 붉은색. 연지.

[紅東白西] (홍동 백서) 제사지낼 때 제물(祭物)을 차리는 격식의 하나로, 붉은 과실은 동쪽에, 흰 과실은 서쪽에 놓아야 함을 이르는 말.

[紅顏] (홍안) 젊어서 혈색이 좋은 얼굴.

[紅葉] (홍엽) 단풍이 물든 나뭇잎. ② 단풍나무의 붉어진 잎.

[紅玉] (홍옥) ① 루비. ② 사과 품종의 하나.

[朱紅] (주홍) 홍색과 주황빛의 중간 빛깔.

[眞紅] (진홍) 짙게 붉은 빛.

---

⁴⑩〔**素**〕 획 소 素

부수 糸 (실 사) 부

찾기 糸⁶ + 主⁴ = 10획

一	十	主	主	主	丰	素

素 素 素

글자뿌리 회의(會意) 문자. 드리울 수(主:垂의 변형)에 실 사(糸)를 합친 자로, 고치에서 뽑은 명주실이 한 줄씩 늘어져 있는 것이 희다는 데서 '희다'의 뜻이 된 자. 흰색은 모든 색의 바탕이 되므로 '바탕'의 뜻도 있음.

⇒ ⇒ 素

글자풀이 1 희다. 2 바탕. 본디. 3 질박하다.

[素朴] (소박) 꾸밈이나 거짓이 없이 있는 그대로임.

[素服] (소복) ① 흰 옷. ② 흰 천으로 만든 상복(喪服).

[素養] (소양) 평소에 닦아 쌓은 교양.

[素材] (소재) ① 어떤 것을 만드는 데 바탕이 되는 재료. ② 예술 작품의 재료가 되는 모든 대상.

[素質] (소질) ① 날 때부터 가지고 있는 성질. 천성. ② 장래 발전할 기초로서 지니고 있는

6획

성질.

[素行] (소행) ① 평소의 행실. ② 본래의 품행.

[色素] (색소) 빛깔의 바탕이 되는 물질이나 성분.

[葉綠素] (엽록소) 식물의 세포인 엽록체 속에 들어 있는 녹색의 색소.

[要素] (요소) 어떤 일에 꼭 필요한 근본적인 조건.

[平素] (평소) 보통 때. 평상시.

[活力素] (활력소) 활동의 힘이 되는 본바탕.

6획

④⑩ 【純】 순수할 순 純

부수 糸 (실 사) 부

찾기 糸⁶ + 屯⁴ = 10획

| / | ⺥ | 幺 | 牟 | 糸 | 糸 | 糸 |
| 紅 | 紅 | 純 | | | | |

글자뿌리 형성 (形聲) 문자. 실 사 (糸⟨뜻⟩)에 진칠 둔 (屯 : 순수하다는 뜻⟨음⟩)을 합친 자로, 누이지 않은 '명주실'을 뜻하고 그런 실은 아무 색이 없어 '순수하다'는 뜻.

글자풀이 1 순수하다. 2 천진하다. 3 실. 4 오로지.

[純潔] (순결) 몸과 마음이 아주 깨끗함.

[純金] (순금) 다른 금속이 섞이지 않은 황금.

[純度] (순도) 품질의 순수한 정도.

[純毛] (순모) 다른 것이 전혀 섞이지 않은 순수한 모직물이나 털실.

[純朴] (순박) 순진하고 꾸밈이 없음.

[純白] (순백) 아주 흼. 티 없이 깨끗함.

[純利益] (순이익) 모든 경비를 빼고 남은 이익.

[純全] (순전) 순수하고 완전함.

[純情] (순정) ① 순진한 마음. ② 꾸밈없는 애정.

[純種] (순종) 딴 계통과 섞이지 않은 순수한 종 (種).

[純眞] (순진) 마음이 꾸밈이 없고 참됨.

[純化] (순화) 불순한 것을 덜어 버림. 순수하게 함.

[單純] (단순) ① 복잡하지 않고 간단함. ② 아무 조건이 없음. ¶ 單純勞動 (단순 노동).

[不純] (불순) 순수하지 못함.

[淸純] (청순) 맑고 순박함.

④⑩ 【紙】 종이 지 紙

부수 糸 (실 사) 부
찾기 糸⁶＋氏⁴＝10획

⟋	⟪	⟪	⟩	糸	糸	糸

| 紅 | 紅 | 紙 | | | | |

글자뿌리 형성 (形聲) 문자. 실사(糸〈뜻〉)에 평평할 지(氏:砥의 생략형〈음〉)를 합친 자로, 나무의 섬유를 평평하게 눌러 만든 것이 '종이'라는 뜻.

글자풀이 종이.

[紙面] (지면) ① 종이의 겉면. ② 신문·잡지 등의 기사가 실린 종이의 면.

[紙上] (지상) 신문의 지면 위.

[紙質] (지질) 종이의 품질.

[紙筆墨] (지필묵) 종이와 붓과 먹을 아울러 이르는 말.

[更紙] (갱지) 면이 좀 거칠고 빛깔이 약간 거무스름한 종이. 시험지·신문지 등에 쓰임.

[別紙] (별지) 서류나 편지 등에 따로 적어 덧붙이는 종이쪽.

[本紙] (본지) ① 별책·부록 따위에 대하여 신문의 중심이 되는 지면. ② 자기가 관계하고 있는 잡지나 신문.

[色紙] (색지) 색종이.

[用紙] (용지) 어떤 일에 쓰이는 종이.

[全紙] (전지) 온 장의 종이. 제지 공장에서 만들어 낸 크기 그대로의 종이.

[製紙] (제지) 종이를 만듦.

[破紙] (파지) ① 찢어진 종이. ② 인쇄나 제본 등의 과정에서 구겨지거나 찢어져 못 쓰게 된 종이.

[便紙] (편지) 소식을 전하거나 용건을 적어 보내는 글.

[表紙] (표지) 책의 겉장.

⁵
⑪ **細** 가늘 세 細

부수 糸 (실 사) 부
찾기 糸⁶＋田⁵＝11획

⟋	⟪	⟪	⟩	糸	糸	糸

| 紃 | 細 | 細 | 細 | | | |

글자뿌리 형성 (形聲) 문자. 실사(糸〈뜻〉)에 정수리 신(田＝囟〈음〉)을 합친 자로, 고치에서 나온 '가느다란 실'이라는 데서 '가늘다'의 뜻.

<글자풀이> 1 가늘다. 잘다. 2 세밀하다. 자세하다.

[細工] (세공) 섬세한 잔손질이 많이 가는 수공(手工).

[細菌] (세균) 생물 중에서 가장 작아 눈으로는 볼 수 없는 작은 미생물. 박테리아.

[細密] (세밀) 꼼꼼하고 자세함.

[細部] (세부) 자세한 부분.

[細分] (세분) 여럿으로 잘게 나누거나 자세하게 분류함.

[細心] (세심) 자그마한 일에도 꼼꼼하게 주의함. 또는 그러한 마음.

[細則] (세칙) 자세한 규칙.

[明細書] (명세서) 하나하나의 내용을 자세히 적은 문서.

[銀細工] (은세공) 은을 재료로 한 세공. 또는 그 제품.

[竹細工] (죽세공) 대를 재료로 하는 세공. 또는 그 제품.

⑪ $\binom{5}{終}$ 마칠 종 終

부수 糸(실 사)부

ﾉ	ﾑ	ﾑ	幺	幺	糸	糸
紒	終	終	終			

<글자뿌리> 형성(形聲) 문자. 본디는 실의 양끝을 동여맨 모양을 나타낸 자로, 나중에 실 사(糸〈뜻〉)에 겨울 동(冬 : 거둔다는 뜻〈음〉)을 합친 자. 실(糸)의 맺음을 거둔다(그친다)는 데서 '미치다', '끝내다'의 뜻이 된 자.

<글자풀이> 1 마치다. 끝내다. 2 죽다. 3 끝. 마지막. 4 마침내.

[終講] (종강) 강의를 끝마침.

[終結] (종결) 일을 끝냄.

[終局] (종국) 끝판. 마지막판.

[終乃] (종내) 끝끝내. 필경에.

[終禮] (종례) 학교 수업이 끝난 뒤에 선생님과 학생들이 교실에 모여서 나누는 인사. 주의 사항이나 지시 사항을 전달함.

[終了] (종료) 일을 끝마침.

[終末] (종말) 계속되던 일이나 현상의 맨 끝.

[終身] (종신) ① 한평생을 마침

② 명을 다할 때까지의 동안.
¶ 終身會員(종신 회원).

[終身刑](종신형) 죄수를 교도
소에 죽을 때까지 가두어 두는
형벌.

[終日](종일) 아침부터 저녁까
지. 하루 동안.

[終章](종장) 시조나 노래의 마
지막 장.

[終戰](종전) 전쟁이 끝남. 또
는 끝냄.

[有終之美](유종지미) 시작한
일을 끝까지 잘 하여 결과가
아주 좋음.

[自初至終](자초 지종) 처음부
터 끝까지 이르는 동안. 또는
그 사실.

[最終](최종) 맨 나중. 마지막.

6
⑫ **[結]** 맺을 결 結

부수 糸 (실 사) 부
찾기 糸⁶+吉⁶=12획

| ノ | 乡 | 纟 | 幺 | 糸 | 糹 | 糸 | 紅 |

| 紅 | 紶 | 紶 | 結 | 結 | | | |

글자뿌리 형성 (形聲) 문자. 실
사(糸〈뜻〉)와 길할 길(吉 : 졸라
맨다는 뜻〈음〉)을 합친 자로, 끊
어진 실을 졸라맨다는 데서 '맺
다'의 뜻이 된 자.

糸 ⇒ 吉 ⇒ 結

글자풀이 1 맺다. 2 끝맺다. 마
치다. 3 엉기다.

[結果](결과) 어떠한 원인으로
말미암아 생긴 일의 끝. ⑪原
因(원인).

[結句](결구) 문장·편지 등에
서 끝을 맺는 글귀.

[結局](결국) 드디어는. 나중에
는.

[結論](결론) 말이나 글의 끝
맺는 부분.

[結末](결말) 일을 맺는 끝.

[結成](결성) 모임을 만들어서
단체를 이룸.

[結實](결실) ① 열매를 맺음.
② 일의 결과가 잘 맺어짐.

[結集](결집) 한데 모여 뭉침.
또는 모아 뭉치게 함.

[結草報恩](결초 보은) 죽어 혼
령이 되어서라도 은혜를 잊지
않고 갚음.

[結合](결합) 둘 이상의 것이
서로 관계를 맺고 합쳐서 하나
로 됨.

[結婚](결혼) 남녀가 부부 관
계를 맺음.

[連結](연결) 서로 이어서 맺
음. ⑪分離(분리).

[完結](완결) 완전하게 끝마침.

[直結](직결) 바로 이어짐. 직
접 관계됨.

6
획

6
⑫ 【給】 줄 급
　　　　넉넉할 급 給

부수 糸 (실 사) 부
찾기 糸⁶＋合⁶＝12획

〈	幺	幺	幺	乡	糸	糹

糹	糸	給	給	給

글자뿌리 형성(形聲) 문자. 실 사(糸〈뜻〉)에 합할 합(合〈음〉)을 합친 자로, 실을 모아 줄을 잇듯이 모자라는 물건을 넉넉히 댄다는 데서 '주다', '대다'의 뜻이 된 자.

글자풀이 1 주다. 2 넉넉하다. 3 대다. 공급하다.

[給料] (급료) 일한 대가로 주는 돈을 통틀어 이르는 말.

[給仕] (급사) 관청·회사 등에서 잔심부름을 하는 아이.

[給水] (급수) 물을 공급함. 또는 그 물.

[給食] (급식) ① 음식을 줌. ② 학교나 군대 등에서 음식을 주는 일.

[供給] (공급) ① 필요에 따라서 물품을 대어 줌. ② 바꾸거나 팔 목적으로 시장에다 상품을 내놓음.

[月給] (월급) 일한 삯으로 다달이 받는 일정한 돈.

[自給自足] (자급 자족) 자기에게 필요한 것을 자기 힘으로 마련하여 씀.

[支給] (지급) 물품 따위를 내어 줌.

6
⑫ 【絲】 실 사 絲

부수 糸 (실 사) 부
찾기 糸⁶＋糸⁶＝12획

〈	幺	幺	幺	乡	糸	糹

絲	絲	絲	絲	絲

글자뿌리 상형(象形) 문자. 실 사(糸)에 실 사(糸)를 합친 자로, 명주실을 꼬아 놓은 실타래가 겹쳐진 모양을 본뜬 글자.

 ⇒ 𢇛 ⇒ 絲

(글자풀이) 실.

[絹絲](견사) 비단을 짜는 명주실을 통틀어 이르는 말.

[金絲](금사) 금실.

[銀絲](은사) 은실.

[鐵絲](철사) 쇠붙이로 만든 가는 줄.

6
⑫ 〔絕〕 끊을 절 絶

부수 糸 (실 사) 부

찾기 糸⁶+色⁶=12획

| ノ | 彑 | 幺 | 糸 | 糸 | 糸 | 糸 |
| 糸 | 紹 | 絅 | 絕 | 絶 | | |

(글자뿌리) 회의(會意) 문자. 실사(糸)에 칼 도(刀)와 마디 절(巴＝卩)을 합친 자로, 실의 매듭 마디를 칼로 '끊는다'는 뜻.

천하절색

(글자풀이) 1 끊다. 끊어지다. 2 으뜸. 뛰어나다.

[絶景](절경) 더할 나위 없이 아름다운 경치.

[絶交](절교) 서로 사귐을 끊음. 교제를 끊음.

[絶叫](절규) 힘을 다하여 부르짖음.

[絶望](절망) 희망이 끊어짐. 희망을 버리고 단념함.

[絶妙](절묘) 매우 신기함.

[絶世佳人](절세 가인) 이 세상에서는 견줄 사람이 없을 정도로 뛰어나게 아름다운 여자.

[絶頂](절정) ① 산의 맨 꼭대기. ② 어떤 일의 진행이나 상태가 최고에 이른 때.

[絶讚](절찬) 더할 나위 없는 칭찬.

[絶好](절호) 더없이 좋음.

[根絶](근절) 어떤 일이 다시 일어나지 못하도록 뿌리째 없애 버림.

[氣絶](기절) 한때 정신을 잃고 숨이 막힘. 실신.

[斷絶](단절) 어떤 교류나 관계를 끊음.

[謝絶](사절) 사양하고 받지 아니함. 요구하는 것을 거절함.

[義絶](의절) 의를 끊음. 친구나 친척 사이에 감정이 상하여 정을 끊음.

6
⑫ 〔統〕 거느릴 통 합칠 통 統

부수 糸(실 사)부
찾기 糸⁶＋充⁶＝12획

ノ	幺	幺	幺	糸	糸	糸

| 紵 | 紵 | 紵 | 紵 | 統 | | |

(글자뿌리) 형성(形聲) 문자. 실 사(糸〈뜻〉)에 채울 충(充:긴 줄 기의 뜻〈음〉)을 합친 자로, 누에 가 뽑아 낸 한 줄기의 긴 실이라 는 데서 '계통', '거느리다'의 뜻 이 된 자.

(글자풀이) 1 거느리다. 2 계통. 3 합치다. 4 벼리. 실마리.

[統計](통계) ① 한데 몰아서 셈 함. ② 일정한 집단 안에서 하 나하나의 요소가 갖는 분포나 그 분포의 특징을 나타내는 일.

[統一](통일) ① 두 개 이상의 것을 몰아서 하나의 조직·체계 로 만듦. ② 서로 관련되어 떨 어질 수 없게 함.

[統治](통치) ① 도맡아서 다스 림. ② 한 나라의 우두머리나 지배자가 주권을 가지고 국토 및 국민을 지배하고 다스림.

[統合](통합) 모두 합쳐 하나 로 모음.

[系統](계통) ① 같은 핏줄을 이 름. ② 이치나 성질 등에 따라 갈라 놓은 순서.

[大統領](대통령) 공화국인 나 라의 원수.

[傳統](전통) 이어받은 여러 계 통. 역사적으로 이어 온 습관.

[體統](체통) 지체나 신분 따 위에 알맞은 체면이라는 뜻으 로, '점잖은 체면'을 이르는 말.

[血統](혈통) ① 부자나 형제의 관계. ② 같은 핏줄을 타고난 겨레붙이의 계통.

⑦
⑬ 〔**經**〕 지날 경
　　　　 날 경　　經

부수 糸(실 사)부
찾기 糸⁶＋坙⁷＝13획

ノ	幺	幺	幺	糸	糸	糸

| 紵 | 經 | 經 | 經 | 經 | 經 | |

(글자뿌리) 형성(形聲) 문자. 실 사(糸〈뜻〉)에 물줄기 경(坙〈음〉) 을 합친 자로, 실이 물줄기처럼 서 있는 모양을 한 날줄에 씨줄 이 지나야 천이 된다는 데서 '지 나다', '날'의 뜻이 된 자.

(글자풀이) 1 지나다. 2 경서. 경전. 3 날. 날실. 4 법. 도리. 5 다스리다.

[經過] (경과) ① 시간이나 때가 지남. ② 일을 겪어 온 과정. ③ 어떤 곳이나 단계를 거침.

[經歷] (경력) 여러 가지 겪어 온 일들. 겪어 지내 옴.

[經路] (경로) ① 지나는 길. ② 일이 되어 가는 순서.

[經理] (경리) 회계나 급여 등에 대한 사무. 또는 그것을 처리하는 부서나 사람.

[經由] (경유) 거치어 나감.

[經濟] (경제) ① 사람들이 생활에 필요한 물건을 얻어 내고, 또 그것을 쓰는 데 관계되는 모든 활동. ② 돈·재물·시간 등을 절약함.

[經驗] (경험) 실지로 보고 듣고 겪는 일. 또는 그 과정 및 과정에서 얻는 지식이나 기능.

[無神經] (무신경) ① 감각 등이 둔함. ② 어떤 자극이나 치욕에도 반응이 적음.

[佛經] (불경) 불교의 경전.

[聖經] (성경) 각 종교에서, 그 종교의 가르침의 중심이 되는 책. 기독교의 성서, 불교의 팔만 대장경, 유교의 사서 오경, 회교의 코란 등.

[神經] (신경) ① 뇌의 명령을 몸의 각 부분에 전하고, 몸에서 느낀 자극을 뇌에 전하는 일을 하는 실 모양의 기관. ② 사물을 느끼거나 지각하는 힘. ¶ 神經戰(신경전).

[牛耳讀經] (우이 독경) 쇠귀에 경 읽기.

[月經] (월경) 성숙한 여성의 자궁에서 정기적으로 며칠 동안 계속하여 출혈하는 현상.

8
⑭ 【綠】 초록빛 록 綠

6획

부수 糸 (실 사) 부
찾기 糸⁶ + 彔⁸ = 14획

ㄥ	ㄠ	ㄠ	ㄠ	ㅊ	糸	糸
糸'	絆	絆	絆	絆	綠	綠

(글자뿌리) 형성 (形聲) 문자. 실 사 (糸〈뜻〉)에 맑을 록 (彔:淥의 생략형으로 물이 맑다는 뜻〈음〉)을 합친 자로, 맑은 색, 곧 초록빛의 실이라는 데서 '초록빛'을 뜻함.

글자풀이 초록빛. 푸르다.

[綠豆] (녹두) 콩과에 딸린 한해살이 식물. 씨는 팥보다 작고 녹색임.

[綠色] (녹색) 파랑과 노랑의 중간 색.

[綠十字] (녹십자) 녹색으로 십자 모양을 나타낸 표지. 재해로부터의 안전을 상징함.

[綠陰] (녹음) 푸른 잎이 우거진 나무의 그늘.

[綠地] (녹지) 나무와 풀이 푸르게 자란 땅.

[常綠樹] (상록수) 나뭇잎이 사철 푸른 나무. 늘푸른나무.

[新綠] (신록) 초여름에 새로이 나온 잎들이 띤 연한 초록빛.

[葉綠素] (엽록소) 식물의 세포인 엽록체 속에 들어 있는 녹색의 색소.

9
⑮ 【練】 익힐 련 練

부수 糸(실 사) 부
찾기 糸⁶+柬⁹=15획

| ㄥ | ㅿ | ㅿ | ㅅ | 糸 | 糹 | 紆 |
| 紆 | 紆 | 紆 | 紆 | 練 | 練 | 練 |

글자뿌리 형성(形聲) 문자. 실 사(糸〈뜻〉)에 분별할 간(柬〈음〉)을 합친 자로, 잿물에 삶아 깨끗이 다듬은 누인 명주라는 데서 '익히다', '가리다'의 뜻.

글자풀이 1 익히다. 2 가리다. 3 단련하다.

[練習] (연습) 몇 번이나 되풀이하여 익힘.

[未練] (미련) 생각을 딱 끊을 수 없음. 또는 그런 마음.

[洗練] (세련) 지식·기술 등을 갈고 다듬어 어색하거나 서투른 데가 없게 함.

[調練師] (조련사) 동물에게 곡예 등을 훈련시키는 사람.

[訓練] (훈련) 어떠한 능력이나 기술을 몸에 붙게 하기 위하여 되풀이 해 연습시킴.

9
⑮ 【線】 줄 선 線

부수 糸(실 사) 부
찾기 糸⁶+泉⁹=15획

| ㄥ | ㅿ | ㅿ | ㅅ | 糹 | 糸 | 絲 |
| 紵 | 紵 | 綂 | 綿 | 綿 | 綿 | 線 |

글자뿌리 형성(形聲) 문자. 실 사(糸〈뜻〉)에 샘 천(泉 : 가늘게 잇는다는 뜻〈음〉)을 합친 자로, 가느다란 '실'이라는 데서 '줄'의 뜻이 된 자.

(글자풀이) 줄. 금. 실.

[線路](선로) 열차나 전차 등의 바퀴가 굴러갈 수 있도록 땅에 깔아 놓은 철길.

[線上](선상) ① 선(線)의 위. ② 두 갈래로 갈라지는 일정한 상태.

[光線](광선) 빛. 빛의 줄기.

[路線](노선) ① 버스나 기차·항공기 등이 정해 놓고 다니도록 되어 있는 길. ② 개인이나 조직·단체 등의 일정한 활동 방침.

[伏線](복선) 소설·희곡 등에서 나중에 있을 사건에 대하여 미리 넌지시 비쳐 두는 기법.

[死線](사선) 죽을 고비.

[一線](일선) 전쟁 중 적과 가장 가까운 곳.

[前線](전선) ① 적과 마주 대하고 있는 지역. ② 따뜻한 공기와 찬 공기의 경계면이 땅과 닿는 곳.

[戰線](전선) 전쟁에서 직접 전투가 전개되는 지역.

[電線](전선) 전원과 전기 기기를 이어서 전기가 흐르도록 하는 데 쓰이는 구리줄. 또는 알루미늄 선 등의 금속 줄. 전깃줄.

[直線](직선) ① 곧은 선. ② 두 점 사이를 가장 짧은 거리로 이은 선.

[車線](차선) 도로에서 자동차 한 대씩만 지나갈 수 있도록 그어 둔 선.

[脫線](탈선) ① 기차·전차 등이 선로를 벗어남. ② 말이나 행동이 규칙을 위반함.

[合線](합선) ① 선이 합침. ② 양전기와 음전기의 두 선이 고장으로 한데 붙음.

[混線](혼선) 전신이나 전화 등에서 신호나 통화가 뒤섞여 엉클어짐.

¹⁵_㉑【續】 이을 속 續

부수 糸 (실 사) 부

찾기 糸⁶＋賣¹⁵＝21획

〆	幺	纟	幺	糸	糸	糸
糸	結	結	綪	綪	績	績
績	績	績	續	續	續	續

6획

글자뿌리 형성(形聲) 문자. 실 사(糸〈뜻〉)에 팔 육(賣＝賣 : '이을 촉(屬)'의 뜻〈음〉)을 합친 자로, 끊긴 실을 잇는다 하여 '잇다'의 뜻이 된 자.

글자풀이 잇다. 계속하다.

[續報] (속보) 계속하여 알림. 또는 그 보도.

[續出] (속출) 잇달아 나옴.

[續行] (속행) 계속하여 행함.

[繼續] (계속) 끊이지 않고 늘 이어 나감.

[勤續] (근속) 한 곳에서 오래 일을 함.

[相續] (상속) 재산에 관한 권리·의무를 물려주거나 물려받음.

[手續] (수속) 일을 행하는 데 필요한 순서.

[連續] (연속) 끊이지 아니하고 줄곧 이어짐.

[接續] (접속) 맞대서 이음.

[持續] (지속) 유지하여 계속함.

---

⁶ 网 (그물 망) 部

'冂'은 그물의 틀, 'ㅆ'은 그물코를 본뜬 자로 '그물'을 뜻하고, '罒'은 변형임.

⁸
⑬ [罪] 허물 죄 罪

부수 网 (그물 망) 부

찾기 罒⁵(网)＋非⁸＝13획

丶	冂	冂	罒	罒	罒	罒
罒	罪	罪	罪	罪	罪	

글자뿌리 형성(形聲) 문자. 그물 망(罒 : 网의 변형〈뜻〉) 밑에 그를 비(非〈음〉)를 합친 자로, 법의 그물에 걸려들 만큼 잘못된 짓은 '죄'라는 뜻.

글자풀이 허물. 죄.

[罪名] (죄명) 죄의 이름.

[罪囚] (죄수) 옥에 갇힌 죄인.

[罪惡] (죄악) ① 죄가 될 만한 나쁜 짓. ② 도덕이나 종교의 교리나 가르침을 어기는 짓.

[罪人] (죄인) 죄를 지은 사람.

[免罪] (면죄) 죄를 면함.

[無罪] (무죄) ① 죄가 없음. ② 잘못이나 허물이 없음.

[犯罪] (범죄) 죄를 지음. 또는 지은 죄.

[謝罪] (사죄) 자신이 지은 죄

에 대하여 용서를 빎.

[有罪] (유죄) 죄가 있음. ⋈ 無罪(무죄).

[重罪] (중죄) 무거운 죄. 큰 죄.

---

⁶ 羊 (양 양) 部

뿔 달린 양의 머리를 본뜬 글자.

0
⑥ 【羊】 양 양 羊

부수 羊 (양 양) 부

찾기 羊⁶=6획

`	`	⠆	⠅	⠇	羊

글자뿌리 상형(象形) 문자. 뿔 달린 양의 머리 모양을 본떠 만든 글자.

글자풀이 양.

[羊毛] (양모) 양의 털. 모직물의 원료가 됨.

[白羊] (백양) 흰 양.

3
⑨ 【美】 아름다울 미 美

부수 羊 (양 양) 부

찾기 羊⁶＋大³＝9획

`	`	⠆	⠅	⠇	⠋	羊
美	美					

글자뿌리 회의(會意) 문자. 양 양(羊)에 큰 대(大)를 합친 자로, 크고 살찐 양이라는 데서 '아름답다'의 뜻.

글자풀이 1 아름답다. 곱다. 2 맛나다. 3 '미국'의 약칭.

[美談] (미담) 뒤에 전할 만한 아름다운 이야기.

[美德] (미덕) 아름다운 마음씨. 도덕적인 훌륭한 행동.

[美麗] (미려) 아름답고 고움.

[美容] (미용) 용모를 아름답게 단장하는 일.

[美人] (미인) ① 용모가 아름다운 여자. ② 미국 사람.

[美風](미풍) 아름다운 풍속.

[美化](미화) 아름답게 꾸미는
일. ¶ 環境美化(환경 미화).

6 ⑫【着】 붙을 착　着

부수 羊(양 양) 부

찾기 羊⁶＋目⁶＝12획

`	`'	丷	𫠠	半	羊	羊

羊	着	着	着	着

글자뿌리 형성(形聲) 문자. 본
디는 '著'의 속자. 양 양(羊=艹
〈뜻〉)에 눈 목(目＝者〔놈 자〕
〈음〉)을 합친 자로, 著(지을 저)
와 구별하여 '입다', '붙다'의 뜻
으로 쓰이게 됨.

글자풀이 1 붙다. 붙이다. 2 입
다. 신다. 쓰다. 3 다다르다. 4 손
대다.

[着陸](착륙) 비행기가 땅 위에
내림.

[到着](도착) 목적지에 다다름.

[密着](밀착) 빈틈없이 붙음.

[愛着](애착) 사랑하고 아끼는
마음에 사로잡혀 있음.

[接着](접착) 달라붙음.

[人相着衣](인상 착의) 사람의
생김새와 옷차림.

7 ⑬【義】 옳을 의　義

부수 羊(양 양) 부

찾기 羊⁶＋我⁷＝13획

`	`'	丷	𫠠	半	羊	羊

羊	羊	羊	義	義	義

글자뿌리 회의(會意) 문자. 양
양(羊)에 나 아(我)를 합친 자
로, 착한 양처럼 자기를 희생하고
순종한다는 데서 '옳다', '의리'의
뜻이 된 자.

글자풀이 1 옳다. 바르다. 의리.
2 뜻.

[義擧](의거) 옳은 일을 위하
여 큰 일을 일으킴. 또는 그러
한 일.

[義理](의리) 사람으로서 지켜
야 할 바른 도리.

[義兵](의병) 위기에 처한 나
라를 구하기 위해 국민들이 스
스로 조직한 군대.

[義死] (의사) 의리를 위해 죽음.

[不義] (불의) 사람의 도리에서 벗어나는 일.

[正義] (정의) ① 올바른 도리. ② 바른 의의.

[定義] (정의) 어떤 뜻을 뚜렷이 밝힌 것.

---

⁶ 羽 (깃 우) 部

새의 날개를 본뜬 글자.

---

⁵
⑪ 【習】 익힐 습   習

부수 羽 (깃 우) 부

찾기 羽⁶＋白⁵＝11획

フ	フ	ヲ	키ㄱ	키키	키키	키키
키키	키키	習	習			

글자뿌리 회의(會意) 문자. 깃 우(羽)에 흰 백(白)을 합친 자로, 새가 날갯죽지 밑의 흰 털이 보이도록 날갯짓을 하며 날기를 '익힌다'는 뜻.

글자풀이 **1** 익히다. 배우다. **2** 익숙하다. **3** 버릇. 습관.

[習慣] (습관) 버릇.

[習得] (습득) 익혀서 얻음. 배워서 앎.

[習性] (습성) ① 버릇이 되어 버린 성질. ② 어떤 동물이 지니고 있는 특이한 성질.

[習作] (습작) 문예·음악·미술 따위에서, 연습으로 작품을 만듦. 또는 그 작품.

[教習] (교습) 가르쳐서 익히게 함. ¶ 教習所(교습소)

[復習] (복습) 배운 것을 되풀이하여 익힘.

[實習] (실습) 배운 기술 따위를 실지로 해 보거나 실물을 가지고 익힘.

[自習] (자습) 가르쳐 주는 사람 없이 혼자서 공부하여 익힘.

[風習] (풍습) 풍속과 습관.

[學習] (학습) 배워서 익힘.

---

⁶ 老 (늙을 로) 部

머리카락이 길고 허리가 굽은 노인이 지팡이를 짚고 서 있는 모양을 본뜬 글자. '耂'는 머리로 쓰일 때의 글자 모양임.

⁰
⑥ 【老】 늙을 로   老

부수 老(늙을 로)부
찾기 老⁶ = 6획

一	十	土	耂	耂	老

글자뿌리 **상형(象形)** 문자. 머리가 길고 허리가 굽은 노인이 지팡이를 짚고 서 있는 모양을 본뜬 글자.

글자풀이 1 늙다. 2 늙은이.

[老年] (노년) 늙음. 또는 늙은이. 반 少年(소년).

[老練] (노련) 오랜 경험으로 일에 익숙하고 능함.

[老齡] (노령) 늙은 나이.

[老妄] (노망) 늙어서 망령을 부림. 또는 그 망령.

[老弱者] (노약자) 늙은이와 몸이 약한 어린이.

[老人] (노인) 늙은이.

[老婆心] (노파심) 늙은 여자의 마음이라는 뜻으로, 남의 일을 지나치게 걱정하는 마음.

[老患] (노환) 늙어서 드는 병.

[養老] (양로) 노인을 편히 지낼 수 있게 보살펴 모심. ¶ 養老院(양로원).

[元老] (원로) 어떤 일에 경험이 많고, 공로가 많은 사람.

² 【考】 상고할 고
⑥

부수 老(늙을 로)부
찾기 耂⁴(老)+丂² = 6획

一	十	土	耂	耂	考

글자뿌리 **형성(形聲)** 문자. 늙을 로(耂=老〈뜻〉)와 교묘할 고(丂〈음〉)를 합친 자로, 노인은 깊이 생각하여 일을 잘 한다는 데서 '상고하다'의 뜻이 된 자.

글자풀이 1 상고하다. 곰곰이 생각하다. 2 아버지.

[考古學] (고고학) 유적이나 유물 등에 따라 고대의 문화를 연구하는 학문.

[考慮] (고려) 깊이 생각해 봄.

[考査] (고사) 상고하여 살핀다는 뜻으로, '시험'을 이르는 말 ¶ 學力考査(학력 고사).

[考試] (고시) 상고하고 시험을 봄. 또는 그 시험. ¶ 司法考試(사법 고시).

[考案] (고안) 새로운 물건이나 방법을 연구하여 생각해 냄.

[考察] (고찰) 곰곰이 생각하고 살펴봄.

[詳考] (상고) 자세히 검토함.

[參考] (참고) ① 도움이 될 만한 자료로 삼음. ② 살펴서 생각함.

⁵⑨ 【者】 놈 자 者

부수 老(늙을 로) 부

찾기 耂⁴(老)+白⁵ = 9획

一 十 土 耂 耂 耂 者

者 者

글자뿌리 형성(形聲) 문자. 스스로 자(白=自의 생략형〈뜻〉)에 기장 서(黍〈음〉)를 합친 글자. 또는 장작이 타는 모양〔耂〕과 그릇〔白〕을 합쳐 '찌다', '덥다'는 뜻으로, 찔 자(煮), 더울 서(暑)의 본자였으나 '놈', '것'의 뜻으로 쓰이게 됨.

煮 ⇒ 者 ⇒ 者

글자풀이 1 놈. 사람. 2 것. 곳.

[記者] (기자) 신문·잡지·방송 등의 기사(記事)를 모으고 쓰는 사람.

[讀者] (독자) 책이나 신문 따위를 읽는 사람.

[使者] (사자) ① 심부름을 하는 사람. ② 저승 사자.

[一人者] (일인자) 어느 방면에서 견줄 자가 없을 만큼 뛰어난 사람.

[著者] (저자) 책이나 글을 쓴 사람.

[賢者] (현자) 어진 사람. 성인(聖人)에 버금 가는 사람. 동 賢人(현인).

⁶ 而 (말 이을 이) 部

턱수염의 모양을 본뜬 글자.

⁰⑥ 【而】 말 이을 이 而

부수 而(말 이을 이) 부

찾기 而⁶ = 6획

一 ア 广 丙 而 而

글자뿌리 상형(象形) 문자. 인중(코밑)을 따라 입의 위아래로 난 수염을 본뜬 글자. 문장을 연결하는 어조사로 쓰임.

글자풀이 말 잇다. 또. 어조사.

[而立] (이립) '三十而立(삼십이립)'에서 온 말로, 나이 30세를 이름.

[而後] (이후) 이제부터 앞으로. 동 以後(이후).

[似而非] (사이비) 같아 보이나

실제로는 아님. ¶似而非記者
(사이비 기자).

⁶ 耒 (쟁기 뢰) 部

우거진 풀〔三〕을 나무로 만
든 연장〔木〕으로 갈아 엎는다
는 데서 '쟁기'를 뜻함.

⁴⑩【耕】 밭 갈 경　耕

부수 耒 (쟁기 뢰) 부
찾기 耒⁶＋井⁴ ＝ 10획

一	二	三	丰	耒	耒	耒
耒	耕	耕				

(글자뿌리) 회의(會意) 문자. 쟁기
뢰(耒)에 우물 정(井 : 이랑의 모
양)을 합친 자로, 쟁기로 '밭을
간다'는 뜻.

(글자풀이) 밭 갈다.

[耕耘機] (경운기) 논밭을 갈고
　김을 매는 기계.
[耕作] (경작) 논밭을 갈아서 농

사를 지음.
[晝耕夜讀] (주경 야독) 낮에는
　농사를 짓고 밤에는 글을 읽는
　다는 뜻으로, '바쁜 틈에서도
　공부함'을 이르는 말.

⁶ 耳 (귀 이) 部

사람의 귀 모양을 본뜬 자.

⁰⑥【耳】 귀　이　耳

부수 耳 (귀 이) 부
찾기 耳⁶ ＝ 6획

一	丆	亓	丌	耳	耳

(글자뿌리) 상형(象形) 문자. 사람
의 귀 모양을 본떠 '귀'를 뜻함.

⇒　⇒ 耳

(글자풀이) 귀.

[耳目] (이목) ① 귀와 눈. ② 듣
　는 일과 보는 일.
[耳目口鼻] (이목 구비) ① 귀·
　눈·입·코. ② 얼굴의 생김새.
[耳鼻咽喉科] (이비인후과) 귀·
　코·목의 질병 치료를 전문으로
　하는 의학의 한 분야. 또는 그
　병원.
[耳順] (이순) 나이 '60세'를 이
　르는 말. ※ 공자(孔子)가 60

세가 되어서 만물의 이치를 알게 되어 남의 말을 듣는 대로 이해할 수 있게 되었다는 '六十而耳順(육십이이순)'에서 온 말.

[牛耳讀經](우이 독경) 쇠귀에 경 읽기.

[中耳炎](중이염) 귀청의 속에 생기는 염증.

7
⑬ 【聖】 성인 성 聖

부수 耳 (귀 이) 부
찾기 耳⁶+呈⁷ = 13획

一	厂	F	F	E	耳	耵

耵	耵	耵	聖	聖	聖

글자뿌리 형성(形聲) 문자. 귀 이(耳〈뜻〉)에 드러날 정(呈〈음〉)을 합친 자로, 사람의 말을 귀로 들으면 그 사람의 덕(德)이 드러난다는 데서 '성인', '성스럽다'의 뜻이 된 자.

耳 呈 ⇒ 口壬 ⇒ 聖

글자풀이 1 성인(聖人). 성스럽다. 2 뛰어나다. 거룩하다.

[聖骨](성골) 신라 시대의 골품 제도에서 가장 높은 신분 계급. 곧, 부모가 모두 왕족인 사람.

[聖堂](성당) 천주교의 교회당.

[聖恩](성은) 임금의 은혜.

[聖人](성인) 지혜와 덕이 뛰어나 길이길이 우러러 본받을 만한 사람. ⑧ 聖者(성자).

[聖地](성지) ① 종교적으로 관련이 있어서 거룩하게 여겨지는 땅. ② 성인의 유적이 있는 곳. ¶ 聖地巡禮(성지 순례).

[神聖](신성) ① 거룩하고 높고 엄숙하여 더럽힐 수 없음. ② 신처럼 성스러움.

8
⑭ 【聞】 들을 문 聞

부수 耳 (귀 이) 부
찾기 耳⁶+門⁸ = 14획

丨	冂	冂	門	門	門	門

門	門	門	間	聞	聞	聞

글자뿌리 형성(形聲) 문자. 문 문(門〈음〉)에다 귀 이(耳〈뜻〉)를 합친 자로, 문 앞에서 사람이 하는 말을 귀로 듣는다는 데서 '듣다', '소문'의 뜻이 됨.

門 ⇒ 門目 ⇒ 聞

글자풀이 1 듣다. 들리다. 2 널리 알려지다.

[見聞](견문) ① 보고 들음. ② 보고 들어서 아는 지식. ¶見聞錄(견문록).

[今始初聞](금시 초문) 이제야 비로소 처음으로 들음.

[所聞](소문) 사람들의 입에 오르내려 전하여 오는 말.

[新聞](신문) 새로운 사실을 알려 주려고 정기적으로 박아 내는 인쇄물.

[風聞](풍문) 바람결에 들리는 소문.

[後聞](후문) 어떠한 사건이 끝난 뒤, 그 사건에 관계되는 여러 가지 소문.

11
⑰ [聲] 소리 성

부수 耳(귀 이)부

찾기 耳⁶+殸¹¹ = 17획

一	十	士	吉	吉	吉	声
声	殸	殸	殸	殸	殸	殸
聲	聲	聲				

글자뿌리 형성(形聲) 문자. 귀 이(耳)에 경쇠 경(殸=磬)을 합친 자로, 귀에 들리는 경쇠 소리라는 데서 '소리'의 뜻이 됨.

글자풀이 1 소리. 목소리. 2 풍류 소리. 노래. 3 이름. 명예.

[聲量](성량) 사람이 낼 수 있는 소리의 크기나 또는 강한 정도.

[聲明](성명) 여러 사람에게 밝혀서 말함. ¶聲明書(성명서).

[聲樂](성악) 사람의 목소리로 하는 음악. ¶聲樂家(성악가).

[聲優](성우) 라디오 등에서 목소리로만 연기하는 배우.

[聲援](성원) 소리쳐서 사기를 북돋우어 줌.

[名聲](명성) 세상에 널리 퍼져 평판이 높은 이름.

[發聲](발성) 소리를 냄.

[音聲](음성) 말소리. 목소리. ¶音聲多重(음성 다중).

[歎聲](탄성) ① 탄식하여 내는 소리. ② 감탄하는 소리.

[歡呼聲](환호성) 기뻐서 크게 부르짖는 소리.

16
㉒ [聽] 들을 청

부수 耳 (귀 이) 부

찾기 耳⁶+聴¹⁶ = 22획

(글자뿌리) 회의(會意) 문자. 귀이(耳)에 간사할 임(壬)과 큰 덕(悳 : 悳)을 합친 자로, 귀는 간사한 소리보다 덕이 있는 소리를 '들어야 한다'는 뜻.

(글자풀이) 1 듣다. 2 관결하다.

[聽覺](청각) 귀로 소리를 듣는 감각.

[聽力](청력) 귀로 소리를 듣는 능력.

[聽衆](청중) 설교·강연·음악 등을 듣는 사람들.

[聽診器](청진기) 환자의 가슴과 뱃속에서 나는 소리를 듣는 진찰 기구.

[聽取](청취) 자세히 들음.

[傾聽](경청) 귀를 기울여 주의해서 들음.

[公聽會](공청회) 나라에서 중요한 일을 결정하기 전에 여러 사람의 의견을 듣는 모임.

[盜聽](도청) 남의 말이나 전화 내용 등을 훔쳐 들음. ¶盜聽裝置(도청 장치).

[視聽](시청) 눈으로 보고 귀로 들음. ¶視聽者(시청자).

⁶ **肉** (고기 육) **部**

잘라 낸 고깃덩어리를 본뜬 자. '月'은 변으로 쓰일 때의 글자 모양으로 '月(달 월)'과 구별하기 위하여 '육달월'이라고 함.

0
⑥ **【肉】** 고기 육   肉

부수 肉 (고기 육) 부

찾기 肉⁶ = 6획

丨 冂 内 内 肉 肉

(글자뿌리) 상형(象形) 문자. 잘라 낸 고깃덩어리의 모양을 본뜬 글자로, '고기', '살', '몸'의 뜻.

(글자풀이) 1 고기. 살. 2 몸. 3 혈연.

[肉類](육류) 먹을 수 있는 짐승의 고기를 모두 이르는 말.

［肉水〕（육수）고기를 삶아 낸 물.

［肉食〕（육식）짐승의 고기를 먹음. 또는 그 음식. ⑪菜食(채식).

［肉眼〕（육안）안경 따위를 쓰지 않은 맨눈.

［肉體〕（육체）사람의 몸. ⑫靈魂(영혼).

［筋肉〕（근육）심줄과 살.

［謝肉祭〕（사육제）술과 고기를 먹고, 가장 행렬 등을 즐기는, 가톨릭 국가의 축제의 하나.

［獸肉〕（수육）짐승의 고기.

［精肉店〕（정육점）지방이나 뼈 등을 발라 낸 살코기를 파는 가게.

4
⑧【育】기를 육 育

부수 肉 (고기 육) 부

찾기 月⁴(肉)＋云⁴ = 8획

`丶 亠 士 去 云 育 育`

글자뿌리 회의(會意) 문자. 육달월(月)에 '云(子의 거꾸로 된 모양)'을 합친 자로, 아기가 태어날 때 어머니의 배 안에서 거꾸로 나온다는 데서 '낳다'를 뜻하다가 '기르다'의 뜻이 됨.

글자풀이 1 기르다. 2 낳다.

［育成〕（육성）길러서 자라게 함.

［育英〕（육영）인재를 가르쳐 기름. ¶育英事業(육영 사업).

［敎育〕（교육）지식·기술 등을 가르치며 품성을 길러 줌.

［發育〕（발육）생물이 발달하여 크게 자람.

［保育〕（보육）① 어린이를 보살펴 기름. ② 어린이들이 올바르게 자랄 수 있도록 유치원·탁아소 등에서 베푸는 교육.

［養育〕（양육）어린아이를 보살펴 기름.

［體育〕（체육）건강한 몸과 운동 능력을 기르는 교육.

⇒ ⇒ 育

6
⑩【能】능할 능 能

부수 肉 (고기 육) 부

찾기 月⁴(肉)＋ヒ⁶ = 10획

`ㄥ 厶 乍 育 育 育 育`
`能 能 能`

글자뿌리 형성(形聲) 문자. 곰의 모양을 본뜬 곰 웅(熊)의 본자로, 팀(짐승의 뜻)와 고기 육(月＝肉)을 바탕으로 사사 사(厶＝私〈음〉)를 합친 글자로 '능하다'의 뜻이 된 자.

글자풀이 1 능하다. 능히 하다. 2 능력. 재능.

[能力](능력) 어떤 일을 해낼 수 있는 힘.

[能率](능률) 일정한 시간이나 조건에서 해낼 수 있는 일의 분량이나 비율.

[能事](능사) 자기에게 가장 알맞아 잘 해낼 수 있는 일.

[能通](능통) 어떤 일에 환히 잘 통함.

[可能](가능) 하거나 될 수 있음. ⑫ 不可能(불가능).

[技能](기능) 기술적인 재능.

[多才多能](다재 다능) 재주가 많고 여러 가지 일을 잘함.

[萬能](만능) 온갖 일을 두루 잘함.

[無能](무능) 재력이나 재능이 없음. ⑫ 有能(유능).

[本能](본능) 타고난 성질이나 능력.

[性能](성능) 어떤 물건이 지니고 있는 성질과 능력.

[藝能](예능) 음악·무용·연극·영화 등을 모두 가리키는 말.

[才能](재능) 재주와 능력.

[知能](지능) 사물을 알고 바르게 판단하는 능력. ¶ 知能指數(지능 지수).

[效能](효능) 효험을 나타내는 성능.

6 ⑩ [胸] 가슴 흉 胸

부수 肉 (고기 육) 부

찾기 月⁴(肉)＋匈⁶ ＝ 10획

ﾉ	刀	月	月	月'	肑	肑
肑	胸	胸				

글자뿌리 회의(會意)·형성(形聲) 문자. 몸 육(月〈뜻〉)에 가슴 흉(匈 : 가슴의 뜻〈음〉)을 합친 자로, 몸〔月〕에서 허파를 감싸고 있는 곳이 '가슴'이라는 뜻.

글자풀이 1 가슴. 2 마음.

[胸骨](흉골) 앞가슴 한가운데의 뼈.

[胸襟](흉금) 가슴 속. 마음 속.

[胸部] (흉부) 가슴 부분.

[胸中] (흉중) ① 가슴 속. ② 마음. 생각.

⁷⑪ [脚] 다리 각 脚

부수 肉 (고기 육) 부

찾기 月⁴(肉)＋却⁷ = 11획

ノ	刀	月	月	朊	朊	肤
胠	胠	脚	脚			

(글자뿌리) 형성(形聲) 문자. 육 달 월(月〈뜻〉)에 물러갈 각(却〈음〉)을 합친 자로, 뒤로 물러갈 때 굽혀지는 것은 '다리'라는 뜻.

(글자풀이) 다리. 종아리.

[脚光] (각광) ① 무대의 앞쪽에서 배우를 비추어 주는 불빛. ② 널리 여러 사람의 칭찬과 기대를 한몸에 받는 일.

[脚氣病] (각기병) 다리가 붓고 숨이 가쁘며 몸이 나른하게 되는 병. 비타민 비(B)의 부족으로 생김.

[脚本] (각본) 연극이나 영화에서 줄거리나 무대 장치·배우의 동작과 하는 말 따위를 적어 놓은 글. 또는 그 책자.

[脚色] (각색) 소설이나 사건의 내용을 연극이나 영화의 각본이 되게 고쳐 쓰는 일.

[脚線美] (각선미) 여자의 다리의 곡선이 보여 주는 아름다움.

[失脚] (실각) ① 발을 헛디딤. ② 실패하여 지위나 설 자리를 잃음.

[立脚] (입각) 근거로 삼아 그 처지에 섬.

[行脚] (행각) 여기저기 돌아다님.

⁷⑪ [脫] 벗을 탈 脫

부수 肉 (고기 육) 부

찾기 月⁴(肉)＋兌⁷ = 11획

ノ	刀	月	月	朋	朊`	朊
胪	胎	胪	脫			

(글자뿌리) 형성(形聲) 문자. 몸 육(月〈뜻〉)에 바꿀 태(兌〈음〉)를 합친 자로, 벌레가 허물을 벗고 몸을 바꾼다는 데서 '벗다'·'빠지다'의 뜻이 된 자.

(글자풀이) 1 벗다. 2 빠지다.

[脫稿] (탈고) 원고를 다 씀.

[脫穀] (탈곡) 곡식의 이삭에서 낟알을 떨어 냄.

[脫落] (탈락) 어떤 데에 끼지 못하고 떨어져 나가거나 빠짐.

[脫色] (탈색) 색이 바래어 없어짐.

[脫線] (탈선) ① 기차·전차 등

이 선로에서 벗어남. ② 말이나 행동이 바르지 못하고, 도리에 어긋남.

[脱衣室] (탈의실) 온천이나 목욕탕 등에서 옷을 벗는 방.

[脱盡] (탈진) 기운이 다 빠짐.

[脱出] (탈출) 일정한 장소에서 도망함. 통 脱走 (탈주).

[脱退] (탈퇴) 관계하던 일에서 벗어나 물러남.

---

6 臣 (신하 신) 部

임금 앞에서 굴복한 사람의 모양을 본뜬 글자.

---

0 6 【臣】 신하 신 臣

부수 臣 (신하 신) 부
찾기 臣6 = 6획

| ー | ㄱ | ㅜ | ㅜ | ㅋ | 臣 |

글자뿌리 상형(象形) 문자. 임금 앞에 굴복하고 있는 사람의 모양을 본뜬 글자로, '신하'의 뜻.

글자풀이 1 신하. 2 신. ※ 신하가 임금 앞에서 자신을 일컫는 말.

[臣下] (신하) 임금을 섬기는 벼슬아치.

[功臣] (공신) 공이 있는 신하.

[君臣有義] (군신 유의) 삼강 오륜의 하나. 임금과 신하 사이에는 의리가 있어야 함을 이름.

[忠臣] (충신) 충성스러운 신하.

---

2 8 【臥】 누울 와 臥

부수 臣 (신하 신) 부
찾기 臣6 + 人2 = 8획

| ー | ㄱ | ㅋ | ㅋ | 臣 | 臥 | 臥 |

글자뿌리 회의(會意) 문자. 신하 신(臣)에 사람 인(人)을 합친 자로, 신하가 넓죽 엎드리고 쉬고 있음을 나타내어 '눕다', '엎드리다'의 뜻이 된 자.

글자풀이 눕다. 쉬다.

[臥病] (와병) 병에 걸림. 병으로 누워 있음.

⁶ 自 (스스로 자) 部

사람의 코 모양을 본뜬 자.

⁰
_⑥ 【自】 스스로 자 自

부수 自 (스스로 자) 부
찾기 自 ⁶ = 6획

ノ イ 冂 冄 自 自

(글자뿌리) 상형(象形) 문자. 사람의 코 모양을 본뜬 글자로, 손가락으로 코를 가리켜 자기를 나타내므로 '스스로'의 뜻이 된 자.

(글자풀이) 1 스스로. 몸소. 자기. 2 저절로. 3 …부터.

[自家] (자가) ① 자기의 집. ② 자기.

[自覺] (자각) 스스로 깨달음.

[自國] (자국) 자기 나라. 만 他國(타국).

[自己] (자기) 그 사람 자신.

[自力] (자력) 스스로의 힘.

[自立] (자립) 남의 힘에 의지하지 않고 스스로 행동할 수 있는 지위에 섬.

[自滅] (자멸) 스스로 멸망함.

[自負心] (자부심) 스스로의 가치나 능력을 믿는 마음.

[自殺] (자살) 자기 스스로 목숨을 끊음. 만 他殺(타살).

[自習] (자습) 자기 스스로 배워 익힘.

[自信] (자신) 무엇을 할 수 있다고 스스로 믿음. 또는 그렇게 믿는 마음. ¶ 自信感(자신감).

[自然] (자연) 저절로 되어 있는 모양. 사람의 힘을 더하지 않은 본래의 상태.

[自由] (자유) 남의 억누름이나 간섭을 받지 않고 마음대로 함.

[自主] (자주) 남에게 의지하거나 간섭을 받지 않고 스스로의 힘으로 행동함. ¶ 自主精神(자주 정신).

[自責] (자책) 제 잘못을 스스로 꾸짖음.

[自祝] (자축) 스스로 축하함.

[自畫像] (자화상) 자기가 자기 자신을 그린 그림.

⁶ 至 (이를 지) 部

새가 날다가 내려앉는 모양을 본뜬 글자.

⓪ ⑥ [**至**] 이를 지 至

부수 至(이를 지) 부
찾기 至⁶ = 6획

一 𠃍 𠀐 𠮝 𡈼 至

글자뿌리 상형(象形) 문자. 새가 땅을 향하여 내려앉는 모양을 본뜬 글자로, 새가 땅에 '이르다', '미치다'의 뜻.

🦅 ⇒ 🐦 ⇒ 至

글자풀이 1 이르다. 닿다. 미치다. 2 지극하다.

[至極](지극) 더할 수 없이 마음과 힘을 다함.
[至當](지당) 지극히 마땅함.
[至上命令](지상 명령) 절대로 복종해야 할 명령.
[至誠](지성) 지극한 정성.
[至嚴](지엄) 지극히 엄함.
[自初至終](자초 지종) 처음부터 끝까지 이르는 동안. 또는 그 사실.

④ ⑩ [**致**] 이를 치 致

부수 至(이를 지) 부
찾기 至⁶+攵⁴ = 10획

一 𠃍 𠀐 𠮝 𡈼 至 致

𠬝 𦥔 致

글자뿌리 회의(會意) 문자. 이를 지(至)에 뒤져올 치(攵)를 합친 자로, 목표에 '이르다'의 뜻.

글자풀이 1 이르다. 다하다. 2 이루다. 3 주다. 드리다.

[致命傷](치명상) 목숨이 위험할 정도의 부상.
[致死](치사) 죽음에 이르게 함. ¶致死量(치사량).
[景致](경치) 자연의 아름다운 모습.
[極致](극치) 더할 수 없는, 최고의 상태.
[理致](이치) 사물의 정당한 조리. 도리에 맞는 취지.
[一致](일치) 하나로 됨. 꼭 맞음. ¶滿場一致(만장 일치).
[才致](재치) 눈치 빠른 재주.

⁶ 臼 (절구 구) 部

절구의 모양을 본뜬 글자. '臼'는 절구를, 절구 안에 있는 두 점(ᐨ)은 쌀을 나타냄.

⑦ ⑭ [**與**] 더불 여 / 참여할 여 與

부수 臼(절구 구) 부
찾기 臼⁷(臼)+𦥑⁷ = 14획

글자뿌리 회의(會意) 문자. 마주 들 여(舁) 안에 줄 여(与 : 牙의 변형)를 합친 자로, 물건을 함께 맞들어 올려 준다는 데서 '더불다', '주다'의 뜻이 된 자.

글자풀이 1 더불다. 더불어 하다. 2 참여하다. 3 주다.

[與件] (여건) 주어진 조건.

[與黨] (여당) 정권을 잡고 있는 정당. 반 野黨(야당).

[與否] (여부) 그러함과 그렇지 않음. ¶ 生死與否(생사 여부).

[關與] (관여) 관계하고 참여함.

[給與] (급여) ① 대어 주거나 베풀어 줌. 또는 그 물건. ② 봉급이나 임금을 통틀어 이르는 말.

[貸與] (대여) 빌려 주거나 꾸어 줌.

[賞與金] (상여금) 회사 등에서, 사원의 업적·공헌도를 감안하여 추석이나 연말 등에 매월의 급여와는 별도로 돈을 줌. 또는 그 돈.

[參與] (참여) 참가하여 관계함.

9 ⑯ 【興】 일 흥
흥겨울 흥
興

부수 臼 (절구 구) 부

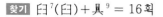

글자뿌리 회의(會意) 문자. 마주 들 여(舁) 안에 같을 동(同)을 합친 자로, 힘을 합하여 함께 들어 올리면 무슨 일이든 쉽다는 데서 '일다', '흥겹다'는 뜻이 된 자.

글자풀이 1 일다. 일어나다. 2 성하다. 일으키다. 3 흥겹다.

[興亡] (흥망) 흥함과 망함.

[興味] (흥미) 어떤 일에 마음이 끌려서 느끼는 재미.

[興奮] (흥분) 신경에 어떤 자극을 받아서 감정이 북받쳐 일어남.

[興行] (흥행) 관람료를 받고서 연극·영화·서커스 등을 구경시키는 일.

[感興] (감흥) 깊이 느끼어 일어나는 흥취.

[餘興] (여흥) 어떤 모임·연회 등에서 흥을 돋우기 위해 곁들이는 춤·노래·장기 자랑 따위.

[卽興劇] (즉흥극) 별다른 준비 없이 그 자리의 흥에 따라 연출하는 극.

⑱ [舊] 오랠 구 / 예 구

부수 臼(절구 구)부

찾기 臼⁶+萑¹²= 18획

丶	艹	艹	艹	艹	艹	艹

艹	艹	萑	萑	萑	萑	萑

舊	舊	舊	舊			

(글자뿌리) 형성(形聲) 문자. 물억새 환(萑〈뜻〉)에 절구 구(臼〈음〉)를 합친 자로, 새〔隹: 새 추〕들은 옛날부터 풀〔艹= 艸〕을 주워다 절구 같은 둥지를 만들었다는 데서 '오래다', '옛'의 뜻.

(글자풀이) 1 오래다. 오래. 2 예. 옛.

[舊官](구관) 새로 온 벼슬아치에 대하여 앞서 그 자리에 있었던 벼슬아치.

[舊面](구면) 이미 서로 알고 있는 사람.

[舊習](구습) 지난날의 낡은 관습이나 풍습.

[舊式](구식) 옛 방식이나 형식. ⟺ 新式(신식).

[舊態依然](구태 의연) 변한 것이 없이, 옛 모양 그대로임.

[復舊](복구) 다시 옛 상태로 돌아가게 함.

[親舊](친구) 오래 사귄 벗.

⁶ 舌 (혀 설) 部

방패 간(千=干) 밑에 입 구(口)를 합친 자로, 입술에 혀(千)가 나온 모양을 나타내어 '혀'임을 뜻함.

⑧ [舍] 집 사

부수 舌(혀 설)부

찾기 舌⁶+人²= 8획

丿	人	亼	仐	仐	舍	舍

(글자뿌리) 상형(象形)·회의(會意) 문자. 지붕〔人〕이 있는 집과 기둥〔干〕에 쉬는 장소〔口〕를 그려 '집'을 뜻하고, 집은 쉬는 곳이라는 데서 '쉬다'의 뜻이 된 자.

(글자풀이) 집.

[舍監](사감) 기숙사에서 먹고 자는 기숙생을 감독하는 사람.

[舍廊](사랑) 바깥 주인이 거처하며 손님을 대접하는 곳.

[舍宅](사택) 거주하는 '집'의 존칭어.

[官舍](관사) 관청에서 관리가 살도록 마련한 집.

[寄宿舍](기숙사) 학교나 공장 등에서 학생이나 사원들이 먹고 잘 수 있도록 시설을 해 놓은 집.

⁶舛 (어그러질 천) 部

사람이 서로 등지고 있는 모양을 나타내어서 '어그러지다', '어지럽다'의 뜻.

⁸
⑭【舞】춤출 무 舞

부수 舛 (어그러질 천) 부
찾기 舛⁶＋無⁸ ＝ 14획

ノ	二	二	仁	仁	午	無
無	舞	舞	舞	舞	舞	舞

글자뿌리 형성(形聲) 문자. 없을 무(無 : 無의 변형〈음〉)에 어그러질 천(舛〈뜻〉)을 합친 자로, 등지거나 발을 엇갈리면서 '춤을 춘다'는 뜻.

글자풀이 춤추다. 춤.

[舞曲](무곡) 춤을 추기 위하여 작곡된 곡을 통틀어 이르는 말.
[舞臺](무대) 연극이나 춤·노래 등을 하기 위하여 높게 만들어 놓은 단.

[舞蹈會](무도회) 여러 사람이 모여서 춤을 추는 모임.
[舞踊](무용) 음악에 맞추어서 몸을 움직여 감정을 나타내는 예술.
[舞姬](무희) 춤추는 여자.
[歌舞](가무) 춤과 노래.

⁶舟 (배 주) 部

통나무배의 모양을 본뜬 글자.

⁵
⑪【船】배 선 船

부수 舟 (배 선) 부
찾기 舟⁶ ＋ 㕣⁵ ＝ 11획

ノ	ｊ	力	力	角	舟	舟
舭	舫	船	船			

글자뿌리 형성(形聲) 문자. 배 주(舟〈뜻〉)에 물 따라 내려갈 연(㕣〈음〉)을 합친 자로, 바다나 강을 건너 다니는 '배'의 뜻.

글자풀이 배.

[船舶] (선박) 규모가 큰 배.

[船室] (선실) 배 안에 마련한 승객의 방.

[船員] (선원) 배에서 일을 하는 사람. 뱃사람.

[船長] (선장) 선원의 우두머리.

[船積] (선적) 선박에 화물을 쌓아 실음.

[船主] (선주) 배의 주인.

[汽船] (기선) 증기 기관의 힘으로 다니는 배.

[商船] (상선) 장사를 하러 다니는 배.

[乘船] (승선) 배를 탐.

[造船所] (조선소) 배를 만드는 공장.

6 艮 (그칠 간) 部

‘目(눈 목)’과 ‘匕(비수 비)’로 이루어진 글자로, 匕(비수)로 찌르듯이 응시한다는 뜻.

1
⑦ 【良】 어질 량   良

부수 艮(그칠 간)부

찾기 艮⁶ + 丶¹ = 7획

` ⁷ ㅋ ㅋ ㅋ 自 良 良

글자뿌리 상형(象形) 문자. 키

나 체로 곡식을 가려 내는 모양을 본뜬 글자로, 가려낸 것은 좋다는 데서 ‘좋다’, ‘어질다’는 뜻이 된 자.

⇒ 良 ⇒ 良

글자풀이 1 어질다. 2 좋다.

[良民] (양민) 선량한 백성.

[良書] (양서) 좋은 책. 유익(有益)한 책.

[良俗] (양속) 좋은 풍속. ¶美風良俗(미풍 양속).

[良順] (양순) 어질고 순함.

[良心] (양심) 사람이 본디 지닌 선량한 마음.

[良質] (양질) 좋은 바탕. 좋은 품질.

[良妻] (양처) 좋은 아내. ¶賢母良妻(현모 양처).

[良好] (양호) 매우 좋음.

[改良] (개량) 나쁜 점을 고쳐서 좋게 함.

[善良] (선량) 착하고 어짊. ⑲ 不良(불량).

[優良] (우량) 매우 좋음. ¶優良兒(우량아).

6 色 (빛 색) 部

사람의 마음은 얼굴에 나타난다는 데서 ‘빛깔’, ‘낯빛’의 뜻이 된 글자.

0
⑥ 【色】 빛 색 色

부수 色 (빛 색) 부

찾기 色⁶ = 6획

| ⁄ | 𠂉 | 夕 | 夅 | 钅 | 色 |

글자뿌리 회의(會意) 문자. 사람 인(𠂉=人)과 마디 절(巴= 卩)을 합친 자로, 사람의 마음이 얼굴에 나타난 것이 부절(符節)과 같다는 데서 '낯빛'을 뜻하고, 나아가 '빛깔'을 뜻함.

글자풀이 빛. 색깔. 낯빛.

[色盲] (색맹) 빛깔을 구별하지 못하는 상태. 또는 그런 사람.

[色相] (색상) 빨강·파랑 등 사람의 눈으로 느낄 수 있는 색의 종류.

[色鉛筆] (색연필) 연필의 심에 광물질 물감을 섞어 색이 나게 만든 연필.

[色調] (색조) ① 색깔의 강하고 약함, 짙고 옅음의 정도. ② 색깔의 조화.

[色彩] (색채) 빛깔. 색.

[古色] (고색) ① 낡은 빛깔. ② 예스러운 모양이나 경치.

[白色] (백색) 흰 빛깔.

[死色] (사색) 죽을상이 된 얼굴빛. 죽은 사람과 같은 창백한 얼굴빛.

[染色] (염색) 물감을 써서 물을 들임.

[脫色] (탈색) 빛깔을 뺌.

⁶ 艹 (초두) 部

풀과 나무가 처음 돋아 나오는 모양(屮)을 둘 겹쳐 '풀'의 뜻을 나타냄.

'艹(초두)'는 한자 구성에서 머리로 쓰일 때의 글자체.

4
⑧ 【花】 꽃 화 花

부수 艹 (초두) 부

찾기 艹⁴(艸)+化⁴ = 8획

| 丶 | 丷 | 𮥼 | 艹 | 芢 | 芢 | 花 |

글자뿌리 형성(形聲) 문자. 초두(艹〈뜻〉) 밑에 될 화(化〈음〉)를 합친 자로, 새싹이 돋아나와 꽃이 된다는 데서, '꽃'을 뜻함.

글자풀이 1 꽃. 2 아름답다.

[花壇] (화단) 꽃밭.

[花郎] (화랑) 신라 시대에 있었던 청소년 수양 단체. 또는 그 단체의 중심 인물.

[花郎道] (화랑도) 화랑이 지켜야 할 도리.

[花盆] (화분) 화초를 심어 가꾸는 그릇.

[花顔] (화안) 아름다운 얼굴. 미인을 이름.

[花草] (화초) 보기 위해 꽃밭이나 화분에 심는 풀과 나무.

[花燭] (화촉) 아름다운 초라는 뜻으로, 결혼식에 켜는 촛불.

[花環] (화환) 축하하거나 위로하는 뜻으로 보내는, 꽃으로 꾸민 큰 고리 모양의 꽃다발.

[開花] (개화) 꽃이 핌.

[落花] (낙화) 꽃이 떨어짐. 떨어진 꽃.

[野生花] (야생화) 들꽃.

[造花] (조화) 종이나 헝겊 등으로 만든 꽃.

[弔花] (조화) 남의 죽음에 슬퍼하는 뜻으로 바치는 꽃.

5
⑨ 【苦】 괴로울 고 苦

부수 艸 (초두) 부

찾기 艹 ⁴(艸)＋古⁵ = 9획

一	十	𠂆	艹	丷	丱	芢
苦	苦					

글자뿌리 형성(形聲) 문자. 초두 (艹〈뜻〉) 밑에 예 고(古 : 쓰라리다의 뜻〈음〉)를 합친 자로, 쓰디쓴 풀이라는 데서 '쓰다', '괴롭다'의 뜻.

艸十 ⇒ 艸口 ⇒ 苦

글자풀이 1 괴롭다. 2 쓰다.

[苦難] (고난) 괴로움과 어려움.

[苦惱] (고뇌) 몹시 괴로워하고 번민함. 또는 그 괴로움과 번민.

[苦待] (고대) 몹시 기다림.

[苦樂] (고락) 괴로움과 즐거움.

[苦悶] (고민) 마음속으로 괴로워하고 애를 태움.

[苦杯] (고배) 쓴 잔.

[苦生] (고생) 괴로운 생활.

[苦戰] (고전) 괴롭게 싸움. 괴로운 싸움.

[苦盡甘來] (고진 감래) 쓴 것이 다하면 단 것이 온다는 뜻으로, 고생 끝에 좋은 일이 온다는 말.

[苦痛] (고통) 괴롭고 아픔.
[勞苦] (노고) 수고롭고 괴로움.
[病苦] (병고) 병으로 인해 받는 괴로움.

⑨ 5 **[茂]** 우거질 무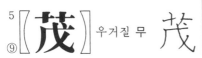

부수 艸 (초두) 부
찾기 艹 ^{4}(艸)＋戊 ^{5} ＝ 9획

ゝ	ナ	ナ-	ナ-	ナ-	ナ-	茂
茂	茂					

글자뿌리 형성(形聲) 문자. 초두(艹〈뜻〉) 밑에 다섯째 천간 무(戊 : 뒤덮는다는 뜻〈음〉)를 합친 자로, 풀이 뒤덮여서 '우거지다'의 뜻.

글자풀이 우거지다. 무성하다.

[茂盛] (무성) 나무나 풀이 우거짐.

⑨ 5 **[若]** 같을 약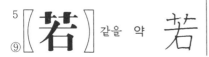

부수 艸 (초두) 부
찾기 艹 ^{4}(艸)＋右 ^{5} ＝ 9획

ゝ	ナ	ナ-	ナ-	ナ-	ナ-	艾
若	若					

글자뿌리 회의(會意) 문자. 초두(艹) 밑에 오른쪽 우(右)를 합친 자로, 오른손으로 비슷비슷한 야채를 가려서 '같은' 것을 고른다는 뜻.

글자풀이 1 같다. 2 만약

[若干] (약간) 얼마 안 됨. 얼마쯤.
[萬若] (만약) 만일.
[自若] (자약) 큰 일을 당하고도 아무렇지 않은 듯 침착함 ¶ 泰然自若(태연 자약).

⑨ 5 **[英]** 꽃부리 영 英

부수 艸 (초두) 부
찾기 艹 ^{4}(艸)＋央 ^{5} ＝ 9획

ゝ	ナ	ナ-	ナ-	苎	苎	
英	英					

글자뿌리 형성(形聲) 문자. 초두(艹〈뜻〉) 밑에 가운데 앙(央〈음〉)을 합친 자로, 아름다운 풀꽃의 한가운데를 나타내어 '꽃부리'를 뜻하며, 꽃부리처럼 빛난다 하여

'빼어나다'의 뜻.

ᵡᵡ몇 ⇒ ᵡᵡ굿 ⇒ 英

글자풀이 **1** 꽃부리. 꽃. **2** 빼어나다. **3** 꽃답다. 아름답다. **4** '영국'의 약칭.

[英傑] (영걸) 용기와 재주가 뛰어난 인물. 영웅.

[英敏] (영민) 뛰어나고 민첩함.

[英語] (영어) 영국의 언어. 영국·미국 등에서 쓰는 말.

[英譯] (영역) 영어로 번역함.

[英雄] (영웅) 재능이나 지혜가 뛰어나 한 세상을 이끌 만한 사람. ¶ 英雄豪傑(영웅 호걸).

[英才] (영재) 뛰어난 재주. 또는 뛰어난 재주를 지닌 사람. ¶ 英才教育(영재 교육).

【草】 풀 초 草

부수 艸 (초두) 부

찾기 艹⁴(艸)＋早⁶ ＝ 10획

| 一 | 十 | 十一 | 艹 | 芒 | 芒 | 芒 |

| 芒 | 节 | 草 | | | | |

글자풀이 형성(形聲) 문자. 초두(艹〈뜻〉) 밑에다 일찍 조(早〈음〉)를 합친 자로, 이른 봄이면 일찍 싹이 돋아나는 것은 '풀'이라는 뜻.

ᵡᵡ오 ⇒ ᵡᵡ早 ⇒ 草

글자풀이 **1** 풀. **2** 거칠다. **3** 초하다. 시작하다.

[草家] (초가) 짚으로 이엉을 엮어 지붕을 얹은 집.

[草稿] (초고) 시나 글의 맨 처음 적은 원고.

[草綠色] (초록색) 청색과 황색의 중간색.

[草木] (초목) ① 풀과 나무. ② 식물.

[草食動物] (초식 동물) 풀을 뜯어먹고 사는 소나 말·기린·사슴 따위의 동물들을 통틀어 이르는 말.

[草案] (초안) 어떤 글을 짓기 위해 줄거리를 짠 글.

[草原] (초원) 풀로 덮인 들판.

[伐草] (벌초) 무덤의 잡초를 베어서 깨끗이 함.

[藥草] (약초) 약이 되는 풀.

[雜草] (잡초) 저절로 나서 자라는 여러 가지 풀. 잡풀.

[除草] (제초) 잡초를 뽑아 없앰. 김매기.

7 〔莫〕❶ 없을 막 ⑪ ❷ 저물 모

莫

부수 艸 (초두) 부
찾기 艸⁴(艸)＋㠯⁷ = 11획

丶	ㅗ	ㅗ一	ㅛ	ㅛㅡ	苎	苫

| 苫 | 苴 | 莫 | 莫 | | | |

글자뿌리 회의(會意) 문자. 저물 모(暮)의 원자. 원을 뜻하는 茻(艹: 초두 두 개) 밑에 날 일(日)을 합친 자로, 풀 속으로 사라졌다는 데서 '없다', '아니다'의 뜻이 된 자.

글자풀이 ❶ 1 없다. 2 말다. 3 아니다. 4 크다. 아득하다. ❷ 5 저물다.

[莫強] (막강) 더할 수 없을 만큼 강함.
[莫大] (막대) 더할 수 없이 큼.
[莫上莫下] (막상 막하) 서로의 실력이 비슷하여 잘하고 못하고를 가리기 어려운 상태.
[莫重] (막중) 더없이 중요함.

8 〔菜〕나물 채 ⑫

菜

부수 艸 (초두) 부
찾기 艸⁴(艸)＋采⁸ = 12획

丶	ㅗ	ㅗ一	ㅛ	茳	茳	菜

글자뿌리 형성(形聲) 문자. 초두(艹〈뜻〉) 밑에 캘 채(采〈음〉)를 합친 자로, 캐서 먹을 수 있는 풀은 '나물'이라는 뜻.

글자풀이 나물.

[菜蔬] (채소) 밭에 가꾸어 먹을 수 있는 온갖 푸성귀.
[菜食] (채식) 주로 야채만 먹음. 반 肉食(육식).
[山菜] (산채) 산에서 나는 나물. 산나물.
[野菜] (야채) 들에서 나는 나물. 식용 식물의 총칭.

8 〔華〕빛날 화 ⑫

華

부수 艸 (초두) 부
찾기 艸⁴(艸)＋垂⁸ = 12획

丶	ㅗ	ㅗ一	ㅛ	莊	莊	莊

| 莊 | 莊 | 莘 | 莘 | 華 | | |

글자뿌리 회의(會意) 문자. 초두(艹) 밑에 드리울 수(垂: 垂의 변형)를 합친 자로, 풀과 꽃이 많이 피어 늘어진 모양에서 '빛나다', '화려하다'의 뜻이 된 자.

글자풀이 1 빛나다. 화려하다. 꽃. 2 나라 이름. 3 번성하다.

[華僑] (화교) 외국에 나가 사는 중국 사람.

[華麗] (화려) 빛이 나고 아름다움. ¶ 華麗江山(화려 강산).

[華奢] (화사) 화려하고 사치스러움.

[華燭] (화촉) ① 물을 들인 밀초. ② 혼례 의식 때 촛불을 밝히는 데서 '혼례'를 이름.

[繁華] (번화) 눈이 부시고 아름다움. 매우 번성하고 화려함. ¶ 繁華街(번화가).

[榮華] (영화) 귀하게 되어 몸이 세상에 드러나고 이름이 빛남.

[豪華] (호화) 사치스럽고 아주 화려함.

【落】 떨어질 락　落

부수 艸 (초두) 부

찾기 艹⁴(艸)＋洛⁹ = 13획

﹀	굿	艹	굿	굿	굿	굿

| 芝 | 莎 | 荟 | 茨 | 落 | 落 | |

글자뿌리 형성(形聲) 문자. 초두(艹〈뜻〉) 밑에 물 이름 락(洛: 내려온다는 뜻〈음〉)을 합친 자로, 풀과 나무의 잎이 내려온다는 데서 '떨어지다'의 뜻.

艸씁 ⇒ 艸씁 ⇒ 落

글자풀이 1 떨어지다. 2 마을. 3 비로소.

[落膽] (낙담) 몹시 실망하여 맥이 풀림.

[落馬] (낙마) 말에서 떨어짐.

[落望] (낙망) 희망을 잃음. 동 失望(실망).

[落書] (낙서) 아무 데나 글씨나 그림 따위를 함부로 쓰거나 그림. 또는 그 일.

[落成式] (낙성식) 건축물의 공사를 끝낸 것을 기념하는 행사.

[落心] (낙심) 뜻대로 되지 않아 마음이 상함.

[落第] (낙제) 시험에서 떨어짐. 반 及第(급제).

[落鄕] (낙향) 서울에서 시골이나 고향으로 이사감.

[落花] (낙화) 꽃이 짐. 또는 그 진 꽃.

[沒落] (몰락) 멸망하여 없어짐.

[部落] (부락) 도시 이외의 지역에서 여러 살림집들이 모여 이룬 큰 마을.

[墮落] (타락) 나쁜 길로 굴러 떨어지거나 빠짐.

[下落] (하락) 밑으로 떨어짐.

9
⑬【萬】일만 만 萬

부수 艸 (초두) 부
찾기 艹⁴(艸)＋禺⁹ ＝ 13획

丶	丿	艹	艹	艹	苎	苩

| 苩 | 苩 | 莴 | 萬 | 萬 | 萬 | |

글자뿌리 상형(象形) 문자. 독충인 전갈, 또는 벌의 모양을 본뜬 자로, 무리지어 사는 전갈이나 벌은 그 수가 많다는 데서 '일만'의 뜻.

글자풀이 1 일만. 2 '수의 많음'을 나타내는 말.

[萬感] (만감) 많은 느낌.
[萬頃蒼波] (만경 창파) 한없이 넓은 바다.
[萬古] (만고) 끝이 없이 아주 긴 세월.
[萬國] (만국) 많은 나라. 모든 나라. ¶ 萬國旗(만국기).
[萬金] (만금) 많은 돈.
[萬能] (만능) 온갖 것에 다 능통함.
[萬物] (만물) ① 세상에 있는 갖가지 물건. ¶ 萬物商(만물상). ② 우주에 존재하는 모든 것.
[萬民] (만민) 온 국민.
[萬病通治] (만병 통치) 어떠한 병이라도 다 치료할 수 있음.
[萬事亨通] (만사 형통) 모든 일이 계획대로 다 잘 됨.
[萬歲] (만세) ① 많은 세월. ② 축하할 때나 영원한 번영을 빌며 외치는 말.
[萬壽無疆] (만수 무강) 한없이 오래 삶.
[萬有引力] (만유 인력) 모든 물체 사이에서 일어나는 서로 끌어당기는 힘.
[萬一] (만일) 혹시 만에 하나라도. ⑧ 萬若(만약).
[萬全] (만전) 아주 완전함.

9
⑬【葉】잎 엽 葉

부수 艸 (초두) 부
찾기 艹⁴(艸)＋枼⁹ ＝ 13획

丶	丿	艹	艹	艹	艹	艹

| 艹 | 莊 | 莲 | 葉 | 葉 | 葉 | |

글자뿌리 형성(形聲) 문자. 초두(艹〈뜻〉) 밑에다 엷을 엽(葉〈음〉)을 합친 자로, 풀과 나무에 달려 있는 엷은 '잎'을 뜻함.

글자풀이 1 잎. 잎사귀. 2 세대. 시대.

[葉綠素](엽록소) 식물의 세포 속에 있는 녹색의 색소.

[葉書](엽서) 편지를 적어 보내는 카드.

[葉茶](엽차) 차나무의 어린 잎을 달여서 만든 차.

[枯葉](고엽) 마른 잎.

[落葉](낙엽) 나뭇잎이 떨어짐. 또, 그 나뭇잎.

[末葉](말엽) 어떤 시기를 셋으로 나눌 때의 끝 무렵. 동 末期(말기).

[中葉](중엽) 어떤 시기를 셋으로 나눌 때의 중간 무렵. 동 中期(중기).

[初葉](초엽) 어떤 시기를 셋으로 나눌 때의 처음 무렵. 동 初期(초기).

[紅葉](홍엽) ① 단풍이 든 나뭇잎. ② 단풍나무의 붉어진 잎.

9
⑬ 〔著〕 나타날 저

부수 艸 (초두) 부

찾기 艹⁴(艸)＋者⁹ = 13획

丶	一	一	艹	艹	艹	芏

| 芢 | 芙 | 芋 | 著 | 著 | 著 | |

글자뿌리 형성(形聲) 문자. 초두(艹〈뜻〉) 밑에다 사람 자(者〈음〉)를 합친 자로, 본디 글자는 '箸'인데, 대나무〔竹〕로 된 것〔者〕에 글자를 적었다는 데서 '글을 짓다', '나타내다'의 뜻이 된 자.

글자풀이 1 나타나다. 뚜렷하다. 2 글을 짓다.

[著名](저명) 이름이 널리 알려짐. 동 有名(유명).

[著書](저서) 책을 지음. 또는 지은 책.

[著述](저술) 글을 지음. ¶著述家(저술가).

[著者](저자) 글이나 책을 지은 사람.

[著作](저작) 글이나 책을 지음. ¶著作權(저작권).

[共著](공저) 두 사람 이상이 함께 지음. 또는 그러한 책.

[顯著](현저) 분명하게 나타남. 뚜렷함.

15
⑲ 【藥】 약 약

부수 艸(초두) 부

찾기 艹⁴(艸)＋樂¹⁵ = 19획

ヽ	ソ	ヤ一	ヤ丷	ヤ丷	ヤ丷	芍
芍	芍	泊	泊	泊	藥	藥
藥	藥	藥	藥	藥		

글자뿌리 형성(形聲) 문자. 초두(艹〈뜻〉) 밑에다 즐거울 락(樂〈음〉)을 합친 자로, 병을 고쳐 즐겁게 해 주는 것은 풀의 뿌리나 잎이라는 데서 '약'의 뜻.

글자풀이 약.

[藥局](약국) 약사가 약을 만들거나 파는 곳.

[藥物](약물) 약이 되는 물질.

[藥房](약방) 약국. 예전에 한약을 지어 팔던 곳.

[藥師](약사) 전문적으로 약을 짓는 사람.

[藥水](약수) 약효가 있는 물. 약물.

[藥材](약재) 약을 짓는 데 쓰이는 재료.

[藥效](약효) 약의 효력.

[毒藥](독약) 독이 있는 약.

[醫藥](의약) ① 병을 고치는 데 쓰이는 약. ② 의학과 약학.

[丸藥](환약) 알약.

15
⑲ 【藝】 재주 예

부수 艸(초두) 부

찾기 艹⁴(艸)＋埶¹⁵ = 19획

ヽ	ソ	ヤ一	ヤ丷	艾	芝	圶
圶	坴	坴	埶	埶	埶	埶
埶	藝	藝	藝	藝		

글자뿌리 회의(會意) 문자. 원자는 埶. 초두(艹) 밑에 심을 예(埶 : 땅에 씨를 뿌린다는 뜻)와 이를 운(云)을 합친 자로, 초목을 심어서 잘 가꾸려면 솜씨가 있어야 하므로 '재주'를 뜻하다가, 주로 글재주를 이른다는 데서 '云'을 덧붙이게 된 자.

글자풀이 1 재주. 2 심다.

[藝能](예능) 연극·영화·음악·무용 등을 통틀어 이르는 말. 藝能界(예능계).

[藝名](예명) 예술가나 예능인이 본이름 외에 쓰는 이름.

[藝術] (예술) 문학·미술·음악· 연극 등 아름다움을 찾고, 나타 내려는 인간의 활동이나 또는 그 작품.

[工藝] (공예) 도자기나 매듭 등 의 실용적인 물건에 독특한 손 재주로 아름다움을 더하는 솜 씨나 기술.

[技藝] (기예) 미술·공예 등에 관한 재주. 솜씨.

[武藝] (무예) 활쏘기나 칼쓰기 등 무술에 관한 재주.

[文藝] (문예) ① 학문과 예술. ② 시·소설·희곡·수필과 같이 말과 글로써 아름다움을 표현 하는 예술.

6 虍 (범호) 部

범의 머리 모양을 본뜬 글자. 한자로는 '호피 무늬 호', 또는 '범의 문채 호'라고 함.

2 ⑧ 【虎】 범 호 虎

부수 虍 (범호) 부
찾기 虍⁶＋儿² ＝ 8획

| 丨 | 𠂆 | 上 | 广 | 卢 | 虍 | 虎 | |

글자뿌리 상형(象形) 문자. 범 이 어슬렁거리며 걷는 모양을 본 뜬 글자.

글자풀이 범. 호랑이.

[虎視眈眈] (호시 탐탐) 범이 먹 이를 노리고 눈을 부릅떠 지켜 본다는 뜻으로, 강한 자가 약한 자를 해치려고 기회를 노림.

[虎皮] (호피) 범의 털가죽.

[猛虎] (맹호) 사나운 범.

5 ⑪ 【處】 곳 처 處

부수 虍 (범호) 부
찾기 虍⁶＋処⁵ ＝ 11획

| 丨 | 𠂆 | 上 | 广 | 卢 | 虍 | 虎 |
| 虘 | 虘 | 處 | 處 | | | |

글자뿌리 회의(會意) 문자. 안 석 궤(几)에 천천히 걸을 쇠(夊) 를 합친 '処'가 본자로, 걸음〔夊〕 을 멈추고 걸상(几)에 앉아 쉬는 '곳'이란 뜻. 여기에 虍〔居〔살 거〕의 뜻)를 더하여 살고 있는 '곳'의 뜻.

글자풀이 1 곳. 2 살다. 머무르 다. 3 처리하다.

[處女](처녀) ① 아직 결혼하지 않은 여자. ② '최초의', '처음으로 하는'의 뜻을 나타내는 말. ¶ 處女作(처녀작).

[處斷](처단) 결단하여 처리함.

[處理](처리) 정리하여 치우거나 마무리 지음.

[處罰](처벌) 형벌에 처함.

[處分](처분) 명령을 받거나 내려 일을 처리함.

[處世](처세) 남과 사귀며 살아가는 일. ¶ 處世術(처세술).

[處身](처신) 세상을 살아감에 있어서의 몸가짐이나 행동.

[處地](처지) 자기가 처해 있는 형편이나 사정.

[處刑](처형) 형벌에 처함.

[居處](거처) 한군데 자리잡고 삶. 또는 그 곳.

[難處](난처) 처신하기 어려움.

[傷處](상처) 몸의 다친 자리.

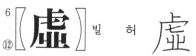

6
⑫ [虛] 빌 허

부수 虍(범호) 부

찾기 虍⁶ + 业⁶ = 12획

(글자뿌리) 형성(形聲) 문자. 범호(虍〈음〉) 밑에다 언덕 구(业:

丘의 변형〈뜻〉)를 합친 자로, 범을 잡으려고 언덕에 파 놓은 함정에 아무것도 걸려든 것이 없다는 데서 '비다', '헛되다'의 뜻.

(글자풀이) 1 비다. 2 헛되다.

[虛空](허공) 텅 빈 공중.

[虛構](허구) 사실이 아닌 것을 사실인 양 얽어 만듦.

[虛飢](허기) 굶어서 배가 몹시 고픔.

[虛禮虛飾](허례 허식) 헛된 예절과 겉치레라는 뜻으로, 실속이나 정성이 없는 예식이나 인사 치레를 이르는 말.

[虛妄](허망) ① 거짓이 많아 믿음성이 없음. ② 어이없고 허무함.

[虛無](허무) ① 아무것도 없이 텅 빔. ② 덧없음.

[虛費](허비) 헛되이 씀.

[虛事](허사) 헛된 일. 헛일.

[虛送](허송) 헛되이 보냄. ¶ 虛送歲月(허송 세월).

[虛心坦懷](허심 탄회) 마음에 거리낌 없이 솔직함.

[虛弱](허약) 몸이나 세력 따위가 약함.

[虛僞](허위) 거짓.

[謙虛](겸허) 겸손하고 삼가는 태도가 있음.

[空虛](공허) ① 속이 텅 빔. ② 헛됨.

⁷ 【**號**】 부르짖을
⑬ 호

 號

부수 虍 (범호) 부

찾기 虍⁶+号_儿⁷ = 13획

丶	口	口	马	号	号'	号"

| 号卢 | 号虍 | 号虍 | 號 | 號 | 號 | |

(글자뿌리) **형성(形聲)** 문자. 이름 호(号〈음〉)에 범 호(虎〈뜻〉)를 합친 자로, 범의 울음소리[号]같이 우렁차게 '부르짖는다'는 뜻.

(글자풀이) 1 부르짖다. 울부짖다. 2 부르다. 3 부호. 4 차례.

[號令] (호령) ① 지휘하여 명령함. 또는 그 명령. ② 큰 소리로 꾸짖음.

[號外] (호외) 아주 중대한 사건이 있을 때 임시로 발행하는 신문이나 잡지.

[口號] (구호) 뜻을 분명히 전하기 위하여 외치는 짧막한 말이나 글.

[國號] (국호) 나라의 이름.

[記號] (기호) 어떤 뜻을 나타내기 위한 문자나 부호.

[番號] (번호) 차례를 나타내는 호수.

[符號] (부호) 어떤 뜻을 나타내는 기호.

[信號] (신호) 서로 떨어진 곳에서 일정한 부호로 의사를 주고받는 방법. 또는 그 부호.

⁶ **虫** (벌레 충) **部**

살무사가 몸을 서리고 있는 모양을 본뜬 글자. 흔히 '蟲'의 약자로 씀.

¹² 【**蟲**】 벌레 충
⑱

虫
蟲

부수 虫 (벌레 충) 부

찾기 虫⁶+蟲¹² = 18획

丶	口	口	中	虫	虫	虫

虫	虫	虫	虫	虫	虫	蚰

| 蚰 | 蟲 | 蟲 | 蟲 | | | |

(글자뿌리) **회의(會意)** 문자. 벌레 충(虫) 셋을 합친 자로, '벌레'를 뜻함.

⇒ 蟲 ⇒ 蟲

글자풀이 벌레.

[蟲齒] (충치) 벌레로 인하여 상하게 된 이.

[昆蟲] (곤충) 벌레.

[寄生蟲] (기생충) 다른 생물에 붙어 양분을 빼앗아 먹고 사는 벌레.

[成蟲] (성충) 자라서 생식 능력을 지니게 된 곤충.

[幼蟲] (유충) 알에서 깨어 아직 성충이 안 된 벌레. 애벌레.

[害蟲] (해충) 사람이나 농작물에 해를 끼치는 벌레.

⁶ 血 (피 혈) 部

삐침 별(ノ)에 그릇 명(皿)을 합한 자로, 칼로 베어 나온 피를 그릇에 담아 신께 바쳤다 하여 '피'를 뜻함.

⁰⁶ 【血】 피 혈

부수 血 (피 혈) 부

찾기 血⁶ = 6획

ノ	⼃	⼓	⾎	血	血

글자뿌리 지사(指事) 문자. 삐침 별(ノ)에 그릇 명(皿)을 합친 자로, 짐승의 피를 그릇에 담아 〔ノ〕 신에게 바쳤다는 데서 '피'를 뜻하게 된 자.

글자풀이 피.

[血管] (혈관) 피가 흐르는 관.

[血氣] (혈기) ① 목숨을 유지하는 피와 기운. ② 흥분하기 쉽거나 왕성한 의기.

[血色] (혈색) 살갗에 나타나는 핏기.

[血眼] (혈안) 기를 쓰고 덤벼서 핏발이 선 눈.

[血壓] (혈압) 혈관 속으로 흐르는 피의 압력.

[血液] (혈액) 피.

[血緣] (혈연) 같은 핏줄로 이어진 인연.

[血肉] (혈육) ① 피와 살. ② 자기가 낳은 자식. ③ 부모·자식·형제·자매.

[血族] (혈족) 한 조상에서 갈라져 나온 친족.

[血統] (혈통) 같은 핏줄로 이어진 계통.

[輸血] (수혈) 피가 모자라는 환자의 혈관에 건강한 사람의 피를 넣는 일.

[流血](유혈) ① 흐르는 피. 피를 흘림. ② 살상이 벌어지는 일.

[止血](지혈) 흐르는 피를 멎게 함.

[出血](출혈) 피가 혈관 밖으로 흘러 나옴.

⑫ 6 【衆】 무리 중 衆

부수 血 (피 혈) 부
찾기 血6 + 㐁6 = 12획

′	⺁	⼎	血	血	血	血
血	衆	衆	衆	衆		

(글자뿌리) 회의(會意) 문자. 눈목(血=目)에 많은 사람을 뜻하는 '㐁'을 합친 자로, 많은 사람이 모여 본다는 데서 '무리'를 뜻함.

(글자풀이) 1 무리. 2 많다.

[衆論](중론) 여러 사람의 의논·의견.

[衆生](중생) 불교에서, 부처의 구제 대상이 되는 인간 및 그 밖의 모든 생물을 이르는 말.

[公衆](공중) 사회의 여러 사람. ¶ 公衆道德(공중 도덕).

[觀衆](관중) 구경하는 사람들.

[群衆](군중) 한 곳에 모인 많은 사람들의 무리.

[大衆](대중) 한 사회의 대다수를 이루는 사람들.

[民衆](민중) 국가나 사회를 이루고 있는 다수의 일반 국민.

6 行 (다닐 행) 部

사방으로 통하는 십자로의 모양을 본뜬 글자.

0 6 【行】 ❶ 다닐 행 ❷ 항렬 항 行

부수 行 (다닐 행) 부
찾기 行6 = 6획

′	⼅	彳	行	行	行

(글자뿌리) 상형(象形) 문자. 사방으로 통하는 십자로의 모양을 본뜬 글자. 사람이 걸어다니는 곳이기 때문에 '가다', '다니다'의 뜻이 된 자.

(글자풀이) ❶ 1 다니다. 걷다. 2

행하다. ❷ 3 항렬.

[行軍](행군) 군대가 줄을 지어 걸어감.

[行動](행동) 몸을 움직여 무엇을 함. 또는 그 일.

[行樂](행락) 즐겁게 놂.

[行列](행렬) 줄지어 섬.

[行方](행방) 간 곳이나 방향.

[行方不明](행방 불명) 간 곳이 분명하지 않음.

[行事](행사) 일을 행함. 또는 그 일.

[行商](행상) 돌아다니며 장사함. 또는 그 장사.

[行實](행실) 평소에 하는 행동. ⑧ 品行(품행).

[行爲](행위) 사람이 하는 행동. ⑧ 行動(행동).

[行人](행인) 길을 가는 사람.

[行進](행진) 여러 사람이 줄을 지어 걸어 나아감.

[苦行](고행) 도를 닦기 위하여 견디기 어려운 고통스러운 일을 행하는 것.

[德行](덕행) 어질고 착한 행실. 덕망이 있는 행동.

[步行](보행) 걸어서 다님.

[善行](선행) 착한 행동.

[旅行](여행) 볼일이나 구경할 목적으로 다른 고장이나 다른 나라에 가는 일.

[行列](항렬) 같은 혈족간의 촌수를 나타내는 계열.

6
⑫ 【街】 거리 가 街

부수 行 (다닐 행) 부

찾기 行⁶ + 圭⁶ = 12획

ノ　ノ　彳　彳　彳　行　行
行　行　街　街　街

(글자뿌리) 형성(形聲) 문자. 다닐 행(行〈뜻〉)에 홀 규(圭〈음〉)를 합친 자로, 사람이 다니는 길이 여러 갈래로 갈라졌다는 데서 '네거리', '거리'를 뜻함.

⌐卜△ ⇒ ⌐┕圭 ⇒ 街

(글자풀이) 거리. 한길.

[街道](가도) 곧고 넓은 길.

[街頭](가두) 거리.

[街路燈](가로등) 큰 도로나 주택가의 골목길을 밝히기 위하여 높게 달아 놓은 전등.

[街路樹](가로수) 길의 양쪽 가에 줄지어 나란히 심은 나무.

[市街](시가) 도시의 거리. ¶市街行進(시가 행진).

⁶衣 (옷 의) 部

사람이 옷을 입고 깃을 여민 모양을 본뜬 글자. 'ネ'은 한자의 구성에서 변으로 쓰일 때의 글자 모양으로, '옷의 변'이라고 함.

⁰
⑥【衣】옷 의 衣

부수 衣(옷 의)부
찾기 衣⁶ = 6획

丶	一	亠	衣	衣	衣

글자뿌리 상형(象形) 문자. 사람이 옷을 입고 깃을 여민 모양을 본뜬 글자.

 ⇒  ⇒ 衣

글자풀이 옷. 윗옷. 옷을 입다.

[衣類] (의류) 여러 가지 옷.
[衣服] (의복) 옷.
[衣裳] (의상) ① 옷. ② 겉에 입는 의복. 저고리와 치마.

[衣食住] (의식주) 사람이 살아 가는 데 필요한 세 가지 요소. 곧, 옷·음식·집.
[錦衣還鄕] (금의 환향) 출세를 하여 고향으로 돌아옴을 이르는 말.
[白衣] (백의) 흰 옷. ¶白衣民族(백의 민족).
[脫衣] (탈의) 옷을 벗음. ¶脫衣室(탈의실).

³
⑧【表】겉 표 表

부수 衣(옷 의)부
찾기 衣(ネ⁵)+ヰ³ = 8획

一	十	主	耒	耒	耒	表

글자뿌리 회의(會意) 문자. 털모(ヰ:毛의 변형)에 옷 의(衣)를 합친 자로, 털로 만든 옷은 그 털이 겉으로 드러나게 입는다는 데서 '겉', '드러나다'의 뜻이 된 자.

 ⇒  ⇒ 表

(글자풀이) 1 겉. 거죽. 바깥. 2 나타내다. 뛰어나다.

[表決](표결) 여러 사람이 회의할 때, 찬성과 반대의 의사를 표시하여 결정함.

[表記](표기) 거죽에 표시하여 기록함. 또는 그 기록.

[表面](표면) 거죽으로 드러난 면. 겉쪽.

[表明](표명) 드러내 놓고 명백히 함.

[表示](표시) 알아차리도록 겉으로 드러내어 보임.

[表情](표정) ① 마음 속의 감정을 겉으로 내보임. 또는 그 감정. ② 얼굴빛.

[表紙](표지) 겉장. 책뚜껑.

[表現](표현) ① 자기의 느낌이나 사상을 겉으로 나타냄. ② 작가가 감동을 예술적으로 나타내는 일.

[公表](공표) 공적으로 발표함.

[代表](대표) 여러 사람을 대신하여 어떠한 일에 책임을 지는 사람.

[發表](발표) 세상에 널리 드러내어 알림.

8 **[製]** 지을 제

⑭

부수 衣(옷 의)부

찾기 衣^{6}+制^{8}=14획

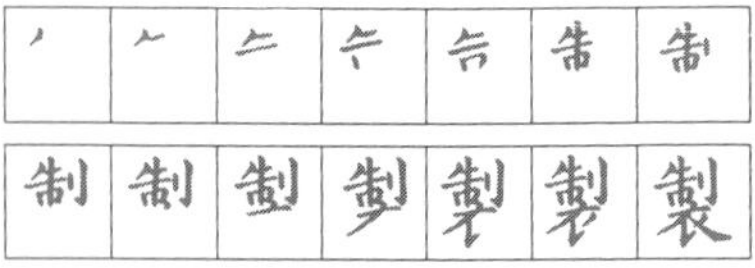

(글자뿌리) 형성(形聲) 문자. 마를 제(制〈음〉) 밑에다 옷 의(衣〈뜻〉)를 합친 자로, 옷감을 마름질한다는 데서 '마르다', '짓다'의 뜻이 된 자.

(글자풀이) 1 짓다. 만들다. 2 마르다.

[製菓](제과) 과자를 만듦. ¶ 製菓店(제과점).

[製藥](제약) 약을 만듦.

[製作](제작) 물건을 만듦. ¶ 製作陣(제작진).

[製造](제조) 큰 규모로 물건을 만들어 냄.

[製品](제품) 원료를 이용하여 만들어 낸 물건. 또는 물건을 만듦. ¶ 新製品(신제품).

[外製](외제) 다른 나라에서 만든 물건.

6 襾(덮을 아)部

밑에서 덮어 싸고〔凵〕, 위에서 덮고〔冂〕, 다시 그것을 또 덮어〔一〕 가린다는 데서, 위아래로 '덮다', '가리어 덮다'의 뜻.

<0>
⑥ 【西】 서녘 서 西

부수 襾(덮을 아)부
찾기 襾⁶ = 6획

一 ﬁ ﬀ 西 西 西

글자뿌리 상형(象形) 문자. 해질녘에 새가 둥지로 돌아와 앉은 모양을 본뜬 자로, 새가 둥지로 돌아올 때는 서쪽으로 해가 질 때이므로 '서쪽'의 뜻.

글자풀이 서녘. 서쪽.

[西歐] (서구) 서부 유럽.
[西紀] (서기) 예수가 탄생한 해를 원년(元年)으로 삼는 서양의 기원.
[西方] (서방) ① 서쪽. 서쪽 방향. ② 서유럽 여러 나라를 이르는 말.
[西山] (서산) 서쪽 산.
[西洋] (서양) 서쪽의 큰 바다라는 뜻으로, 동양 사람이 유럽과 미국 등 여러 나라를 이르

는 말. ⑲東洋(동양).
[西風] (서풍) 서쪽에서 부는 바람. ⑲東風(동풍).
[東西] (동서) ① 동쪽과 서쪽. ② 동양과 서양.

<3>
⑨ 【要】 구할 요 要

부수 襾(덮을 아)부
찾기 襾⁶＋女³ = 9획

一 ﬁ ﬀ 西 西 西 要

要 要

글자뿌리 상형(象形) 문자. 사람이 두 손으로 허리를 꼭 누르고 있는 모양을 본뜬 글자로, '허리'를 뜻하다가 허리는 중요하다는 데서 '중요하다'의 뜻이 된 자.

글자풀이 1 구하다. 원하다. 2 해야 하다. 3 중요하다. 종요롭다.

[要求] (요구) 필요하여 달라고 청함.

[要緊] (요긴) 꼭 필요함. ⑧緊要(긴요).

[要領] (요령) ① 사물의 요긴하고 으뜸되는 줄거리. ② 경험에서 얻은 묘한 이치.

[要望] (요망) 어떤 일이 꼭 그러기를 바람.

[要塞] (요새) 중요한 군사상의 방어 시설.

[要素] (요소) 어떤 일에 꼭 필요한 근본적인 조건.

[要約] (요약) 중요한 부분만을 추려냄.

[要請] (요청) 필요한 일을 해 달라고 부탁함.

[強要] (강요) 무리하게 요구함. 억지로 하도록 함.

[需要] (수요) 필요한 것을 얻고자 하는 일. ⑪供給(공급).

[要注意] (요주의) 주의를 필요로 함.

[主要] (주요) 가장 소중하고 요긴함.

[重要] (중요) 소중하고 요긴함.

---

⁷ 見 (볼 견) 部

사람이 눈을 움직이고 있는 모양을 나타내어 '보다'의 뜻.

0
⑦ 【見】 ❶ 볼 견
❷ 뵐 현   見

부수 見 (볼 견) 부

찾기 見⁷ = 7획

| 丨 | 冂 | 冂 | 目 | 目 | 貝 | 見 |

글자뿌리 상형(象形) · 회의(會意) 문자. 눈 목(目)에 사람 인(儿=人)을 합친 자로, 사람이 눈을 움직인다는 데서 '보다'의 뜻.

⟶ ⟹ ⟶ ⟹ 見

글자풀이 ❶ 1 보다. 보이다. 2 의견. 생각. ❷ 3 뵙다.

[見聞] (견문) 보고 들음. 보고 들어서 얻은 지식.

[見物生心] (견물.생심) 물건을 보면 그것을 갖고 싶은 욕심이 생김.

[見本] (견본) 전체 상품의 품질 등을 알리기 위해 미리 만드는 소량의 상품.

[見習] (견습) 남이 하는 기술을 보면서 익힘. ¶見習工(견습공).

[見學] (견학) 실지로 가서 눈으로 보고 배움.

[高見] (고견) ① 뛰어난 의견

② '다른 사람의 의견'을 높여 이르는 말.

[所見](소견) 사람이나 사물의 현상을 보고 가지는 바의 의견이나 생각.

[意見](의견) 어떤 일에 대한 생각이나 견해.

[謁見](알현) 지위나 신분이 높은 사람을 찾아뵘.

5 ⑫ 【視】 볼 시 視

부수 見 (볼 견) 부
찾기 見⁷＋示⁵ = 12획

一 二 干 〒 示 示 和 利 利 和 祠 祖 視 視

글자뿌리 형성(形聲) 문자. 보일 시(示〈음〉)와 볼 견(見〈뜻〉)을 합친 자로, 신에게 바치는 제사상은 잘 살펴야 한다는 데서 보다', '살피다'의 뜻.

🛸 𝄞 ⇒ 示 𝄡 ⇒ 視

글자풀이 보다. 살피다.

[視覺](시각) 물체의 모양이나 빛깔 등을 분간하는 감각.

[視界](시계) 일정한 자리에서 바라볼 수 있는 범위. ⑧ 視野 (시야).

[視力](시력) 물체를 보는 눈의 능력.

[視線](시선) 눈길.

[視野](시야) 일정한 자리에서 바라볼 수 있는 범위.

[視察](시찰) 실지로 돌아다니며 사정을 살펴봄.

[視聽覺](시청각) 시각과 청각을 아울러 이르는 말.

[監視](감시) 감독하여 살펴봄.

[輕視](경시) 가볍게 봄. 업신여김. ⑫ 重視(중시).

[巡視](순시) 돌아다니면서 살펴봄.

[直視](직시) 사물의 진실을 바로 봄.

9 ⑯ 【親】 친할 친 / 어버이 친 親

부수 見 (볼 견) 부
찾기 見⁷＋亲⁹ = 16획

글자뿌리 형성(形聲) 문자. 볼 견(見〈뜻〉)에 나무 포기져 나올 진(亲〈음〉)을 합친 자로, 나무의 포기처럼 많은 자식들을 보살핀다는 데서 '어버이', '친하다'의 뜻.

⼁	⼂	⺊	⺕	艻	苗	萉
萉	萉	萉	萉	萉	萉	雚
雚	雚	雚	雚	雚	雚	觀

글자풀이 1 친하다. 가깝다. 2 어버이. 친척. 3 몸소.

[親舊](친구) 오래 두고 가깝게 사귄 벗.

[親近](친근) 사이가 아주 가깝고 정이 두터움.

[親睦](친목) 서로 친하여 뜻이 맞고 정다움.

[親密](친밀) 사이가 썩 좋음.

[親善](친선) 친하여 사이 좋게 지냄. ¶親善競技(친선 경기).

[親切](친절) 남에게 성의 있고 정답게 대함.

[親知](친지) 서로 잘 알고 친하게 지내는 사람.

[近親](근친) 가까운 친척.

[兩親](양친) 아버지와 어머니.

[宗親](종친) ① 임금의 친족. ② 촌수가 가까운 겨레붙이.

18
㉕ [親] 볼 관 親

부수 見(볼 견)부

찾기 見⁷+萉¹⁸ = 25획

글자풀이 형성(形聲) 문자. 볼 견(見〈뜻〉)에 황새 관(雚 : 돌아다님의 뜻〈음〉)을 합친 자로, 황새가 여기저기 잘 살펴본다는 데서 '보다', '관찰하다'의 뜻.

🐦 𓅱 ⇒ 雚 ⇒ 觀

글자풀이 1 보다. 2 생각. 관점. 견해.

[觀光](관광) 다른 나라나 고장의 경치나 풍속 등을 구경함.

[觀望](관망) 형세 따위를 느지시 바라봄.

[觀相](관상) 사람의 얼굴을 보고 그 성질이나 운명을 판단하는 일.

[觀察](관찰) 자세히 살펴보거나 조사함.

[樂觀](낙관) 사물의 장래를 바람직하게 봄. ㊤悲觀(비관).

[人生觀](인생관) 인생에 대하여 느끼고 생각하는 견해.

⁷ 角 (뿔 각) 部

짐승의 뿔을 본뜬 글자.

⁰ ⑦【角】뿔 각 角

부수 角(뿔 각) 부
찾기 角⁷ = 7획

ノ ク ク 角 角 角

(글자뿌리) 상형(象形) 문자. 짐승의 뿔을 본뜬 자로, '뿔'을 뜻함. 또, 뿔은 뾰족하다는 데서 '모나다', '모'의 뜻도 됨.

(글자풀이) 1 뿔. 2 쌍상투. 3 다투다. 겨루다. 4 모. 모나다.

[角度](각도) ① 각의 크기. ② 사물을 보거나 생각하는 방향. ¶ 角度器(각도기).

[角逐](각축) 서로 이기려고 맞서서 싸움.

[鹿角](녹각) 사슴의 뿔.

[四角形](사각형) 네 개의 꼭지각을 이루고 네 개의 선분으로 둘러싸인 평면 도형.

[總角](총각) 장가들 나이에 아직 장가들지 않은 남자.

⁶ ⑬【解】풀 해 解

부수 角(뿔 각) 부
찾기 角⁷＋罕⁶ = 13획

ノ ク ク 角 角 角 角
角ヿ 角ケ 角ア 角羊 角罕 解

(글자뿌리) 회의(會意) 문자. 뿔 각(角)에 칼 도(刀)와 소 우(牛)를 합친 자로, 소를 잡아 칼로 뿔과 살을 가른다는 데서 '가르다', '풀다'의 뜻.

(글자풀이) 1 풀다. 풀어지다. 2 가르다. 해부하다. 3 흩어지다.

[解渴](해갈) 목마름을 풂.

[解決](해결) 얽힌 일을 풀어서 처리함. 문제를 풀어서 결말을 지음.

[解讀](해독) 알기 어려운 글이나 암호 등을 풀어서 읽음.

[解明](해명) 의심나는 것을 풀어서 밝힘.

[解夢](해몽) 꿈의 내용을 풀어서 좋고 나쁨을 판단함.

[解放](해방) 얽매임이나 짓눌림에서 벗어나서 자유롭게 됨.

[解釋](해석) 알기 쉽게 풀어서 설명함.

[解說](해설) 알기 쉽게 풀어

**7
획**

서 자세히 밝힘.

[解任] (해임) 맡은 일이나 자리에서 물러나게 함.

[解除] (해제) 어떤 일을 풀어서 그 전의 상태로 되돌림.

[見解] (견해) 사물에 대한 생각이나 의견.

[曲解] (곡해) 사실과 어긋나게 잘못 이해함.

[讀解] (독해) 글을 읽고 내용을 이해함.

[分解] (분해) 한 덩이를 이루고 있는 것을 그 구성 요소로 나눔.

[諒解] (양해) 사정을 살펴서 이해함.

[理解] (이해) ① 말이나 글의 뜻을 깨쳐 앎. ② 사리를 분별하여 앎.

⁷言 (말씀 언) 部

찌르다는 뜻의 '辛'의 변형인 '言'에 '입 구(口)'를 합쳐 '말씀'의 뜻이 된 자.

⁰
⑦ 【言】 말씀 언   言

부수 言 (말씀 언) 부
찾기 言⁷ = 7획

丶 亠 亠 亖 言 言 言

글자뿌리 형성(形聲) 문자. 찌를 건(言 : 辛의 변형, 나타냄의 뜻〈음〉)에 입 구(口〈뜻〉)를 합친 자로, 생각한 것을 찌를 듯이 입으로 나타낸다는 데서 '말씀', '말하다'의 뜻.

글자풀이 말씀. 말. 말하다.

[言動] (언동) 말과 동작.

[言論] (언론) 말과 글로 뜻이나 생각을 발표하는 일.

[言文] (언문) 말과 글. ¶言文一致(언문 일치).

[言辯] (언변) 말솜씨. 말재주.

[言語] (언어) 말. 생각이나 느낌을 음성 또는 부호로 전달하는 수단.

[言爭] (언쟁) 말다툼.

[言行] (언행) 말과 행동. ¶言行一致(언행 일치).

[甘言利說] (감언 이설) 달콤한 말과 이로운 조건을 내세워 꾀는 말.

[公言] (공언) 여러 사람 앞에서 공개하여 하는 말.

[名言](명언) 이치에 맞는 훌륭한 말. 유명한 말.

[方言](방언) 사투리.

[豫言](예언) 미래의 일을 미리 말함. 또는 그 말.

[傳言](전언) 전하는 말.

²
⑨ 【計】 셈 계 計

부수 言(말씀 언)부

찾기 言⁷＋十² = 9획

`	ㄴ	ㅗ	늘	言	言	言
言	計					

글자뿌리 회의(會意) 문자. 말씀 언(言)에 열 십(十)을 합친 자로, 많은 것을 모아 수효를 말한다는 데서 '셈하다', '꾀하다'의 뜻이 된 자.

옿 ⇒ 言 ⇒ 計

글자풀이 1 셈. 셈하다. 계산. 2 꾀하다. 꾀.

[計略](계략) 계획과 꾀.

[計量器](계량기) 분량이나 무게를 재는 데 쓰이는 기구.

[計算](계산) 셈을 헤아림. ¶ 計算書(계산서).

[計測](계측) 물건의 길이나 넓이를 재어 계산함.

[計劃](계획) 해 나갈 일을 미리 생각해 놓음.

[家計](가계) 집안 살림을 꾸려 가는 계산이나 계획. ¶家計簿(가계부).

[生計](생계) 살아갈 방도.

[設計](설계) 건축 공사나 기계 제작 등에 대한 계획. ¶設計圖(설계도).

[合計](합계) 한데 합하여 셈함. 또는 그 수량.

7 획

³
⑩ 【記】 적을 기 記

부수 言(말씀 언)부

찾기 言⁷＋己³ = 10획

`	ㄴ	ㅗ	늘	言	言	言
言己	言己	記				

글자뿌리 형성(形聲) 문자. 말씀 언(言〈뜻〉)에 적을 기(己 : 紀의 본자〈음〉)를 합친 자로, 말을 '적다', '기록하다'의 뜻.

옿己 ⇒ 言己 ⇒ 記

글자풀이 1 적다. 기록하다. 2 기억하다.

[記念] (기념) 오래도록 기억하여 잊지 않음.

[記錄] (기록) ① 적음. 또는 적은 서류. ② 운동 경기 따위에서의 성적. 또는 지금까지의 최고 성적.

[記名] (기명) 이름을 적음.

[記事] (기사) 신문·잡지 등에 기록된 보도 내용.

[記憶] (기억) 머릿속에 간직하여 잊지 아니함.

[記入] (기입) 적어 넣음.

[記者] (기자) 신문사·잡지사·방송국 등에서 취재하거나 기사를 쓰는 사람.

[明記] (명기) 분명히 적음.

[速記] (속기) ① 빨리 적음. ② 남의 말을 기호로 빠르게 받아 적는 일. 또는 그 기술.

[暗記] (암기) 어떤 내용을 기억할 수 있게 외움.

[日記] (일기) 그날 그날 겪은 일이나 생각한 일을 적는 기록.

[傳記] (전기) 어떤 사람의 삶과 한 일을 적은 기록. ¶偉人傳記(위인 전기).

[筆記] (필기) 붓이나 펜으로 적음. 또는 그 일.

³⑩ 【訓】 가르칠 훈 言川

부수 言 (말씀 언) 부
찾기 言⁷ + 川³ = 10획

`	＾	Ͱ	言	言	言	言
言	訓	訓				

글자뿌리 형성(形聲) 문자. 말씀 언(言〈뜻〉)에 내 천(川 : 順 [좇을 순]의 뜻〈음〉)을 합친 자로, 냇물이 순리에 따라 흐르듯이 도리를 좇도록 말로 일깨운다는 데서 '가르치다', '훈계하다'의 뜻이 된 자.

훙 /// ⇒ 言 /// ⇒ 訓

글자풀이 1 가르치다. 훈계하다 2 뜻을 새기다. 훈. 뜻.

[訓戒] (훈계) 타일러 경계함.

[訓讀] (훈독) 한자의 뜻을 새겨 읽음.

[訓練] (훈련) 어떠한 능력이나 기술을 몸에 붙게 하기 위하여 되풀이해 연습함.

[訓民正音] (훈민 정음) 백성을 가르치는 바른 소리라는 뜻으

7획

로, 세종 대왕이 만든 우리 나
라 글자.

[訓示] (훈시) 아랫사람에게 주
의 사항을 일러 줌.

[訓話] (훈화) 훈시하는 말.

[家訓] (가훈) 집안 어른이 자
녀들에게 주는 교훈.

[教訓] (교훈) 가르치고 이끌어
줌. 또는 본받을 만한 가르침.

4
⑪ 【訪】 찾을 방　訪

부수 言 (말씀 언) 부
찾기 言⁷＋方⁴ = 11획

`	ㄴ	ㄹ	ㅌ	言	言	言
訁	訁	訪	訪			

(글자뿌리) 형성(形聲) 문자. 말
씀 언(言〈뜻〉)에 모 방(方 : 旁
〔널리 방〕의 뜻〈음〉)을 합친 자
로, 좋은 말씀〔言〕을 듣기 위하
여 널리〔方〕 사람을 찾아간다는
데서 '찾아가다', '묻다'의 뜻.

홍 方 ⇒ 言方 ⇒ 訪

(글자풀이) 1 찾다. 뵙다. 2 묻다.

[訪問] (방문) 남을 찾아봄.

[來訪] (내방) 손님이 찾아옴.

[探訪] (탐방) 어떤 일의 진상
을 알아보기 위하여 사람이나
장소를 탐문하여 찾아봄.

4
⑪ 【設】 베풀 설　設

부수 言 (말씀 언) 부
찾기 言⁷＋殳⁴ = 11획

`	ㄴ	ㄹ	ㅌ	言	言	言
訁	訊	訳	設			

(글자뿌리) 회의(會意) 문자. 말
씀 언(言)에 몽둥이 수(殳 : 시킨
다는 뜻)를 합친 자로, 말로 지시
하여 망치나 끌을 쳐 일을 시킨
다는 데서 '베풀다'의 뜻이 된
자.

홍 丰 ⇒ 言殳 ⇒ 設

(글자풀이) 1 베풀다. 세우다. 2
가령. 설령.

[設計] (설계) 건축 공사나 기
계 제작 등에 대한 계획.

[設令] (설령) 그렇다 하더라도.
⑧ 設使(설사).

[設立] (설립) 만들어 세움.

[設問] (설문) 문제나 질문을 만
들어 냄. 또는 그 문제나 질문.

[設備] (설비) 어떤 일을 하는
데 필요한 기계·기구·건물 등
을 갖추는 일. 또는 그런 물건.

[設定] (설정) 새로이 마련하여
정함.

[設置] (설치) 어떤 목적에 유
용하게 쓰기 위하여 기관·설비

등을 만들어 두는 일.

[開設] (개설) ① 새로 설치함.
② 처음으로 새로 세움.

[建設] (건설) 건물이나 조직을
새로 세움.

[公設] (공설) 국가나 공공 단
체에서 세움. ⑲ 私設(사설).

[施設] (시설) 건물 따위를 만
들어 놓음. 또는 그 설비.

4
⑪【許】 허락할 허   許

부수 言 (말씀 언) 부
찾기 言⁷ + 午⁴ = 11획

`	ㅗ	ㅓ	言	言	言	言
言	言	許	許			

글자뿌리 형성(形聲) 문자. 말
씀 언(言〈뜻〉)에 공이 저(午 :
杵의 생략자〈음〉)를 합친 자로,
떡메로 떡을 칠 때 내려쳐도 좋
다고 소리로 신호를 한다는 데서
'허락하다'의 뜻이 된 자.

⇒ 言午 ⇒ 許

글자풀이 1 허락하다. 2 매우.

[許可] (허가) 그렇게 할 수 있
다고 허락함.

[許諾] (허락) 청하는 바를 들
어 줌.

[許容] (허용) 허락하여 용납함.

[官許] (관허) 정부에서 허가함.

[免許] (면허) 일반인에게는 허
가되지 않는 것을 특정한 사람
에게만 허가해 주는 처분. 또는
그 자격.

6
⑬【詩】 시 시   詩

부수 言 (말씀 언) 부
찾기 言⁷ + 寺⁶ = 13획

`	ㅗ	ㅓ	言	言	言	言
言	詝	詝	詝	詩	詩	

글자뿌리 형성(形聲) 문자. 말씀
언(言〈뜻〉)에 관청 시(寺〈음〉)를
합친 자로, 일정한 규칙〔寺〕에
따라 말〔言〕로 나타낸 것이 '시'
라는 뜻.

⇒ 言寺 ⇒ 詩

글자풀이 시. 귀글.

[詩文學] (시문학) 시를 주로 하
는 문학.

[詩心] (시심) 시를 읊거나 짓

고 싶어지는 마음.

[詩人] (시인) 시를 전문적으로 짓는 사람.

[抒情詩] (서정시) 개인적인 느낌이나 감정을 읊은 시. ⑱ 敍事詩(서사시).

[祝詩] (축시) 축하하는 시.

6
⑬ 【試】 시험할 시 試

부수 言 (말씀 언) 부

찾기 言⁷+式⁶=13 획

´	ㅗ	ㅛ	늘	늘	言	言

言	言	計	訏	試	試

(글자뿌리) 형성 (形聲) 문자. 말씀 언(言〈뜻〉)에 법 식(式 : 쓴다는 뜻〈음〉)을 합친 자로, 일정한 방식에 따라 물어 보아〔言〕 관리로 쓴다〔式〕는 데서 '시험하다'의 뜻.

입시준비

(글자풀이) 시험하다. 시험.

[試金石] (시금석) ① 귀금속의 품질을 알아보는 데 쓰이는 돌. ② 어떤 것의 가치를 평가하는 데 기준이 될 만한 것.

[試圖] (시도) 무엇을 실현하여 보려고 계획하거나 행동함.

[試乘] (시승) 시험삼아 타 봄.

[試食] (시식) 맛을 보기 위해 시험삼아 먹어 봄.

[試飲] (시음) 술·음료수 등을 맛보기 위하여 시험삼아 마셔 보는 일.

[試合] (시합) 서로 재주를 겨루어 승부를 다툼.

[試驗] (시험) ① 학력이나 재능의 정도를 알아보는 일. ② 사물의 성질이나 성능 따위를 알아보는 일.

[考試] (고시) 학력·자격 등을 시험하여 합격 여부를 결정하는 일. ¶ 司法考試(사법 고시).

[應試] (응시) 시험을 봄.

6
⑬ 【話】 이야기 화 話

부수 言 (말씀 언) 부

찾기 言⁷+舌⁶=13 획

´	ㅗ	ㅛ	늘	늘	言	言

言	言	計	訐	話	話

(글자뿌리) 형성 (形聲) 문자. 말

씀 언(言〈뜻〉)에 혀 설(舌〈음〉)을 합친 자로, 혀를 놀려 줄줄이 말한다는 데서 '이야기하다', '이야기'의 뜻이 된 자.

홍🔔 ⇒ 言舌 ⇒ 話

〔글자풀이〕 이야기. 이야기하다.

[話法] (화법) ① 말하는 방법. ② 문장에서 남의 말을 인용하여 나타내는 방법.

[話術] (화술) 말하는 재주.

[話題] (화제) ① 이야기의 제목. ② 이야깃거리.

[談話] (담화) ① 이야기. ② 단체나 개인이 어떤 문제에 대한 의견이나 태도를 밝히는 말.

[對話] (대화) 마주 대하고 이야기함. 또는 그 이야기.

[童話] (동화) 어린이를 위하여 만든 이야기.

[神話] (신화) 역사가 생기기 이전의 전설로서, 신을 중심으로 한 이야기.

[實話] (실화) 실지로 있었던 사실의 이야기.

[通話] (통화) ① 말을 서로 주고받음. ② 전화 등으로 말을 서로 통함.

[會話] (회화) ① 서로 만나서 이야기함. ② 외국어로 하는 말이나 이야기.

[訓話] (훈화) 교훈의 말. 훈시하는 말.

---

7 【說】⑭ ❶ 말씀 설 ❷ 달랠 세 說

부수 言 (말씀 언) 부
찾기 言⁷+兌⁷=14 획

、	二	二	言	言	言	言
言	言	訁	訪	許	許	說

〔글자뿌리〕 형성(形聲) 문자. 말씀 언(言〈뜻〉)에다 바꿀 태(兌〈음〉)를 합친 자로, 말을 주고받아 기쁘게 한다는 데서 '말씀', '달래다'의 뜻.

홍낫 ⇒ 言兌 ⇒ 說

〔글자풀이〕 ❶ 1 말씀. 말. 2 풀다. ❷ 3 달래다.

[說教] (설교) 종교의 가르침을 설명함.

[說得] (설득) 알아듣도록 깨우쳐 말함.

[說明] (설명) 알기 쉽게 풀어서 밝힘.

[說法] (설법) 불교의 도리를 설명하여 가르침.

[說往說來] (설왕 설래) 어떤 일의 옳고 그름을 따지느라고 말을 주고받으며 옥신각신함.

[說話] (설화) ① 이야기. ② 신화나 전설 등의 사실과 먼 옛이야기.

[浪說] (낭설) 터무니없는 헛소문. 뜬소문.

[論說] (논설) 의견이나 주장을 조리 있게 말함. 또는 그 글. ¶論說文(논설문).

[小說] (소설) 지은이의 생각에 따라 인생이나 인간 세계에 이제까지 있었던 일 또는 있을 수 있는 일을 새롭게 꾸며 낸 줄글 형식의 문학 작품.

[語不成說] (어불성설) 말이 조금도 사리에 맞지 않음.

[力說] (역설) 힘써 말함. 힘을 들여 주장함.

[傳說] (전설) 오래 전부터 전하여 내려오는 말이나 이야기.

[學說] (학설) 학자가 오랫동안의 연구를 통해 얻은 학문상의 주장이나 체계.

[遊說] (유세) 각처로 돌아다니면서 자기 또는 자기가 소속한 당의 주장을 선전함.

【誠】 정성 성 誠

부수 言 (말씀 언) 부

찾기 言⁷＋成⁷＝14 획

`	゛	宀	言	言	言	言
言	言	訂	訪	試	誠	誠

(글자뿌리) 형성(形聲) 문자. 말씀 언(言〈뜻〉)에다 이룰 성(成〈음〉)을 합친 자로, 말을 행동으로 이룬다는 데서 '정성'을 뜻함.

(글자풀이) **정성. 진실.**

[誠金] (성금) 정성을 담아 내는 돈. 동 獻金(헌금).

[誠實] (성실) 거짓이 없고 정성스러움.

[誠心] (성심) 정성스러운 마음.

[誠意] (성의) 참되고 정성스러운 마음.

[精誠] (정성) 온갖 성의를 다하려는 참되고 거짓이 없는 마음. 동 至誠(지성).

[忠誠] (충성) 임금이나 나라를 위한 정성.

[孝誠] (효성) 마음을 다해 부모를 섬기는 정성.

7 획

7 ⑭【語】말할 어　語

부수 言(말씀 언)부
찾기 言⁷+吾⁷=14 획

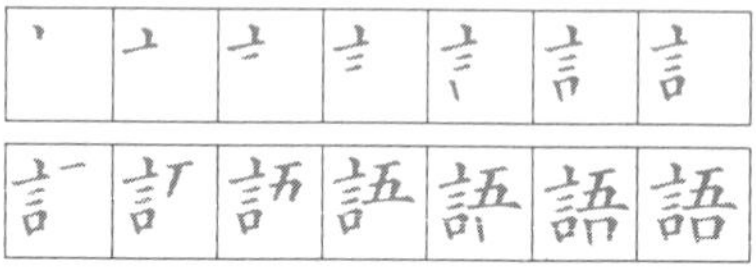

`	亠	�ググ	言	言	言	言
言	訂	語	語	語	語	語

글자뿌리 형성(形聲) 문자. 말씀 언(言〈뜻〉)에 나 오(吾〈음〉)를 합친 자로, 나의 의견을 말한다는 데서 '말하다', '알리다', '말씀'의 뜻.

글자풀이 말하다. 말씀. 알리다.

[語感] (어감) 말의 느낌.
[語源] (어원) 말이 생긴 근원.
[語調] (어조) 말의 가락.
[語學] (어학) 언어를 연구하는 학문.
[古語] (고어) 옛말.
[國語] (국어) 그 나라의 언어.
[論語] (논어) 공자(孔子)의 언행이나 제자들과의 문답 등을 모아서 엮은 책.

[單語] (단어) 한 개 또는 몇 개의 소리로 되어 완전한 뜻을 가진 언어의 가장 작은 단위.
[言語] (언어) 말.
[英語] (영어) 영국의 언어. 미국·영국 등에서 쓰는 말.
[外國語] (외국어) 외국의 언어.
[外來語] (외래어) 외국에서 들어온 말이 마치 국어처럼 쓰이는 단어.

7 ⑭【誤】그릇할 오　誤

부수 言(말씀 언)부
찾기 言⁷+吳⁷=14 획

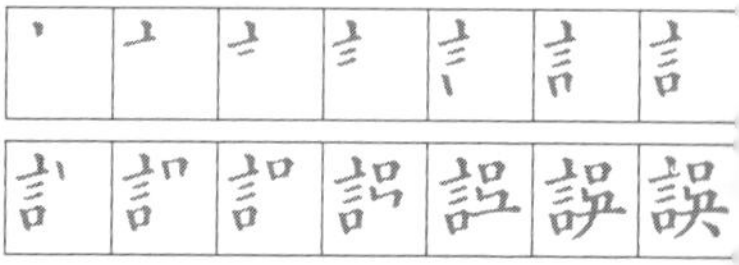

`	亠	ㄥ	言	言	言	言
言	訂	誤	誤	誤	誤	誤

글자뿌리 형성(形聲) 문자. 말씀 언(言〈뜻〉)에 큰소리할 오(吳 : 어긋난다는 뜻〈음〉)를 합친 자로, 큰소리는 어긋난 말이 많다는 데서 '그릇하다'의 뜻.

글자풀이 1 그릇하다. 2 잘못하다. 잘못. 3 틀리다.

[誤記] (오기) 잘못 적음. 또는 그 기록.
[誤報] (오보) 그릇되게 보도함.

또는 그릇된 보도.

[誤算] (오산) ① 그릇되게 계산함. 또는 그 계산. ② 잘못된 추측.

[誤診] (오진) 잘못 진단함. 또는 그릇된 진단.

[誤解] (오해) 잘못 이해함. 또는 그릇된 이해.

[過誤] (과오) 잘못이나 그릇됨.

⑭ 7 【認】 알 인
허가할 인 言忍

부수 言 (말씀 언) 부
찾기 言⁷+忍⁷=14 획

丶 亠 亠 言 言 言 言
訁 訒 訒 訒 認 認 認

(글자뿌리) 형성(形聲) 문자. 말씀 언(言〈뜻〉)에다 참을 인(忍〈음〉)을 합친 자로, 남의 말을 참고 새겨듣는다는 데서 그 내용을 '알다', '인정하다'의 뜻.

言忍 ⇒ 言忍 ⇒ 認

(글자풀이) 1 알다. 인정하다. 인식하다. 2 허가하다. 허락하다.

[認可] (인가) 어떤 일을 인정하여 허락함.

[認識] (인식) 어떤 일에 대하여 확실히 알고 그 뜻을 깨닫는 일.

[認定] (인정) 옳다고 믿고 정함. 알아 줌.

[公認] (공인) 국가나 사회 단체가 그렇다고 인정함.

[否認] (부인) 인정하지 않음.

[承認] (승인) 옳다고 인정하거나 사실임을 인정함.

[是認] (시인) 옳다고 인정함.

⑮ 8 【課】 시험할 과 課

부수 言 (말씀 언) 부
찾기 言⁷+果⁸=15 획

丶 亠 亠 言 言 言 言
言 言 誯 課 課 課 課

(글자뿌리) 형성(形聲) 문자. 말씀 언(言〈뜻〉)에다 열매 과(果〈음〉)를 합친 자로, 일을 한 결과를 말한다는 데서 '시험하다' 세금을 '매기다'의 뜻이 된 자.

(글자풀이) 1 시험하다. 2 매기다. 부과하다. 3 과목.

[課稅] (과세) 세금을 매김. 또는 그 세금.

[課業] (과업) 주어진 일.

[課外] (과외) ① 정해진 시간 외의 수업. ② 정해진 근무 시간 밖.

[課程] (과정) 일이 되어 가는 형편이나 순서.

7
획

[課題] (과제) 내어 준 문제. 해결해야 할 문제.

[賦課] (부과) ① 세금이나 그 밖의 돈을 매기어 부담하게 함. ② 어떤 책임을 부담하여 맡도록 함.

[日課] (일과) 날마다 정해 놓고 하는 일정한 일.

---

⑮ 8 【談】 이야기 담 談

부수 言 (말씀 언) 부
찾기 言⁷ + 炎⁸ = 15 획

ﾉ	ㄴ	ㅗ	言	言	言	言
言	訁	訳	談	談	談	談

(글자뿌리) 형성(形聲) 문자. 말씀 언(言〈뜻〉)에 불꽃 염(炎 : 淡〔담박할 담〕의 뜻〈음〉)을 합친 자로, 불가에 앉아 담담하게 하는 말이라는 데서 '이야기'의 뜻.

홍 ⇒ 言 ⇒ 談

(글자풀이) 1 이야기. 이야기하다. 2 농담하다.

[談笑] (담소) 웃으면서 이야기를 나눔.

[談判] (담판) 서로 모여 의논하여 옳고 그름을 판단함.

[談話] (담화) 어떤 문제에 대하여 의견이나 태도를 분명히

밝히기 위하여 하는 말.

[怪談] (괴담) 괴상한 이야기.

[弄談] (농담) 농으로 하는 말.

[美談] (미담) 뒤에 전할 만한 아름다운 이야기.

[會談] (회담) 만나서 서로 의논함. 또는 그 일.

---

⑮ 8 【論】 말할 론 論

부수 言 (말씀 언) 부
찾기 言⁷ + 侖⁸ = 15 획

(글자뿌리) 형성(形聲) 문자. 말씀 언(言〈뜻〉)에 생각할 륜(侖 : 倫〔차례 륜〕의 뜻〈음〉)을 합친 자로, 자기의 뜻을 조리 있게 말한다는 데서 '말하다', '논하다'의 뜻.

홍 ⇒ 言 ⇒ 論

(글자풀이) 1 말하다. 논하다. 2

견해. 의견.

[論難](논란) 잘못을 논하여 비난함.

[論文](논문) 의견이나 연구의 결과 등을 발표하는 글.

[論說](논설) 의견이나 주장을 조리 있게 말함. 또는 그 글. ¶論說委員(논설 위원).

[論述](논술) 의견을 조리 있게 써 나감. 또는 그 글. ¶論述考査(논술 고사).

[論爭](논쟁) 문제에 대해 논의하여 다툼.

[論評](논평) 잘되고 잘못됨을 따져 말함.

[言論](언론) 말이나 글로 자기의 생각을 밝혀 말하는 일.

[輿論](여론) 세상 사람의 공통된 의견이나 논의. ¶輿論調査(여론 조사).

[理論](이론) 어떠한 문제에 관한 특정한 학자의 견해나 학설. ¶相對性理論(상대성 이론).

⑧⑮ [誰] 누구 수

부수 言(말씀 언) 부
찾기 言⁷＋隹⁸＝15 획

글자뿌리 형성(形聲) 문자. 말씀 언(言〈뜻〉)에 새 추(隹〈음〉)를 합친 자로, 새의 말을 누가 알아들을 수 있느냐는 데서 '누구'의 뜻이 된 자.

글자풀이 누구.

⑧⑮ [調] 고를 조

부수 言(말씀 언) 부
찾기 言⁷＋周⁸＝15 획

글자뿌리 형성(形聲) 문자. 말씀 언(言〈뜻〉)에다 두루 주(周〈음〉)를 합친 자로, 말과 행동이 두루 미치게 한다는 데서 '고르다'의 뜻이 된 자.

글자풀이 1 고르다. 어울리다. 맞다. 2 살피다. 3 가락.

[調査](조사) 일이나 물건 등에 대한 내용을 알기 위하여 찾아보거나 자세히 살펴봄.

[調節](조절) 사물의 상태를 알맞게 조정하거나 균형이 잘 잡혀 어울리도록 함.

[調和](조화) 서로 잘 어울리게 함.

[強調](강조) 힘차게 부르짖음. 특히 힘주어 주장함.

[曲調](곡조) ① 음악이나 가사의 가락. ② 곡이나 노래의 수를 세는 단위.

[順調](순조) 어렵지 않게 잘 되는 상태.

[協調](협조) 힘을 모아 서로 도움.

7획

8
⑮【請】 청할 청 請

부수 言 (말씀 언) 부
찾기 言⁷＋靑⁸＝15 획

`	ㄴ	ㄴ	亖	言	言	言
計	計	詰	請	請	請	請

(글자뿌리) 형성(形聲) 문자. 말씀 언(言〈뜻〉)에다 푸를 청(靑〈음〉)을 합친 자로, 청년이 반색하는 눈빛으로 부탁한다는 데서 '청하다'의 뜻이 된 자.

(글자풀이) 1 청하다. 2 묻다.

[請求](청구) 무엇을 내놓거나 주기를 요구함.

[請願](청원) ① 청하고 바람. ② 어떤 손해의 구제나 일의 허가 등을 관공서나 공공 단체에 청하는 일.

[申請](신청) 신고하여 청함.

[要請](요청) 필요한 물건이나 일을 요구함.

9
⑯【諸】 모든 제 諸

부수 言 (말씀 언) 부
찾기 言⁷＋者⁹＝16 획

`	亠	亠	言	言	言	言
言	計	計	詝	詝	詝	諸
諸	諸					

(글자뿌리) 형성(形聲) 문자. 말씀 언(言〈뜻〉)에 놈 자(者 : 많다는 뜻〈음〉)를 합친 자로, 여러 사람이 모이면 말이 많다는 데서 '모든', '여러'의 뜻이 된 자.

(글자풀이) 모든. 여러.

[諸君](제군) '여러분'이라는 뜻으로, 손아랫사람에게 대하여 쓰는 말.

[諸島](제도) 여러 섬.

[諸侯](제후) 옛 중국에서, 일정한 영토 내에서 백성을 지배하던 사람.

10 ⑰ 【講】 풀이할 강 講

부수 言 (말씀 언) 부
찾기 言⁷+冓¹⁰=17 획

'	ㅗ	ㅗ	슬	言	言	言
言	訁	訐	詳	諅	詩	講
講	講	講				

〔글자뿌리〕 형성(形聲) 문자. 말씀 언(言〈뜻〉)에 재목 어긋매껴 쌓을 구(冓〈음〉)를 합친 자로, 목재를 쌓듯이 말한다는 데서 '풀이하다'의 뜻이 된 자.

〔글자풀이〕 **1** 풀이하다. 익히다. **2** 강론하다.

〔講究〕(강구) 좋은 도리나 방법을 연구함.

〔講論〕(강론) 학술이나 종교 등에 관한 어떤 문제를 설명하거나 토론함.

〔講師〕(강사) ① 학교의 부탁을 받아 가르치거나 학원에서 가르치는 선생님. ② 강습회·연설회 등에서 강의나 연설을 하는 사람.

〔講習〕(강습) 일정한 기간 동안 여러 사람에게 학문이나 기술을 가르침. ¶ 料理講習(요리 강습).

〔講義〕(강의) 학문이나 학설의 뜻을 설명하여 가르침.

〔講和〕(강화) 전쟁 중이던 나라가 전쟁을 멈추고 서로 조약을 맺어 평화로운 상태로 돌아가는 일.

〔名講〕(명강) 이름난 강의.

〔受講〕(수강) 강습이나 강의를 받음. ¶ 受講申請(수강 신청).

10 ⑰ 【謝】 사례할 사 謝

부수 言 (말씀 언) 부
찾기 言⁷+射¹⁰=17 획

'	ㅗ	ㅗ	슬	言	言	言
訁	訁	訋	訠	訡	諍	謝
謝	謝	謝				

〔글자뿌리〕 형성(形聲) 문자. 말씀 언(言〈뜻〉)에 쏠 사(射 : 赦〔놓아 줄 사〕의 뜻〈음〉)를 합친 자로, 용서하여 놓아 주는 말이라는 데서 '인사말', '감사하다'의 뜻.

〔글자풀이〕 **1** 사례하다. **2** 사양하

7
획

다. 거절하다. 3 빌다. 사죄하다.

[謝過](사과) 잘못을 빎.

[謝禮](사례) 입은 은혜에 대하여 고마운 뜻을 나타내는 일.

[謝意](사의) ① 감사하는 뜻. ② 사과하는 뜻.

[謝絶](사절) 거절함.

[謝罪](사죄) 지은 죄에 대해 용서를 빎.

[感謝](감사) ① 고마움. ② 고맙게 여김. ③ 고맙게 여기어 그 뜻을 나타냄.

12
⑲ 【識】 ❶ 알 식
❷ 적을 지

부수 言(말씀 언) 부

찾기 言⁷+戠¹²=19 획

'	ㅗ	ㅗ	言	言	言	言
言	言	訡	訡	諳	諳	諳
諳	諳	識	識	識		

글자뿌리 형성(形聲) 문자. 말씀 언(言〈뜻〉)에 찰흙 시(戠 : 분별한다는 뜻〈음〉)를 합친 자로, 말[言]과 소리[音]를 찰흙벽에 창칼[戈]로 새겨 적는다는 데서 '적는다'를 뜻하고, 또 그것을 보고 알게 된다는 데서 '알다', '분별하다'의 뜻.

글자풀이 ❶ 1 알다. 식견(識

見). 2 분별하다. ❷ 3 적다. 기록하다.

[識見](식견) 사물을 올바르게 판단할 수 있는 능력.

[識別](식별) 잘 알아서 구별함. ⑧判別(판별).

[識字憂患](식자 우환) 글자를 아는 것이 도리어 근심이 된다는 말.

[沒常識](몰상식) 상식에 벗어나고 사리 판단에 어두움.

[良識](양식) 건전한 생각과 태도. 건전한 판단력.

[知識](지식) 배우거나 연구하여 알고 있는 내용.

[標識](표지) 다른 것과 구별하는 데 필요한 표시나 특징.

12
⑲ 【證】 증거 증

부수 言(말씀 언) 부

찾기 言⁷+登¹²=19 획

'	ㅗ	ㅗ	言	言	言
言	言	訡	訟	訟	誻
誻	誻	證	證	證	

글자뿌리 형성(形聲) 문자. 말씀 언(言〈뜻〉)에 맑을 징(登 澄의 생략자〈음〉)을 합친 자로, 말끔히 말한다는 데서 '증거', '증

'명하다'의 뜻이 된 자.

글자풀이 1 증거. 2 증명하다.

[證據] (증거) 어떤 사실을 증명할 만한 근거.

[證明] (증명) 어떤 일을 증거를 들어 밝힘.

[證書] (증서) 어떤 사실을 밝혀 주는 문서.

[證言] (증언) ① 사실을 증명하는 말. 증거가 되는 말. ② 증인으로서 하는 말.

[證人] (증인) 어떠한 일을 증명하기 위하여 나서는 사람.

¹³ ²⁰【議】 의논할 의 議

부수 言 (말씀 언) 부

찾기 言⁷+義¹³=20 획

`	亠	幸	言	言	言	言
言	言'	言'	言'	言'	議	議
議	議	議	議	議	議	

글자뿌리 형성 (形聲) 문자. 말

씀 언 (言〈뜻〉)에다 옳을 의 (義〈음〉)를 합친 자로, 옳은 일을 위해 말을 주고받는다는 데서 '의논하다'의 뜻이 된 자.

글자풀이 의논하다.

[議決] (의결) 어떤 일을 서로 의논하여 결정함.

[議論] (의논) 어떤 일에 대하여 서로 이야기함.

[議員] (의원) 의회를 구성하고 의결권(議決權)을 가진 사람. ¶ 國會議員(국회 의원).

[議會] (의회) 선거로 뽑힌 의원으로 조직되어 회의를 하는 모임.

[建議] (건의) 의견이나 희망을 내어 말함. 또는 그 의견이나 희망 사항.

[論議] (논의) 서로 의견을 내놓고 의논함.

[抗議] (항의) 반대의 뜻을 강하게 주장함.

¹⁵ ²²【讀】 ❶ 읽을 독 讀
❷ 구두 두

부수 言 (말씀 언) 부

찾기 言⁷+賣¹⁵= 22 획

`	亠	幸	言	言	言	言
言	言	言	言	讀	讀	讀
讀	讀	讀	讀	讀	讀	

7 획

형성(形聲) 문자. 말씀 언(言〈뜻〉)에 팔 육(賣 : 價의 변형, 멈춘다는 뜻〈음〉)을 합친 자로, 구두점을 찍으며 소리내어 글을 '읽는다'는 뜻.

글자풀이 ❶ 1 읽다. ❷ 2 구두(句讀).

[讀書] (독서) 책을 읽음.

[讀者] (독자) 책·신문·잡지 등을 읽는 사람.

[讀破] (독파) ① 막힘 없이 읽음. ② 끝까지 다 읽음.

[讀解] (독해) 글을 읽고 그 내용을 이해함.

[朗讀] (낭독) 소리 내어 읽음.

[多讀] (다독) 많이 읽음.

[愛讀] (애독) 즐겨 읽음.

[吏讀] (이두) 삼국 시대에 한자의 음과 뜻을 빌려 우리말을 적는 데 쓰이던 문자.

｀	ㆍ	ㅗ	ㅗ	ㅗ	言	言
言	言	言	言	言	言	言
結	結	結	結	結	變	變

글자뿌리 형성(形聲) 문자. 뒤엉킬 련(䜌)에다 등글월문(攵)을 합친 자로, 뒤엉키거나 뒤틀린 것을 억지로〔攵〕 고친다는 데에서 '변하다'의 뜻이 된 자.

글자풀이 1 변하다. 고치다. 2 재앙. 변고.

[變更] (변경) 바꾸어서 다르게 고침.

[變德] (변덕) 이랬다 저랬다 잘 변하는 성질.

[變動] (변동) 바뀌어 달라짐.

[變節] (변절) ① 절개를 저버림. ② 내세워 오던 주의나 주장을 바꿈.

[變造] (변조) 딴 것으로 바꾸어 만듦.

[變化] (변화) 사물의 모양이나 성질 등이 변하여 달라짐.

[異變] (이변) 예상하지 못했던 사태.

16
㉓【變】변할 변　變

부수 言 (말씀 언) 부
찾기 言⁷+䜌¹⁶=23 획

17
㉔【讓】겸손할 양　讓

부수 言 (말씀 언) 부
찾기 言⁷+襄¹⁷=24 획

`	二	三	言	言	言	言
言	言	言	言	言	言	言
讓	讓	讓	讓	讓	讓	讓

글자뿌리 형성(形聲) 문자. 말 씀 언(言)에 물리칠 양(襄 : 攘의 생략자)을 합친 자로, 도움을 말 로 물리친다는 데서 '사양한다'는 뜻.

글자풀이 겸손하다. 사양하다.

[讓渡](양도) 권리나 재산 등 을 남에게 넘겨 줌.

[讓步](양보) 어떤 것을 사양 하여 남에게 미루어 줌.

[謙讓](겸양) 겸손하게 사양하 거나 양보함.

[辭讓](사양) 겸손하게 거절하 고 받지 아니함.

⁷ 谷 (골 곡) 部

샘물이 절반쯤 솟아 나온 모 양을 나타내는 '仌'와 샘물이 솟아 나오는 구멍을 뜻하는 '口'로 이루어진 글자.

【谷】 골 곡 谷

부수 谷(골 곡)부
찾기 谷⁷=7 획

`	八	分	父	仌	谷	谷

글자뿌리 회의(會意) 문자. 샘 물이 절반쯤 솟아 나온 모양〔仌〕 과 샘물이 솟아 나오는 구멍〔口〕 을 합친 자로, 샘물이 솟아나는 산과 산 사이의 '골짜기'를 뜻함.

글자풀이 골. 골짜기.

[溪谷](계곡) 산골짜기.

[進退維谷](진퇴 유곡) 나아가 도 물러나도 골짜기란 뜻으로, 이러지도 저러지도 못하는 상 황을 이르는 말.

⁷ 豆 (콩 두) 部

고기를 담은 굽 높은 그릇을 본뜬 글자.

【豆】 콩 두 豆

부수 豆(콩 두)부
찾기 豆⁷=7 획

一	一	一	戸	戸	豆	豆

글자뿌리 상형(象形) 문자. 고기를 담은 굽이 높은 제기(祭器) 모양을 본뜬 글자로, '콩'의 뜻.

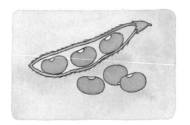

글자풀이 1 콩. 2 제기.

[豆腐](두부) 콩으로 만든 음식의 한 가지.

[豆油](두유) 콩기름.

11
⑱〔**豐**〕풍성할 풍 豊

부수 豆(콩 두)부

찾기 豆⁷+豐¹¹=18 획

丨	刁	刁	刉	刌	刣	圭
幸	非	豐	豐	豐	豐	豐
豐	豐	豐	豐			

글자뿌리 상형(象形) 문자. 제사에 쓰는 그릇〔豆〕에 음식이 가득히 담겨 있는〔豐〕 모양을 본뜬 자로, '풍성하다'의 뜻.

글자풀이 1 풍성하다. 넉넉하다.

2 풍년들다.

[豐年](풍년) 농사가 잘 된 해. 🤮 凶年(흉년).

[豐滿](풍만) ① 넉넉하게 가득 참. ② 살지고 몸집이 큼.

[豐富](풍부) 넉넉하고 많음.

[豐饒](풍요) 매우 넉넉함.

[豐作](풍작) 풍년이 들어 모든 곡식이 잘 됨.

[豐足](풍족) 매우 넉넉하여 모자람이 없음.

---

7 貝 (조개 패) 部

조개의 모양을 본뜬 자로, 옛날에는 조개가 화폐의 구실을 하였으므로 돈·재물에 관한 글자에 많이 쓰임.

0
⑦〔**貝**〕조개 패 貝

부수 貝(조개 패)부

찾기 貝⁷=7 획

丨	冂	冃	目	目	貝	貝

글자뿌리 상형(象形) 문자. 둘로 갈라지는 조개의 모양을 본뜬 자로, 옛날에는 조개를 화폐로 사용한 까닭에 '돈', '재물'의 뜻으로도 쓰임.

 ⇒  ⇒ 貝

글자풀이 **1** 조개. **2** 돈. 패물.

[貝物] (패물) 산호나 호박·수
정 등으로 만든 장신구를 통틀
어 이르는 말.

[魚貝類] (어패류) 식품으로 쓰
이는 생선과 조개 종류를 통틀
어 이르는 말.

2⁄9 【貞】 곧을 정　貞

부수 貝 (조개 패) 부
찾기 貝⁷+卜²=9 획

`	丶	亠	占	占	肖	自

| 貞 | 貞 | | | | | |

글자뿌리 회의(會意) 문자. 점
복(卜)에 조개 패(貝)를 합친 자
로, 신께 제물을 바쳐 점을 칠 때
는 마음이 곧아야 한다는 데서
'곧다', '바르다'의 뜻이 된 자.

글자풀이 곧다. 바르다.

[貞潔] (정결) 정조가 굳고 행
실이 깨끗함.

3⁄10 【財】 재물 재　財

부수 貝 (조개 패) 부
찾기 貝⁷+才³=10 획

`	冂	冃	目	目	貝	貝

| 貝 | 財 | 財 | | | | |

글자뿌리 형성(形聲) 문자. 조
개 패(貝〈뜻〉)에 재주 재(才 :
재료의 뜻〈음〉)를 합친 자로, 살
아가는 데 재료가 되는 패물이라
는 데서 '재물'의 뜻이 된 자.

글자풀이 재물.

[財力] (재력) ① 재물의 힘. ②
비용을 댈 수 있는 힘.

[財物] (재물) 재산이 되는 물
건을 통틀어 이르는 말.

[財産] (재산) 개인이나 단체가
소유하는 재물.

[財運] (재운) 재물을 얻거나 모
을 운수.

[私財] (사재) 개인의 재산.

4 ⑪ 【貧】 가난할 빈 貧

부수 貝 (조개 패) 부
찾기 貝 ^{7} + 分 ^{4} = 11 획

ノ	八	分	分	分	贠	贠
貧	貧	貧	貧			

글자뿌리 형성(形聲) 문자. 나눌 분(分〈음〉)에다 조개 패(貝〈뜻〉)를 합친 자로, 재물이 흩어져 나누어진다는 데서 '가난하다'의 뜻이 된 자.

글자풀이 1 가난하다. 가난. 2 모자라다.

[貧困] (빈곤) 가난하고 살기 어려움.

[貧民] (빈민) 가난한 사람. ¶ 貧民街(빈민가).

[貧弱] (빈약) 보잘것이 없음.

[貧血] (빈혈) 혈액 속의 적혈구나 혈색소가 줄어드는 현상.

[極貧] (극빈) 몹시 가난함.

[淸貧] (청빈) 재물 욕심이 없어서 살림이 가난함.

4 ⑪ 【責】 꾸짖을 책 責

부수 貝 (조개 패) 부
찾기 貝 ^{7} + 主 ^{4} = 11 획

一	十	十	主	丰	青	青
青	青	責	責			

글자뿌리 형성(形聲) 문자. 가시 자(主 : 朿의 변형〈음〉)에 조개 패(貝〈뜻〉)를 합친 자로, 돈을 갚으라고 가시로 찌르듯 한다는 데서 '꾸짖다'의 뜻이 된 자.

글자풀이 1 꾸짖다. 나무라다 2 책임. 3 재촉하다. 구하다.

[責望] (책망) 허물을 들어 꾸짖음.

[責任] (책임) 맡아서 해야 할 임무나 의무.

[問責] (문책) 책임을 물음. 질

못을 나무람.

[重責] (중책) 중요한 책임.

4
⑪ [貨] 재화 화   貨

부수 貝 (조개 패) 부
찾기 貝⁷+化⁴=11 획

| ノ | イ | イ | 化 | 化 | 作 | 作 |

| 貨 | 貨 | 貨 | 貨 |

(글자뿌리) 형성 (形聲) 문자. 조개 패(貝〈뜻〉)에 될 화(化〈음〉)를 합친 자로, 돈이 되는 물건이라는 데서 '재화'의 뜻.

(글자풀이) 1 재화. 화폐. 2 물건. 물품.

[貨物] (화물) 물품. 짐. ¶ 貨物車(화물차).

[貨車] (화차) 화물을 실어 나르는 차. ⑭ 客車(객차).

[貨幣] (화폐) 돈.

[金銀寶貨] (금은 보화) 금·은·옥·진주 등의 귀중한 보물.

[外貨] (외화) 외국 돈.

5
⑫ [貴] 귀할 귀   貴

부수 貝 (조개 패) 부

찾기 貝⁷+虫⁵=12 획

| 丶 | 丶 | 口 | 中 | 虫 | 虫 | 冉 |

| 冉 | 冉 | 冉 | 貴 | 貴 |

(글자뿌리) 형성 (形聲) 문자. 조개 패(貝〈뜻〉)에다 잠깐 유(虫: 與의 변형. 높이 올린다는 뜻〈음〉)를 합친 자로, 가치가 높다는 데서 '귀하다'의 뜻이 된 자.

(글자풀이) 1 귀하다. 귀하게 여기다. 2 값이 비싸다.

[貴公子] (귀공자) ① 귀한 집안에 태어난 남자. ② 용모가 뛰어나고 품위가 있는 남자.

[貴婦人] (귀부인) 신분이 높은 부인.

[貴賓] (귀빈) 귀한 손님.

[貴族] (귀족) 신분이 높은 사람. 또는 그 집안.

[貴重] (귀중) 귀하고 중요함.

[貴下] (귀하) ① 상대방을 높이어 그 이름 대신 부르는 말. ② 편지 등에서 상대방을 높이기 위하여 상대방 이름 밑에 붙여 쓰는 말.

[高貴] (고귀) 인품이나 지위가 높고 귀함.

[富貴] (부귀) 재산이 많고 지위가 높음. ¶ 富貴榮華(부귀영화).

[尊貴] (존귀) 지위 또는 신분이 높고 귀함.

5
⑫ 【買】 살 매

부수 貝 (조개 패) 부
찾기 貝⁷＋罒⁵＝12 획

丶	冂	冂	罒	罒	罒	罒

| 罒 | 胃 | 買 | 買 | 買 | | |

(글자뿌리) 회의(會意) 문자. 조개 패(貝)에 그물 망(罒＝网)을 합친 자로, 조개로 바꾼 물건을 그물로 덮는다는 데서 '사다'의 뜻이 된 자.

(글자풀이) 사다. 물건을 사다.

[買賣] (매매) 사고 팖.
[買收] (매수) ① (물건을) 사들임. ② 남의 마음을 꾀어 자기 편으로 만듦.
[購買] (구매) 물건을 삼. ⊕販賣(판매).

5
⑫ 【貳】 두 이

부수 貝 (조개 패) 부
찾기 貝⁷＋弌⁵＝12 획

一	一	二	弌	弍	丐	丐

| 丐 | 貢 | 貢 | 貳 | 貳 | | |

(글자뿌리) 회의(會意) 문자. 조개 패(貝)에 두 이(弍 : 貳의 옛 글자)를 합친 자로, 화폐가 두 개라는 데서 '둘'의 뜻. ※ 두 이(二)의 갖은자로 쓰임.

(글자풀이) 1 두. 둘. 2 거듭하다.

5
⑫ 【貯】 쌓을 저 貯

부수 貝 (조개 패) 부
찾기 貝⁷＋宁⁵＝12 획

丨	冂	冂	月	目	貝	貝

| 貝ˊ | 貝ˊ | 貯 | 貯 | 貯 | | |

(글자뿌리) 형성(形聲) 문자. 조개 패(貝〈뜻〉)에 쌓을 저(宁 : 저장한다는 뜻〈음〉)를 합친 자로, 재물을 저장한다는 데서 '쌓다', '저장하다'의 뜻이 된 자.

(글자풀이) 1 쌓다. 저장하다. 2 저축하다.

[貯金] (저금) 돈을 쓰지 않고

모아 둠. 또는 그 돈.

[貯水池] (저수지) 상수도·수력
발전 또는 논밭에 물을 대기
위하여 강물이나 냇물을 끌어
들여 모아 둔 연못.

[貯藏] (저장) 물건을 모아서 간
직해 둠.

[貯蓄] (저축) 절약해 모아 둠.
또는 모아 둔 돈.

5
⑫ 【**賀**】 하례할 하 賀

부수 貝 (조개 패) 부

찾기 貝⁷＋加⁵＝12 획

フ	カ	カ	加	加	加	智
智	智	智	賀	賀		

글자뿌리 형성 (形聲) 문자. 조
개 패(貝〈뜻〉)에다 더할 가(加
〈음〉)를 합친 자로, 기쁜 일에
물건을 보내어 축하하는 마음을
전한다는 데서 '축하하다'의 뜻이
된 자.

🐟🐚 ⇒ 🐟貝 ⇒ 賀

글자풀이 하례하다. 축하하다.

[賀客] (하객) 축하해 주기 위
하여 온 손님.

[賀禮] (하례) 축하하는 예식.

[年賀狀] (연하장) 새해를 축하
하는 글이나 그림이 있는 편지.

[祝賀] (축하) 기쁘고 즐겁다는
뜻으로 인사함. 또는 그 인사.

8
⑮ 【**賣**】 팔 매 賣

부수 貝 (조개 패) 부

찾기 貝⁷＋𧶠⁸＝15 획

一	十	士	吉	𠦝	吉	𠫓
吉	声	喬	喬	賣	賣	賣

글자뿌리 회의(會意) 문자. 살
매(買)에 날 출(士＝出의 약자)
을 합친 자로, 본디 사고 판다는
뜻이었던 '買'에 나간다는 뜻인
'士'을 더하여 물건을 '내다 팔다'
의 뜻이 된 자.

賣 ⇒ 賣 ⇒ 賣

글자풀이 팔다. 내다 팔다.

[賣國奴] (매국노) 자기의 이익
을 위해 제 나라를 팔아 먹는
사람.

[賣買] (매매) 팔고 사고 함.

[賣店] (매점) 물건을 파는 작

은 가게.

[賣盡] (매진) 다 팔려 물건이
없음.

[競賣] (경매) 서로 경쟁을 시
켜 가장 비싸게 사겠다는 사람
에게 팖.

[薄利多賣] (박리 다매) 물건의
이익을 적게 보고 많이 팔아
이문을 남기는 일.

[販賣] (판매) 상품을 팖. ⑲ 購
買(구매).

---

⑮ 8 【賞】 상줄 상 　賞

부수 貝 (조개 패) 부
찾기 貝⁷＋尙⁸＝15 획

｀	｀	｀	｀	｀	｀	｀

尙	尙	尙	尙	尙	賞	賞

(글자뿌리) 형성 (形聲) 문자. 조
개 패 (貝〈뜻〉)에 숭상할 상(尙
〈음〉)을 합친 자로, 공을 세우거
나 좋은 일을 한 사람을 높이기
위하여 주는 물건이라는 데서 '상
주다'의 뜻이 된 자.

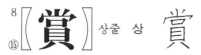

(글자풀이) 1 상주다. 상. 2 칭찬
하다. 3 즐기다.

[賞金] (상금) 상으로 주는 돈.

[賞罰] (상벌) 잘하는 것은 청

찬하고, 잘못은 벌을 주는 일.

[賞與金] (상여금) 정해진 급료
이외에 노고를 위로하거나 상
으로 주는 돈. 보너스.

[賞狀] (상장) 상주는 뜻을 나
타내는 증서.

[賞品] (상품) 상 (賞) 으로 주
는 물품.

[鑑賞] (감상) 예술 작품을 맛
보고 이해하며 즐김. ¶音樂鑑
賞(음악 감상).

[受賞] (수상) 상을 받음.

[懸賞] (현상) 상품이나 상금을
내걸고 무엇을 시키거나 구해
들임. ¶懸賞金(현상금).

---

⑮ 8 【質】 바탕 질 　質

부수 貝 (조개 패) 부
찾기 貝⁷＋斦⁸＝15 획

｀	ｆ	ｆ	斤	斤	斤	斦

斦	斦	斦	質	質	質	質

(글자뿌리) 회의 (會意)·형성 (形
聲) 문자. 조개 패 (貝〈뜻〉)에 모
탕 은 (斦 : 무게를 잰다는 뜻
〈음〉)을 합친 자로, 물건 [貝]의
무게를 잰다는 데서 '저당'의 뜻
에서 다시 '바탕'의 뜻이 된 자.

(글자풀이) 1 바탕. 근본. 2 볼모.
저당잡히다. 3 묻다. 바르게 하다.

[質量] (질량) 물체에 작용하는 힘과 그에 의해 생기는 가속도와의 비(比).

[質問] (질문) 모르거나 의심나는 점을 캐물음.

[質疑] (질의) 의심나는 것을 물음. 동 質問(질문).

[質責] (질책) 잘못을 꾸짖어서 나무람.

[氣質] (기질) ① 힘과 체질. ② 성질을 나타내는 밑바탕이 되는 특성.

[物質] (물질) 물건의 형태와 성질. 물건을 이루는 본바탕.

[性質] (성질) ① 사람이 날 때부터 지닌 기질. ② 사물·현상이 본디부터 가지고 있는 특징.

[素質] (소질) ① 본디부터 갖추고 있는 성질. ② 장래 발전의 바탕이 될 수 있는 성질. 천성.

[資質] (자질) 타고난 성품이나 바탕.

[品質] (품질) 물건의 좋고 나쁜 성질이나 바탕.

8
⑮ 【賢】 어질 현 賢

부수 貝(조개 패)부
찾기 貝⁷+臤⁸=15 획

′	′′	₹	₹	₹	臣	臣′
臤	臤	臤′	臤	賢	賢	賢

글자뿌리 회의(會意)·형성(形聲) 문자. 조개 패(貝)에 굳을 견(臤 : 堅의 생략자)을 합친 자로, 단단하고 좋은 조개라는 데서 '어질다'의 뜻.

글자풀이 1 어질다. 착하다. 2 현인(賢人). 3 남을 높이는 말.

[賢明] (현명) 어질고 사물의 이치에 밝음.

[賢母良妻] (현모 양처) 자식에게는 어진 어머니인 동시에 남편에게는 착한 아내.

[賢人] (현인) 성인(聖人) 다음 갈 만큼 어질고 현명한 사람.

[聖賢] (성현) 덕망이 높고 어진 사람.

7 赤 (붉을 적) 部

'大'와 '火'를 합친 자로, '붉다'의 뜻을 나타냄.

0
⑦ 【赤】 붉을 적 赤

부수 赤(붉을 적)부
찾기 赤⁷=7 획

一	十	土	尹	赤	赤	赤

글자뿌리 회의(會意) 문자. 큰 대(大)에 불 화(火)를 합친 자로, 타오르는 큰 불의 빛깔이 붉

다는 데서 '붉다'의 뜻이 된 자.

글자풀이 1 붉다. 붉은빛. 2 비다. 아무것도 없다. 3 벌거벗다.

[赤褐色] (적갈색) 붉은빛을 띤 갈색.

[赤裸裸] (적나라) 숨김없이 있는 그대로 드러냄.

[赤道] (적도) 지구의 중심을 통하는 지축에 직각인 평면이 지표와 교차된 선. 남북 양극으로부터 90°의 거리에 있음.

[赤色] (적색) 붉은 빛깔.

[赤信號] (적신호) ① 위험하다는 신호. ② 건널목 등에서 차나 사람에게 멈추어 서라는 신호.

[赤字] (적자) ① 붉은 글씨. ② 수입보다 지출이 많은 상태.

[赤血球] (적혈구) 혈구의 한 가지. 골수에서 생산되며, 산소를 운반하는 헤모글로빈이 있음.

---

⁷ 走 (달아날 주) 部

'大'의 변형인 '土'와 다리를 뜻하는 '止'로 이루어져 '달아나다', '달리다'의 뜻이 된 자.

⁰
⑦ 【走】 달릴 주   走

부수 走 (달아날 주) 부
찾기 走⁷ = 7 획

一	十	土	十	丰	走	走

글자뿌리 회의(會意) 문자. 큰 대(土 : 大의 변형)에 다리를 뜻하는 그칠 지(止=止)를 합친 자로, 팔을 휘저으며 뛰어간다는 데서 '달리다', '달아나다'의 뜻.

走 ⇒ 走 ⇒ 走

글자풀이 1 달리다. 2 달아나다. 도망치다.

[走力] (주력) 달리는 힘.

[走馬看山] (주마 간산) 달리는 말 위에서 산을 바라본다는 뜻으로, 이것저것을 천천히 살펴볼 틈이 없이 바삐 서둘러 대강대강 보고 지나침을 이르는 말.

[走者] (주자) ① 달리는 사람 ② 야구에서, 아웃되지 않고 누에 나가 있는 사람.

[走破] (주파) 끝까지 달림. ⑧

完走(완주).

[競走](경주) 일정한 거리를 달음질하여 빠름을 다투는 일.

[逃走](도주) 달아남.

[疾走](질주) 빨리 달림.

[脫走](탈주) 벗어나서 달아남.

[敗走](패주) 싸움에서 지고 달아남.

³ ⑩【起】일어날 기 起

부수 走 (달아날 주) 부

찾기 走⁷+己³=10 획

一	十	土	丰	丰	非	走

| 起 | 起 | 起 | | | | |

글자뿌리 형성(形聲) 문자. 달아날 주(走〈뜻〉)에 뱀 사(己 : 巳의 변형, 시작한다는 뜻이 있음〈음〉)를 합친 자로, 뱀처럼 달아나기 시작한다는 데서 '일어나다'의 뜻.

훃乚 ⇒ 走己 ⇒ 起

글자풀이 1 일어나다. 일어서다. 2 일으키다. 시작하다.

[起居](기거) 일정한 곳에서 일상 생활을 함. 또는 그 생활.

[起動](기동) 몸을 일으켜서 움직임.

[起立](기립) 일어섬.

[起伏](기복) ① 일어났다 엎드렸다 함. ② 지세가 높아졌다 낮아졌다 함. ③ 세력이 강해졌다 약해졌다 함.

[起用](기용) 어떤 사람을 중요한 자리에 뽑아 올려 씀.

[起源](기원) 어떤 일이나 물건이 생긴 근원.

[起因](기인) 일이 일어나는 원인이 됨. 또는 그 원인.

[起點](기점) 시작하는 곳. 일어나는 점.

[起寢](기침) 일어남. 기상(起床). 〔반〕就寢(취침).

⁷ 足 (발 족) 部

무릎을 가리키는 'ㅁ'와 무릎 아래를 본뜬 '止'로 이루어져 '발'의 뜻을 나타내는 글자.

⁰ ⑦【足】발 족 足

부수 足 (발 족) 부

찾기 足⁷=7 획

丨	口	口	무	무	무	足

글자뿌리 상형(象形) 문자. 무릎〔口〕과 정강이에서 발끝〔止〕까지를 본뜬 글자로, '발'을 뜻함.

足 ⇒ 足 ⇒ 足

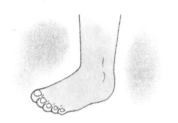

글자풀이 1 발. 2 족하다. 넉넉
하다.

[足鎖] (족쇄) 죄인의 발목에 채
　우던 쇠사슬.

[足跡] (족적) 발자국.

[滿足] (만족) 마음에 모자람이
　없이 흡족함.

[手足] (수족) 손과 발.

[充足] (충족) 일정한 분량에 차
　거나 채움. 모자람이 없음.

[豐足] (풍족) 매우 넉넉하여 모
　자람이 없음.

6
⑬ 【路】 길　로　　路

부수 足 (발 족) 부

찾기 足⁷＋各⁶＝13 획

ヽ	冖	口	𠯣	𠯣	𠯣	𠯣

글자뿌리 형성 (形聲) 문자. 발
족(足〈뜻〉)에 이을 락(各 : 絡의
생략자〈음〉)을 합친 자로, 발길
이 이어져 다니는 '길'이라는 뜻.

글자풀이 길.

[路面] (노면) 길바닥.

[路上] (노상) ① 길 위. ② 길
　가는 도중. ¶路上強盜(노상
　강도).

[路線] (노선) ① 버스·항공기·
　기차 등이 정해 놓고 다니도록
　되어 있는 길. ② 개인이나 단
　체 등의 일정한 활동 방침.

[路資] (노자) 여행하는 데 드
　는 돈. 동 旅費(여비).

[街路樹] (가로수) 길의 양쪽 가
　에 줄지어 나란히 심은 나무.

[歸路] (귀로) 돌아가거나 돌아
　오는 길.

[岐路] (기로) 갈림길.

[大路] (대로) 큰길.

[道路] (도로) 사람이나 차가 다
　니는 비교적 큰 길.

[末路] (말로) ① 인생의 끝판.
　② 갈 데까지 간 나쁜 상태.

[陸路] (육로) 뭍으로 난 길.

[進路] (진로) 앞으로 나아가는
　길. 또는 나아갈 길.

[通路](통로) 통해서 다닐 수
있는 트인 길.

⁷ 身 (몸 신) 部

'申'과 '人'으로 이루어진 글
자로, '아이 배다'라는 뜻에서
발전하여 '몸'을 뜻하게 된 자.

부수 身(몸 신)부

찾기 身⁷=7 획

| ´ | ⺅ | 冂 | 刁 | 自 | 身 | 身 |

(글자뿌리) 형성(形聲) 문자. 납
신(申:'움직이다'의 뜻이 있음
〈음〉)과 사람 인(人〈뜻〉)을 합친
자로, 아이가 뱃속에서 움직인다
는 데서 '아이를 배다' 또는 사람
의 '몸'을 뜻함.

(글자풀이) 1 몸. 2 아이를 배다.
임신하다.

[身邊](신변) 몸의 주변.

[身病](신병) 몸에 지닌 병.

[身分](신분) 개인의 사회적 지
위나 계급.

[身世](신세) ① 자기가 처해 있
는 형편. ② 남에게 도움을 받
거나 괴로움을 끼치는 일.

[身手](신수) 사람의 얼굴에 나
타나는 건강 상태의 밝은 기운.

[身元](신원) 그 사람의 출생
이나 출신 및 경력 등에 관한
일. ¶身元保證(신원 보증).

[身長](신장) 몸의 길이. 키.

[身體](신체) 사람의 몸.

[單身](단신) 혼자 몸.

[短身](단신) 작은 키. ⑲長身
(장신).

[心身](심신) 마음과 몸.

[自身](자신) 제 몸. 자기.

[全身](전신) 온몸.

[出身](출신) ① 출생 당시의 가
정이나 지역적 관계. ② 학교나
직업 등 사회적 신분 관계.

⁷ 車 (수레 거) 部

수레의 모양을 본뜬 글자.

부수 車(수레 거)부

찾기 車⁷=7 획

| 一 | ⺅ | 冂 | 曰 | 曱 | 亘 | 車 |

글자뿌리 **상형**(象形) 문자. 외바퀴 수레의 옆 모양을 본뜬 글자로, '수레'를 뜻함.

글자풀이 1 수레 2 차.

[車庫] (차고) 차를 넣어 두는 창고.

[車道] (차도) 차가 다니는 길.

[車輛] (차량) 수레·차 등을 통틀어 이르는 말.

[車費] (차비) 찻삯.

[車票] (차표) 승차권.

[客車] (객차) 손님을 태우는 차. 여객 열차.

[馬車] (마차) 말이 끄는 수레.

[乘車] (승차) 차를 탐.

[自動車] (자동차) 엔진의 힘으로 도로 위를 달리게 만든 차.

[貨車] (화차) 화물을 실어 나르는 열차.

[人力車] (인력거) 사람의 힘으로 끄는 수레.

[停車場] (정거장) 열차를 세워 짐을 싣고 내리거나 손님이 타고 내릴 수 있도록 하는 곳.

---

② **【軍】** 군사 군 軍
⑨

부수 車 (수레 거) 부
찾기 車⁷+冖²=9 획

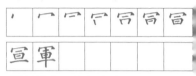

글자뿌리 **회의**(會意) 문자. 수레 거(車)에 쌀 포(冖=勹의 변형)를 합친 자로, 전차로 둘러싸고 진영을 치거나 싸우는 군사라는 데서 '군사', '진치다'의 뜻.

글자풀이 1 군사. 2 진치다.

[軍歌] (군가) 군대의 사기를 돋우기 위하여 부르는 노래.

[軍警] (군경) 군대와 경찰.

[軍紀] (군기) 군대를 지휘하고 감독하기 위한 규율.

[軍旗] (군기) 군의 각 단위 부대를 나타내는 깃발.

[軍隊] (군대) 일정한 규율과 질서 아래 조직된 군인의 집단.

[軍法] (군법) 군대의 규칙을 어기는 군인을 다스리기 위하여 만든 법률.

[軍服] (군복) 군인들의 옷.

[軍士] (군사) 장교의 지휘를 받는 군인. 병사.

[軍人] (군인) 군대의 장교와 사병을 통틀어 이르는 말.

[軍艦] (군함) 해상 전투시에 쓰이는 큰 배.

[軍港] (군항) 해군 함정의 근거지로 특수한 설비를 갖추어 놓은 항구.

[空軍] (공군) 하늘에서 싸우는 군대.

[大軍] (대군) 병사가 많은 군대. ¶百萬大軍(백만 대군).

[我軍] (아군) 우리 편 군대. 咇 敵軍(적군).

[陸軍] (육군) 육지에서 싸우는 군대.

[海軍] (해군) 바다에서 싸우는 군대.

7
⑭ [輕] 가벼울 경 輕

부수 車 (수레 거) 부
찾기 車⁷+巠⁷=14 획

ˊ	ˋ	冂	疒	百	亘	車
車	軒	軒	輕	輕	輕	輕

글자뿌리 형성(形聲) 문자. 수레 거(車〈뜻〉)에 빠를 경(巠 : 徑의 생략자〈음〉)을 합친 자로, 빨리 달리는 수레를 뜻하다가 '가볍다'의 뜻이 된 자.

글자풀이 1 가볍다. 2 가볍게 여기다. 업신여기다. 3 경솔하다.

[輕減] (경감) 세금·형벌 등을 감해 줌.

[輕擧妄動] (경거 망동) 찬찬히 생각해 보지도 않고 경솔하게 행동함. 또는 그런 행동.

[輕工業] (경공업) 비교적 가벼운 공산품이나 일상 생활에 쓰이는 제품을 생산하는 공업.

[輕蔑] (경멸) 깔보아 업신여김.

[輕薄] (경박) 말이나 행동이 신중하지 못하고 가벼움.

[輕傷] (경상) 가벼운 상처. 咇 重傷(중상).

[輕率] (경솔) 말이나 행동이 조심성이 없고 가벼움.

[輕視] (경시) 가볍게 봄. 깔봄.

[輕快] (경쾌) 마음이 홀가분하

고 상쾌함.

⁷ 辛 (매울 신) 部

문신을 하는 바늘 모양을 본
떠 '맵다'는 뜻을 나타냄.

⁰
⑦ 【辛】 매울 신　辛

부수 辛 (매울 신) 부
찾기 辛⁷=7 획

| ′ | 亠 | 亠 | 立 | 立 | 辛 | 辛 |

글자뿌리 상형(象形) 문자. 옛날
에 노예의 이마에 문신을 하던
바늘의 모양을 본떠 '괴롭다', '맵
다'를 뜻함.

글자풀이 1 맵다.　2 고생하다.
괴롭다. 3 천간(天干)의 여덟째.

[辛辣] (신랄) ① 맛이 몹시 쓰
　고 매움. ② 가혹하고 매서움.
[辛味] (신미) 매운 맛.
[千辛萬苦] (천신 만고) 온갖 어
　려움과 고생. 또는 그것을 겪음.

⁷ 辰 (별 진) 部

조개가 껍데기를 벌려서 발
을 내놓고 있는 모양을 본뜬
글자.

⁰
⑦ 【辰】❶ 별　진
❷ 일월성신　辰

부수 辰 (별 진) 부
찾기 辰⁷=7 획

| ′ | 厂 | 厂 | 厎 | 辰 | 辰 | 辰 |

글자뿌리 상형(象形) 문자. 조
개가 껍데기를 벌리고 발을 내놓
은 모양을 본뜬 자로, 조개가 움
직이는 3월에 농사철을 알리는
전갈자리가 나타나는 데서 '별'을
뜻함.

글자풀이 ❶ 1 별. 별 이름. 2
다섯째 지지(地支). ※ 띠로는
용, 방위로는 동남동, 달로는 3
월, 시각으로는 오전 7시~9시.
❷ 3 일월성. 날. 4 아침. 새벽.

[辰時] (진시) 오전 7시~9시.
[辰韓] (진한) 삼한(三韓)의 하
　나. 경상도 동남부에 있던 나라
　로 뒤에 신라가 이를 통일함.
[生辰] (생신) 어른의 생일(生
　日)을 높여 이르는 말.
[日月星辰] (일월 성신) 해와 달
　과 별.

⁶
⑬ 【農】 농사 농　農

부수 辰 (별 진) 부
찾기 辰⁷+曲⁶=13 획

| ⌇ | 冂 | 冉 | 曲 | 曲 | 曲 | 曲 |

| 쁭 | 쁭 | 쁭 | 農 | 農 | 農 |

(글자뿌리) 회의(會意) 문자. 밭 전(曲 : 田의 변형)에 별 진(辰) 을 합친 자로, 별이 보이는 새벽 부터 머리에 수건을 쓰고 밭을 가는 '농부'를 뜻하기도 하고, 농 부가 하는 일이란 데서 '농사'를 뜻함.

⇒ 曰田彐辰 ⇒ 農

(글자풀이) 1 **농사.** 농사짓다. 2 농부.

[農耕] (농경) 논밭을 갊.

[農具] (농구) 농사 기구.

[農林] (농림) 농업와 임업.

[農民] (농민) 농사 짓는 사람.

[農夫] (농부) 농사를 지어서 생 활하는 사람. 농사꾼.

[農事] (농사) 논밭을 갈고 가 꾸는 일.

[農業] (농업) 농사 짓는 직업.

[勸農] (권농) 농사를 장려함.

[富農] (부농) 부유한 농가나 농

민. ⑪ 貧農(빈농).

⁷ 辵 (책받침) 部

조금 걸을 척 '彳'에 그칠 지 '止'를 합친 자로, 한자로는 '쉬 엄쉬엄 갈 착'이고, 부수 명칭 은 '책받침', '갖은 책받침'임.

⁴
⑧ 【近】 가까울 근 近

부수 辵 (책받침) 부

찾기 辶⁴(辵)＋斤⁴＝8 획

| ⌒ | 厂 | 斤 | 斤 | 近 | 近 | 近 |

(글자뿌리) 형성(形聲) 문자. 무게 근(斤 : 僅〔겨우 근〕의 뜻〈음〉)에 쉬엄쉬엄 갈 착(辶＝辵〈뜻〉)을 합친 자로, 거리가 얼마 안 되어 쉬엄쉬엄 가도 된다는 데서 '가깝 다'의 뜻이 된 자.

⇒ 斤辵 ⇒ 近

(글자풀이) 가깝다.

[近間] (근간) 요사이. 요즈음.

⑧ 近來(근래).

[近郊] (근교) 가까운 교외.

[近年] (근년) 최근 몇 해 사이.

[近似] (근사) ① 기준에 가깝거
나 아주 비슷함. ② 그럴싸하게
좋음.

[近視] (근시) 먼 데에 있는 것
을 선명하게 보지 못하는 일.
또는 그런 눈. ⑪ 遠視(원시).

[近接] (근접) 가까워짐. 가까이
닿음.

[近處] (근처) 가까운 곳.

[近海] (근해) 육지에서 가까운
바다.

[近況] (근황) 요즈음의 상황.

[遠近] (원근) 멀고 가까움. 또
는 먼 곳과 가까운 곳.

[接近] (접근) 가까이 함. 바싹
다가붙음.

[最近] (최근) ① 얼마 안 되는
지나간 날. 요즘. ② 현재를 기
준으로 한 앞뒤의 가까운 시기.

[親近] (친근) 사귀어서 두터워
진 정으로 인해 매우 가까움.

⁴
⑧ 【迎】 맞이할 영 迎

부수 辵 (책받침) 부

찾기 辶 ⁴(辵) + 卬 ⁴ = 8 획

| ′ | 亻 | 乜 | 卬 | 卬 | 迎 | 迎 |

글자뿌리 형성(形聲) 문자. 높

을 앙(卬〈음〉)에 쉬엄쉬엄 갈 착
(辶=辵〈뜻〉)을 합친 자로, 천천
히 오는 사람을 공손히 우러러
'맞이한다'는 뜻.

글자풀이 맞이하다. 마중하다.

[迎賓] (영빈) 귀한 손님을 맞
이함. 손님을 맞음.

[迎新] (영신) ① 새해를 맞음.
② 새로운 것을 맞아들임. ¶
送舊迎新 (송구 영신).

[迎接] (영접) 손님을 맞아 접
대함.

[歡迎] (환영) 기쁘게 맞음.

⁶
⑩ 【送】 보낼 송 送

부수 辵 (책받침) 부

찾기 辶 ⁴(辵) + 癸 ⁶ = 10 획

′	八	亼	乴	癶	关	癸
送	送	送				

글자뿌리 형성(形聲) 문자. 전
송할 잉(癸:媵의 생략형〈음〉)에
쉬엄쉬엄 갈 착(辶〈뜻〉)을 합친

자로, 떠나는 사람을 전송한다는 데서 '보내다'의 뜻.

글자풀이 보내다.

[送舊迎新] (송구 영신) 묵은 해를 보내고 새해를 맞음.

[送別] (송별) 사람을 떠나 보내는 일.

[送還] (송환) 도로 돌려 보냄.

[發送] (발송) 물건이나 우편물 따위를 부침.

[輸送] (수송) 차·선박·비행기 따위로 짐이나 사람 등을 실어 보냄.

[電送] (전송) 사진 따위를 전류나 전파를 이용하여 먼 곳으로 보냄.

[護送] (호송) ① 보호하여 보냄. ② 죄인 따위를 감시하면서 데려감.

[後送] (후송) ① 후방으로 보냄. ② 나중에 보냄.

⑩ 6 [逆] 거스를 역 逆

부수 辵(책받침)부

찾기 辶⁴(辵) + 屰⁶ = 10 획

`丶 丷 꾸 芢 屰 屰 逆 逆 逆 逆`

글자뿌리 형성(形聲) 문자. 거스를 역(屰: 사람이 거꾸로 선 모양〈음〉)에다 쉬엄쉬엄 갈 착(辶〈뜻〉)을 합친 자로, 길을 거꾸로 거슬러 간다는 데서 '거스르다'의 뜻.

글자풀이 거스르다. 배반하다.

[逆境] (역경) 뜻대로 되지 않는 경우. 불운한 처지.

[逆流] (역류) ① 물이 거슬러 흐름. 또는 그 물. ② 흐르는 물을 거슬러 올라감.

[逆說] (역설) 언뜻 보기에는 진리에 어긋나는 것 같으나, 사실은 그 속에 일종의 진리를 품고 있는 말.

[逆襲] (역습) 적의 공격을 받고 있던 수비측이 거꾸로 공격하는 일.

[逆轉] (역전) 형세가 뒤바뀌어 반대의 상황이 됨.

[逆風] (역풍) 자기가 가고 있는 방향에서 마주 불어 오는 바람.

[拒逆] (거역) 윗사람의 뜻이나 명령을 어기어 거스름.

[反逆] (반역) 배반하여 돌아섬.

6 ⑩【追】 따를 추

부수 辵(책받침)부

찾기 辶⁴(辵)+自⁶=10 획

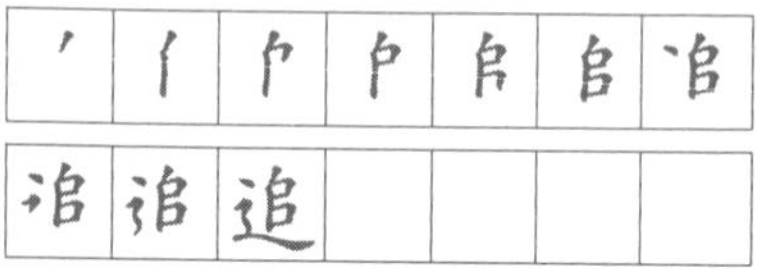

(글자뿌리) 형성(形聲) 문자. 퇴(𠂤: 隨〔따를 수〕의 뜻〈음〉)에 쉬엄쉬엄 갈 착(辶〈뜻〉)을 합친 자로, 뒤를 따라간다는 데서 '따르다', '쫓는다'는 뜻.

(글자풀이) 1 따르다. 좇다. 2 쫓다.

[追加] (추가) 나중에 더하여 보탬. ¶ 追加豫算(추가 예산).

[追擊] (추격) 도망가는 적을 뒤쫓아가면서 공격함.

[追求] (추구) 목적한 것을 이루고자 끝까지 쫓아 구함.

[追慕] (추모) 죽은 사람을 생각하고 그리워함.

[追放] (추방) ① 잘못된 것이나 나쁜 것을 그 사회에서 몰아냄. ② 쓸모 없는 사람을 그 직장이나 직위에서 쫓아 내거나 몰아 냄.

[追憶] (추억) 이미 지나간 일이나 가 버린 사람을 돌이켜 생각함. 또는 그 생각.

[追從] (추종) ① 뒤를 따름. ② 아첨하여 좇음.

[追後] (추후) 일이 지나간 뒤. 나중.

6 ⑩【退】 물러날 퇴

부수 辵(책받침)부

찾기 辶⁴(辵)+艮⁶=10 획

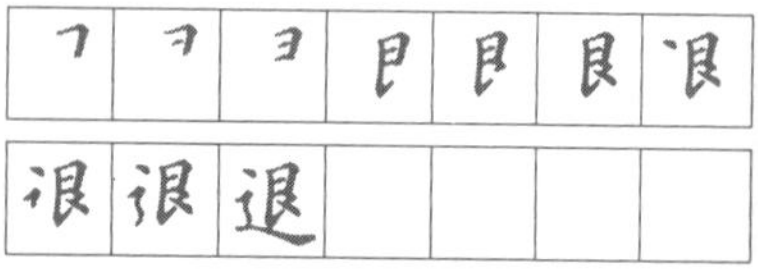

(글자뿌리) 회의(會意) 문자. 날 일(日)과 조금 걸을 척(彳=彳)에 쉬엄쉬엄 갈 착(辶)을 합친 자로, 해가 차츰차츰 저물어 간다는 데서 '물러나다'의 뜻이 됨.

(글자풀이) 1 물러나다. 2 물리치다. 3 바래다.

[退却] (퇴각) 전투 따위에 져서 뒤로 물러남.

[退勤] (퇴근) 직장에서 일을 마치고 나옴.

[退步] (퇴보) ① 뒤로 물러섬. ② 재주·능력 등이 전보다 못하게 됨.

[退社] (퇴사) 사원(社員)이 회사를 그만두고 물러남.

[退色] (퇴색) 빛이 바램.

[退院] (퇴원) 입원했던 환자가 건강을 회복하고 병원에서 나옴. ⑪入院(입원).

[退任] (퇴임) 임무에서 물러남.

[退職] (퇴직) 현직에서 물러남. 직장을 그만둠.

[退治] (퇴치) 물리쳐 없애 버림. ¶ 文盲退治(문맹 퇴치).

[退學] (퇴학) 다니고 있던 학교를 그만둠.

[減退] (감퇴) 기세나 체력 등이 줄어져 약해짐.

[辭退] (사퇴) ① 사양하여 받아들이지 않음. ② 어떤 지위에서 물러남. ③ 윗사람에게 작별을 고하고 물러남.

[早退] (조퇴) 직장이나 학교에서, 끝나는 시간이 되기 전에 일찍 돌아감.

[進退] (진퇴) ① 나아감과 물러섬. ② 직무상 또는 일신상의 거취.

[後退] (후퇴) 뒤로 물러감.

---

7 ⑪ 【連】 이을 련 連

부수 辵 (책받침) 부

찾기 辶⁴(辵) + 車⁷ = 11 획

一	冂	冂	曱	百	亘	車
車	連	連	連			

글자뿌리 회의(會意) 문자. 수레 거(車)에 쉬엄쉬엄 갈 착(辶)을 합친 자로, 여러 대의 수레가 잇달아 달린다는 데서 '잇다', '연하다'의 뜻이 된 자.

⇒ 車辶 ⇒ 連

글자풀이 잇다. 연하다.

[連結] (연결) 서로 이어서 맺음. ⑪分離(분리).

[連續] (연속) 끊이지 않고 죽 이음. 또는 이어짐.

[連鎖] (연쇄) ① 여러 개를 연결하는 사슬. ② 서로 연이어 맺음. ¶ 連鎖反應(연쇄 반응).

[連日] (연일) ① 여러 날을 계속함. ② 매일. 날마다.

[連載] (연재) 신문이나 잡지 따위에, 소설이나 기사·논문·만화 따위를 연속해서 싣는 일. ¶ 連載小說(연재 소설).

[連打] (연타) ① 연이어 침. ② 야구에서, 안타가 이어지는 일.

[連敗] (연패) 두 차례 이상의

전쟁이나 시합 따위에서 연달
아 짐. ⑪ 連勝(연승).
[連行] (연행) 강제로 데리고 감.
특히, 범인이나 수상한 사람 등
을 경찰서로 데리고 가는 일.

7
⑪ 【逢】 만날 봉 逢

부수 辵 (책받침)부
찾기 辶⁴(辵)+夆⁷=11 획

| ノ | ク | タ | 夂 | 夆 | 夆 | 夆 |
| 夆 | 逢 | 逢 | 逢 | | | |

글자뿌리 형성 (形聲) 문자. 만날
봉(夆〈음〉)에 쉬엄쉬엄 갈 착(辶
〈뜻〉)을 합친 자로, 길을 가다가
만난다는 데서 '만나다'의 뜻.

글자풀이 만나다.

[逢變] (봉변) ① 남에게 모욕을
당함. ② 뜻밖에 화를 입음.
[相逢] (상봉) 서로 만남.

7
⑪ 【速】 빠를 속 速

부수 辵 (책받침)부
찾기 辶⁴(辵)+束⁷=11 획

| 一 | ㄷ | ㅁ | 曰 | 申 | 束 | 束 |
| 束 | 涑 | 涑 | 速 | | | |

글자뿌리 형성 (形聲) 문자. 쉬
엄쉬엄 갈 착(辶〈뜻〉)에 묶을 속
(束 : 促〔재촉 촉〕의 뜻〈음〉)을
합친 자로, 나무를 묶듯이 맺은
약속을 지키기 위해 서둘러 간다
는 데서 '빠르다'의 뜻이 된 자.

 ⇒ ⇒ 速

글자풀이 빠르다.

[速決] (속결) 빨리 끝을 맺음.
빨리 결정함. ¶ 速戰速決(속전
속결).
[速攻] (속공) 재빨리 공격함.
[速記] (속기) 남의 말을 기호
를 이용하여 빠르게 받아 적는
일. 또는 그 기술.
[速力] (속력) 빠른 힘. 빠르기.
[速成] (속성) 빨리 일을 이룸.
¶ 速成栽培(속성 재배).
[速行] (속행) ① 빨리 감. ② 빨
리 실행함.
[加速] (가속) 속도가 점점 빨
라짐. 또는 빨라진 그 속도.
[急速] (급속) ① 몹시 급함. ②
몹시 빠름.
[迅速] (신속) 매우 빠름.

[快速] (쾌속) 자동차나 선박 등의 속도가 매우 빠름.

7⑪ 【造】 지을 조 造

부수 辵 (책받침)부
찾기 辶⁴(辵)+告⁷=11 획

| ノ | ⼃ | ⼩ | 生 | 牛 | 告 | 告 |

| 告 | 浩 | 造 | 造 | | | |

(글자뿌리) 형성 (形聲) 문자. 쉬엄쉬엄 갈 착(辶〈뜻〉)에 알릴 고(告〈음〉)를 합친 자로, 해야 할 일을 남에게 알리기 위해 '나아간다'는 뜻임. 나아가 일을 이루기 위해 '짓다', '만들다'의 뜻이 된 자.

🐚 🈺 ⇒ 告辶 ⇒ 造

(글자풀이) 짓다. 만들다.

[造物主] (조물주) 천지 만물을 만들고 다스리는 신.

[造成] (조성) 만들어서 이루어 냄. ¶ 綠地造成(녹지 조성).

[造語] (조어) 새로 말을 만듦.

또는 그 말.

[造作] (조작) ① 물건을 만듦. ② 일부러 무엇과 비슷하게 만듦. 또, 일을 꾸며 만듦.

[造化] (조화) 대자연이 만물을 생성하고, 또 멸망시키고 하는 이치.

[造花] (조화) 종이나 천 따위로 만든 꽃.

[改造] (개조) 고쳐 다시 만듦.

[模造] (모조) 본떠서 만듦. 또는 그러한 물품. ¶ 模造品(모조품).

[人造] (인조) 사람이 만듦. 천연물과 비슷하게 인공으로 만듦. 또는 그 물건.

7⑪ 【通】 통할 통 通

부수 辵 (책받침)부
찾기 辶⁴(辵)+甬⁷=11 획

| ノ | マ | マ | ⼸ | 月 | 甬 | 甬 |

| 甬 | 浦 | 通 | 通 | | | |

(글자뿌리) 형성 (形聲) 문자. 길 용(甬 : 洞〔꿰뚫을 통〕의 뜻〈음〉)에 쉬엄쉬엄 갈 착(辶〈뜻〉)을 합친 자로, 골목길은 큰길로 곧장 뚫려 있다는 데서 '통하다'의 뜻.

🐚 🈺 ⇒ 甬辶 ⇒ 通

글자풀이 **1** 통하다. **2** 내왕하다. 다니다. **3** 알리다.

[通過] (통과) ① 통하여 지나가거나 옴. ② 회의에서 의안이 가결됨. ③ 검사나 시험 따위에 합격함. ④ 어려운 고비를 치러 넘김.

[通念] (통념) 일반적인 공통된 생각.

[通達] (통달) 막힘이 없이 환히 앎.

[通路] (통로) 통해서 다닐 수 있게 트인 길.

[通報] (통보) 통지하여 보고함. 또는 그 보고.

[通常] (통상) 특별한 것이 없이 예사임.

[通姓名] (통성명) 처음 인사할 때 서로 성과 이름을 일러 줌.

[通俗] (통속) ① 세상에 널리 통하는 일반적인 풍속. ② 일반 대중이 쉽게 알 수 있는, 전문적이지 않은 일.

[通信] (통신) ① 소식을 전함. ② 우편·전화·전신 따위로 서로 소식을 전하는 일.

[通用] (통용) 널리 두루 쓰임.

[通知] (통지) 기별하여 알림.

[通風] (통풍) 바람이 통함. 바람을 통하게 함.

[通學] (통학) 학교에 다님. 학교에 다니며 공부함.

[通行] (통행) 길로 통하여 다님. 내왕. ¶ 左側通行(좌측 통행).

[開通] (개통) 새로 낸 다리·항로·전신·전화 등의 통행을 처음으로 시작함.

[不通] (불통) ① 교통이나 통신 따위가 막혀 연락이 되지 아니함. ② 의사가 통하지 아니함.

[亨通] (형통) 모든 일이 뜻대로 잘 되어 감. ¶ 萬事亨通(만사 형통).

8 ⑫ 【進】 나아갈 진 進

부수 辵 (책받침)부

찾기 辶⁴(辵)+隹⁸=12 획

| ノ | イ | イ′ | イ″ | 什 | 伴 | 隹 |
| 隹 | 隹 | 淮 | 進 | 進 | | |

글자뿌리 회의(會意)·형성(形聲) 문자. 새 이름 린(隹:閵의 생략자〈음〉)에 쉬엄쉬엄 갈 착(辶〈뜻〉)을 합친 자로, 쉬던 새가 나아간다는 데서 '나아가다'의 뜻.

글자풀이 1 나아가다. 2 오르다. 3 나아지다.

[進級] (진급) 등급·계급·학년 등이 오름.

[進度] (진도) 일이 진행되는 속도. 또는 그 정도.

[進步] (진보) 점점 잘 되어 나감. 차차 발달함.

[進上] (진상) 지방에서 나는 귀한 물건을 윗사람이나 임금에게 바침.

[進入] (진입) 향하여 들어감.

[進展] (진전) 진보하고 발전함.

[進出] (진출) 어떠한 방면으로 나섬.

[進退兩難] (진퇴 양난) 나아갈 수도 물러날 수도 없음.

[進學] (진학) ① 학문의 길에 나아가 배움. ② 상급 학교에 들어감.

[進化] (진화) ① 사물(事物)이 차차 더 나은 방향으로 되어감. ② 생물이 오랜 동안에 걸쳐 조금씩 변화하여 보다 복잡하고 우수한 종류의 것으로 되어 가는 일.

[急進] (급진) ① 앞으로 급하게 나아감. ② 목적이나 이상 따위를 급히 실현하고자 변혁을 서두름.

[漸進] (점진) 차례를 따라 차차 나아감. 조금씩 나아감.

[精進] (정진) ① 정성을 다하여 노력함. ② 몸을 깨끗이 하고 마음을 가다듬음.

[行進] (행진) 여럿이 줄을 지어 앞으로 나아감.

[後進] (후진) ① 사회 등에 뒤늦게 나아감. 또는 그런 사람. ② 후배. ③ 문화의 발달이 뒤떨어짐. ④ 차 등이 뒤쪽으로 나아감.

9
⑬ 【過】 지날 과 過

부수 辵(책받침)부

찾기 辶⁴(辵)＋咼⁹＝13 획

ⱂ	⑁	Ⅾ	Ⅾ	Ⅾ	吊	咼

咼	咼	渦	渦	過	過

글자뿌리 형성(形聲) 문자. 입 비뚤어질 와·괘(咼〈음〉)에 쉬엄 쉬엄 갈 착(辶〈뜻〉)을 합친 자로, 말이 비뚤어지게 나간다는 데서 '지나다', '허물'을 뜻함.

글자풀이 1 지나다. 지나치다. 2 실수. 실수하다. 3 죄. 허물.

[過去] (과거) 지나간 때.

[過多] (과다) 지나치게 많음.

[過渡] (과도) 한 현상에서 다른 현상으로 넘어감.

[過勞] (과로) 지나치게 일을 하여 지침.

[過半數] (과반수) 반(半)이 넘는 수. 절반 이상의 수.

[過分] (과분) 분수에 넘침. 신분에 알맞지 아니함.

[過小評價] (과소 평가) 실제보다 낮게 또는 나쁘게 평가함.

[過飮] (과음) 술을 지나치게 마심. 너무 많이 마심.

[過讚] (과찬) 지나치게 칭찬함. 또는 과분한 칭찬.

[經過] (경과) ① 시간이 지나감. ② 어떤 곳이나 단계를 거침. ③ 시간이 지남에 따라 진행하고 변화하는 상태.

[罪過] (죄과) 죄가 될 만한 허물. 그릇된 허물.

9
⑬ 【達】 통달할 달
이를 달

부수 辵(책받침)부

찾기 辶⁴(辵) + 幸⁹ = 13 획

一	十	土	土	𡗗	𡍄	奎
奎	幸	幸	達	達	達	

글자뿌리 형성(形聲) 문자. 새끼양 달(幸＝奎의 변형〈음〉)에 쉬엄쉬엄 갈 착(辶〈뜻〉)을 합친 자로, 새끼양이 어미양을 찾아간다는 데서, '이르다'의 뜻이 된 자.

글자풀이 1 통달하다. 깨닫다. 이르다. 3 나타나다. 출세하다. 능숙하다. 5 이루다.

[達觀] (달관) ① 사물에 대하여 통달한 관찰. ② 세속을 벗어난 높은 견식.

[達辯] (달변) 말이 능숙함. 매우 능란한 말솜씨.

[達筆] (달필) 글씨나 글을 잘 쓰는 일. 또는 그러한 글씨나 글

[到達] (도달) 정한 곳이나 어떤 수준에 이르러 다다름.

[配達] (배달) 우편물이나 물품 등을 가져다가 전해 주는 일.

[熟達] (숙달) 익숙하고 통달함.

[示達] (시달) 상급 기관에서 하급 기관 등에 지시 사항이나 주의 사항 따위를 전달함. 또는 그 전달.

9
⑬ 【道】 길 도 道

부수 辵 (책받침) 부
찾기 辶 ⁴(辵)+首 ⁹=13 획

| 丶 | 丷 | 丷 | 丷 | 丷 | 丷 | 首 |

| 首 | 首 | 首 | 道 | 道 | 道 |

(글자뿌리) 회의(會意) 문자. 머리 수(首)에 쉬엄쉬엄 갈 착(辶)을 합친 자로, '首'는 사람의 뜻으로 사람이 마땅히 걸어가야 할 길, 곧 도덕적인 '길'을 뜻하다가 사람이 왕래하는 '길'을 뜻하게 된 자.

⇒ ⇒ 道

(글자풀이) 1 길. 2 도리. 3 도.
※ 행정 구역의 한 단위.

[道德] (도덕) 사람으로서 반드시 행해야 할 바른 도리와 행동.

[道理] (도리) ① 사람이 지켜야 하는 바른 길. ② 마땅한 방법이나 길.

[道通] (도통) 사물의 깊은 이치를 깨달아 앎.

[步道] (보도) 사람이 걸어다니는 길.

[報道] (보도) 신문이나 방송으로 새 소식을 널리 알림. 또는 그 소식.

[修道] (수도) 도를 닦으며 수양을 쌓는 일.

[孝道] (효도) 어버이를 잘 섬김. 또는 그 도리.

9
⑬ 【遇】 만날 우 遇

부수 辵 (책받침)부
찾기 辶 ⁴(辵)+禺 ⁹=13 획

| 丿 | 冂 | 日 | 日 | 甲 | 禺 | 禺 |

| 禺 | 禺 | 遇 | 遇 | 遇 | 遇 |

(글자뿌리) 형성(形聲) 문자. 마침 우(禺 : 偶의 생략자〈음〉)에다 쉬엄쉬엄 갈 착(辶〈뜻〉)을 합친 자로, 길을 가다가 우연히 생각지 않은 사람을 만난다는 데서, '만나다'의 뜻이 된 자.

(글자풀이) 1 만나다. 2 상대하다. 맞서다. 3 대접하다.

[遇待] (우대) 신분에 맞게 대접함.

[禮遇] (예우) 예(禮)로써 대접함. 예의를 다하여 대우함.

⑬ 9 【運】 돌 운 運

부수 辵 (책받침)부
찾기 辶⁴(辵)＋軍⁹＝13 획

⟍	⟍	⟍	⟍	⟍	⟍	⟍
亘	軍	軍	渾	運	運	

글자뿌리 형성(形聲) 문자. 군사 군(軍〈음〉)에 쉬엄쉬엄 갈 착(辶〈뜻〉)을 합친 자로, 군사들이 이동하기 위해 천천히 돌며 간다는 데서 '돌다', '움직이다'의 뜻이 된 자.

글자풀이 1 돌다. 2 움직이다. 운전하다. 3 옮기다. 4 운수.

[運動] (운동) ① 돌아다니며 움직임. ② 물체가 시간이 지남에 따라 위치를 바꾸는 일. ③ 건강을 위해서 몸을 움직이는 일.

[運命] (운명) 사람을 둘러싸고 다가오는 좋은 일과 나쁜 일.

[運搬] (운반) 물건을 나름.

[運輸] (운수) 사람이나 물건을 차나 배로 실어 나르는 일.

[運賃] (운임) 운반하는 삯.

[運轉] (운전) 기계나 자동차 등을 조종하여 달리게 함.

[運航] (운항) 배 또는 항공기가 정해진 항로를 따라 오고감.

[運行] (운행) ① 운전하며 다님. ② 천체가 그 궤도를 따라 운동함.

[不運] (불운) 운수가 좋지 않음. 언짢은 운수.

[天運] (천운) 하늘이 정한 운.

[幸運] (행운) 좋은 운수. 행복한 운수.

⑬ 9 【遊】 놀 유 遊

부수 辵 (책받침)부
찾기 辶⁴(辵)＋斿⁹＝13 획

⟍	⟍	⟍	⟍	⟍	⟍	⟍
方	斿	斿	游	游	遊	

글자뿌리 형성(形聲) 문자. 깃발 유(斿〈음〉)에 쉬엄쉬엄 갈 착(辶〈뜻〉)을 합친 자로, 아이들이 깃발을 들고 서로 어울려 다닌는 데서 '놀다'의 뜻.

<글자풀이> 1 놀다. 즐기다. 2 여행하다.

[遊覽] (유람) 돌아다니며 구경함. ¶ 遊覽船(유람선).

[遊牧] (유목) 일정한 거처를 정하지 않고 물과 목초를 따라 소·양·말 등의 가축을 몰고 다니며 하는 목축.

[遊說] (유세) 각처로 돌아다니면서 자기 또는 자기가 소속한 당의 주장을 선전함.

[遊戲] (유희) 즐겁게 놂.

10
⑭ [遠] 멀 원 遠

부수 辵 (책받침)부
찾기 辶⁴(辵)+袁¹⁰=14 획

一	十	土	耂	吉	吉	声
声	恚	袁	遠	遠	遠	遠

<글자뿌리> 형성 (形聲) 문자. 옷이 길 원(袁〈음〉)에 쉬엄쉬엄 갈 착(辶〈뜻〉)을 합친 자로, 옷이 긴 것처럼 가야 할 길이 아득하

다는 데서 '멀다'의 뜻이 된 자.

⇒ ⇒ 遠

<글자풀이> 1 멀다. 멀리하다. 2 심오하다. 깊다.

[遠景] (원경) 멀리 보이는 경치. 먼 데서 보는 경치.

[遠近] (원근) 멀고 가까움. 또는 먼 곳과 가까운 곳.

[遠大] (원대) 생각이나 계획이 깊고 큼.

[遠視] (원시) 먼 곳은 잘 보이나 가까운 곳이 잘 보이지 않는 눈.

[遠心力] (원심력) 물체가 돌아갈 때 중심으로부터 떨어져 나가려고 하는 힘.

[遠洋漁業] (원양 어업) 잡은 물고기를 오래 간수할 수 있는 냉장·냉동 시설과 가공 시설을 갖춘 큰 배로 먼 바다에 나가 고기잡이를 하는 일.

[遠因] (원인) 먼 원인. 간접적인 원인.

[遠征] (원정) ① 먼 곳으로 적을 치러 감. ② 운동 경기를 하러 먼 곳으로 감.

[深遠] (심원) 생각·사상·뜻 따위가 매우 깊음.

[永遠] (영원) ① 세월이 끝없이 길고 오램. ② 시간을 초월하여 존재하는 일. 시간에 좌우되지 않는 존재.

⑮ 〔適〕 맞을 적 適

부수 辵(책받침)부
찾기 辶⁴(辵)＋啇¹¹＝15 획

丶	亠	十	六	产	产	啇
啇	啇	啇	啇	啇	適	適

글자뿌리 형성(形聲) 문자. 밑둥 적(啇 : 곧바르다는 뜻〈음〉)에 쉬엄쉬엄 갈 착(辶〈뜻〉)을 합친 자로, 앞으로 곧바로 쉬엄쉬엄 간다는 데서 '가다', '맞다'의 뜻.

글자풀이 1 맞다. 마땅하다. 2 즐기다. 3 가다.

[適格] (적격) 알맞은 자격.
[適當] (적당) ① 꼭 알맞음. ② 임시 변통이나 눈가림으로 대충 해 버림.
[適用] (적용) 잘 맞추어 씀.
[適應] (적응) 일정한 조건이나 환경에 알맞게 됨.
[適者生存] (적자 생존) 생존 경쟁의 세계에서 외계의 상태나 변화에 적합하거나 잘 적응하는 것만이 살아 남고, 그렇지 못한 것은 멸망하는 일.
[適材適所] (적재 적소) 적당한 인재를 적당한 자리에 씀.
[適正] (적정) 알맞고 바름. ¶

適正價格(적정 가격).
[適中] (적중) 넘치거나 모자람이 없이 꼭 알맞음.
[適合] (적합) 꼭 들어맞음. 합당함.

⑯ 〔選〕 가릴 선 選

부수 辵(책받침)부
찾기 辶⁴(辵)＋巽¹²＝16 획

丁	ユ	巳	㞋	㠯	巴	巴
㠯	毘	巽	巽	巽	巽	選
選	選					

글자뿌리 형성(形聲) 문자. 부드러울 손(巽〈음〉)에다 쉬엄쉬엄 갈 착(辶〈뜻〉)을 합친 자로, 신에게 제사를 지내러 갈 부드러운 사람을 가려 뽑는다는 데서 '가리다', '뽑다'의 뜻.

글자풀이 가리다. 뽑다.

[選擧] (선거) 일정한 조직이나 집단에서 그 대표자나 임원을 투표 등의 방법으로 뽑음.

[選拔] (선발) 여럿 가운데서 추려 뽑음.

[選手] (선수) 운동 경기나 특정한 기술이 뛰어나 여럿 중에서 대표로 뽑힌 사람.

[選用] (선용) 사람을 쓰는 데 골라서 씀.

[選擇] (선택) 골라서 뽑음.

[落選] (낙선) ① 선거에서 떨어짐. ② 작품의 심사나 선발 대회 등에서 뽑히지 않음.

[當選] (당선) ① 선거에서 뽑힘. ② 출품작 따위가 심사에 통과하여 뽑힘.

[精選] (정선) 공을 들여 좋은 것을 골라 뽑음.

¹²〔**遺**〕 남을 유 遺
₁₆

부수 辵 (책받침)부

찾기 辶⁴(辵)＋貴¹²＝16 획

⟶	口	口	中	虫	串	부
串	靑	眚	貴	貴	遺	遺
遺	遺					

글자뿌리 형성(形聲) 문자. 귀할 귀(貴〈음〉)에 쉬엄쉬엄 갈 착

(辶〈뜻〉)을 합친 자로, 길을 가다가 귀한 물건을 떨어뜨려 잃어버린다는 데서 '남겨 두다'의 뜻이 된 자.

글자풀이 **1** 남다. 남기다. **2** 끼치다. **3** 버리다. 잃다.

[遺憾] (유감) 마음에 차지 않아서 매우 섭섭함.

[遺棄] (유기) 돌보지 않고 내버림. ¶職務遺棄(직무 유기).

[遺物] (유물) 옛 사람이 남긴 물건.

[遺腹子] (유복자) 어머니의 뱃속에 있을 때 아버지를 여의고 태어난 자식.

[遺産] (유산) 죽은 사람이 남겨 놓은 재산.

[遺言] (유언) 사람이 죽을 때, 마지막으로 남기는 말.

[遺跡] (유적) 남아 있는 옛 사람의 자취.

[遺傳] (유전) 조상이나 부모의 체질, 또는 성격 등이 자손에게 전해지는 일.

[遺族] (유족) 죽은 사람의 뒤에 남은 가족.

⁷邑 (고을 읍) 部

원래는 제후의 영토를 뜻하였으나, 훗날 변하여 사람들이 모여 사는 '마을', '고을'을 뜻하게 된 자. 'ß'(우부방)은 한 자의 구성에서 방으로 쓰일 때의 자형임.

⁰⑦ 【邑】 고을 읍

부수 邑 (고을 읍) 부
찾기 邑⁷ = 7 획

ヽ	口	口	무	뮤	뮴	邑

글자뿌리 회의(會意) 문자. 둘러쌀 위(囗 : 圍의 옛 글자)에 병부 절(巴 = 卩 : 사람이 무릎을 꿇은 모양)을 합친 자로, 일정한 경계 안에 사람들이 모여 사는 '마을', '고을'을 뜻함.

글자풀이 1 고을. 마을. 2 영지.
[邑內] (읍내) 읍의 구역 안.
[都邑] (도읍) 서울.

⁷⑩ 【郡】 고을 군

부수 邑 (고을 읍) 부
찾기 ß³(邑) + 君⁷ = 10 획

ㄱ	ㄱ	ㄱ	尹	尹	君	君
君	郡	郡				

글자뿌리 형성(形聲) 문자. 임금 군(君〈음〉)에 고을 읍(ß = 邑〈뜻〉)을 합친 자로, 임금이 백성을 다스리기 쉽도록 나눠진 마을이라는 데서 지방 행정 구획의 하나인 '군'을 뜻함.

글자풀이 1 고을. 2 관청.
[郡守] (군수) 군의 행정을 맡아 보는 책임자.
[郡廳] (군청) 군의 일을 맡아 보는 관청.

⁷⑩ 【郞】 사내 랑

부수 邑(고을 읍)부
찾기 阝³(邑)＋良⁷＝10 획

`	ㄱ	ㅋ	ㅋ	自	自	良
良⁷	郎	郎				

(글자뿌리) 형성(形聲) 문자. 어질 량(良〈음〉)에 고을 읍(阝＝邑〈뜻〉)을 합친 자로, 중국 주나라 때 노(魯)나라의 땅 이름으로, 이 마을의 젊은이를 낭군이라 부른 데서 유래하여 '사내'를 뜻함.

(글자풀이) 1 사내. 2 남편.

[郞君] (낭군) 아내가 자기 남편을 정답게 일컫는 말.

[花郞] (화랑) 신라 시대, 청소년으로 조직되었던 민간 수양 단체. 또는 그 중심 인물. 나라의 기둥을 길러 내는 데 이바지하였음.

3
④ 【部】 거느릴 부 部

부수 邑(고을 읍)부
찾기 阝³(邑)＋咅⁸＝11 획

`	ㅗ	ㅗ	ㅗ	立	产	咅
咅	咅⁷	咅阝	部			

(글자뿌리) 형성(形聲) 문자. 가를 부(咅〈음〉)에다 고을 읍(阝＝邑〈뜻〉)을 합친 자로, 중앙에서

다스리기 편하게 여러 고을로 '나누다'의 뜻.

(글자풀이) 1 거느리다. 2 나누다. 가르다. 3 마을. 4 떼. 무리.

[部隊] (부대) ① 한 단위의 군인의 집단. ② 한 덩어리가 되어 행동하는 단체.

[部落] (부락) 도시 이외의 지역에서 여러 살림집들이 모여 이룬 곳이나 집단. 촌락.

[部類] (부류) 어떤 공통된 성격 등에 따라 나눈 갈래.

[部門] (부문) 전체를 몇 개로 갈라 놓은 하나하나의 부분.

[部分] (부분) 전체를 몇 개로 나눈 것의 하나.

[部族] (부족) 같은 조상 아래 공통된 언어와 종교 등을 가지고 같은 지역에서 거주하는 공동체. ¶ 部族社會(부족 사회).

[部下] (부하) 남의 밑에 딸려서 그의 명령에 따라 움직이는 사람.

[幹部] (간부) 회사나 단체 등

조직의 중심이 되는 지도적인 위치에 있는 인물.

[內部] (내부) ① 사물의 안쪽 부분. ② 어떤 조직에 속하는 범위의 안.

[外部] (외부) ① 사물의 바깥 부분. ② 그 단체나 조직의 밖.

[下部] (하부) ① 아래쪽 부분. ② 하급의 기관. 또는 그 사람.

9
⑫ 【都】 도읍 도 都

부수 邑(고을 읍)부

찾기 阝³(邑)+者⁹=12 획

一	十	土	耂	耂	耂	者
者	者	者⁷	都⁹	都		

글자뿌리 형성 (形聲) 문자. 사람 자(者 : 모은다는 뜻이 있음 〈음〉)에 고을 읍(阝 = 邑〈뜻〉)을 합친 자로, 고을 중에서 사람이나 갖가지 물건이 많이 모이는 곳이라는 데서 '도읍', '도회지'의 뜻.

글자풀이 1 도읍. 서울. 도회지.
2 모두.

[都邑] (도읍) 서울.

[都合] (도합) 모두 한데 합해서. 또는 그 셈.

[都會] (도회) 사람이 많이 모여 사는 번화한 곳.

[古都] (고도) 옛 도읍.

[大都市] (대도시) 지역이 넓고 인구가 많으며 대체로 정치적·경제적·문화적 활동의 중심이 되는 도시.

[首都] (수도) 한 나라의 중앙 정부가 있는 도시.

10
⑬ 【鄉】 시골 향 鄉

부수 邑(고을 읍)부

찾기 阝³(邑)+鄉¹⁰=13 획

㇔	㇒	乡	乡'	乡'	纟丿	纟丿
纟丿	纟丿	纟乡	纟乡⁷	纟乡⁹	鄉	

글자뿌리 회의(會意) 문자. 골목 향(邜 : 양쪽에서 무릎을 꿇고 있는 사람의 모양)에 밥 고소할 흡(皀)을 합친 자로, 음식을 가운데에 놓고 여러 사람이 어울려 먹는다는 데서 '고향', '시골'의 뜻이 된 자.

글자풀이 1 시골. 2 고향. 3 고장.

[鄕愁] (향수) 고향이 그리워서 느끼는 시름.

[鄕土] (향토) 시골. 고향. ¶ 鄕土色 (향토색).

[故鄕] (고향) ① 태어나서 자란 곳. ② 조상 때부터 대대로 살아 온 곳.

[歸鄕] (귀향) 고향으로 돌아가거나 돌아옴.

[望鄕] (망향) 고향을 그리워함. ¶ 望鄕歌 (망향가).

[他鄕] (타향) 자기 고향이 아닌 다른 고장.

7 酉 (닭 유) 部

술을 빚는 단지의 모양을 본떠서 만든 글자.

0
⑦ 〔酉〕 닭 유 酉

부수 酉 (닭 유) 부
찾기 酉⁷ = 7 획

| 一 | 厂 | 冂 | 厅 | 西 | 西 | 酉 |

글자뿌리 상형(象形) 문자. 술을 담그는 술병의 모양을 본뜬 글자로 '술'을 뜻했다가, 닭이 잠자는 저녁에 술을 마신다는 데서 열째 지지인 '닭'의 뜻.

글자풀이 닭. 열째 지지. ※ 방위로는 서(西), 시간으로는 오후 5시~7시, 동물로는 닭에 해당함.

[酉時] (유시) 오후 5시에서 7시 사이의 시각.

3
⑩ 〔酒〕 술 주 酒

부수 酉 (닭 유) 부
찾기 酉⁷ + 氵³ = 10 획

| ` | ⸴ | 氵 | 汀 | 沂 | 沂 | 洒 |
| 洒 | 酒 | 酒 | | | | |

글자뿌리 회의(會意) 문자. 물수(氵 = 水)에 닭 유(酉)를 합친 자로, 술병에 담겨진 물이라는 데서 '술'의 뜻.

글자풀이 술.

[酒店] (주점) 술집.

[酒酊] (주정) 술에 취하여 정신 없이 함부로 하는 말이나 짓.

[甘酒] (감주) 엿기름과 밥을 식

혜처럼 삭혀서 끓인 음식.

[禁酒] (금주) 술을 못 마시게 함. 술을 끊음.

[洋酒] (양주) 서양에서 들어온 술. 또는 서양의 양조법에 따라 빚은 술.

[飲酒] (음주) 술을 마심.

[濁酒] (탁주) 막걸리.

11
⑱ 【醫】 의원 의

부수 酉 (닭 유)부

찾기 酉⁷＋殹¹¹＝18 획

글자뿌리 회의(會意) 문자. 소리 마주칠 예(殹)에 닭 유(酉: 술의 뜻)를 합친 자로, 신음 소리를 내며 힘겨워하는 환자에게 약술을 먹여 병을 고치는 사람이라는 데서 '의원'을 뜻함.

글자풀이 1 의원. 의사. 2 치료하다.

[醫療] (의료) 의술로 병을 고치는 일.

[醫師] (의사) 병든 사람의 진찰과 치료를 직업으로 하는 사람.

[醫術] (의술) 병을 고치는 기술. 의학에 관한 기술.

[醫院] (의원) 병자를 치료하는 특별한 시설을 갖추고 진료를 하는 곳.

[名醫] (명의) 병을 잘 고치는 이름난 의사.

[韓醫師] (한의사) 한방의 의술을 전문으로 하는 사람.

⁷ 里 (마을 리) 部

밭〔田〕도 있고 흙〔土〕도 있어서 사람이 살 수 있을 만한 곳이라는 데서 '마을', '촌락'의 뜻을 나타냄.

0
⑦ 【里】 마을 리 里

부수 里 (마을 리)부

찾기 里⁷＝7 획

丨	冂	曰	日	甲	甲	里

글자뿌리 회의(會意) 문자. 밭 전(田)에 흙 토(土)를 합친 자로, 밭이 있고 토지가 있어서 사

람이 살 수 있는 곳이라는 데서 '마을'의 뜻이 된 자.

(글자풀이) 마을.

[里數] (이수) 거리를 이(里)의 단위로 측정한 수.

[里長] (이장) 행정 구역의 하나인 이(里)의 사무를 맡아 보는 사람.

[洞里] (동리) 동네. 마을.

[海里] (해리) 바다 위의 거리를 나타내는 단위. 1 해리는 약 1,852m.

[鄕里] (향리) 태어나서 자라난 고향 마을.

2
⑨ 【重】 무거울 중　重

부수 里 (마을 리)부
찾기 里⁷＋二²＝9 획

ノ	二	千	午	育	盲	重
重	重					

(글자뿌리) **회의(會意)·형성(形聲)** 문자. 클 임(壬 : 사람이 땅에 선 모양〈뜻〉)에 동녘 동(東 : 등짐의 모양〈음〉)을 합친 자로, 짐이 무겁다는 데서 '무겁다'의 뜻.

(글자풀이) 1 무겁다. 2 소중하게 여기다. 3 거듭하다. 겹치다.

[重大] (중대) 매우 중요함.

[重力] (중력) 지구가 표면의 물체를 지구 중심 쪽으로 잡아당기는 힘.

[重傷] (중상) 심한 부상.

[重視] (중시) 중요시함. 소중하게 여김.

[重要] (중요) 귀중하고 요긴함.

[重態] (중태) 병이 몹시 위급한 상태.

[重患者] (중환자) 크게 앓아 병세가 위독한 환자.

[重厚] (중후) 태도가 정중하고 견실함.

[貴重] (귀중) 매우 소중함.

[嚴重] (엄중) ① 엄격하고 정중함. ②몹시 엄함.

[危重](위중) 병세가 무겁고 위태로움.

[自重](자중) ① 자기 스스로를 소중하게 여김. ② 품위를 지켜 몸가짐을 삼감.

4
⑪【野】들 야 野

부수 里 (마을 리)부
찾기 里⁷＋予⁴＝11 획

ㅣ	ㅁ	日	日	甲	里	里
野	野	野	野			

글자뿌리 형성(形聲) 문자. 마을 리(里〈뜻〉)에 줄 여(予 : 徐〔천천히 서〕의 뜻〈음〉)를 합친 자로, 완만하게〔予〕 펼쳐진 넓은 논밭〔里〕이라는 데서 '들판'의 뜻.

글자풀이 1 들. 민간. 2 질박하다. 촌스럽다.

[野黨](야당) 현재 정권에 가담하고 있지 않은 정당.

[野蠻](야만) ① 문화가 미개한 상태. 또는 그 종족. ② 도의심이 없고 예의를 모름.

[野望](야망) 바라서는 안 되는 일을 바라는 일. 분에 넘치는 큰 희망.

[野生](야생) 동식물이 산이나 들에서 저절로 자람.

[野獸](야수) 야생의 동물. 사람이 기르지 않고 산이나 들에서 자연 그대로 자란 짐승.

[野營](야영) ① 들판에 천막을 치고 잠. ② 군대가 산이나 들판에 진영을 침. 또는 그 진영.

[野外](야외) 들판. 교외.

[野菜](야채) 식용하는 채소류.

[曠野](광야) 아득히 너른 벌판.

[分野](분야) 사물을 어떤 기준에 따라 구분한 각각의 영역 또는 범위.

[林野](임야) 나무가 들어서 있는 넓은 땅. 숲과 벌판.

[平野](평야) 넓게 펼쳐진 들.

5
⑫【量】헤아릴 량
　　　　양 량 量

부수 里 (마을 리)부
찾기 里⁷＋旦⁵＝12 획

ㅣ	ㅁ	日	日	昌	昌	昌
昌	昌	量	量	量		

（글자뿌리） 형성 (形聲) 문자. 밝힐 향(日：𣄼의 생략형〈음〉)에 무거울 중(軍：重의 생략자〈뜻〉)을 합친 자로, 무게를 밝힌다는 데서 '헤아리다', '양'의 뜻.

$$\begin{array}{ccc} \text{圖} & \Rightarrow & \text{量} & \Rightarrow & \text{量} \end{array}$$

（글자풀이） 1 헤아리다. 2 양. 용량. 분량.

[計量] (계량) 분량이나 무게 따위를 잼.

[度量] (도량) ① 너그러운 마음과 깊은 생각. ② 자[尺]와 되.

[分量] (분량) 무게·부피·수량 등의 많고 적음과 크고 작은 정도.

[少量] (소량) 적은 분량.

[雅量] (아량) 깊고 너그러운 마음씨.

[測量] (측량) 물건의 높이·크기·위치·각도·거리·방향 따위를 재어 표시함. 또는 그 작업.

---

⁸金 (쇠 금) 部

땅 속에 묻혀 빛을 발하는 광석 중에서 가장 귀한 것, 즉 '황금'을 뜻함.

0 【金】 8	❶ 쇠 금 ❷ 성 김	金

부수 金 (쇠 금)부

찾기 金⁸=8 획

丿 人 仝 全 余 金 金

（글자뿌리） 형성 (形聲) 문자. 이제 금(亼：今의 생략형〈음〉)에 흙 토(土〈뜻〉)를 합치고 양쪽에 두 점〔丷：광석을 나타냄〕을 찍어서 만든 글자로, 금이 땅속에 묻혀 있다는 데서 '금'을 뜻하게 된 자.

$$\begin{array}{ccc} \text{金} & \Rightarrow & \text{金} & \Rightarrow & \text{金} \end{array}$$

（글자풀이） ❶ 1 쇠. 금. 돈. ❷ 2 성(姓).

[金塊] (금괴) 금덩이.

[金權] (금권) 돈의 위력. 재산의 힘.

[金利] (금리) 빌려 준 돈이나 예금 따위에 붙는 이자.

[金髮] (금발) 황금색의 머리털.

[金屬] (금속) 쇠붙이.

[金言] (금언) 깊은 교훈을 담고 있는 짤막한 말.

[金銀] (금은) 금과 은.

[公金] (공금) 국가나 공공 단체의 소유로 되어 있는 돈.

[募金] (모금) 어떤 일을 도와 줄 목적으로 여러 사람으로부터 돈을 거두어들임.

[罰金] (벌금) 못된 짓에 대한 벌로 물리는 돈.

[稅金] (세금) 국가나 지방 공

공 단체가 필요한 경비를 마련 하기 위하여 국민으로부터 거 두어들이는 돈.

[貯金] (저금) ① 돈을 모아 둠. 또는 그 돈. ② 돈을 금융 기관 이나 우체국 등에 맡겨 저축함. 또는 그 돈.

[現金] (현금) ① 현재에 가지고 있는 돈. ② 어음이나 수표 등 에 대하여 실제로 쓰이는 화폐 를 이르는 말.

---

²⑩ 【針】 바늘 침 針

부수 金(쇠 금)부

찾기 金⁸＋十²＝10 획

ノ	ハ	ム	㇆	牟	全	余
金	金	針				

글자뿌리 형성(形聲) 문자. 쇠 금(金〈뜻〉)에 열 십(十 : 본래는 구멍이 있는 바늘의 모양〈음〉)을 합친 자로, 쇠로 만든 바늘이라는 데서 '바늘', '바느질'을 뜻함.

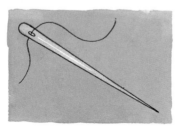

글자풀이 1 바늘. 2 침. 3 바느 질. 바느질하다. 꿰매다.

[針母] (침모) 삯바느질을 하는 여자.

[針術] (침술) 침으로 병을 고 치는 의술.

[針葉樹] (침엽수) 소나무나 잣 나무와 같이 잎이 바늘처럼 생 긴 나무를 통틀어 이르는 말.

[方針] (방침) 어떤 일을 처리 해 나가는 계획과 방향.

[時針] (시침) 시계에서, 시간을 가리키는 짧은 바늘.

[指針] (지침) 생활이나 행동의 방법·방향 따위를 가리키는 길 잡이.

---

⁶⑭ 【銀】 은 은 銀

부수 金(쇠 금)부

찾기 金⁸＋艮⁶＝14획

ノ	ハ	ム	㇆	牟	全	余
金	釘	釕	鈅	鈅	鈤	銀

글자뿌리 형성(形聲) 문자. 쇠 금(金〈뜻〉)에 한정할 간(艮〈음〉) 을 합친 자로, 한정이 있는 쇠붙 이, 또는 금과 한정된다는 데서 '은'의 뜻.

金 ⇒ 金 ⇒ 銀

(글자풀이) 1 은. 은빛. 2 돈.

[銀塊] (은괴) 은 덩어리.

[銀髮] (은발) ① 하얗게 센 머리. 흰 머리. ② 은빛의 머리털.

[銀粧刀] (은장도) 칼집과 칼자루를 은으로 꾸민 장식용 칼.

[銀河水] (은하수) 맑게 갠 날 밤에 흰구름같이 남북으로 길게 보이는 별의 무리.

[銀杏] (은행) ① 은행나무. ② 은행나무의 열매.

[銀婚式] (은혼식) 서양의 풍습으로, 결혼한 지 만 25년이 되는 날에 행하는 축하식.

8
⑯ 〔**錢**〕 돈 전 錢

부수 金 (쇠 금) 부
찾기 金⁸+戔⁸=16획

ノ	ハ	스	쓰	수	숙	金
金	釒	鈐	銭	銭	銭	錢
錢	錢					

(글자뿌리) 형성(形聲) 문자. 쇠 금(金〈뜻〉)에 깎을 잔(戔 : 剗의 생략형〈음〉)을 합친 자로, 쇠를 깎아 만든 '가래'를 뜻하다가, 가래 모양의 돈을 쓴 데서 '돈'을 뜻함.

(글자풀이) 돈.

[錢穀] (전곡) 돈과 곡식.

[金錢] (금전) ① 쇠붙이로 만든 돈. ② 돈.

[銅錢] (동전) 구리로 만든 돈.

[本錢] (본전) ① 밑천으로 들인 돈. ② 꾸어 준 돈에서 이자를 붙이지 아니한 본디의 돈.

[換錢] (환전) 서로 종류가 다른 화폐와 화폐를 교환하는 일.

12
⑳ 〔**鐘**〕 쇠북 종 金童

부수 金 (쇠 금) 부
찾기 金⁸+童¹²=20획

ノ	ハ	스	쓰	수	숙	金
金	釒	鈝	鈝	鈝	鈝	鈝
鐕	鐕	鐕	鐘	鐘	鐘	

(글자뿌리) 형성(形聲) 문자. 쇠 금(金〈뜻〉)에 칠 당(童 : 撞의 생략자〈음〉)을 합친 자로, 쇠를 치면 북처럼 소리가 난다는 데서 '쇠북'의 뜻이 된 자.

8
획

글자풀이　쇠북. 종.

[鐘閣] (종각) 큰 종을 매달아 놓은 누각.

[警鐘] (경종) ① 비상 사태나 위험 등을 알리기 위해 치는 종. ② 세상을 경계하기 위한 주의나 충고.

[晩鐘] (만종) 저녁 무렵에 절이나 교회 등에서 치는 종.

8획

13 ㉑ 【鐵】 쇠　철　鐵

부수　金 (쇠 금) 부
찾기　金⁸＋鐵¹³＝21획

ノ	ハ	ケ	ゲ	牟	牟	金
金	金	釒	釪	鉄	鉢	鋏
鋘	鋥	鋅	鐼	鐵	鐵	鐵

글자뿌리　형성(形聲) 문자. 쇠 금(金〈뜻〉)에다 날카로울 철(鐵〈음〉)을 합친 자로, 예리한 물건을 만들 수 있는 것이라는 데서 '쇠'를 뜻함.

글자풀이　1 쇠. 2 굳고 변하지 않음.

[鐵甲] (철갑) 쇠로 만든 갑옷.

[鐵甲船] (철갑선) 쇠로 거죽을 싸서 단단하게 꾸민, 전쟁에 쓰이는 배.

[鐵橋] (철교) ① 쇠붙이로 만들어 놓은 다리. ② 철도가 지나는 다리.

[鐵道] (철도) 선로 위로 열차를 운행하여 사람과 사물을 운반하는 교통 운수 시설.

[鐵網] (철망) 철사로 얽어 만든 그물.

[鐵面皮] (철면피) 낯가죽이 두꺼워 부끄러워할 줄 모르는 사람을 이르는 말.

[鐵帽] (철모) 전투할 때 쓰는, 쇠로 만든 모자.

[鐵門] (철문) 쇠로 만든 문.

[鐵絲] (철사) 쇠붙이로 만든 가는 줄.

[鐵條網] (철조망) 들어오지 못하도록 가시 철사를 둘러 놓은 울타리.

[鐵窓] (철창) ① 쇠창살문. ② 감방이나 감옥을 비유하여 이르는 말.

[鐵則] (철칙) 엄격한 규칙. 절대적인 규칙.

[鋼鐵] (강철) 열처리하여 단단하게 만든 쇠.

[古鐵] (고철) 낡은 쇠. 헌 쇠.

[製鐵] (제철) 철광석을 녹여서 무쇠를 뽑음.

⁸ 長 (긴 장) 部

지팡이를 짚고 있는 노인을 본뜬 글자.

0
⑧ 【長】 긴 장 長

부수 長 (긴 장) 부

찾기 長⁸=8획

丨	厂	厂	上	丢	丢	長

글자뿌리 상형(象形) 문자. 머리와 수염이 길고 허리가 구부러진 노인이 지팡이를 짚은 모양을 본뜬 글자.

글자풀이 1 길다. 길이. 2 낫다. 자라다. 3 맏이. 어른. 4 우두머리.

[長久] (장구) 길고 오램.

[長技] (장기) 가장 잘 하는 재주. 특별히 뛰어난 재주.

[長短] (장단) ① 길고 짧음. ② 좋은 점과 나쁜 점. ③ 노래·춤 등의 길고 짧은 박자.

[長髮] (장발) 길게 기른 머리털. 또는 그런 사람.

[長成] (장성) 자라서 어른이 됨. 또는 성장함.

[長壽] (장수) 오래 삶.

[長幼有序] (장유 유서) 오륜의 하나로, 나이가 많은 사람과 적은 사람 사이에는 지켜야 할 차례가 있음을 이르는 말.

[長子] (장자) 맏아들.

[長指] (장지) 가운뎃손가락.

[長風] (장풍) 먼 데서 불어 오는 바람. 또는 먼 곳까지 불어 가는 큰 바람.

[家長] (가장) 집안의 어른.

[生長] (생장) ① 태어나 자람. ② 풀·나무 따위가 자라서 크게 됨.

[身長] (신장) 사람의 키.

⁸ 門 (문 문) 部

닫아 놓은 두 개의 문짝을 본뜬 글자.

0
⑧ 【門】 문 문 門

부수 門 (문 문) 부

찾기 門⁸=8획

8 획

｜	｜⁻	｜ᵖ	ｐ	ｐ¹	門	門

글자뿌리 상형(象形) 문자. 두 개의 문짝이 닫혀 있는 모양을 본뜬 글자로, '문'을 뜻함.

글자풀이 1 문. 2 집안. 지체.

[門閥] (문벌) 대대로 내려오는 그 집안의 신분과 지위.

[門外漢] (문외한) 그 일에 관계하지 아니하는 사람. 또는 그 분야에 전문이 아닌 사람.

[門前乞食] (문전 걸식) 이집 저집 돌아다니며 빌어먹음.

[門前成市] (문전 성시) 찾아오는 사람이 많음을 이르는 말.

[門下生] (문하생) 스승 밑에서 가르침을 받는 제자.

[家門] (가문) ① 집안과 가까운 살붙이. ② 대대로 이어 오는 그 집안의 사회적 신분이나 지위.

[名門] (명문) ① 훌륭한 가문. ② 그 방면에서 유서가 깊고 손꼽히는 존재.

[入門] (입문) ① 스승을 따라서 그 제자가 됨. ② 어떤 학문을 배우려고 처음 들어감. 또는 그 과정.

³
⑪ **【閉】** 닫을 폐 閉

부수 門 (문 문) 부
찾기 門⁸ + 才³ = 11획

｜	｜⁻	｜ᵖ	ｐ	ｐ¹	門	門
門	門	閉	閉			

글자뿌리 회의(會意) 문자. 문 문(門) 안에 바탕 재(才)를 넣은 자로, 문〔門〕에 빗장〔才〕을 걸어 잠갔다는 데서 '닫다'의 뜻.

글자풀이 1 닫다. 2 마치다.

[閉幕] (폐막) 연극을 끝내고 막을 내림. 또는 어떤 일이 다 끝남.

[閉店] (폐점) 가게 문을 닫음.

[開閉] (개폐) 열고 닫는 일. 여닫이.

8 획

⑫ 【間】 사이 간 間

부수 門(문 문)부

찾기 門⁸＋日⁴＝12획

丨	冂	冂	冃	冃¹	冃¹	門

門	門	門	間	間

글자뿌리 회의(會意) 문자. 문 문(門)에 날 일(日 : 月의 변형)을 합친 자로, 문틈으로 달빛이 스며든다는 데서 '사이', '틈'의 뜻이 된 자.

글자풀이 1 사이. 틈. 2 때. 동안. 3 이간하다. 엿보다.

[間隔] (간격) ① 물건 사이의 거리. ② 시간적으로 떨어진 사이.

[間食] (간식) ① 세 끼니의 식사 사이에 과자나 과일 등을 먹는 것. 또는 그 음식.

[間接] (간접) 바로 대하지 않고 중간에 다른 것을 통하여 연결되는 관계. ⑪ 直接(직접).

[間諜] (간첩) 적지에 들어가서 적의 기밀을 몰래 알아 내는 사람. 스파이.

[間或] (간혹) 이따금. 어쩌다가.

[空間] (공간) ① 아무것도 없이 비어 있는 곳. ② 모든 방향으로 끝없이 펼쳐져 있는 빈 곳.

[民間] (민간) 일반 서민의 사회. 일반 국민들.

[山間] (산간) 산과 산 사이. 산골짜기로 된 곳.

[世間] (세간) 사람들이 살아가는 곳. 세상.

[離間] (이간) 두 사람 사이를 서로 멀어지게 함.

[巷間] (항간) 일반 민중들 사이. 보통 사람들 사이.

⑫ 【開】 열 개 開

부수 門(문 문)부

찾기 門⁸＋开⁴＝12획

丨	冂	冂	冃	冃¹	門	門

門	門	門	開	開

8획

글자뿌리 형성(形聲) 문자. 문 문(門〈뜻〉)에 오랑캐 이름 견(开＝幵〔두 손으로 들 공〕〈음〉)을 합친 자로, 빗장을 지른 문을 양손으로 연다는 데서 '열다'의 뜻.

門 ⇒ 門 ⇒ 開

글자풀이 1 열다. 열리다. 2 피

다. 풀다.

[開講](개강) 강의를 시작함.

[開校](개교) 새로 세운 학교에서 처음으로 수업을 시작함.

[開國](개국) ① 새로이 나라를 세우는 일. ② 외국과의 국교를 시작함. ⑲ 鎖國(쇄국).

[開放](개방) ① 문을 활짝 열어 놓음. ② 제한이나 차별 따위를 두지 않고, 자유로이 드나들거나 이용할 수 있게 함.

[開封](개봉) ① 봉한 것을 엶. ② 새로운 영화를 처음으로 상영함.

[開業](개업) 사업이나 영업을 시작함.

[開拓](개척) ① 산야나 황무지 등의 거친 땅을 일구어 논밭을 만듦. ② 새로운 분야에 처음으로 손을 대어 발전시킴.

[開通](개통) 처음으로 낸 길이나 다리의 통행을 시작함.

[開票](개표) 투표함을 열어서 투표의 결과를 조사함.

[公開](공개) 여러 사람에게 널리 보임.

[打開](타개) 얽히거나 막혀 있는 일을 잘 처리함.

4
⑫ 【閑】 한가할 한 閑

부수 門(문 문)부

찾기 門⁸+木⁴=12획

丨	冂	冂	冃	冃'	門	門
門	門	閑	閑	閑		

글자뿌리 회의(會意) 문자. 문 문(門)에 나무 목(木)을 합친 자로, 문에 나무를 가로질러 출입을 막으니 '한가하다'는 뜻.

글자풀이 1 한가하다. 2 막다.

[閑暇](한가) 별로 할 일이 없어 틈이 있음.

[閑談](한담) ① 심심풀이로 이야기를 주고받음. 또는 그 이야기. ② 그다지 중요하지 않은 이야기.

[閑散](한산) ① 일이 없어 한가함. ② 붐비지 않고 한가하여 조금은 쓸쓸함.

[農閑期](농한기) 농사일이 바쁘지 않은 시기.

[等閑視](등한시) 마음에 두지 않고 예사로 여김.

11
⑲ 【關】 문빗장 관

부수 門(문 문)부

찾기 門⁸+絲¹¹=19획

丨	冂	冂	冃	冃'	門	門
門	門	門	門	關	關	關

8
획

(글자뿌리) 형성(形聲) 문자. 문(門〈뜻〉)에 북에 실 꿸 관(𢇇: 貫〔꿸 관〕의 뜻〈음〉)을 합친 자로, 문을 나무로 꿰어 걸어 맨다는 데서 '잠그다', '빗장'의 뜻.

(글자풀이) 1 문빗장. 2 잠그다. 3 관문. 관. 4 관계하다.

[關係] (관계) ① 둘 이상이 서로 걸림. ② 어떤 것이 다른 것에 영향을 미치는 일. ③ 어떠한 '부문', '방면'을 뜻함.

[關聯] (관련) 서로 걸리어 얽힘. 서로 관계됨.

[關稅] (관세) 외국에서 들여 오는 물건에 대하여 매기는 세금.

[關心] (관심) 마음에 끌리어서 흥미를 가짐.

[關與] (관여) 그 일에 관계하여 참여함.

[關節] (관절) 뼈와 뼈가 서로 움직일 수 있게 연결되어 있는 부분.

[相關] (상관) 서로 관련을 가짐. 또는 그 관련.

8 阜 (언덕 부) 部

흙이 쌓여 이루어진 언덕의 모양을 본뜬 자. 변으로 쓰일 때는 '阝'으로 '좌부방'이라 함.

4 ⑦ 【防】 막을 방

부수 阜 (언덕 부) 부

찾기 阝³(阜)+方⁴=7획

(글자뿌리) 형성(形聲) 문자. 언덕 부(阝: 阜의 변형〈뜻〉)에다 헤살 놓을 방(方: 妨의 생략자〈음〉)을 합친 자로, 물이 흐르는 것을 막은 둑이라는 데서 '막다'의 뜻.

(글자풀이) 1 막다. 2 둑.

[防腐劑] (방부제) 소금·알코올 등 물건을 썩지 못하게 하는 약.

[防水] (방수) 물이 넘쳐 흐르거나 스며드는 것을 막음.

[防衛] (방위) 적의 공격을 막아 지킴. 또는 그 일.

[防波堤] (방파제) 거친 파도를 막기 위하여 쌓은 둑.

[防寒] (방한) 추위를 막음.

[國防] (국방) 외적으로부터 나라를 지킴.

8 획

[豫防] (예방) 무슨 일이나 탈이 나기 전에 미리 막음. ¶豫防注射(예방 주사).

⑨6 [限] 한정 한

부수 阜 (언덕 부) 부

찾기 阝 ³(阜)＋艮 ⁶＝9획

ㄱ	3	阝	阝ㄱ	阝ㅋ	阝ㅋㅋ	阝ㅋ
阝ㅋ	限					

글자뿌리 형성(形聲) 문자. 언덕 부(阝 : 阜의 변형〈뜻〉)에 그칠 간(艮〈음〉)을 합친 자로, 언덕 끝 낭떠러지까지 왔으니 더는 갈 곳이 없다는 데서 '한정되다'의 뜻이 된 자.

$$\text{(글자 그림)} ⇒ \text{(글자 그림)} ⇒ 限$$

글자풀이 한정. 한정하다.

[限界] (한계) 정해 놓은 범위. 할 수 있는 범위.

[限度] (한도) 일정하게 정하여 놓은 정도.

[限定] (한정) 수량이나 범위를 제한하여 정함.

[權限] (권한) 그 사람의 판단으로 처리할 수 있는 범위.

[極限] (극한) 사물이 더 이상은 나아갈 수 없는 한계. 사물의 끝 닿는 데.

[期限] (기한) 미리 정해 놓은 일정한 시기.

[上限線] (상한선) 더 이상 올라갈 수 없는 한계선.

[年限] (연한) 정해진 기한.

[制限] (제한) 정해진 한계. 한계를 정함.

[最大限] (최대한) 가장 큰 한도. ⊕最小限(최소한).

⑨6 [降] ❶내릴 강 ❷항복할 항

부수 阜 (언덕 부) 부

찾기 阝 ³(阜)＋夅 ⁶＝9획

ㄱ	3	阝	阝ˊ	阝ˊ	阝久	阝久
降	降					

글자뿌리 회의(會意)·형성(形聲) 문자. 언덕 부(阝 : 阜의 변형〈뜻〉)에 내릴 강(夅〈음〉)을 합친 자로, 언덕에서 '내려오다'의 뜻. 나아가 언덕에서 내려와 '항복하다'의 뜻이 된 자.

$$\text{(글자 그림)} ⇒ \text{(글자 그림)} ⇒ 降$$

<글자풀이> ❶ 1 내리다. ❷ 2 항복하다.

[降等] (강등) 등급이나 계급을 내림.

[降雪量] (강설량) 일정한 곳에 일정한 동안 내린 눈의 분량.

[降水量] (강수량) 지상에 내린 비·우박·눈이 녹은 물 등을 합쳐 계산하여 깊이를 단위로 나타낸 양.

[降雨量] (강우량) 일정한 기간 동안 일정한 곳에 내린 비의 분량.

[急降下] (급강하) 위에서 아래로 급하게 내림.

[昇降機] (승강기) 동력으로 사람이나 짐을 위아래로 오르내리는 기계. 엘리베이터.

[降伏] (항복) 적이나 상대편에게 져서 굴복함.

7
⑩ 【除】 덜 제 　除

부수 阜 (언덕 부) 부

찾기 阝³(阜)＋余⁷＝10획

| ｀ | ｀ | 阝 | 阝' | 阝⣩ | 阝⣩ | 阝⣩ |

| 除 | 除 | 除 | | | |

<글자뿌리> 형성(形聲) 문자. 언덕 부(阝 : 阜의 변형〈뜻〉)에 남을 여(余 : 舍〔집 사〕의 뜻〈음〉)를 합친 자로, 집〔余〕의 계단〔阝〕, 즉 '섬돌'을 뜻하다가 '덜다', '버리다'의 뜻이 된 자.

<글자풀이> 1 덜다. 버리다. 2 나눗셈.

[除去] (제거) 없애 버림.

[除名] (제명) 명단에서 이름을 빼어 버림.

[除夜] (제야) 섣달 그믐날 밤.

[加減乘除] (가감승제) 더하기·빼기·곱하기·나누기를 통틀어서 이르는 말.

[排除] (배제) 장애가 되는 것을 없앰.

[削除] (삭제) ① 깎아서 없애 버림. ② 지워 버림.

[掃除] (소제) 청소. 떨고 쓸고 닦아서 깨끗이 함.

8
⑪ 【陸】 뭍 륙 　陸

부수 阜 (언덕 부) 부

찾기 阝³(阜)＋坴⁸＝11획

㇀	㇈	阝	阝‐	阝⼟	阞	阞
阧	陆	陸	陸			

글자뿌리 회의(會意) 문자. 언덕 부(阝:阜의 변형〈뜻〉)에 흙더미를 뜻하는 륙(坴〈음〉)을 합친 자로, 흙이 연이어 쌓여 있는 언덕은 '뭍'이라는 뜻.

8획

글자풀이 뭍. 육지.

[陸橋] (육교) 큰길을 건너기 위하여 차도 위에 놓은 다리. 구름 다리.

[陸軍] (육군) 땅에서 전투 및 방어를 맡은 군대.

[陸路] (육로) 육지의 길.

[陸上競技] (육상 경기) 땅 위에서 하는 여러 가지 운동 경기. 달리기·던지기 등을 통틀어 이르는 말.

[陸地] (육지) 물에 덮이지 않은 땅 덩어리.

[大陸] (대륙) 지구상의 커다란 육지.

[上陸] (상륙) 배에서 내려 육지에 오름.

[着陸] (착륙) 비행기가 땅 위에 내림.

---

⑪ [陰] 그늘 음   陰

부수 阜 (언덕 부) 부

찾기 阝³(阜)+侌⁸=11획

㇀	㇈	阝	阝′	阞	阞	陰
陰	陰	陰	陰			

글자뿌리 형성(形聲) 문자. 언덕 부(阝:阜의 변형〈뜻〉)에 그늘 음(侌〈음〉)을 합친 자로, 언덕에 가려서 햇빛이 들지 않는 곳이라는 데서 '그늘'을 뜻함.

글자풀이 1 그늘. 음기. 음지 2 흐리다. 3 세월. 4 몰래.

[陰刻] (음각) 평면에 어떤 그림이나 글씨를 움푹하게 파내어 새김. 또는 그런 조각.

[陰德] (음덕) 숨은 덕행. 남 앞에 드러내지 않고 베푼 덕행.

[陰曆](음력) 달이 차고 이지러짐을 표준으로 하여 만든 달력.

[陰謀](음모) 남 모르게 꾸미는 나쁜 꾀.

[陰散](음산) 날씨가 매우 흐리고 으스스 추움.

[陰數](음수) 0보다 작은 수. ⑪ 陽數(양수).

[陰地](음지) 볕이 들지 않는 곳. 응달.

[陰沈](음침) ① 성질이 명랑하지 못하고 엉큼함. ② 날씨가 흐리고 컴컴함.

[陰凶](음흉) 마음이 음침하고 흉악함.

[光陰](광음) 해와 달이라는 뜻으로, 시간 또는 세월을 이름.

[綠陰](녹음) 푸른 잎이 우거진 나무의 그늘.

[寸陰](촌음) 매우 짧은 시간.

9
⑫ 〔陽〕 볕 양
양기 양

陽

부수 阜(언덕 부)부

찾기 阝³(阜)+昜⁹=12획

⌐	⻖	阝	阝¹	阝冂	阝日	阝日
阝日	阝旦	陽	陽	陽		

글자뿌리 형성(形聲) 문자. 언덕 부(阝 : 阜의 변형〈뜻〉)에 볕 양(昜 : 陽의 원자〈음〉)을 합친

자로, 해가 밝게 비추는 언덕이라는 데서 '햇빛'을 뜻함.

글자풀이 1 볕. 햇빛. 양지. 2 양기.

[陽刻](양각) 글이나 그림 등을 드러나게 새김. 돋을새김.

[陽曆](양력) 지구가 태양의 주위를 한 바퀴 도는 데 걸리는 시간(365일)을 기준으로 하여 만든 달력.

[陽地](양지) 햇빛이 바로 드는 곳.

[夕陽](석양) ① 저녁 해. 저녁 나절. ② 노년(老年)을 비유하여 이르는 말.

[太陽](태양) ① 태양계의 중심을 이루는 항성. 해. ② 길이 빛나고 희망을 주는 존재.

8
隹 (새 추) **部**

꽁지가 짧은 새의 모양을 본뜬 글자. 꽁지가 긴 새는 '鳥(새 조)'가 쓰임.

8
획

⁴⑫ 〔雄〕 수컷 웅 　雄

부수 隹 (새 추) 부

찾기 隹⁸＋厷⁴＝12획

一　ナ　太　厷　太　太　太

太　太　雄　雄　雄

글자뿌리 형성(形聲) 문자. 넓을 굉(厷 :宏의 생략형〈음〉)에다 새 추(隹〈뜻〉)를 합친 자로, 새 가 운데 날개가 넓은 것은 '수컷'이 라는 데서, 모든 생물의 '수컷'을 통틀어 뜻하게 됨.

글자풀이 **1** 수컷. **2** 굳세다. 씩 씩하다. 뛰어나다.

[雄猛] (웅맹) 굳세고 용맹함.

[雄辯] (웅변) 힘차고 거침없이 조리 있게 잘 하는 말.

[雄壯] (웅장) 크고 굉장함. **동** 雄大(웅대).

[英雄] (영웅) 재주나 용맹이 뛰 어나 위대한 일을 해낸 사람.

[雌雄] (자웅) ① 암컷과 수컷. ② '승패·우열·강약' 등을 비유 하는 말.

⁴⑫ 〔集〕 모을 집 　集

부수 隹 (새 추) 부

찾기 隹⁸＋木⁴＝12획

ノ　イ　イ　仁　什　仹　佳

佳　隹　隼　集　集

글자뿌리 회의(會意) 문자. 새 추(隹)에 나무 목(木)을 합친 자 로, 많은 새가 나무 위에 앉아 있 다는 데서 '모으다'의 뜻.

글자풀이 모으다. 모이다.

[集結] (집결) 한 곳에 모임. 또 는 뭉침.

[集計] (집계) 모아서 셈함. 또 는 모은 수치.

[集大成] (집대성) 여러 가지를 모아 하나로 크게 완성함.

[集中] (집중) 한군데로 모이거 나 모음.

[集會] (집회) 어떠한 목적으로 여러 사람이 모임. 또, 그 모임.

[募集] (모집) ① 조건에 알맞은 사람이나 사물을 모음. ② 기부 금 등을 널리 구하여 모음.

[蒐集] (수집) 자료나 물건 등 을 찾아서 모음.

[詩集](시집) 여러 편의 시를 모아 엮은 책.

[全集](전집) 같은 종류의 책을 모은 것. ¶世界名作全集(세계 명작 전집).

9
⑰ 【雖】 비록 수

부수 隹(새 추)부

찾기 隹⁸+虽⁹=17획

丶	口	口	口	吕	吕	吕
吊	虽	虽	虽	虽'	虽'	雖
雖	雖	雖				

(글자뿌리) 형성(形聲) 문자. 벌레 충(虫〈뜻〉)에다 오직 유(唯〈음〉)를 합친 자로, 큰 도마뱀을 뜻함. 큰 도마뱀은 비록 크고 괴이하지만, 해를 끼치지 않는다는 데서 '비록'의 뜻이 된 자.

(글자풀이) 비록.

11
⑲ 【難】 어려울 난 難

부수 隹(새 추)부

찾기 隹⁸+堇¹¹=19획

一	艹	艹	艹	莎	苩	苩
莒	莒	堇	堇	堇	蓳	蓳

斳	斳	斳	難	難		

(글자뿌리) 형성(形聲) 문자. 진흙 근(堇=堇의 변형〈음〉)에 새 추(隹〈뜻〉)를 합친 자로, 새가 진흙에 빠져 헤어 나오기 어렵다는 데서 '어렵다'의 뜻이 된 자.

(글자풀이) 1 어렵다. 2 고생하다. 3 나무라다. 4 난리.

[難關](난관) 일을 해내기에 어려운 고비.

[難局](난국) 일을 처리하기가 어려운 판국.

[難色](난색) 난처한 기색. 승낙하지 않거나 찬성하지 않으려는 기색.

[難易度](난이도) 학습·운동·기술 등의 쉽고 어려운 정도.

[難處](난처) 처리하기 어려움. 처지가 곤란함.

[難治](난치) 병이 낫기 어려움. 고치기 어려움.

[難解](난해) 까다로워서 풀기 어려움. 이해하기 곤란함.

[苦難](고난) 괴롭고 어려움.

[論難](논란) 서로 의견을 내어 따짐.

[非難](비난) 다른 사람의 잘못이나 잘못된 점을 나무람.

[災難](재난) 뜻밖에 일어난 불행한 일.

8
획

⁸雨 (비 우) 部

구름 사이로 비가 내리는 모양을 본뜬 글자.

⁰
⑧ 【雨】 비 우 雨

부수 雨(비 우)부
찾기 雨⁸=8획

| 一 | 厂 | 冂 | 襾 | 襾 | 雨 | 雨 |

(글자뿌리) 상형(象形) 문자. 하늘〔一〕을 덮은 구름〔冂〕 사이로 물방울이 떨어지는 모양을 본뜬 글자로, '비'를 뜻함.

 ⇒ 雨 ⇒ 雨

(글자풀이) 비. 비가 오다.

[雨期] (우기) 일 년 중에서 비가 가장 많이 오는 시기. 반乾期 (건기).

[雨備] (우비) 비를 맞지 않도록 가리는 여러 가지 기구.

[雨傘] (우산) 펴고 접을 수 있게 만들어 비가 올 때 손에 들고 머리 위에 받쳐서 비를 가리는 우비.

[雨衣] (우의) 비 올 때 덧입는 겉옷.

[雨天] (우천) ① 비가 오는 날. ② 비 내리는 하늘.

[雨後竹筍] (우후 죽순) 비 온 뒤에 돋아나는 죽순이라는 뜻으로, 많이 생겨남을 비유하여 이르는 말.

[測雨器] (측우기) 조선 세종 때 (1442년) 장영실이 발명한 것으로 비 온 분량을 재는 기구.

[暴雨] (폭우) 갑자기 많이 쏟아지는 비.

³
⑪ 【雪】 눈 설 雪

부수 雨(비 우)부
찾기 雨⁸+ ⯑³=11획

| 一 | 厂 | 冂 | 乛 | 乑 | 乑 | 雫 |
| 雪 | 雪 | 雪 | 雪 | | | |

(글자뿌리) 형성(形聲) 문자. 비 우(雨〈뜻〉)에 비 혜(⯑ : 彗의 생략형〈음〉)를 합친 자로, 비가 얼어서 내리는 눈은 빗자루로 쓸게 된다는 데서 '눈'을 뜻함.

 ⇒ 雨 ⇒ 雪

글자풀이 **1** 눈. **2** 씻다.

[雪景] (설경) 눈이 내리는 경치. 눈에 덮인 경치.

[雪上加霜] (설상 가상) 눈 위에 서리를 더한다는 뜻으로, 어려움이 거듭됨을 비유하여 이르는 말.

[雪夜] (설야) 눈이 내리는 밤.

[雪辱] (설욕) 부끄러움을 씻음.

[降雪] (강설) 눈이 내림. 또는 내린 눈.

[大雪] (대설) ① 많이 내린 눈. ¶大雪注意報(대설주의보). ② 24절기의 하나. 12월 7일경.

⁴ 【雲】 구름 운 雲 ⑫

부수 雨 (비 우) 부

찾기 雨⁸＋云⁴＝12획

｜ ｜ ｜ ｜ ｜ ｜ ｜

雲 雲 雲 雲 雲

글자뿌리 회의(會意)·형성(形聲) 문자. 비 우(雨〈뜻〉)에 구름

운(云 : 雲의 원자〈음〉)을 합친 자로, 구름[云]은 비[雨]를 내리게 한다는 데서 '구름'을 뜻하게 된 글자.

⇒ 雨云 ⇒ 雲

글자풀이 구름.

[雲集] (운집) 구름처럼 떼지어 많이 모임.

[雲海] (운해) 구름 바다라는 뜻으로, 높은 곳에서 내려다보는 구름이 깔린 경치를 이르는 말.

[白雲] (백운) 흰구름.

[戰雲] (전운) 전쟁이 일어나려는 험악한 형세.

[靑雲] (청운) 높은 명예나 벼슬을 이르는 말.

[風雲兒] (풍운아) 좋은 기운을 타서 세상에 뛰어난 일을 나타내는 사람.

⁵ 【電】 번개 전 電 ⑬

부수 雨 (비 우) 부

찾기 雨⁸＋电⁵＝13획

8 획

一	厂	厂	干	币	币	雨

| 雨 | 雨 | 雪 | 雷 | 雷 | 電 | |

글자뿌리 회의(會意)·형성(形聲) 문자. 비 우(雨〈뜻〉)에 펼신(屯 : 申의 변형〈음〉)을 합친 자로, 비가 올 때 번쩍이는 빛을 펼치는 것은 '번개'라는 뜻.

글자풀이 1 번개. 2 전기.

[電球] (전구) 전기가 흐르면 밝은 빛을 내도록 만든 것.
[電氣] (전기) 빛과 열을 내고 여러 가지 기계를 움직이게 하는 것.
[電燈] (전등) 전기를 이용하여 빛을 내는 기구.
[電流] (전류) 전기의 흐름.
[電報] (전보) 전신으로 소식을 보내거나 받는 통신이나 통보.
[電線] (전선) 전원과 전기 기기를 이어서 전기가 흐르도록 하는 데 쓰이는 구리줄. 또는 금속선. 전깃줄.

[電送] (전송) 사진 등을 전류 또는 전파를 이용하여 멀리 떨어진 곳에 보냄.
[電信] (전신) 전류를 이용하여 문자나 부호로 주고받는 통신.
[電車] (전차) 전기의 힘을 이용해 철로 위를 달리는 차.
[電話] (전화) ① 전화기로 말을 통함. 또, 그 말. ② '전화기'의 준말.
[感電] (감전) 전기가 몸에 통하여 충격을 받음.
[漏電] (누전) 전류의 일부가 전선 밖으로 새어 나감.
[發電所] (발전소) 전기를 일으키는 곳. 수력·화력·원자력 발전소 등이 있음.
[祝電] (축전) 축하의 뜻을 나타낸 전보.
[充電] (충전) 전력이 없는 축전지 등에 전력을 채우는 일.

9
⑰ 【霜】 서리 상

부수 雨 (비 우) 부
찾기 雨⁸＋相⁹＝17획

一	厂	厂	干	币	币	雨

| 雨 | 雪 | 雫 | 霏 | 耞 | 相 | 相 |

| 霜 | 霜 | 霜 | | | | |

글자뿌리 형성(形聲) 문자. 비 우(雨〈뜻〉)에 서로 상(相 : 喪〔망할 상〕의 뜻〈음〉)을 합친 자로, 초목을 시들게 하는 것이 '서리'라는 뜻.

글자풀이 서리.

[霜菊](상국) 서리가 내릴 때에 핀 국화.

[霜葉](상엽) 서리를 맞아 붉게 물든 잎사귀.

[風霜](풍상) ① 바람과 서리. ② 많이 겪은 세상의 어려움과 고통을 비유하여 이르는 말.

[雪上加霜](설상 가상) 눈 위에 서리가 또 덮인다는 뜻으로, 불행이 연거푸 일어남을 뜻함.

글자풀이 1 이슬. 2 드러나다.

[露骨的](노골적) 있는 그대로 숨김없이 드러내는 (것).

[露宿](노숙) 한데서 잠을 잠.

[露店](노점) 길가의 한데에 벌여 놓은 가게.

[露天](노천) 한데. 지붕이 없는 곳. ¶露天劇場(노천 극장).

[露出](노출) 겉으로 드러냄.

12
⑳ **【露】** 이슬 로

부수 雨 (비 우) 부

찾기 雨 8+路 12=20획

一	厂	厂	示	示	雨	雨
雷	雷	雷	霹	霹	霹	霹
霹	霹	霰	霰	露	露	

글자뿌리 형성(形聲) 문자. 비 우(雨〈뜻〉)에 길 로(路〈음〉)를 합친 자로, 길가 풀잎에 흔히 맺혀 있는 빗방울 같은 것은 '이슬'이라는 뜻.

---

⁸ 靑 (푸를 청) **部**

날 생(生)과 붉을 단(丹)을 합친 자로, '푸름'을 뜻함.

0
⑧ **【靑】** 푸를 청

부수 靑 (푸를 청) 부

찾기 靑 8=8획

一	十	主	丰	青	青	青

글자뿌리 회의(會意)·형성(形聲) 문자. 붉은 단(円 : 丹의 변형. 샘 속에서 얻어지는 색소〈뜻〉)에 날 생(主 : 生의 변형. 싹눈이

트는 모양으로 풀빛〈음)〉을 합친 자로, 푸른 색소(色素)라는 데서 '푸르다'의 뜻.

(글자풀이) 1 푸르다. 2 젊다.

[靑年] (청년) 청춘기에 있는 젊은 사람. 특히 남자를 말함.

[靑山流水] (청산 유수) 막힘없이 말을 잘함을 비유하여 이르는 말.

[靑色] (청색) 푸른빛.

[靑雲] (청운) 높은 명예나 벼슬을 이르는 말.

[靑磁] (청자) 철분을 지니고 있는 청록색 또는 담황색의 유약을 입힌 자기.

[靑天霹靂] (청천 벽력) 맑은 하늘에 날벼락이라는 뜻으로, 갑자기 예기치 않은 일이 일어남을 비유하는 말.

[靑春] (청춘) ① 새싹이 돋아나는 봄철. ② 20세 안팎의 젊은 나이.

[丹靑] (단청) 궁궐·절 등의 벽이나 기둥·천장 등에 여러 가지 고운 빛깔로 그림과 무늬를 그림. 또는 그 그림이나 무늬.

8
⑯ [**靜**] 조용할 정 靜

부수 靑 (푸를 청) 부
찾기 靑8 + 爭8 = 16획

一	十	丰	主	丰	靑	靑
靑	靑	靑	靚	靜	靜	靜
靜	靜					

(글자뿌리) 형성(形聲) 문자. 푸를 청(靑 : 靖[다스릴 정]의 뜻〈음〉)에 다툴 쟁(爭〈뜻〉)을 합친 자로, 다투는 것을 말리면 편안해진다는 데서 '조용하다'는 뜻.

(글자풀이) 조용하다. 고요하다.

[靜物畫] (정물화) 꽃·과일·그릇 등 움직이지 않는 것을 배치하여 놓고 그린 그림.

[靜肅] (정숙) 고요하고 엄숙함.

[靜寂] (정적) 아무 소리 없이 고요함.

[靜電氣] (정전기) 마찰한 물체가 띠는, 이동하지 않는 전기.

[靜坐] (정좌) 마음을 가라앉히고 몸을 바르게 하여 앉음. 조용히 앉음.

[靜止] (정지) 움직이지 않고 조용히 멈추어 있음.

[動靜] (동정) ① 움직임과 고요함. ② 움직임·사태 등이 벌어져 나가는 낌새. 형편.

[安靜] (안정) 마음과 정신이 편안하고 고요함.

⁸非 (아닐 비) 部

날아 내리는 새의 양쪽 날개가 서로 등지고 있어 '어긋나다', '아니다'의 뜻.

⁰
⑧ 【非】 아닐 비 非

부수 非(아닐 비)부

찾기 非⁸=8획

| 丿 | 丿 | 汿 | 汿 | 汿 | 非 | 非 |

(글자뿌리) 상형(象形)·지사(指事) 문자. 새가 날아 내릴 때 날개를 좌우로 드리운 모양을 본뜬 글자. 양쪽 날개가 좌우에서 서로 등지고 있는 모양을 하고 있어 '어긋나다'의 뜻을 나타내며, 훗날 '아니다'의 뜻으로 변함.

(글자풀이) 1 아니다. 2 어긋나다. 3 나무라다.

[非難] (비난) 남의 잘못을 들어 나무람.

[非理] (비리) 도리에 맞지 않고, 이치에 어그러짐.

[非賣品] (비매품) 팔지 아니하는 물건.

[非命] (비명) 천명이 아님. 뜻밖의 재난으로 죽음.

[非夢似夢] (비몽 사몽) 잠이 들락말락하여 꿈인지 생시인지 분간이 안 되는 때.

[非武裝] (비무장) 전쟁·전투를 하기 위한 준비를 하지 않음. ¶非武裝地帶(비무장 지대).

[非凡] (비범) 평범하지 아니함. 보통이 아니고 매우 뛰어남.

[非常] (비상) ① 심상하지 않음. 이상함. ② 정상적인 상태가 아닌 일. 긴급 사태.

[非行] (비행) 도리나 도덕 또는 법에 어긋나는 행위. 나쁜 행동.

[是非] (시비) ① 옳고 그름. 옳고 그름을 따짐. ② 다투는 일.

9
획

⁹面 (낯 면) 部

목 둘레에 얼굴 윤곽을 그린 글자.

⁰
⑨ 【面】 낯 면 面

부수 面(낯 면)부

찾기 面⁹=9획

| 一 | 丆 | 冖 | 丙 | 而 | 而 | 面 |
| 面 | 面 | | | | | |

글자뿌리 상형(象形)·지사(指事) 문자. 목 또는 코〔百〕 둘레에 얼굴의 윤곽〔口〕을 그려 '얼굴'을 뜻함.

글자풀이 1 낯. 얼굴. 2 탈. 3 만나다. 4 면. 겉. 쪽.

[面談](면담) 서로 만나서 이야기함.

[面刀](면도) 얼굴에 난 잔털이나 수염을 깎는 일.

[面目](면목) ① 얼굴의 생김새. ② 체면. 명예. ③ 일의 모양이나 상태.

[面接](면접) 서로 대면하여 만나 봄.

[假面](가면) 나무·종이·흙·박 따위로 사람이나 짐승의 얼굴 모양을 본떠 만든 것.

[對面](대면) 서로 마주 보고 대함.

[方面](방면) ① 어떠한 장소나 지역이 있는 방향. ② 뜻을 둔 분야.

[相面](상면) 서로 대면함. 처음으로 만나 인사하고 알게 됨.

[水面](수면) 물의 표면. 물 위.

[表面](표면) 거죽으로 드러난 면. 겉쪽.

⁹ 韋 (다룬 가죽 위) 部

'가죽'의 뜻 외에 '에운다', '어긴다'는 뜻도 있음.

8
⑰ 【韓】 나라 이름
한   韓

부수 韋 (다룬 가죽 위) 부
찾기 韋⁹ + 卓⁸ = 17획

一	十	卢	古	古	吉	卓
卓	卓'	卓"	韓	韓	韓	韓
韓	韓	韓				

글자뿌리 형성(形聲) 문자. 우물 난간 한(卓 : 韓의 생략형〈음〉)에 에울 위(韋〈뜻〉)를 합친 자로, '우물 난간', '우물가'를 나타내다가 '나라 이름'이 됨.

글자풀이 나라 이름.

[韓服](한복) 우리 나라 고유의 옷.

[大韓民國] (대한 민국) 우리 나라의 공식적인 이름.

[三韓] (삼한) 삼국 시대 이전에 우리 나라 남쪽에 위치해 있었던 마한·진한·변한의 세 나라.

---

⁹ 音 (소리 음) 部

'言'과 '一'을 합친 자로, '소리'라는 뜻.

⁰⑨ 【音】소리 음 音

부수 音 (소리 음) 부

찾기 音⁹=9획

'	ᅩ	ᅲ	立	立	产	音

音	音

글자뿌리 지사(指事) 문자. 말씀 언(言)의 '口' 안에 '一'을 그어 말[言] 속에 가락[一]이 있다는 데서 '소리'의 뜻.

글자풀이 1 소리. 2 음악.

[音階] (음계) 음의 높이를 차례대로 늘어놓은 것. 서양 음악의 도·레·미·파·솔·라·시와 동양 음악의 궁·상·각·치·우 등.

[音聲] (음성) 목소리.

[音樂] (음악) 소리의 가락으로 나타내는 예술.

[音程] (음정) 높이가 다른 두 음 사이의 간격.

[音響] (음향) 소리의 울림.

[高音] (고음) 높은 음.

[防音] (방음) 소리가 실내로 들어오는 것을 막거나 실내에서 밖으로 나가는 것을 막음.

[訃音] (부음) 사람의 죽음을 알리는 기별.

[和音] (화음) 높낮이가 다른 둘 이상의 소리가 동시에 울렸을 때의 어울리는 소리.

---

⁹ 頁 (머리 혈) 部

윗부분(百)은 사람의 목 위를, 아랫부분(八)은 무릎을 꿇은 사람을 본뜬 글자로 사람의 '머리'를 뜻함.

² ⑪ 【頂】정수리 정 頂

부수 頁 (머리 혈) 부

찾기 頁⁹+丁²=11획

一 丁 厂 厂 厂 顶 顶

顶 顶 頂 頂

글자뿌리 형성(形聲) 문자. 장정 정(丁〈음〉)에다 머리 혈(頁〈뜻〉)을 합친 자로, 나무 못〔丁〕의 대가리처럼 머리의 꼭대기라는 데서 '정수리'의 뜻.

⇒ ⇒ 頂

글자풀이 1 정수리(쥐독). 2 꼭대기.

[頂上] (정상) ① 산 위의 맨 꼭대기. ② 그 위에 다시 없는 것. ¶ 頂上會談(정상 회담).

[絶頂] (절정) ① 산의 맨 꼭대기. ② 사물의 진행이나 상태 따위가 최고에 이른 때. 또는 그러한 경지.

9획

3
⑫ 【須】 모름지기 수
수염 수 須

부수 頁 (머리 혈) 부
찾기 頁⁹＋彡³=12획

丿 彡 彡 彡 彡 沪 沪

沪 須 沪 須 須

글자뿌리 회의(會意) 문자. 터럭 삼(彡)에 머리 혈(頁)을 합친 자로, 남자의 얼굴에 난 터럭, 곧

'수염'을 뜻하고, 나아가서 '모름지기'의 뜻이 된 자.

글자풀이 1 모름지기. 2 수염. 3 필요하다.

[必須] (필수) 꼭 필요로 함. 없어서는 아니 됨. ¶ 必須科目(필수 과목).

3
⑫ 【順】 순할 순 順

부수 頁 (머리 혈) 부
찾기 頁⁹＋川³ = 12획

丿 丿 川 川 川 川 顺

顺 顺 順 順 順

글자뿌리 형성(形聲) 문자. 내 천(川〈음〉)에 머리 혈(頁〈뜻〉)을 합친 자로, 냇물처럼 순리에 따른다는 데서 '순하다'의 뜻.

⇒ ⇒ 順

글자풀이 1 순하다. 2 좇다. 따르다. 3 차례.

[順理] (순리) 도리를 좇음. 예법을 따름.

[順調] (순조) 일이 아무 탈 없이 잘 되어 가는 상태.

[順從] (순종) 온순하게 복종함. 순하게 따름.

[順風] (순풍) ① 순하게 불어 오

는 바람. ② 배가 가는 쪽으로 부는 바람.

[溫順] (온순) 성질이나 마음씨가 부드럽고 순함.

[柔順] (유순) 성질이 부드럽고 온순함.

[耳順] (이순) 나이 60에야 비로소 모든 것을 순리대로 이해할 수 있었다는 〈논어〉에 나오는 공자의 말에서 유래하여, 나이 '예순 살'을 이르는 말.

⑭ 5 【領】 옷깃 령 領

부수 頁 (머리 혈) 부
찾기 頁⁹＋令⁵ = 14획

| ノ | ト | 八 | 스 | 今 | 令 | 令 |
| 纷 | 領 | 領 | 領 | 領 | 領 | 領 |

(글자뿌리) 형성(形聲) 문자. 영령(令 : 잇는다는 뜻〈음〉)에 머리 혈(頁〈뜻〉)을 합친 자로, 머리와 몸을 잇는 '목(목덜미)'의 뜻에서, '옷깃', '우두머리'를 뜻하게 됨.

領 ⇒ 領 ⇒ 領

(글자풀이) 1 옷깃. 2 다스리다. 3 받다. 4 우두머리. 5 목덜미.

[領空] (영공) 한 나라의 영해와 영토의 상공으로 그 나라의 주권이 미치는 공간.

[領收] (영수) 돈이나 물건 따위를 받아들임. ¶ 領收證(영수증).

[領域] (영역) ① 관계되는 범위나 세력이 미치는 범위. ② 국제법상 한 나라의 주권에 속하는 전 지역. ③ 학문·연구 등에서 전문으로 하는 범위.

[領土] (영토) 한 나라의 통치권이 미치는 범위.

[大統領] (대통령) 공화국의 원수로, 행정부의 수반.

[首領] (수령) 한 당파나 무리의 우두머리.

⑯ 7 【頭】 머리 두 頭

부수 頁 (머리 혈) 부
찾기 頁⁹＋豆⁷ = 16획

一	ㄷ	币	邑	己	豆
豆	豆	頭	頭	頭	頭
頭	頭				

(글자뿌리) 형성(形聲) 문자. 콩두(豆 : 똑바로 선다는 뜻〈음〉)에 머리 혈(頁〈뜻〉)을 합친 자로, 목 위에 곧추 서 있는 것이 '머리'라는 뜻.

頭 ⇒ 頭 ⇒ 頭

글자풀이 **1** 머리. **2** 우두머리.

[頭角] (두각) 머리의 끝이라는 뜻으로, 여럿 중에서 특히 뛰어난 학식이나 재능을 이르는 말.

[頭腦] (두뇌) ① 머릿골. ② 사물의 이치를 슬기롭게 판단하는 힘.

[頭髮] (두발) 머리털.

[頭痛] (두통) 머리가 아픔. 또는 그 증세.

[街頭] (가두) 거리. 시가지의 길거리. ¶ 街頭演說(가두 연설).

[口頭] (구두) 마주 대하여 입으로 하는 말. ¶ 口頭契約(구두 계약).

[先頭] (선두) 첫머리.

9
⑱ 【顏】 얼굴 안 顔

부수 頁 (머리 혈) 부
찾기 頁⁹+彥⁹ = 18획

`	⼇	⼇	⼇	⼇	⼇	⼇
彥	彥	彥	彥	彥	顔	顔

顔	顔	顔	顔

글자뿌리 형성(形聲) 문자. 선비 언(彥〈음〉)에다 머리 혈(頁〈뜻〉)을 합친 자로, 원래 이마가 아름다운 선비를 뜻하다가 '얼굴'의 뜻이 된 자.

글자풀이 **1** 얼굴. **2** 낯빛. 색채.

[顏料] (안료) ① 분 따위의 화장 재료. ② 그림 물감. ③ 염료.

[顏面] (안면) ① 얼굴. ② 서로 알 만한 친분.

[顏色] (안색) 얼굴에 나타난 기색. 얼굴빛.

[童顏] (동안) ① 어린아이의 얼굴. ② 나이든 사람의 어린아이와 같은 얼굴.

[洗顏] (세안) 얼굴을 씻음.

9
⑱ 【題】 표제 제 題

부수 頁 (머리 혈) 부
찾기 頁⁹+是⁹ = 18획

⼁	冂	日	日	旦	早	早

昰	昰	昰	昰	趸	題	題
題	題	題	題			

(글자뿌리) 형성(形聲) 문자. 이 시(是 : 넓다는 뜻〈음〉)에 머리 혈(頁〈뜻〉)을 합친 자로, 넓은 〔是〕이마〔頁〕를 뜻하다가, 책의 '표제', '제목'의 뜻.

(글자풀이) 1 표제. 제목. 2 이마. 3 글제. 품평.

[題目] (제목) ① 겉장에 쓴 책의 이름. ② 글이나 그림·노래 등의 이름.

[題材] (제재) 말이나 글의 중심 내용의 재료.

[命題] (명제) ① 제목을 정함. 또는 그 제목. ② 논리적인 판단을 언어나 기호로 나타낸 것. ③ 맡겨진 문제.

[問題] (문제) ① 해답을 필요로 하는 물음. ② 연구하거나 해결해야 할 사항. ③ 성가신 일이나 논쟁거리.

[議題] (의제) 회의에서 의논할 문제.

[主題] (주제) ① 중요한 문제. 중심이 되는 문제. ② 예술 작품에서 작가가 나타내는 중심이 되는 생각.

¹⁰⑲ **[願]** 바랄 원 願

부수 頁 (머리 혈) 부
찾기 頁⁹＋原¹⁰ = 19획

一	厂	尸	斤	历	历	后
原	原	原	原	原	原	願
願	願	願	願	願		

(글자뿌리) 형성(形聲) 문자. 근원 원(原〈음〉)에 머리 혈(頁〈뜻〉)을 합친 자로, 생각하게 되는 근원은 머리라는 데서 '바라다', '원하다'의 뜻이 된 자.

厂 🦴 ⇒ 泉 🦴 ⇒ 願

(글자풀이) 1 바라다. 원하다. 2 소원. 소망.

[願書] (원서) 청원하거나 지원하는 내용을 쓴 서류.

[祈願] (기원) 바라는 일이 이루어지기를 빎.

[民願] (민원) 국민의 소원이나 청원.

[所願] (소원) 무슨 일이 이루어지기를 바람. 또는 바라는 바.

9
획

[哀願] (애원) 통사정을 하며 애절히 바람.

[念願] (염원) 늘 생각하고 간절히 바람.

---

⁹ 風 (바람 풍) 部

공기의 널리 퍼지는 움직임에 따라 벌레가 생겨난다는 데서 '바람'을 뜻함.

⁰⑨ 【風】 바람 풍   風

부수 風 (바람 풍) 부

찾기 風 ⁹ = 9획

)	几	几	凡	凨	凬	風
風	風					

9획

글자뿌리 형성(形聲) 문자. 무릇 범(凡〈음〉)에 벌레 충(虫〈뜻〉)을 합친 자로, 무릇 공기의 움직임에 따라 벌레들이 생겨난다는 데서 '바람'을 뜻함.

글자풀이 1 바람. 2 바람이 불다. 바람을 쐬다. 3 풍속.

[風景] (풍경) 산과 물 등의 자연의 아름다운 모습. 경치.

[風光] (풍광) ① 해가 뜨고 바람이 불어 초목에 광채가 남. ② 경치. ③ 생김새. 사람됨이.

[風浪] (풍랑) ① 바람과 물결. ② 바람이 불어 일어나는 물결.

[風力] (풍력) 바람의 강도.

[風流] (풍류) ① 속되지 아니하고 운치가 있는 일. ② 풍치를 찾아 즐기며 멋스럽게 노는 일.

[風聞] (풍문) 바람결에 들리는 소문. 근거 없이 떠도는 말.

[風俗] (풍속) 예로부터 행하여 온 의·식·주 그 밖의 생활에 관한 습관.

[風前燈火] (풍전 등화) 바람 앞의 등불이라는 뜻으로, '매우 위급함'을 비유해 이르는 말.

[風潮] (풍조) ① 바람에 따라 흐르는 조수(潮水). ② 시대에 따라 변하는 세태.

[風采] (풍채) 빛나고 드러나 보이는 사람의 겉모양.

[風土] (풍토) ① 기후와 토지의 상태. ② 사회 생활의 상태.

[風波] (풍파) ① 세차게 부는 바람과 험한 물결. ② 쓰라린 일.

[風向] (풍향) 바람이 불어 오는 방향. ¶ 風向計(풍향계).

[家風] (가풍) 한 집안에 전하

여 내려오는 풍습이나 범절.

[強風] (강풍) 세차게 부는 바람. 센 바람.

[美風] (미풍) 아름다운 풍속.

[微風] (미풍) 솔솔 부는 약한 바람.

[順風] (순풍) ① 순하게 불어 오는 바람. ② 배가 가는 쪽으로 부는 바람.

[暴風] (폭풍) 몹시 세차게 부는 바람.

⁹ 飛 (날 비) 部

새가 하늘을 날 때에 양쪽 날개를 쭉 펴고 있는 모양을 본떠서 만든 글자.

⁰⁹ 【飛】 날 비 飛

부수 飛 (날 비) 부
찾기 飛⁹ = 9획

| 乀 | 乀 | 飞 | 飞 | 飞 | 飛 | 飛 |
| 飛 | 飛 | | | | | |

글자뿌리 상형(象形) 문자. 양쪽 날개를 벌리고 하늘을 날고 있는 새의 모양을 본뜬 글자로 '날다'의 뜻.

 ⇒  ⇒ 飛

글자풀이 1 날다. 2 빠르다. 3 높다.

[飛報] (비보) 급히 기별함.

[飛躍] (비약) ① 높이 뛰어오름. ② 급속히 발전하거나 향상됨. ③ 밟아야 할 단계나 순서를 거치지 않고 앞으로 나아감.

[飛行] (비행) 하늘을 날아다님. ¶宇宙飛行(우주 비행).

[飛虎] (비호) 나는 범이라는 뜻으로, 동작이 용맹하고 신속함을 비유하는 말.

[雄飛] (웅비) 힘차고 씩씩하게 뻗어 나아감.

⁹ 食 (밥 식) 部

곡식을 모아 익히면 고소한 냄새가 나는 밥이 된다는 데서 '밥'을 뜻하게 된 자.

⁰⁹ 【食】 먹을 식 / 밥 식·사 食

부수 食 (밥 식) 부
찾기 食⁹ = 9획

ノ	八	亼	今	今	今	食
食	食					

〔글자뿌리〕 회의(會意) 문자. 모을 집(亼 : 集의 본자)에 밥을 뜻하는 흡(皀＝𠁡)을 합친 자로, 밥알을 모아 그릇에 담은 '밥'이라는 데서 '먹다'의 뜻도 됨.

〔글자풀이〕 1 먹다. 2 밥.

[食口] (식구) 한집에 살며 끼니를 같이 하는 사람.

[食器] (식기) 음식 담는 그릇.

[食堂] (식당) ① 식사하기에 편리하도록 설비하여 놓은 방. ② 음식을 만들어 파는 가게.

[食率] (식솔) 딸린 식구.

[食慾] (식욕) 음식을 먹고 싶어 하는 욕망.

[食前] (식전) ① 밥을 먹기 전. ② 아침밥을 먹기 전. 곧, 이른 아침.

[食卓] (식탁) 여러 사람이 식사할 수 있게 음식물을 벌여 놓는 데 쓰이는 큰 탁자.

[食後] (식후) 밥을 먹은 뒤.

⑬ 【飯】 밥 **반** 飯

부수 食 (밥 식) 부
찾기 食⁹＋反⁴ ＝ 13획

ノ	𠆢	𠂉	今	今	仐	食
食	食	飠	飣	飯	飯	

〔글자뿌리〕 형성(形聲) 문자. 밥 식(食⟨뜻⟩)에 뒤칠 반(反⟨음⟩)을 합친 자로, 씹어 이리저리 뒤치며 먹는 것이라는 데서, '밥'의 뜻.

〔글자풀이〕 1 밥. 2 먹다.

[飯酒] (반주) 식사 때 한두 잔의 술을 마시는 일. 또는 그 술.

[飯饌] (반찬) 밥에 곁들여 먹는 어육(魚肉)·채소 등으로 만든 온갖 음식.

[白飯] (백반) ① 쌀밥. 흰밥. ② 흰밥에 국과 반찬을 곁들여 파는 한 상의 음식.

⑬ 【飲】 마실 **음** 飲

부수 食 (밥 식) 부
찾기 食⁹＋欠⁴ ＝ 13획

ノ	𠆢	𠂉	今	今	仐	食
食	食	飠	飲	飲	飲	

글자뿌리 형성(形聲) 문자. 밥 식(食〈뜻〉)에 하품 흠(欠〈음〉)을 합친 자로, 하품을 할 때처럼 입을 벌리고 먹는다는 데서 '마시다'의 뜻이 된 자.

글자풀이 1 마시다. 2 마실 것.

[飮毒] (음독) 독약을 먹음.

[飮料] (음료) 마시는 것을 통틀어 이르는 말. 술·청량 음료 따위.

[飮福] (음복) 제사를 지내고 나서 제사에 썼던 음식물을 나누어 먹음.

[飮食] (음식) 사람이 먹고 마시는 것. ¶ 飮食店(음식점).

[飮酒] (음주) 술을 마심.

[過飮] (과음) 술을 지나치게 마심. 너무 많이 마심.

[米飮] (미음) 쌀 등을 푹 끓여 체에 밭인 음식.

[試飮] (시음) 술이나 음료수를 맛보기 위해 시험삼아 마심.

[暴飮] (폭음) 술을 한 차례에 아주 많이 마심.

6
⑮ [養] 기를 양   養

부수 食 (밥 식) 부
찾기 食⁹＋羊⁶ = 15획

| ` | ˊ | ˆ | ˇ | 芏 | 羊 | 美 |
| 美 | 羞 | 蓁 | 莑 | 養 | 養 | 養 |

글자뿌리 형성(形聲) 문자. 양 양(羊〈음〉)에 밥 식(食〈뜻〉)을 합친 자로, 양에게 먹이를 주어 살지게 키운다는 데서 '기르다'의 뜻.

글자풀이 1 기르다. 2 봉양하다.

[養鷄] (양계) 닭을 기름.

[養女] (양녀) 데려다가 기른 딸.

[養豚] (양돈) 돼지를 기름.

[養分] (양분) 영양이 되는 성분. 자양분.

[養成] (양성) 교육·훈련 등으로 인재를 길러 냄.

[養育] (양육) 어린아이를 기름.

[養子] (양자) 데려다가 기른 아

9
획

들. 양아들

[敎養] (교양) 사회 생활이나 학식을 바탕으로 이루어지는 품행과 문화에 대한 지식.

[培養] (배양) ① 식물을 가꾸어 기름. ② 사람을 길러 냄. ③ 미생물이나 동·식물 조직의 일부를 인공적으로 길러 증식시킴.

[奉養] (봉양) 부모나 조부모를 받들어 모심.

[扶養] (부양) 생활 능력이 없는 사람의 생활을 돌봄.

[修養] (수양) 몸과 마음을 단련하여 품성·지혜·도덕을 닦음.

⑯ ⁷ 【餘】 남을 여 餘

부수 食(밥 식)부

찾기 食⁹＋余⁷ ＝ 16획

ノ	㇐	㇒	今	会	刍	飠
飠	飠	飣	飲	飲	飳	餄
餘	餘					

글자뿌리 형성(形聲) 문자. 밥 식(食〈뜻〉)에 남을 여(余〈음〉)를 합친 자로, 먹을 음식이 풍족하다는 데서 '남다'의 뜻.

글자풀이 1 남다. 나머지. 2 그 밖의 것.

[餘力] (여력) 남는 힘. 본래의 일 이외에 다른 일을 할 수 있는 힘.

[餘白] (여백) 글씨나 그림이 있는 지면에서 아무것도 없이 하얗게 남아 있는 빈 자리.

[餘分] (여분) 쓰고 남아 있는 분량. 나머지.

[餘生] (여생) 남은 생애.

[餘韻] (여운) 일이 끝난 뒤에도 가시지 않고 남은 느낌이나 정취.

[餘裕] (여유) 경제적·정신적·시간적으로 넉넉하고 남음이 있음.

[餘興] (여흥) 어떠한 모임이나 연회 따위에서 흥을 돋우기 위하여 곁들이는 춤·노래·장기 자랑 따위.

⁹ 首 (머리 수) 部

얼굴 위에 머리털이 난 머리의 모양을 본뜬 글자.

⁰ ⑨ 【首】 머리 수 首

부수 首(머리 수)부

찾기 首⁹ ＝ 9획

㇔	㇔	丷	丷	产	首	首
首	首					

글자뿌리 상형(象形) 문자. 얼굴 위에 머리털이 난 사람의 머리 모양을 본뜬 글자.

😀 ⇒ 😀 ⇒ 首

글자풀이 1 머리. 2 우두머리. 3 첫째. 처음. 4 자백하다.

[首肯](수긍) 그러하다고 고개를 끄덕임. 찬동함. 승낙함.

[首都](수도) 한 나라의 중앙 정부가 있는 도시.

[首相](수상) 내각의 우두머리. 국무 총리.

[首席](수석) ① 맨 윗자리. ② 제 1 위.

[首弟子](수제자) 여러 제자들 중에서 가장 뛰어난 제자.

---

⁹ 香 (향기 향) 部

기장을 익혔을 때 나는 냄새가 아주 좋다는 데서 '향기'를 뜻함.

⁰ _⑨ [香] 향기 **향** 香

부수 香 (향기 향) 부
찾기 香⁹ = 9획

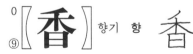

ノ	二	千	禾	禾	禾	香
香	香					

글자뿌리 회의(會意) 문자. 기장 서(禾 : 黍)에 달 감(曰 : 甘의 변형)을 합친 자로, 옛날에 풍년을 빌기 위해 기장으로 술과 떡을 만들었는데, 기장을 맛있게 익혔을 때 나는 향기로운 냄새라는 데서 '향기'를 뜻함.

글자풀이 1 향기. 향내. 2 향기롭다.

[香氣](향기) 좋은 느낌을 주는 냄새.

[香爐](향로) 향을 피우는 데 쓰는 자그마한 화로.

[香料](향료) 향기를 풍기는 물질. 향을 만드는 원료.

[香水](향수) 향료를 용해시켜 만든 화장품의 한 가지.

[香辛料](향신료) 음식물에 매운 맛이나 향기를 풍기게 하는, 고추·후추·겨자·마늘·파 따위의 조미료.

[芳香](방향) 꽃다운 향내.

⁹
_획

¹⁰
_획

---

¹⁰ 馬 (말 마) 部

말의 모양을 본뜬 글자.

0 【馬】 말 마 馬

⑩

부수 馬 (말 마) 부
찾기 馬¹⁰ = 10획

丨	厂	厂	厈	馬	馬	馬	馬
馬	馬	馬					

글자뿌리 상형(象形) 문자. 말의 머리, 갈기와 꼬리, 네 다리를 본뜬 글자.

글자풀이 말.

[馬夫] (마부) 말을 부리는 사람.
[馬耳東風] (마이 동풍) 남의 말을 귀담아 듣지 않고 흘려 버림을 이르는 말.
[馬牌] (마패) 조선 시대, 관리가 지방으로 출장 갈 때 역에 있는 말을 쓸 수 있도록 하던 구리로 만든 둥근 패.
[競馬] (경마) 말을 타고 하는 경주. ¶ 競馬場(경마장).
[騎馬] (기마) 말을 탐. 또는 타는 말.

[名馬] (명마) 이름난 말.
[木馬] (목마) 어린아이들이 타고 놀 수 있게 나무로 만든 장난감 말.

13 【驚】 놀랄 경 驚

㉓

부수 馬 (말 마) 부
찾기 馬¹⁰ + 敬¹³ = 23획

⺮	⺭	节	艹	莳	莳	茍
茍	茍⺀	茍攵	敬	敬	敬	敬
敬	驚	驚	驚	驚	驚	驚

글자뿌리 형성(形聲) 문자. 공경할 경(敬 : 몸을 움츠린다는 뜻〈음〉)에 말 마(馬〈뜻〉)를 합친 자로, 말이 경계한다는 데서 '놀라다'의 뜻.

글자풀이 놀라다. 놀래다.

[驚氣] (경기) 한방에서, 어린아이가 경련을 일으키는 병을 이르는 말.
[驚愕] (경악) 몹시 놀람. 놀라고 당황함.
[驚異] (경이) 놀라 이상히 여김. ¶ 驚異的(경이적).
[驚歎] (경탄) ① 몹시 놀라 탄식함. ② 몹시 감탄함.
[大驚失色] (대경 실색) 몹시 놀

라 얼굴빛이 하얗게 변함.

¹⁰ 骨 (뼈 골) 部

고기에서 살을 발라 내고 나면 남는 것은 뼈라는 데서 '뼈'를 뜻하게 된 자.

⁰ **[骨]** 뼈   골   骨
_⑩

부수 骨 (뼈 골) 부
찾기 骨¹⁰ = 10획

丨	冂	冂	冎	冎	咼	骨

| 骨 | 骨 | 骨 | | | | |

(글자뿌리) 회의(會意) 문자. 살 발라낼 과(冎 : 관절의 모양)와 육달 월(月)을 합친 자로, 고기에서 살을 발라 내면 뼈만 남는다는 데서 '뼈'의 뜻.

 ⇒ 骨

(글자풀이) 뼈.

[骨格] (골격) 뼈의 조직. 뼈대.

[骨董品] (골동품) ① 아주 오래된 귀한 물건이나 미술품. ② 오래 되었을 뿐 가치가 없고, 쓸모도 없이 된 물건.

[骨盤] (골반) 척추 동물의 허리 부분을 이루며, 하복부의 내장을 떠받치고 있는 깔때기 모양의 뼈.

[骨髓] (골수) ① 뼛속에 차 있는 황색의 연한 조직. 골. ② 요점. 골자. ③ 마음 속.

[骨肉] (골육) ① 뼈와 살. ② 핏줄이 같은 사람.

[骨肉相殘] (골육 상잔) ① 부자 또는 형제 사이에 서로 해침. ② 같은 민족끼리 서로 싸움.

[骨子] (골자) 가장 중요한 부분. 요점.

[骨折] (골절) 뼈가 부러짐.

[氣骨] (기골) ① 기혈(氣血)과 골격. ② 자신의 신념을 좀처럼 굽히지 아니하는 강한 기개.

[弱骨] (약골) 몸이 약한 사람. 약한 몸.

[皮骨相接] (피골 상접) 살갗과 뼈가 맞붙을 정도로 몹시 여위어 있음.

10획

---

¹³ **[體]** 몸   체   體
_㉓

부수 骨 (뼈 골) 부
찾기 骨¹⁰ + 豊¹³ = 23획

ㅣ	冂	冂	卬	卬	骨	骨
骨	骨	骨	骨	骨	骨	骨
體	體	體	體	體	體	體

글자뿌리 형성(形聲) 문자. 뼈 골(骨〈뜻〉)에 예도 례(豊:禮의 옛 글자. 第〔차례 제〕의 뜻〈음〉)를 합친 자로, 질서 있게 이루어진 뼈대라는 데서 '몸'을 뜻함.

글자풀이 1 몸. 신체. 2 바탕. 모양. 3 물건. 물질.

[體格] (체격) ① 몸의 골격. ② 근육·골격·영양 상태로 나타나는 몸의 생김새.

[體得] (체득) 체험하여 진리를 터득함. 몸소 경험하여 알아 냄.

[體力] (체력) 몸의 힘. 몸의 작업 능력. 건강 장애에 대한 몸의 저항 능력.

[體育] (체육) 몸의 성장과 발달을 촉진하고 운동 능력이나 건전한 생활을 영위하는 태도 등을 기르기 위한 교육.

[體重] (체중) 몸의 무게.

[體質] (체질) ① 몸의 성질. 몸의 바탕. ② 개인의 형태적 및 기능적인 성질과 상태.

[體臭] (체취) ① 몸에서 풍기는 냄새. ② 그 사람만의 독특한 기분이나 버릇. 곧, 가장 개성적인 것을 비유하는 말.

[體驗] (체험) 자기가 직접 경험함. 또는 그 경험.

[個體] (개체) ① 따로따로 떨어진 낱낱의 물체. ② 하나의 생물로서 완전한 기능을 갖는 최소의 단위.

[物體] (물체) 공간의 일부분을 차지하고 있으며, 감각으로 그 모양과 크기를 알 수 있는 것.

[書體] (서체) 글씨체.

[身體] (신체) 사람의 몸.

[全體] (전체) 온통. 전부.

[天體] (천체) 우주 공간에 떠 있는 온갖 물체를 통틀어 이르는 말.

---

¹⁰ 高 (높을 고) 部

높이 솟은 망루나 누대와 드나드는 문을 본뜬 글자.

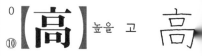

⓪ 【高】 높을 고 高
⑩

부수 高 (높을 고) 부
찾기 高¹⁰ = 10획

| ' | 亠 | 宀 | 古 | 占 | 占 | 高 |
| 高 | 高 | 高 | | | | |

글자뿌리 상형(象形) 문자. 높이 솟은 누대나 망루와 그 곳으로 들어가는 입구를 본뜬 글자로, 누대는 출입문보다 높은 곳에 있다는 데서 '높다'의 뜻.

글자풀이 1 높다. 2 높아지다. 쌓이다.

[高價](고가) ① 값이 비쌈. 비싼 값. ② 좋은 평판.

[高潔](고결) 성품이 고상하고 순결함.

[高山](고산) 높은 산.

[高尙](고상) 지조가 높고 깨끗하여 속된 것에 몸을 낮추거나 굽히지 않음.

[高僧](고승) ① 학식이나 덕망이 높은 승려. ② 지위가 높은 승려.

[高額](고액) 많은 금액.

[高原](고원) 평야보다 지대가 높은 벌판.

[高低](고저) 높음과 낮음. 높낮이.

[高下](고하) ① 높음과 낮음. ② 나음과 못함. ③ 귀함과 비천함. ④ 값이 많음과 적음.

[崇高](숭고) 존엄하고 거룩함.

11 魚 (물고기 어) 部

물고기의 모양을 본뜬 글자.

0
⑪ 【魚】 물고기 어 魚

부수 魚 (물고기 어) 부
찾기 魚¹¹ = 11획

| ノ | ⺈ | ⺈ | 竹 | 帘 | 角 | 魚 |
| 魚 | 魚 | 魚 | 魚 | | | |

글자뿌리 상형(象形) 문자. 물고기의 머리·배·꼬리 모양을 본뜬 글자로, 아래의 '灬'는 불을 뜻하는 것이 아니라 꼬리 지느러미를 나타냄.

11
획

글자풀이 물고기. 고기.

[魚頭肉尾] (어두 육미) 물고기
는 대가리 쪽이, 짐승의 고기는
꼬리 쪽이 맛있다는 말.

[魚卵] (어란) 물고기의 알.

[魚物] (어물) ① 잡은 물고기의
총칭. ② 가공하여 말린 해산물.

[魚缸] (어항) 물고기를 기르는
유리 항아리.

[乾魚物] (건어물) 말린 물고기.

[大魚] (대어) ① 큰 물고기. ②
물고기가 많이 잡히는 일.

[養魚場] (양어장) 물고기를 길
러서 번식시키는 곳.

[釣魚] (조어) 물고기를 낚음.

글자풀이 1 곱다. 깨끗하다. 2
신선하다. 새롭다. 3 생선.

[鮮明] (선명) 산뜻하고 또렷함.

[鮮血] (선혈) 상하지 않은 신
선한 피.

[生鮮] (생선) 말리거나 소금에
절이지 않은 물고기.

[新鮮] (신선) ① 채소·생선 등
이 싱싱함. ② 새롭고 산뜻함.

---

6 ⑰ 【鮮】 고울 선   鮮

부수 魚 (물고기 어) 부

찾기 魚¹¹ + 羊⁶ = 17획

ノ	㇒	㇈	夕	肏	扂	甶
魚	魚	魚	魚	魚	魚	鮮
鮮	鮮	鮮				

글자뿌리 형성(形聲) 문자. 물
고기 어(魚〈뜻〉)에 양노린내 날
전(羊 : 羴의 생략자〈음〉)을 합친
자로, 원래 노린내나는 고기라는
뜻을 지니고 있었으나, 훗날 '신
선하다'는 뜻으로 바뀜.

---

11 鳥 (새 조) 部

새의 모양을 본뜬 글자로, 꽁
지가 긴 새를 뜻함.

0 ⑪ 【鳥】 새   조   鳥

부수 鳥 (새 조) 부

찾기 鳥¹¹ = 11획

ノ	イ	宀	巾	白	自	鳥
鳥	鳥	鳥	鳥			

글자뿌리 상형(象形) 문자. 꽁
지가 긴 새의 모양을 본뜬 글자.

글자풀이 새.

[鳥瞰圖] (조감도) 높은 곳에서 아래를 내려다본 것처럼 그린 그림.

[鳥足之血] (조족지혈) 새 발의 피라는 뜻으로, 아주 적은 분량을 비유하여 이르는 말.

[吉鳥] (길조) 사람에게 좋은 일이 생길 것을 미리 알려 준다는 새.

[白鳥] (백조) 오리과 백조속의 새로, 몸빛깔이 희고 부리는 노란색, 다리는 검은색임. 고니.

[不死鳥] (불사조) 500년마다 스스로 쌓은 제단의 불에 타 죽고는 그 재 속에서 다시 태어난다는 새.

[益鳥] (익조) 농사에 해가 되는 벌레를 잡아먹는 이로운 새. 빤 害鳥(해조).

[一石二鳥] (일석 이조) 한 가지의 일을 하여 두 가지의 이익을 얻음. 동 一擧兩得(일거양득).

---

³⑭ [鳴] 울 명 鳴

부수 鳥 (새 조) 부

찾기 鳥¹¹ + 口³ = 14획

ヽ	冂	口	口′	叮	吅	吅
吅	唣	鳴	鳴	鳴	鳴	鳴

글자뿌리 회의(會意) 문자. 입 구(口)에 새 조(鳥)를 합친 자로, 새가 입을 벌려 지저귄다는 데서 '울다'의 뜻.

글자풀이 울다. 새가 울다.

[悲鳴] (비명) 몹시 놀라거나 괴롭거나 다급할 때에 지르는 외마디 소리.

[自鳴鼓] (자명고) 적이 쳐들어오면 스스로 울렸다는 북. 호동 왕자와 낙랑 공주 이야기로 많이 알려짐.

[自鳴鐘] (자명종) 때가 되면 저절로 울려서 시간을 알려 주는 시계.

11
획

10
㉑ 【鷄】 닭 계 鷄

부수 鳥(새 조)부

찾기 鳥¹¹＋奚¹⁰＝21획

𠂊	𠂆	𠬼	�	爫	奚
奚	奚	奚	奚'	鷄	鷄
鷄	鷄	鷄	鷄	鷄	鷄

글자뿌리 형성(形聲) 문자. 어찌 해(奚 : 경계한다는 뜻〈음〉)에 새 조(鳥〈뜻〉)를 합친 자로, 새벽을 알리는 새라는 데서 '닭'을 뜻함.

글자풀이 닭.

[鷄卵](계란) 달걀.

[鷄林](계림) ① 신라 탈해왕 때부터 부르던 '신라'의 딴이름. ②'경주'의 옛 이름. ③우리 나라의 별칭.

[養鷄場](양계장) 설비를 갖추어 놓고 닭을 기르는 곳.

---

11 麥 (보리 맥) 部

올 래(來)와 뒤져 올 치(夊)를 합친 자로, '보리'를 뜻함.

0
⑪ 【麥】 보리 맥 麥

부수 麥(보리 맥)부

찾기 麥¹¹＝11획

一	𠂇	𡗞	𡗞	來	來
來	來	麥	麥		

글자뿌리 회의(會意) 문자. 까끄라기가 있는 곡식의 이삭을 뜻하는 올 래(來 : 麥의 원자)에 뒤져 올 치(夊)를 합친 자로, 다른 곡식과는 달리 가을에 씨 뿌리고 여름에 추수하는 '보리'를 뜻함.

글자풀이 보리.

[麥芽](맥아) 엿기름.

[麥酒](맥주) 보리와 홉(hop)을 섞어서 발효시킨 술.

---

12 黃 (누를 황) 部

밭의 빛깔이 황토색이므로 '누렇다'의 뜻을 나타냄.

0
⑫ 【黃】 누를 황 黃

부수 黃(누를 황)부

찾기 黃¹²＝12획

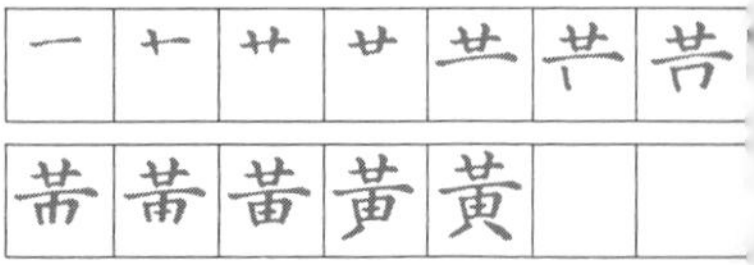

一	十	卄	卄	芇	芇	苦
苦	苗	苗	黃	黃		

글자뿌리 회의(會意) 문자. 빛 광(共 : 光의 옛 글자)에 밭 전(田)을 합친 자로, 밭의 빛깔이 황토색이라는 데서 '누렇다'의 뜻.

黃 ⇒ 黄 ⇒ 黃

글자풀이 누렇다.

[黃金] (황금) ① 금. 순금. ② 돈. 금전.

[黃金萬能] (황금 만능) 돈이면 무슨 일이든지 뜻대로 된다는 사고 방식.

[黃鳥] (황조) 꾀꼬리.

[黃泉] (황천) ① 지하의 샘. ② 저승.

[黃昏] (황혼) 해가 져서 어둑어둑할 무렵.

[浮黃] (부황) 오래 굶어서 살가죽이 누렇게 부어오르는 병.

12 黑 (검을 흑) 部

불이 활활 타올라 나가는 창인 굴뚝이 거멓게 그을려 있다는 데서 '검다'의 뜻.

0
⑫ 〔黑〕 검을 흑 黑

부수 黑 (검을 흑) 부
찾기 黑 12 = 12획

丶	冂	冂	冃	日	甲	甲

| 里 | 里 | 黒 | 黑 | 黑 | | |

글자뿌리 상형(象形) 문자. 불꽃〔灬＝炎〕이 굴뚝〔里〕에서 내뿜어지는 모양을 본뜬 자로, 굴뚝이 거멓게 그을려 있다는 데서 '검다'의 뜻.

글자풀이 검다. 어둡다.

[黑白] (흑백) ① 검은색과 흰색. ② 옳음과 그름.

[黑色] (흑색) 검은색.

[黑心] (흑심) 음흉하고, 부정한 욕심이 많은 마음.

[黑煙] (흑연) 연필의 심 등에 쓰이는 탄소로 된 광물.

[黑人] (흑인) 피부색이 검은 사람. 흑색 인종에 속하는 사람.

¹⁴ 鼻 (코 비) 部

'自'는 코의 모양을 본뜬 글자이고, '畀'는 '卑(비)'로 음을 나타냄.

⁰ ⑭ [鼻] 코 비 鼻

부수 鼻 (코 비) 부

찾기 鼻¹⁴ = 14획

글자뿌리 형성(形聲) 문자. 코의 모양을 본뜬 '自〈뜻〉'와 음을 나타내는 줄 비(畀〈음〉)를 합친 글자로 '코'라는 뜻.

글자풀이 코.

[鼻孔] (비공) 콧구멍.

[鼻炎] (비염) 코의 점막에 생기는 염증.

[鼻音] (비음) 코울림소리. 'ㅇ·ㄴ·ㅁ' 따위.

[耳目口鼻] (이목구비) 귀·눈·입·코를 중심으로 본 얼굴의 생김새.

¹⁵ 齒 (이 치) 部

'이'의 모양을 나타낸 글자.

⁰ ⑮ [齒] 이 치 齒

부수 齒 (이 치) 부

찾기 齒¹⁵ = 15획

글자뿌리 형성(形聲) 문자. 이가 아래위에 박힌 모양〔齒〈뜻〉〕에다 그칠 지(止 : '나란히'의 뜻〈음〉)를 합친 자로, '이빨'의 뜻.

글자풀이 1 이. 2 나이.

[齒科] (치과) 이를 전문으로 치료하거나 연구하는 의학의 한 분과.

[齒石] (치석) 이에 누렇게 엉기어 붙은 단단한 물질.

[齒音] (치음) 혀 끝과 이 사이에서 나오는 자음. 'ㅅ·ㅈ·ㅊ' 따위. 잇소리.

[齒痛] (치통) 이가 아픈 증세.

[乳齒] (유치) 젖먹이 때 나서 아직 갈지 않은 이.

[蟲齒] (충치) 벌레 먹은 이.

부 록

ㄱ

呵呵大笑〔가가 대소〕
너무 우스워서 소리를 크게 내어
웃음.

可東可西〔가동 가서〕
동쪽도 좋고, 서쪽도 좋다는 뜻으
로, 이렇게 하든 저렇게 하든 상
관없음을 이르는 말.

苛斂誅求〔가렴 주구〕
세금 등을 가혹하게 거두어들이
는 등 무리하게 백성의 재물을 빼
앗음.

家貧則思良妻〔가빈즉 사양처〕
집안이 가난해지면 어진 아내를
생각하게 된다는 뜻으로, 집안이
넉넉하거나 사업이 순조롭거나
할 때는 미처 몰랐으나 궁해지거
나 순조롭지 못하게 되면 어진 아
내나 슬기로운 관리자를 새삼 고
맙게 여기게 된다는 말.

家書抵萬金〔가서 저만금〕
객지에서 받아 보는 고향에서 온
편지는 반갑고 소중하기가 황금
만 냥보다 낫다는 말.

佳人薄命〔가인 박명〕
용모가 너무 빼어난 여자는 명이
짧다는 말.

苛政猛於虎〔가정 맹어호〕
가혹한 정치는 호랑이보다 더 사

납다는 뜻으로, 가혹한 정치가 끼
치는 해독을 맹수에 비유하여 표
현한 말. ［고사］ 중국의 춘추 시대
(春秋時代) 말엽에는 나라마다 기
강이 어지러워져 있었다. 노(魯)
나라도 예외는 아니어서 대부(大
夫)인 계손자(季孫子) 같은 자는
백성들로부터 가혹하게 거둬들인
세금으로 엄청난 부(富)를 누리
고 있었다. 어느 날, 공자(孔子)
가 제자들과 함께 수레를 타고 여
행을 하다가 태산(泰山) 근처에
이르렀는데, 깊은 산 속 어디선가
여인의 울음소리가 들려 왔다. 자
세히 들어 보니 울음소리는 앞쪽
무덤 가에서 들려 오고 있었다.
이상히 여긴 일행이 수레를 그 쪽
으로 급히 몰아 가서 사연을 알아
보았더니, 그녀는 "이 곳은 참으
로 무서운 곳이랍니다. 얼마 전에
는 시아버님께서 호랑이에게 물
려 가셨고, 이젠 제 남편과 자식
까지 모두 물려 죽었어요." 하고
대답했다. 그렇게 무서운 이 곳을
왜 떠나지 않느냐고 묻자, 그녀는
"그래도 여기는 가혹한 세금에
시달릴 걱정이 없기 때문이에요."
하고 대답했다. 이 말을 들은 공

자는 "가혹한 정치는 호랑이보다 더 사나운 것이니라." 하고 자로 (子路)를 비롯한 제자들에게 말하였다고 한다.

家和萬事成〔가화 만사성〕
집안이 화목하면 모든 일이 잘 된다는 말.

刻骨難忘〔각골 난망〕
입은 은혜에 대한 고마운 마음이 뼈에 깊이 새겨져 잊기가 어려움.

刻舟求劍〔각주 구검〕
배에 위치를 새겨 놓고 칼을 찾는 다는 뜻으로, 상황이나 시대가 변해 가는데 낡은 생각만 하는 어리석음을 이르는 말. [고사] 중국의 전국 시대(戰國時代)에 초(楚) 나라 사람들이 배로 양자강을 건너는데, 그 사람 중에는 칼 한 자루를 소중히 지니고 다니는 젊은이가 함께 타고 있었다. 그런데, 배가 강의 중간쯤에 이르렀을 때, 그 젊은이가 그만 실수로 칼을 강물에 빠뜨리고 말았다. 순식간에 칼은 강물 속으로 가라앉아 버렸다. 그러자 젊은이는 허리춤에서 단검을 꺼내어 칼을 빠뜨린 바로 그 자리의 뱃전에다 금을 그어 표시를 하는 것이었다. 그러고는 자신의 행동을 이상하게 여기는 사람들의 기색을 알아차리기라도 한 듯이, "내가 칼을 떨어뜨린 곳이 바로 여기니까 다시 찾을 수

있을 것이오." 하고 혼자 중얼거렸다. 얼마 후 배가 맞은편에 가 닿자, 그 젊은이는 표시해 둔 밑으로 뛰어들었다. 그러나 칼이 그 밑에 있을 리 없었으므로, 사람들이 모두 그 어리석음을 비웃었다고 한다.

角逐〔각축〕
겨루고 쫓는다는 뜻으로, 서로 이기려고 경쟁함을 이르는 말.

艱難辛苦〔간난 신고〕
고되고 어렵고 맵고 쓰다는 뜻으로, 갖은 고초를 이르는 말.

肝膽相照〔간담 상조〕
간과 쓸개를 서로 꺼내어 보인다는 뜻으로, 서로 속마음을 터놓고 숨김이 없이 사귐을 이르는 말. [고사] 중국 당(唐)나라 때의 문인 (文人)인 유종원(柳宗元)이 유주 자사(柳州刺史)로 임명되었는데, 마침 유몽득(柳夢得)도 파주 자사(播州刺史)로 임명되리라는 소식이 전해졌다. 이 말을 들은 유종원은 "파주는 멀고 험한 땅이라 양친이 생존해 계신 유몽득 같은 사람이 살 만한 곳이 못 되오. 어떻게 할지 몰라 난처해하고 있는 것을 차마 볼 수가 없으니 내가 그를 대신해서 파주로 갈 것을 지원해야겠소." 하고 말했다. 진실한 우정을 나눌 수 있는 친구를 매우 존경하던 유명한 문인인 한

유(韓愈)는 이 말을 전해 듣고는 "사람은 어려움에 처했을 때에 비로소 참다운 절의(節義)가 나타나는 법이다. 아무 일 없이 편안한 때는 술이나 마시며 지낸다. 흰소리 치기도 하고 억지 웃음도 웃는다. 서로 양보하며 손을 마주잡고 간과 쓸개를 꺼내어 보이며 서로 배신하지 말자고 한다. 그러나 일단 털끝만한 이해 관계라도 생기면, 눈을 부릅뜨고 친한 사이가 아닌 것 같은 얼굴을 한다."고 말했다 한다.

甘言利說 〔감언 이설〕
남의 비위에 맞도록 꾸민 달콤한 말과, 이로운 조건을 내세워 그럴 듯하게 꾀는 말.

甘呑苦吐 〔감탄 고토〕
달면 삼키고 쓰면 뱉는다는 뜻으로, 사리의 옳고 그름에 관계없이 자기에게 이로우면 하고, 불리하면 하지 않는 이기적인 태도를 이르는 말.

甲男乙女 〔갑남 을녀〕
갑이라는 남자와 을이라는 여자란 뜻으로, 평범한 사람들을 이르는 말.

甲論乙駁 〔갑론 을박〕
갑이 논하면 을이 반박한다는 뜻으로, 서로 자기 의견을 주장하며 논함. 또, 말다툼이 되어 논의가 통일되지 않음.

改過遷善 〔개과 천선〕
지난 허물을 뉘우쳐 고치고, 바른 생활을 함.

開卷有得 〔개권 유득〕
책을 펴고 글을 읽으면 얻음이 있다는 뜻으로, 독서는 새로운 지식을 얻는 재미가 있음을 이르는 말.

去頭截尾 〔거두 절미〕
머리와 꼬리를 잘라 버린다는 뜻으로, 앞뒤의 쓸데없는 잔소리를 빼어 버리고 사실의 요점만 말한다는 뜻.

居安思危 〔거안 사위〕
편안하게 살 때에는 늘 위태롭게 될 경우를 생각함.

見利思義 〔견리 사의〕
이익을 보거든 먼저 의리에 합당한지를 생각함.

犬馬之勞 〔견마지로〕
개나 말의 하찮은 수고라는 뜻으로, 윗사람에게 '자기가 바치는 노력'을 낮추어 말할 때 쓰는 말.

見物生心 〔견물 생심〕
물건을 보면 그것을 가지고 싶은 욕심이 생김을 이르는 말.

結者解之 〔결자 해지〕
맺은 사람이 풀어야 한다는 뜻으로, 자기가 저지른 일은 자기가 해결해야 한다는 말.

結草報恩 〔결초 보은〕
풀을 매어 은혜를 갚는다는 뜻으로, 죽어 혼령이 되어도 은혜를 잊지 않고 갚음을 이르는 말. 고사 중국의 춘추 시대(春秋時代)에 진(晉)나라의 위무자(魏武子)가 평소에 아들에게 자기가 죽거든 서모(庶母)를 개가시키라 해 놓고, 죽을 무렵에는 그와 반대로 순장(殉葬)을 시키라 했다. 아버지가 돌아가시자 아들 과(顆)는 아버지가 평소에 한 말을 따라 서모를 개가시켰다. 후에 과가 전쟁에 나가 진(秦)나라의 두회(杜回)와 싸우다 후퇴하여 위태롭게 되었을 때, 그 서모의 아버지의 넋이 적군의 앞길에 풀을 맞잡아 매어 두회가 걸려 넘어지게 하여 사로잡게 했다고 한다.

輕擧妄動 [경거 망동]
도리나 사정을 생각지 않고 경솔하게 함부로 행동함.

傾國之色 [경국지색]
나라 안에 으뜸 가는 미인. 임금이 반하여 나라가 기울어지는 것에도 신경 쓰지 않을 만한 미인. 고사 중국 한(漢)나라의 무제(武帝) 때에 이연년(李延年)이라는 궁중 가수가 있었는데, 노래와 춤에 재능이 뛰어나 무제의 총애를 한몸에 받았다. 그가 어느 날 무제 앞에서 춤을 추며 '북방에 가인(佳人) 있어/둘도 없는 절세 미인/한 번 눈길에 성이 기울고/두 번 눈길엔 나라 기우네/어찌

나라가 기욺[傾國]을 모르리오마는/가인은 다시 얻기 어려워라.'는 노래를 불렀다. 이 노래를 듣고 난 무제는 과연 그러한 여인이 어디 있을까 하고 탄식하였는데, 연년의 누이동생이 빼어난 미인이라는 소문을 전해 듣게 되었다. 그래서 즉시 연년의 누이동생을 불러들였는데, 과연 빼어난 미인인데다 춤도 잘 추었다. 무제는 이내 그 미모에 빠지고 말았다고 한다.

鷄口牛後 [계구 우후]
닭의 주둥이는 되어도 소의 꼬리는 되지 말라는 뜻으로, 큰 단체의 꼴찌보다는 작은 단체의 우두머리가 되라는 말. 고사 중국 전국 시대(戰國時代)에는 나름대로 학문과 처세술을 익힌 다음 여러 나라를 두루 찾아다니며 자신의 뜻을 펴기 위해 정치적 견해를 주장하는 유세객(遊說客)들이 많았다. 인재 등용 시험이 따로 없었던 당시에는 이런 식으로 인재를 발탁했었다. 소진(蘇秦)도 그들 가운데 한 사람이었다. 소진은 당시의 전국 칠웅(戰國七雄: 전국 시대의 일곱 강한 나라) 중에서 가장 강한 나라였던 진(秦)나라를 뺀 나머지 여섯 나라를 돌면서, "전하, 여섯 나라가 굳게 뭉치면 각기 독립국이 될 수 있사오

나 뭉치지 않으면 여섯 나라는 모두 진나라의 속국이 되고 말 것이옵니다. 옛날 속담에도 '닭의 주둥이는 될지언정 소의 꼬리는 되지 말라'는 말이 있사옵니다. 통촉하시옵소서." 하고, 여섯 나라가 힘을 합쳐 진나라에 대항할 것을 주장했다. 이 소진의 말에 여섯 나라 왕들은 모두 귀를 기울였고, 그래서 동맹을 맺고 소진을 여섯 나라의 재상으로 삼게 되었다. 소진은 비록 작기는 하지만 닭의 주둥이가 되느냐, 크다고 해서 소의 꼬리가 되느냐, 다시 말해서 독립을 하느냐, 아니면 식민지가 되느냐를 놓고 유세를 했던 것이다.

鷄卵有骨 〔계란 유골〕

계란에도 뼈가 있다는 뜻으로, 늘 일이 안 되는 사람이 모처럼 좋은 기회를 만났으나 역시 잘 안 됨을 비유하여 이르는 말. [고사] 조선 초기의 대신이었던 황희(黃喜)는 청렴 결백하여 높은 벼슬에 있으면서도 집은 몹시 가난하였다. 이를 안타깝게 여긴 임금은 하룻동안 남대문으로 들어오는 모든 상품은 황희의 집으로 보내라고 명령하였다. 그러나 이 날 따라 종일 비가 와서 아무것도 들어오는 물건이 없었다. 그런데 다 저녁때가 되자 달걀 한 꾸러미가 들어왔으나 그나마 삶아 놓고 보니 모두 곯아서 먹을 수가 없었다고 한다.

鷄肋 〔계륵〕

닭의 갈비뼈라는 뜻으로, 그다지 가치는 없지만 버리기는 아까운 물건을 이르는 말. [고사] 중국의 삼국 시대 촉한(蜀漢)의 유비(劉備)가 한중(漢中)을 점령하자, 위(魏)나라의 조조(曹操)가 곧 반격해 왔다. 하지만 몇 달 동안 계속되는 싸움에 군량미는 떨어지고 도망가는 군사가 계속 늘어나자 조조는 '계륵(鷄肋)'이라는 명령을 내렸다. 조조의 알 수 없는 명령에 모든 장수들이 당황하여 갈피를 못 잡고 있는데, 양수(楊修)라는 은어를 잘 푸는 장수만은 부리나케 서울 장안으로 돌아갈 준비를 했다. 이에 사람들이 이상히 여겨 까닭을 묻자, 양수는 "닭의 갈비는 먹고자 하면 먹을 것이 없고, 버리고자 하면 아까운 것인데, 한중을 이것에 비유하였으니 왕은 곧 돌아갈 것을 결정하신 것이지요." 하고 말했다. 그 말대로 조조는 곧 위나라 전군에게 한중에서 철수하라는 명령을 내렸다고 한다.

孤軍奮鬪 〔고군 분투〕

수가 적고 도와 줄 우군이 없는 외로운 군대가 강한 적과 힘껏 싸운다는 뜻으로, 적은 인원의 약한 힘으로 남의 도움도 없이 힘에 겨운 일을 함을 이르는 말.

苦盡甘來〔고진 감래〕

쓴 것이 다하고 단 것이 온다는 뜻으로, 고생 끝에 즐거움이 옴을 이르는 말.

曲學阿世〔곡학 아세〕

정도(正道)를 벗어난 학문으로 세상 사람에게 아첨함을 이르는 말. 〔고사〕중국 전한(前漢) 시대 경제(景帝)는 시인으로 유명한 원고(轅固)를 박사(博士)로 등용하였는데, 그는 90세의 늙은 나이였음에도 강직한 성품을 그대로 지니고 있어 바른 말 잘 하기로 유명하였다. 그 때문에 가짜 선비들은 갖은 이유를 대며 등용을 적극적으로 반대하였다. 그러나 경제는 그들의 만류를 뿌리치고 원고를 등용하였다. 이 때 원고와 함께 등용된 사람으로 공손 홍(公孫弘)이라는 학자가 있었는데, 그도 또한 늘 바른 소리만 하고 다른 중신들과 타협할 줄 모르는 원고를 달가워하지 않았다. 그러나 원고는 아랑곳하지 않고 "요즘 학문하는 도리는 어지러워지고, 속된 학설이 유행하고 있는데, 이대로 두면 학문의 전통은 마침내 요사한 학설에 눌려 그 자취를 감추게 될 것이네. 다행히 그대는 젊고 학문을 게을리하지 않는 선비라고 들었네. 부디 올바른 학문을 열심히 배워 세상에 널리 알리도록 하게. 절대로 자기가 옳다고 믿는 학설을 굽혀 세상의 속된 자들에게 아첨하는 일이 없길 바라네." 하고 공손 홍에게 충고의 말을 했다. 이 말에 감복한 공손 홍은 자신의 무례함을 사죄한 뒤에 원고의 제자가 되었다고 한다.

骨肉相殘〔골육 상잔〕

가까운 친족끼리 서로 해치고 죽이고 함. 곧, 부자·형제 또는 동족간의 싸움.

空手來空手去〔공수래 공수거〕

빈 손으로 왔다가 빈 손으로 간다는 뜻으로, 사람이 세상에 태어났다가 허무하게 죽음을 이르는 말.

空中樓閣〔공중 누각〕

공중에 누각을 짓는 것처럼, 근거나 토대가 없는 터무니없는 사물을 이르는 말.

過猶不及〔과유불급〕

정도를 지나침은 미치지 못한 것과 같다는 말. 〔고사〕자공(子貢)이 스승 공자(孔子)에게 자장(子張)과 자하(子夏) 중에 누가 더 현명한가를 물었더니, 공자는 "자장은 지나치고, 자하는 미치지 못하느니라."라고 대답하였다. 이에 자공이 "그렇다면 자장이 더 나은 것입니까?" 하고 다시 묻자,

공자는 "지나침은 미치지 못한 것과 같으니 다 도리에 맞지 않느니라."고 말했다고 한다.

瓜田不納履〔과전 불납리〕

오이밭에서는 신을 고쳐 신지 않는다는 뜻으로, 오해받기 쉬운 일은 하지도 말라는 말. 고사 중국 제(齊)나라의 위왕(威王)은 간신인 주파호(周破胡)만을 너무 신임한 나머지 나라를 잘못 다스렸다. 이를 보다 못한 위왕의 후궁 우희(虞姬)는 현명하고 덕이 있는 북곽 선생(北郭先生)을 등용해 나라를 바로잡을 것을 간했다. 이 말을 전해 들은 파호는 도리어 우희와 북곽 선생 사이가 수상쩍다고 모함하였다. 이를 믿은 위왕이 우희를 잡아들여 캐묻자, 우희는 "소첩은 지금 간사한 무리들로부터 모함을 받고 있을 뿐 결백하옵니다. 만약 죄가 있다면 오이밭에서 신을 고쳐 신지 않고, 오얏나무 아래에서는 갓을 고쳐 쓰지 않는다는 가르침에 따르지 않아 의심받을 수 있는 행위를 한 것뿐이옵니다. 하오나 소첩이 설사 죽음을 당하게 될지라도 더 이상 변명하지 않겠습니다. 다시 한 번 말씀드리지만 파호에게 나라 일을 맡기심은 나라의 장래를 매우 위태롭게 하는 일입니다."하고 아뢰었다. 이런 우희의 간곡한 충언을 들은 위왕은 그제서야 자신의 어리석음을 깨닫고 간신 아대부(阿大夫)와 주파호를 멀리하고 바른 정치를 펴서, 제나라를 잘 다스렸다고 한다.

管鮑之交〔관포지교〕

관중과 포숙아의 사귐이라는 뜻으로, 매우 다정한 친구 사이를 이르는 말. 고사 중국 춘추 시대 제(齊)나라 사람이었던 관중(管仲)과 포숙아(鮑叔牙)는 둘도 없는 친구 사이였다. 그러나 그들은 그들이 모시고 있던 공자(公子)들의 왕권 다툼으로 본의 아니게 정치적인 적이 되기도 하였는데, 관중은 포숙아가 모시는 공자인 소백(小白)을 죽이려 한 적도 있었다. 그러다가 소백이 승리하여 제환공(齊桓公)이 되자, 관중은 죽음을 당하게 되었다. 이 때 포숙아는 환공에게 간청하여 오히려 관중에게 높은 벼슬을 주도록 하였다. 뒷날 관중은 "내가 젊어서 가난할 때에 포숙아와 장사를 한 적이 있었는데 이득은 항상 내가 더 많이 차지했지만, 그는 한 번도 나를 욕심쟁이라고 욕하지 않았다. 내가 어렵다는 사실을 알았기 때문이다. 또, 그를 위해 한 일이 잘못되어 그를 더욱 궁지에 빠뜨린 적이 있었지만 나를 어리석은 놈이라 여기지 않았다. 일이란 뜻대로 되지 않을 때도 있다는 것을 알았기 때문이다. 또, 전쟁 때에는 몇 번이고 패하여 도망친 일이 있었으나, 비겁하다고 하지 않았다. 나에게 늙은 어머니가 계시다는 것을 알았기 때문이다. 나를 낳아 주신 분은 부모님이지만, 나를 알아 준 사람은 포숙아였다." 하며 포숙아를 그리워했다고 한다.

刮目相對〔괄목 상대〕

눈을 비비고 다시 본다는 뜻으로, 손아랫사람의 학식이 부쩍 향상된 것을 경탄하여 이르는 말. [고사] 중국의 삼국 시대에 오(吳)나라 사람인 여몽(呂蒙)은 큰 뜻을 품고 열심히 무예를 닦아 훌륭한 장수가 되었지만, 어려서 집이 가난하여 제대로 글공부를 하지 못한 것을 늘 후회하였다. 그러다 오나라를 일으킨 손권(孫權)의 권유로 글공부를 시작한 여몽은 몇 해 뒤에는 큰 학자들로부터도 그 학식을 인정받기에 이르렀다. 어느 날 노숙(魯肅)이 여몽을 찾아와서 국정을 의논하다가 그의 학식이 넓고 깊음에 감탄하자, 여몽은 "사람이 사흘 동안 헤어졌다가 다시 만나게 되면 마땅히 괄목 상대해야 하는 법입니다." 하고 말했다고 한다.

巧言令色〔교언 영색〕

남의 환심을 사려고 교묘히 꾸며서 하는 말과 아첨하는 얼굴빛.

敎學相長〔교학 상장〕

남을 가르치는 것이나 스승한테서 배우는 것은 모두 자기 공부에 도움이 된다는 말.

九曲肝腸〔구곡 간장〕

아홉 번 구부러진 간과 창자라는 뜻으로, 시름이 쌓이고 쌓인 마음속을 비유해 이르는 말.

口蜜腹劍〔구밀 복검〕

입으로는 꿀 같은 말을 하지만 뱃속에는 칼이 들어 있다는 뜻으로, 말로는 친한 척하지만, 속으로는 해칠 생각을 가지고 있음을 이르는 말. [고사] 중국의 당(唐)나라 현종(玄宗) 때에 후궁의 힘을 빌려 재상의 자리에까지 오른 이임보(李林甫)라는 사람이 있었다. 그는 황제의 뜻이라면 무조건 따르며 아첨하는 한편, 바른 말을 하는 충신을 미워하여 무슨 구실을 붙여서라도 그들을 죽이거나 멀리 귀양보냈다. 그러한 그가 조정의 책임자로 있었으니 황제 곁에 충신이 남아 있을 리가 없었다. 당시의 사람들은 모두 이임보를 두려워하여, "이임보는 입으로는 꿀 같은 말을 하지만, 그 뱃속에는 칼이 들어 있다."고 말했다고 한다.

九死一生〔구사 일생〕

여러 번 죽을 고비를 넘기고 겨우 살아남.

九牛一毛〔구우 일모〕

아홉 마리 소의 터럭 한 개라는 뜻으로, 많은 것 가운데에서 가장 하찮은 것임을 이르는 말. [고사] 중국 전한(前漢)의 무제(武帝) 때 흉노족이 자주 변경을 침범하여 변경의 백성들을 괴롭혔다. 무제는 그 흉노족을 토벌하기 위해 이릉(李陵)을 별동대로 파견했는데, 이릉은 흉노에게 패하게 되자 투항하여 후한 대접을 받았다. 이 소식을 들은 무제는 몹시 노여워하며, 그 일족을 몰살하려 하였으나 아무도 이릉을 변호하는 사람이 없었다. 이 때 사마천(司馬遷)이 이릉이 적은 군사로 얼마나 노력하였는지를 설명하며, 오히려 최선을 다한 공을 천하에 알려야 한다고 그를 두둔하였다. 이에 무제는 사마 천에게 불알을 가는 궁형(宮刑)을 내려 벌하였는데, 사마 천은 이를 몹시 치욕스럽게 여겨, "세상 사람들은 내가 궁형을 받는 일 따위는 아홉 마리나 되는 소〔九牛〕가 터럭 하나〔一毛〕를 잃는 정도로밖에 느끼지 않을 것이다." 하고 한탄하였다. 그러나 그는 그 치욕을 참고 견디면서 마침내 중국에서는 최초로 길이 빛나는 역사책인 '사기(史記)'를 지

었다고 한다.

群鷄一鶴〔군계 일학〕

무리지어 있는 닭 가운데 있는 한 마리의 학이라는 뜻으로, 평범한 사람 가운데의 뛰어난 사람을 이르는 말. [고사] 중국의 진(晉)나라 때, 인생이란 허무한 것이라며 대나무 숲 속에 숨어 살며 시(詩)를 읊고 고상한 이야기만 나누며 살았던 일곱 명의 선비가 있었는데, 이들을 일러 죽림 칠현(竹林七賢)이라 하였다. 산도(山濤)와 혜강(嵇康), 왕융(王戎) 등은 이 죽림 칠현의 멤버들이었다. 그런데 이들 중 혜강이 억울한 누명을 쓰고 어린 아들 혜소(嵇紹)를 남기고 죽게 되었다. 아버지를 여읜 혜소는 어머니를 모시고 근신하며 지내고 있었는데, 산도가 무제(武帝)에게 혜소가 춘추 시대(春秋時代) 진(晉)나라 대부(大夫)인 극결(郤缺)에 뒤지지 않는다며 비서랑(祕書郎)으로 등용할 것을 아뢰었다. 그러자 산도를 굳게 믿고 있던 무제는 혜소를 비서랑보다 한 계급 위인 비서승(祕書丞)으로 등용했다. 혜소가 처음으로 낙양(洛陽)에 들어오자 어떤 사람이 왕융에게, "어제 사람들 틈에 끼어서 혜소를 보니 참 훌륭하더군요. 구름처럼 몰려 있는 사람들 속에서 걸

어오는 모습이 마치 무리지어 있
는 닭 가운데 한 마리의 학 같았
습니다." 하고 말하였다고 한다.

君子三樂〔군자 삼락〕

군자에게는 세 가지의 낙이 있다
는 말로, 여기서 말하는 세 가지
낙이란 첫째는 부모님이 다 살아
계시고 형제가 무고한 것이고, 둘
째는 하늘과 사람에게 부끄러워
할 것이 없는 것이며, 셋째는 천
하의 영재를 얻어서 교육하는 일
을 이름.

權謀術數〔권모 술수〕

목적을 달성하기 위해서는 수단
과 방법을 가리지 않고, 때와 형
편에 따라 능란하게 대처하는 모
략이나 술책.

勸善懲惡〔권선 징악〕

착한 일을 권장하고, 악한 일을
징계함.

近墨者黑〔근묵자흑〕

먹을 가까이하면 검어진다는 뜻
으로, 나쁜 사람과 가까이 사귀게
되면 그 악에 빠지기 쉬움을 이르
는 말.

金科玉條〔금과 옥조〕

금이나 옥과 같이 아주 귀중한 법
률이나 규칙을 이르는 말.

錦上添花〔금상 첨화〕

비단 위에 꽃을 더한다는 뜻으로,
좋은 것 위에 또 좋은 것이 더하
여짐을 이르는 말.

今昔之感〔금석지감〕

옛날과 지금의 차이가 매우 심함
을 보고 느끼는 정.

錦衣還鄉〔금의 환향〕

비단옷을 입고 고향으로 돌아온
다는 뜻으로, 출세를 하여 고향으
로 돌아옴을 이르는 말.

金枝玉葉〔금지 옥엽〕

금으로 된 나뭇가지와 옥으로 만
든 잎이라는 뜻으로, ① 임금의
자녀나 집안을 높여 이르는 말.
② 귀여운 자손을 소중히 여겨 이
르는 말.

氣高萬丈〔기고 만장〕

일이 뜻대로 잘 되어 기세가 대단
하거나, 또 화를 낼 때에 지나치게
자만하는 기운이 넘쳐 나는 일.

起死回生〔기사 회생〕

중병이나 위기 때문에 죽을 뻔하
다가 살아나 회복됨.

奇想天外〔기상 천외〕

보통 사람은 생각지도 못할 엉뚱
한 생각.

杞憂〔기우〕

쓸데없는 걱정이나 무익한 근심
을 이르는 말. 〔고사〕 중국의 주
(周)나라 때에, 기(杞)나라에 어
떤 사람이 만일 하늘이 무너져 내
리면 어쩌나 하는 걱정으로 제대
로 먹지도 자지도 못하며 지내고
있었다. 이를 딱하게 여긴 친구가
하늘은 공기가 싸여 있을 뿐이어

서 무너질 일이 없다."고 말하자, 그는 이번에는 해나 달, 별들이 떨어질 것을 걱정하였다. 그래서 친구가 해나 달, 별들 역시 공기 가운데서 빛을 내고 있는 것으로, 만일에 떨어진다 해도 맞아서 다치는 일은 없을 것이라고 다시 타일렀다. 그러자 그는 "그럼 땅이 꺼진다면 어쩌겠나?" 하고 걱정스러운 듯이 말했다. 이에 친구가 "땅이란 흙덩이가 쌓인 것일 뿐이며 사방에 꽉 차 있으니 무너질 리가 있겠나. 쓸데없는 염려 말게." 하고 말해 주자, 그 사람은 비로소 안심하고 크게 기뻐하였다고 한다.

ㄴ

落落長松 〔낙락 장송〕
가지가 아래로 축축 늘어져 있는 키 큰 소나무.

樂生於憂 〔낙생어우〕
즐거움은 근심하는 가운데에서 생긴다는 말.

難攻不落 〔난공 불락〕
공격하기가 어려워 좀처럼 함락되지 않음.

難兄難弟 〔난형 난제〕
누구를 형이라 하고 누구를 아우라 하기가 어렵다는 뜻으로, 두 사물이 다 훌륭하여 낫고 못함을 구분하기 어려움을 비유한 말.

南柯一夢 〔남가 일몽〕
남쪽 가지에서의 꿈이라는 뜻으로, 덧없는 꿈이나 한때의 헛된 부귀 영화를 이르는 말. [고사] 중국의 당나라 덕종(德宗) 때, 순

우 분(淳于棼)이라는 사람이 있었다. 하루는 그가 자기 집 남쪽에 있는 오래 된 느티나무 밑에서 잠이 들었는데, 꿈에 두 사자(使者)가 나타나 괴안국(槐安國) 왕의 명령으로 모시러 왔다고 말했다. 순우 분이 그들을 따라 느티나무 구멍 속으로 들어갔더니, 왕이 그를 반갑게 맞아 태수로 삼고 잘 다스리지 못해 어지러워진 남가군(南柯郡)을 다스려 줄 것을 부탁해 왔다. 그래서 그가 남가군에서 20년간 어진 정치를 베풀고 서울로 돌아오자 이를 시기한 왕이 그를 옥에 가두었다. 바로 그때 잠을 깨어 보니 꿈이었다. 잠을 깬 순우 분은 하도 이상한 꿈이라 느티나무 밑을 파 보았다. 그랬더니, 큰 구멍 속에 개미 떼

가 있었다. 거기가 괴안국의 서울이고, 왕개미는 국왕이었던 것이다.

男負女戴〔남부 여대〕

남자는 짐을 짊어지고 여자는 짐을 이었다는 뜻으로, 재난을 당한 사람들이 살 곳을 찾아 돌아다님을 이르는 말.

囊中之錐〔낭중지추〕

주머니 속에 있는 송곳이란 뜻으로, 송곳이 그 예리한 끝으로 주머니를 뚫고 나오듯이, 재능이 뛰어난 사람은 어디서나 그 재능이 드러나게 된다는 말. 〔고사〕 중국 전국 시대 말엽, 조(趙)나라의 재상이었던 평원군(平原君)이 왕의 명령으로 초(楚)나라에 구원군을 청하러 가게 되었는데, 20명의 수행원 가운데 19명은 쉽게 뽑았으나, 나머지 한 명을 뽑지 못하고 고민하고 있었다. 이 때 식객(食客)이 된 지 3년이 되었다는 모수(毛遂)라는 사람이 자신을 수행원으로 데려가 줄 것을 청했다. 이에 평원군이 "재능이 뛰어난 사람은 마치 주머니 속에 있는 송곳이 예리한 끝으로 주머니를 뚫고 나오듯이 남의 눈에 드러나는 법인데 내 집에 온 지 3년이나 되었다는 그대는 단 한 번도 이름이 드러난 일이 없지 않소?" 하고 되물었다. 그러자 모수는

"대감께서 이제까지 저를 단 한 번도 주머니 속에 넣어 주시지 않았기 때문입니다. 하지만 이번에 주머니 속에 넣어 주신다면 끝뿐이 아니라 자루까지 드러내 보이겠습니다." 하고 대답하였다. 그의 재치 있는 대답에 만족한 평원군은 모수를 수행원으로 뽑았고, 초나라에 도착한 평원군은 모수의 활약 덕분에 국빈(國賓) 대접을 받으며 지냈고, 구원군도 얻을 수 있었다고 한다.

內憂外患〔내우 외환〕

나라 안팎의 근심 걱정을 이르는 말.

老萊之戲〔노래지희〕

노래자의 재롱이란 뜻으로, 늙어서도 부모를 기쁘게 함을 이르는 말. 〔고사〕 중국의 춘추 시대(春秋時代)에 초(楚)나라에 살던 노래자(老萊子)라는 효자는 나이 70에도 무늬 옷을 입고 어린이처럼 재롱을 부려서 늙은 부모를 위안했다고 한다.

勞心焦思〔노심 초사〕

애쓰고 속을 태움을 이르는 말.

勞而不怨〔노이불원〕

효성스러운 자식은 부모를 위해 고초를 겪더라도 부모를 원망하지 않음.

怒者逆德〔노자 역덕〕

노여워하는 것은 서로 싸우는 원

인이 되므로 덕을 거스르는 일이라는 말.

綠衣紅裳〔녹의 홍상〕

연두색 저고리와 다홍치마라는 뜻으로, 젊은 여자의 곱게 꾸민 옷차림을 이르는 말.

累卵之危〔누란지위〕

달걀을 쌓아 놓은 것처럼 매우 위태로운 형세를 이르는 말. [고사] 중국의 전국 시대에는 제후들을 찾아다니며 유세하는 유세객(遊說客)들이 많았는데, 위(魏)나라의 범수(范睢)도 그들 가운데의 한 사람이었다. 그는 모시던 사람의 노여움을 사서 도망다니다가 장록(張祿)이라는 가명으로 정안평(鄭安平)의 집에 숨어 지내던 중에 정안평의 소개로 진(秦)나라의 사신 왕계(王稽)를 만나게 되었다. 왕계는 진나라의 소양왕(昭襄王)에게 장록 선생은 뛰어난 외교가인데 진나라의 정치가 '달걀을 쌓아 놓은 것같이 위태롭다'고 한다면서 장록을 써 줄 것을 청하였다 한다.

能書不擇筆〔능서 불택필〕

글씨를 잘 쓰는 사람은 붓을 가리지 않음. [고사] 중국의 당(唐)나라 때 서도(書道)의 대가인 저수량(褚遂良)은 평소 좋은 붓과 먹이 없으면 글씨를 쓰려고 하지 않았다. 어느 날 그 저수량이 서도의 대가인 우세남(虞世南)에게 자신의 글씨와 구양 순(歐陽詢)의 글씨 중에 누구의 글씨가 더 나은가를 물었다. 그러자 우세남은 "순은 아무 종이에나 글씨를 썼다고 하며 어떤 붓으로도 마음먹은 대로 쓸 수 있었다 하네. 그대는 아직 종이와 붓에 구애받고 있으니 순을 따를 수는 없네." 하고 말했다고 한다.

ㄷ

多多益善〔다다 익선〕

많으면 많을수록 더욱 좋다는 말. [고사] 오랜 맞수인 항우(項羽)를 무찌르고, 마침내 천하를 통일한 한(漢)나라의 고조(高祖) 유방(劉邦)은 천하를 통일하기 위해 그 때까지 함께 싸워 온 부하 장수들이 두려워졌다. 그들은 모두 그들 나름대로 큰 뜻을 펴 보려는 야심을 가지고 있었기 때문이다. 그 중에서도 초왕(楚王)으로 봉해진 한신(韓信)의 인물됨에 위협을 느낀 고조는, 항우의 장수를 숨겨 준 옛 일을 핑계삼아서 한신을 회음후(淮陰侯)로 강등시켰다. 어느 날, 고조는 한신과 여러 장수들의 통솔력에 대하여 이야기하다가 한신에게 "나와 같은 사람은 대체 몇만 명의 군사를 거느릴 수 있겠소?" 하고 물었다. 한신은 "폐하께서는 한 10만 정도일 것이옵니다." 하고 아뢰었다. 이에 유방이 "그렇다면 그대는 몇 명이나 거느릴 수 있는 재목이라 생각하오?" 하고 묻자, 한신은 "신은 군사가 많으면 많을수록 좋습니다." 하고 대답했다. 그 대답을 의아하게 여긴 고조가 "그럼, 어찌하여 내 밑에서 장수 노릇을 하였소?" 하고 묻자, 한신은 "폐하께서는 장수의 장수되실 인품을 갖추고 계시오나, 신은 병사의 장수 될 그릇밖에는 되지 못하기 때문입니다. 또 폐하의 힘은 하늘에서 내려 준 것이니, 사람의 힘으로 어찌할 수는 없습니다." 하고 말했다고 한다.

多事多難 〔다사 다난〕
여러 가지로 일이 많은데다 어려움도 많음.

斷機之戒 〔단기지계〕
베틀의 실을 끊은 훈계라는 뜻으로, 학문을 중도에서 그만두는 것은 마치 짜던 베틀의 실을 끊어버리는 것과 같이 아무런 이득이 없다는 말. 고사 맹자(孟子)가 어려서 학문을 닦는 도중에 그만두고 집으로 돌아오자, 어머니가 짜고 있던 베의 날을 끊으며, 학문을 중도에서 그만두는 것도 이와 같다고 훈계하였다고 한다.

單刀直入 〔단도 직입〕
혼자서 한 자루의 칼을 휘두르며 곧장 적진으로 쳐들어간다는 뜻으로, 나머지 말들은 빼고 곧바로 요점을 말함을 이르는 말.

斷腸 〔단장〕
창자가 끊어질 듯한 슬픔을 이르는 말. 고사 중국 진(晉)나라 때의 실력자 환온(桓溫)이 촉(蜀)나라를 향해 가던 도중에 그를 따르던 종자(從者)가 원숭이 새끼한 마리를 붙잡아서 배에 실었다. 그러자 어미원숭이가 강을 따라서 계속 배를 쫓아왔다. 그러다 배가 강가에 도착했을 때는 200리가 훨씬 넘는 거리를 지나온 뒤였다. 배가 강가에 도착하자마자 어미원숭이는 배 위에 뛰어올랐는데, 그만 죽고 말았다. 그 어미원숭이의 배를 갈라 보니 어찌나 슬퍼했던지 창자가 여러 토막으로 끊겨져 있었다고 한다.

大器晩成 〔대기 만성〕
큰 그릇은 늦게 이루어진다는 뜻으로, 크게 될 사람은 늦게 성공

한다는 말. 고사 중국의 위(魏)나라에 최염(崔琰)이라는 장군이 있었는데, 그는 훌륭한 기품을 지니고 있어 무제(武帝 : 조조)의 신임이 매우 두터웠다. 그의 사촌 동생 중에 임(林)이라는 사람이 있었는데, 그는 젊어서는 별로 이루어 놓은 것이 없었기 때문에 그 누구의 주의도 끌지 못했다. 하지만 최염만은 그의 사람됨을 꿰뚫어보고는 늘 "큰 종이나 솥을 쉽게 만들지 못하는 것과 마찬가지로 큰 인재도 쉽게 이루어지지 않는 법이네. 임은 대기 만성형의 사람이니 후일에는 반드시 큰 인물이 될 것이야."라고 말하며, 그를 아끼고 도와 주었다. 과연 뒷날에 임은 삼공(三公)이 되어 천자(天子)를 모시는 자리에 오르게 되었다고 한다.

大同小異 〔대동 소이〕

대체로는 같고 조금만 다름. 미세한 부분은 다르지만 전체적으로는 비슷하여 큰 차이가 없음.

大義名分 〔대의 명분〕

사람이 마땅히 지켜야 할 중대한 의리(義理)와 명분. 떳떳한 명목. 정당한 명분.

度外視 〔도외시〕

안중에 두지 않고 무시함을 이르는 말. 고사 중국의 후한(後漢)을 세운 유수(劉秀)는 여러 반란군을 무찌르고 부하들의 추천으로 황제가 되었는데, 그가 황제가 된 뒤에도 천하 통일을 위한 싸움은 여전히 계속되고 있었다. 그러나 제(齊) 땅과 강회(江淮) 땅이 평정되자 중원(中原)은 차츰 유수에게 항복해 왔다. 그러나 벽지인 진(秦) 땅에 거점을 두고 있던 외효(隗囂)와 역시 산간 지방인 성도(成都)에 거점을 두고 있던 공손 술(公孫述) 두 사람만은 항복해 오지 않았다. 중신들은 계속 이 두 사람을 토벌할 것을 주장했으나 유수는, "이미 중원이 평정되었으니 그 두 사람은 안중에 둘 것도 없소〔度外視〕."라고 말했다 한다.

桃園結義 〔도원 결의〕

복숭아 동산에서 의형제를 맺는다는 뜻으로, 의형제를 맺음을 이르는 말. 고사 중국의 후한(後漢) 말기, 황건적(黃巾賊)의 난으로 천하가 시끄럽던 어느 날, 길을 가던 유비(劉備)는 황건적 토벌을 위해 군사를 모집한다는 내용의 방을 보게 되었다. 유비는 그 방을 보면서 28살의 나이에 아무것도 이루어 놓은 것이 없는 자신의 처지를 한탄하고 있었다. 그러다 "천하를 위해 일할 생각은 하지 않고 한숨이나 내쉬다니……."하는 큰 소리에 놀라 뒤를 돌아보자, 키가 크고 눈에서는 서기가 나는 건장한 남자가 서 있었다. 유비가 이름을 물어 보자, 그 사내는 자신을 장비(張飛)라 소개하며 자신은 천하 호걸들과 교제하기를 좋아한다고 말했다. 두 사람은 곧 힘을 합쳐 황건적을 토벌하기로 뜻을 모으고 근처 주막으로 들어갔다. 이 때 또 한 사나이가 들어왔다. 키는 장비보다 크고 수염은 50㎝나 됐으며, 붉은 얼굴에 눈은 째져 있었다. 유비와 장비는 곧 그와 합석했다. 그는 자신의 이름은 관우(關羽)인데 악질인 호족(豪族)을 죽이고 고향을 떠났다며 지금부터는 황건적 토벌에 나설 생각이라고 말했다. 세 사람은 마음을 털어놓으며 술을 마시다가 가까이에 있는 유비의 집으로 갔는데, 유비가 "우리 집 뒤뜰에는 복숭아 동산[桃園]이 있는데, 지금 꽃이 만발하였소. 내일 아침 그 곳에서 천지 신명에게 제사를 지내고 우리 의형제를 맺읍시다." 하고 제의했다. 관우와 장비도 흔쾌히 동의했다. 다음 날 아침 세 사람은 도원에서 천지 신명께 제사 지낸 다음 의형제를 맺었다. 나이순으로 유비가 큰형, 관우가 둘째, 장비가 막내가 되었다. 그리고 용사(勇士) 3백여 명을 모아 이들을 데

리고 황건적 토벌에 나섰다. 후일 유비는 촉한(蜀漢)을 세워 위(魏)나라·오(吳)나라와 함께 천하를 셋으로 나누었다 한다.

塗炭〔도탄〕
진흙 구렁이나 숯불에 빠졌다는 뜻으로, 생활이 몹시 곤란하고, 고통스러움을 이르는 말.

獨不將軍〔독불 장군〕
혼자서는 장군이 못 된다는 뜻으로, 저 혼자 잘난 척하며 뽐내다가 남의 미움을 사서 외톨이가 된 사람을 이르는 말.

讀書百遍義自見〔독서백편 의자현〕
글을 백 번 읽으면 뜻이 절로 통한다는 뜻으로, 아무리 어려운 글이라도 여러 번 되풀이하여 읽으면 그 뜻을 저절로 알게 됨을 이르는 말.

獨也靑靑〔독야 청청〕
홀로 푸르다는 뜻으로, 홀로 높은 절개를 드러냄을 이르는 말.

東家食西家宿〔동가식 서가숙〕
동쪽 집에서 먹고 서쪽 집에서 잔다는 뜻으로, 탐욕스러운 사람을 비유해 이르기도 하고, 먹을 곳도 없고, 잘 곳도 없어 떠돌아다니며 이집 저집에서 얻어먹고 지내는 일, 또는 그러한 사람을 이르는 말. [고사] 옛날, 중국의 제(齊)나라에 살던 한 여자가 동쪽 집은

부록

부유하기는 하지만 못생긴 남자이고, 서쪽 집은 잘생기기는 했지만 가난한데 너는 어느 쪽 집으로 시집 가겠느냐는 어머니의 물음에 '동가식 서가숙'이라고 대답했다고 한다.

同價紅裳 〔동가 홍상〕

같은 값이면 다홍치마라는 뜻으로, 같은 값이면 품질이 좋은 것을 택한다는 말.

同名異人 〔동명 이인〕

이름은 같지만 사람은 다름. 또, 이름은 같으나 다른 사람.

東問西答 〔동문 서답〕

동쪽을 묻는데 서쪽을 대답한다는 뜻으로, 묻는 말에는 어울리지 않는 엉뚱한 대답을 함을 이르는 말.

同病相憐 〔동병 상련〕

같은 병자끼리 불쌍히 여긴다는 뜻으로, 고난을 같이 겪는 사람은 서로 불쌍히 여겨 동정하고 돕는다는 말. 〔고사〕 중국 전국 시대 초(楚)나라 평왕(平王) 때에, 오자서(伍子胥)는 소부(少傅)의 벼슬에 있던 비무기(費無忌)의 모함으로 아버지와 형을 잃고, 오(吳)나라로 도망쳤다. 그는 복수할 날만을 기다리던 중에 왕위(王位)를 노리던 공자(公子) 광(光)을 만나 당시 오나라의 왕이었던 요(僚)를 죽이고 공자 광을

오왕의 자리에 앉혔다. 공자 광은 왕위에 오르자 자신을 합려(闔閭)라 칭하고 오자서를 중요한 자리에 임명하여 나라일을 그와 의논했다. 그 해에 백비(伯嚭)란 사람도 초나라에서 비무기의 모함으로 할아버지가 죽음을 당하자 오나라로 도망쳐 왔다. 합려는 백비를 불쌍히 여겨 대부(大夫)의 자리에 오르게 했는데, 물론 오자서의 역할이 컸다. 그 사실을 안 오나라 대부 피리(被離)는 백비의 인상이 나쁘다며 그를 추천했던 오자서에게 항의했다. 그러자 오자서는 "초나라에 대한 원한은 나나 백비나 꼭 같소이다. 그대는 동병 상련(同病相憐)이란 말도 들어 보지 못하시었소? 사람이란 누구나 자기와 비슷한 처지에 놓여 있는 사람을 동정하며 같이 슬퍼하게 마련이지요." 하고 대답했다. 오자서와 백비는 힘을 합하여 합려를 도와 9년간 노력한 끝에 초나라를 공격하여 소왕(昭王)의 항복을 받아 냄으로써 지난날의 원수를 갚을 수 있었다 한다.

東奔西走 〔동분 서주〕

동으로 서로 분주하다는 뜻으로, 이리저리 바쁘게 돌아다님을 이르는 말.

同床異夢 〔동상 이몽〕

같은 침상에서 다른 꿈을 꾼다는 뜻으로, 겉으로는 같이 행동하면서 속으로는 각각 딴 생각을 함을 이르는 말.

杜門不出〔두문 불출〕

문을 닫아 걸고 나가지 않음. 곧, 집 안에 틀어박혀 밖에 나다니지 아니함.

得意揚揚〔득의 양양〕

뜻을 이루어 우쭐거리며 뽐냄.

登龍門〔등용문〕

용문(龍門)에 오른다는 뜻으로, 입신 출세의 관문을 이르는 말. 또는 운명을 결정짓는 중요한 시험을 비유해 이르는 말. 고사 용문은 중국의 황하(黃河) 상류에 있는 협곡으로 물살이 굉장히 빠르기 때문에 잉어도 여간해서는 오르지 못한다. 하지만 한번 오르기만 하면 용이 된다는 전설이 있다. 여기에서 모든 어려움을 극복하고 입신 출세의 길에 오르게 되는 것을 '용문에 오른다'고 말하고, 중국에서는 진사(進士) 시험에 합격하는 것이 출세의 첫걸음이라 하여 '등용문'이라 하였다 한다.

燈下不明〔등하 불명〕

등잔 밑이 어둡다는 뜻으로, 가까운 데 있는 것을 도리어 잘 모름을 비유해 이르는 말.

燈火可親〔등화 가친〕

등불과 친할 만하다는 뜻으로, 가을 밤은 서늘하고 상쾌하므로 등불을 가까이하여 글읽기에 좋음을 이르는 말.

ㅁ

馬耳東風〔마이 동풍〕

말의 귀에 스쳐 가는 동풍이란 뜻으로, 남의 말을 귀담아 듣지 않음을 이르는 말. 고사 중국 당(唐)나라 때의 시인 이백(李白)에게 같은 시대를 살다 간 시인인 왕십이(王十二)가 시를 써 보낸 일이 있었는데, 그 시의 제목은 '추운 밤에 홀로 술잔을 기울이다가 느낀 바 있어서'였다. 이 시에 답하여 이백도 '왕십이가 추운 밤에 홀로 술잔을 기울인 데 대하여'라는 답시(答詩)를 써서 보냈다. 이 시에서 이백은 자기네 시인들이 좋은 시를 짓는다 해도 이 세상 사람들은 그것을 알아 주지 않는다며 울분을 터뜨렸는데, 그 시의 내용은 대략 이러하다.

오래 산다 해도 백 년을 못 산다/이 끝없는 생각을 술로나 씻어 버릴까/자네는 특이한 재주도 없으니 천자의 사랑도/받지 못할 것이고/멀리 북쪽 변방에 나아가서/오랑캐를 무찌르고 큰 공을 세워/높은 벼슬에 오를, 그런 자격도 없어/우리가 할 수 있는 것은/햇볕 들지 않는 북쪽 창 앞에서/시를 읊고 부(賦)를 짓는 것 정도다/그 밖의 천 마디 말들은 한 잔의 술만한 가치도 없다/세상 사람들은 이 말을 듣고 모두 머리를 가로젓는다/마치 조용하게 불어 오는 동풍(東風)이 말의 귀〔馬耳〕를 스쳐 가는 것처럼.

莫上莫下〔막상 막하〕
　낫고 못함을 가리기 어려울 정도로 차이가 거의 없음.

莫逆之友〔막역지우〕
　서로 거스름이 없는 친구. 즉, 허물없이 지내는 사이 좋은 친구.

萬古不變〔만고 불변〕
　오랜 세월을 두고 변하지 않음.

萬事休矣〔만사 휴의〕
　모든 일이 다 끝났음을 이르는 말.

萬壽無疆〔만수 무강〕
　한없이 오래 삶. 윗사람의 건강을 빌 때 쓰는 말.

亡國之音〔망국지음〕
　나라를 망치는 음악. 고사 중국의 춘추 시대(春秋時代)에 위(衛)나라의 영공(靈公)이 진(晉)나라로 가다가 복수(濮水)라는 강가에서 기이한 음악 소리를 듣고 진나라에 도착했다. 영공은 진나라의 평공(平公)에게 이 곡을 자랑하자, 진나라의 악사인 사광(師曠)이 깜짝 놀라며 음악을 중단시키고 말했다. "복수란 곳은 은나라의 주왕(紂王)의 악사 사연(師延)이 자살한 곳이니, 그 곡은 망국지음이니 연주하지 마소서." 하고 극구 말렸다 한다.

罔極之恩〔망극지은〕
　임금이나 부모의 한없는 은혜.

茫茫大海〔망망 대해〕
　한없이 넓고 큰 바다.

忙中閑〔망중한〕
　바쁜 가운데의 한가한 때.

孟母三遷之敎〔맹모 삼천지교〕
　맹자의 어머니가 맹자를 제대로 교육하기 위하여 세 번이나 이사를 한 가르침이라는 뜻으로, 교육에는 주위 환경이 중요하다는 가르침. 고사 맹자의 어머니는 처음에 공동 묘지 근처에 살았는데, 맹자가 장사지내는 흉내만 내는 것을 보고 이 곳은 아이와 함께 살 곳이 못 된다 생각하여 시장 근처로 이사를 갔다. 그러자 이번에는 장사꾼들의 흉내를 내는 것이다. 맹자의 어머니는 이 곳도 아이와 함께 살 만한 곳이 아니라고 여겨 다시 서당 근처로 이사하였다. 그러자 이번에는 맹자가 절하는 법 등의 예의 범절이며 글읽는 법 등을 흉내내며 노는 것이었다. 그것을 본 맹자의 어머니는 이 곳이야말로 아이와 함께 살 만한 곳이라 여기고 그 곳에 머물러 살았다고 한다.

明鏡止水〔명경 지수〕

맑은 거울과 고요한 물이라는 뜻으로, 잔잔한 물처럼 맑고 고요한 심경을 이르는 말. 고사 중국의 춘추 시대(春秋時代) 노(魯)나라에 왕태(王駘)라는 덕망이 아주 높은 사람이 있었는데, 그는 공자(孔子)와 맞먹을 만큼 많은 제자들을 모아 놓고 가르쳤다. 그것을 늘 불만스럽게 여기던 공자의 제자인 상계(常季)가 하루는 "저 자는 무슨 재주가 있기에 남들로부터 존경을 받는 겁니까?" 하고 공자에게 물었다. 공자는 "그것은 다름이 아니라 그분의 마음이 조용하기 때문이지. 사람들이 거울 대신 비춰 볼 수 있는 물이 있는데 그 물이란 흐르는 물이 아니라 가만히 정지해 있는 물이니라." 하고 대답했다. 상계는 스승 공자의 말을 듣고서 왕태의 인물됨에 대해 깨달은 바가 있었으나, 그래도 아직 석연치 못한

점이 있어서 공자에게 "하지만 많은 사람들이 그분을 우러르는 것은 무슨 까닭에서입니까?" 하고 다시 물었다. 그러자 공자는 "그것은 어떤 것을 보든, 흔들리지 않는 그분의 평온한 마음 때문이야. 사람이 자기의 모습을 물 위에 비춰 보려고 할 때는 조용히 고여서 정지되어 있는 물을 거울로 삼지 않더냐. 이처럼 언제나 흔들리지 않는 마음을 보전하는 자만이, 다른 사람에게도 마음의 평안함을 안겨 줄 수 있는 법이니라." 하고 대답하였다고 한다.

明明白白〔명명 백백〕

아주 명백함. 아주 똑똑하게 나타나 의문의 여지가 없음을 이르는 말.

名實相符〔명실 상부〕

이름과 실상이 서로 들어맞음.

明若觀火〔명약관화〕

불을 보듯이 분명함. 더 말할 나위 없이 명백함을 이르는 말.

矛盾〔모순〕

창과 방패라는 뜻으로, 말이나 일의 앞뒤가 서로 맞지 않음을 두고 이르는 말. 고사 중국의 각지에서 많은 영웅들이 세력을 펴고 있던 전국 시대에 무기를 팔던 한 초(楚)나라 사람이 자기가 파는 방패는 견고하여 꿰뚫을 수 있는 창이 없다고 자랑하고, 또 자신의

창은 끝이 날카롭고 단단하여 천하에 어떤 물건이라도 뚫을 수 있다고 하였다. 이 말을 듣고 있던 한 사람이 당신이 가지고 있는 창으로 당신이 파는 방패를 찌르면 어떻게 되겠느냐고 묻자, 그 사람이 대답하지 못하였다고 한다.

目不識丁〔목불식정〕
'丁'자도 알아보지 못한다는 뜻으로, 글자를 전혀 모름. 또는 그러한 사람을 비유해 이르는 말.

目不忍見〔목불인견〕
몹시 딱하거나 참혹하여 눈으로 차마 볼 수 없음.

無骨好人〔무골 호인〕
뼈 없이 좋은 사람. 아주 순하여 남의 비위에 두루 맞는 사람.

武陵桃源〔무릉 도원〕
무릉의 복숭아 근원이란 뜻으로, 이 세상과 따로 떨어진 별천지, 즉 이상향(理想鄕)을 이르는 말.
[고사] 옛날, 중국 진(晉)나라의 무릉에, 한 어부가 살고 있었는데, 어느 날 고기를 잡으려는 욕심에 강을 따라 자꾸 올라가게 되었다. 한참을 올라가다 보니 다른 나무는 하나도 없고, 복숭아나무만이 향기를 풍기고 있는 숲에 이르게 되었다. 어부는 어떻게 이런 곳이 아직 알려지지 않았는지 이상하게 여기면서도 그 아름다움에 이끌려 자꾸 들어갔다. 한참

후 물줄기가 다한 곳에 산이 나오고, 산에는 작은 굴이 있었다. 그가 신기해하며 들어가자 평평한 땅에 집들이 늘어서 있고, 논밭에서 한가롭게 일하는 사람들이 보였다. 그들은 조상이 진(秦)나라 때에 난리를 피해 이 곳에 들어온 후 한 번도 세상 밖에 나가 보지 못하였다며 세상이 달라진 것을 전혀 모르고 있었다. 그 곳에서 며칠 쉬다가 돌아온 어부가 나중에 다시 그 곳을 찾아 나섰으나, 그가 돌아올 때 군데군데 해 두었던 표지는 보이지 않았고, 동굴도 또한 찾지 못했다고 한다.

無爲徒食〔무위 도식〕
하는 일 없이 먹고 놀기만 함.

門外漢〔문외한〕
어떤 일에 직접 관계가 없는 사람. 그 일에 전문가가 아닌 사람.

聞一知十〔문일 지십〕
한 가지를 들으면 열 가지를 미루어 안다는 뜻으로, 총명하고 지혜로움을 이르는 말.

門前成市〔문전 성시〕
대문 앞이 저자를 이룬다는 뜻으로, 권세를 가진 사람 또는 부잣집의 문 앞이 방문하는 사람들이 많아서 저자를 이루다시피 함을 이르는 말.

彌縫〔미봉〕
실로 깁는다는 뜻으로, 빈 구석이

나 잘못된 것을 임시 변통으로 이리저리 주선해서 꾸며 댐을 이르는 말. [고사] 중국의 주(周)나라 환왕(桓王)은 왕위에 오른 지 13년째 되는 해에 땅에 떨어진 천자국(天子國)의 세력을 되찾기 위하여 정(鄭)나라를 쳤는데, 당시 스스로 실력자임을 뽐내고 있던 정나라 장공(莊公)을 쳐서 항복을 받으면 천자국이 세력을 떨치게 될 것이라고 생각했기 때문이었다. 당시 정나라에는 원(元)이

라는 아주 지혜로운 왕자가 있었다. 그런데, 그는 주나라 군사의 약한 곳을 노려 주나라 환왕의 군사를 무찌르고 주나라를 이름뿐인 천자국으로 만들어 버렸다. 당시 정나라의 군사는 원형(圓形)의 진(陣)을 쳤는데, 병거(兵車)를 앞세우게 하고 보병(步兵)은 그 뒤를 따르게 했다. 또, 병거와 병거 사이에도 보병을 배치하여 임시 변통으로 대처〔彌縫〕했던 것이다.

ㅂ

博學篤志〔박학 독지〕
널리 배워서 뜻을 돈독하게 함.

反哺之孝〔반포지효〕
까마귀 새끼가 자라서 늙은 어미에게 먹이를 물어다 주는 효성이란 뜻으로, 자식이 자라서 어버이를 봉양하여 그 길러 주신 은혜를 갚는 효행을 이르는 말. [고사] 까마귀는 새끼를 낳으면 60일 동안 먹이를 물어다가 먹이면서 키우는데, 새끼까마귀가 자라면 역시 60일 동안 어미에게 먹이를 물어다 주어, 길러 준 은혜에 보답한다고 한다.

傍若無人〔방약 무인〕

뭇 사람 앞에서도 주변에 사람이 없는 것같이 말이나 행동을 마음대로 함을 이르는 말. [고사] 중국의 전국 시대(戰國時代) 말엽, 위(衛)나라에 형가(荊軻)라는 사람이 살았다. 그는 평소 나라일에 관심이 많아 독서도 많이 하고 칼쓰기 연습도 많이 했으나 뜻대로 되지 않자, 여러 나라를 두루 돌아다니며 호걸답게 지냈다. 그러던 그가 언젠가 연(燕)나라로 갔을 때, 축(筑)의 명수인 고점리(高漸離)와 사귀게 되었는데, 그들은 매일 술을 마시며 어울려 다니다가 얼큰하면 거리에서 고점

리는 축을 연주하고, 형가는 노래를 불렀다. 그러다가 감정이 격해지면 소리내어 울기도 하였는데, 마치 옆에 사람이 없는 것같이 했다고 한다.

背水之陣〔배수지진〕

강물을 등지고 친 진이라는 뜻으로, 목숨을 걸고 싸우는 경우를 비유해 이르는 말. 〔故事〕중국의 한(漢)나라 고조(高祖) 때의 장수였던 한신(韓信)이 위(魏)나라를 무찌른 후, 여세를 몰아 조(趙)나라로 진격하자, 조나라 왕은 급히 20만 군사를 정형(井陘)의 좁은 출구(나오는 어귀)에 집결시켜 견고한 방어선을 쳤다. 이를 안 한신은 '정형의 좁은 길을 단숨에 빠져 정형의 출구 십 리 거리에서 일단 기다렸다가 한밤중에 진격한다. 그리고 2천 명의 기마병에게 붉은 깃발을 하나씩 주어 조나라 군대의 진지 근처에 숨게 한다. 싸우다 아군이 거짓으로 후퇴하면, 기마병은 조나라 군대의 성에 들어가 아군의 깃발을 꽂는다. 1만여의 군사는 정형의 출구로부터 진격하여 강물을 등에 지고 진을 친다. 마지막으로 주력 부대를 좁은 길목 최선봉에 진격시킨다.'하는 것을 주된 내용으로 하는 작전을 짰다. 강물을 등에 지고 진을 친 한나라 군대의

진영을 살펴본 조나라 군대는 병법에도 맞지 않고 어설프다고 판단하여 공격을 시작하였다. 여러 차례 서로 밀고 밀리고 한 끝에 작전대로 한나라 군대가 후퇴하여 강가에 있던 부대에 합류하자 조나라 군대는 자신들의 판단이 옳았다고 여겨 맹렬히 추격해 왔다. 그 틈을 타서 숨어 있던 기병대가 조나라의 성을 점령하여 한나라 깃발을 내걸었다. 쉽게 무너질 줄 알았던 한나라 군대가 필사적으로 반격하자 조나라 군대는 할 수 없이 후퇴하여 성으로 돌아왔다. 그러나 성 안에는 한나라의 깃발이 나부끼고 있는 것이 아닌가. 그 후에 싸움에 이긴 축하 잔치가 열린 자리에서 한신의 부하 장수들이 병법에는 산을 등지고 물을 앞으로 하여 싸우라고 되어 있는데, 강물을 등지고 진을 치는 배수진은 어떤 법이냐고 묻자, 한신은 이는 자기를 죽을 자리에 몰아넣어 삶을 얻는 법을 응용한 것이라고 말했다 한다.

背恩忘德〔배은 망덕〕

남에게 입은 은덕을 저버리고 잊음.

白骨難忘〔백골 난망〕

죽어서 백골이 되어도 잊기 어렵다는 뜻으로, 남의 은혜에 감사하는 말.

百年佳約 〔백년 가약〕

부부가 되어 한평생을 함께 지내자는 아름다운 약속.

百年河淸 〔백년 하청〕

아무리 오랫동안 기다려도 소망하는 것이 이루어질 수 없음을 이르는 말. [고사] 중국의 춘추 시대 때, 정(鄭)나라가 초(楚)나라의 침공을 받게 되자, 조정 대신들은 끝까지 싸워야 한다는 쪽과 화해를 주장하는 쪽으로 나누어져 의견의 일치를 보지 못하고 있었다. 이 때 대부인 자사(子駟)가 "황하의 흐린 물이 맑아지기를 기다린다 해도 인간의 짧은 수명으로는 아무래도 부족하다는 말이 있듯, 진(晉)나라의 원군을 기다린다는 것은 백년 하청일 뿐이오." 하고 말했다 한다.

百年偕老 〔백년 해로〕

부부가 되어 서로 화락하고, 사이 좋게 함께 늙음을 이르는 말.

白面書生 〔백면 서생〕

글만 읽어 세상일에는 경험이 없는 젊은이를 이르는 말. [고사] 중국의 남북조 시대(南北朝時代)에, 송(宋)나라 오(吳) 땅에 살았던 심경(沈慶)이라는 사람은 어렸을 때부터 큰 뜻을 품고 무예를 갈고 닦았다. 진장(晉將)인 손은(孫恩)이 반란을 일으켰을 때는 그는 불과 열 살의 나이로 반란군과 싸워 여러 번 승리를 거두기도 했다. 그 밖에도 공적이 많았던 그는 효무제(孝武帝)가 세상을 떠나고 문제(文帝)가 즉위하자, 다시 소수 민족의 반란을 평정하여 변경 방위의 책임자가 되었다. 얼마 후 문제는 문관(文官)들과 심경을 불러 놓고 북쪽을 칠 계획에 대하여 의논하게 했는데, 그 때 심경은 "폐하, 가정에서 밭가는 일은 농부에게 맡기고 바느질은 아낙네에게 맡기듯이 국가의 일도 전문가에게 맡기셔야 하옵니다. 그런데 폐하께서는 어찌하여 백면 서생(白面書生)과 북쪽을 칠 계획을 논의하시려 하옵니까?"하며 반대했다. 그러나 문제는 심경의 의견은 듣지 않고 문관들의 의견을 받아들여 출병(出兵)했다가 크게 패하고 말았다.

百聞不如一見 〔백문 불여일견〕

백 번 듣는 것보다는 한 번 보는 것이 더 낫다는 말. [고사] 옛날 중국 한(漢)나라의 조충국(趙充國) 장군은 젊어서부터 흉노와의 싸움에 여러 차례 출정하였는데, 그 때마다 승리를 거두었기 때문에 무제는 그의 용감성에 감탄하여 높은 벼슬을 주었다. 그 조충국이 관직에서 물러난 후, 70세가 넘었을 때에 오랑캐가 또 한나라로 쳐들어왔는데, 그 세력이 강하여 한나라의 군사들은 크게 패하고 말았다. 그러자, 무제는 조충국에게 사람을 보내어, 토벌군의 장수로 누구를 보내야 할지를 물었는데, 조충국은 자기 자신을 추천하였다. 그 말을 전해 들은 무제가 그를 불러들여 오랑캐를 무찌를 때, 어떤 방법을 쓸 것인지를 묻자, 조충국은 "백 번 듣는 것보다 한 번 보는 것이 낫습니다. 금성(金城)에 가서 보고 방법을 아뢰겠습니다." 하고 대답했다. 그리하여 현지로 떠난 조충국은 단번에 무찌르기보다 그 곳에 군사를 머물게 하여 천천히 무찌르는 것이 좋겠다고 건의하여 허락을 받고 일 년간 머무르면서 오랑캐를 완전히 토벌했다고 한다.

白眉〔백미〕

흰 눈썹이라는 뜻으로, 여럿 가운데 가장 뛰어난 사람이나 물건을 이르는 말. 고사 중국 삼국 시대 촉(蜀)나라의 유비(劉備)에게는 마량(馬良)이라는 뛰어난 참모가 있었다. 그는 남쪽 국경 지대를 자주 침범하던 오랑캐를 촉나라에 복속시킬 정도로 정치적 수완과 재능이 뛰어났다. 마량의 형제들은 모두 다섯이었는데, 5형제가 모두 재주가 뛰어났으나, 그 중에서도 마량의 재능은 돋보이

는 것이었다. 특히, '읍참 마속(泣斬馬謖)'이라 하여 제갈 공명(諸葛孔明)이 눈물을 머금고 참해야 했던 사랑하는 장수 마속은 바로 그의 아우였다. 그 마량은 태어날 때부터 눈썹이 희었는데 그 때문에 고을 사람들은 그를 백미(白眉)라 불렀다. 그 때부터 엇비슷한 여럿 가운데 가장 뛰어난 사람을 '백미'라고 부르게 되었다고 한다.

伯牙絶絃〔백아 절현〕

백아가 거문고 줄을 끊어 버렸다는 뜻으로, 자기를 알아 주는 벗, 즉 지기지우(知己之友)의 죽음을 슬퍼함을 이르는 말. 고사 중국 춘추 시대(春秋時代)에 백아(伯牙)는 거문고의 명수로서 종자기(鍾子期)와는 지기지우였다. 까닭은 종자기가 자기의 거문고 소리를 가장 잘 알아 주었기 때문이었다. 예를 들면, 백아가 태산을 그리며 거문고를 타면 종자기가 "아, 마치 높이 솟은 태산 같도다!" 하고, 백아가 유유히 흐르는 강물을 생각하고 거문고를 타면 종자기는 "굽이쳐 흐르는 강물이 마치 황하 같도다!" 하고 감탄하고 칭찬하였다. 이와 같이 자기를 알아 주던 단 하나의 친구 종자기가 갑자기 병으로 죽자, 백아는 자기의 거문고 소리를 알아

주던 종자기가 없음을 한탄하고 그만 거문고 줄을 끊어 버리고 다시는 타지 않았다고 한다.

白衣從軍 〔백의 종군〕
벼슬이 없는 몸〔白衣〕으로 군대를 따라 싸움터로 나감.

百尺竿頭 〔백척 간두〕
백 척(百尺)이나 되는 높은 장대 끝에 오른 것처럼 더할 수 없이 위험하고 어려운 상태에 있음을 이르는 말.

覆水不返盆 〔복수 불반분〕
한번 쏟아진 물은 다시 그릇에 담을 수 없다는 뜻으로, 한번 헤어진 부부는 다시 결합할 수 없음을 비유하거나 한번 끝난 일을 다시 되돌릴 수는 없음을 이르는 말. 〔고사〕 중국 제(齊)나라 때, 태공을 지낸 여상(呂尙)이 벼슬하지 않고 시골에서 평범하게 살고 있을 때, 그의 아내인 마(馬)부인은 가난을 이기지 못하고 친정으로 돌아가 버렸다. 후에 마부인이 출세한 여상에게 찾아와 다시 거두어 주길 간청하자, 여상은 잠자코 그릇에 물을 떠서 마당에 쏟아 붓고는 마부인에게 주워 담아 보라고 했다. 그리고는 "한번 쏟아진 물은 다시 담을 수 없는 법이오." 하고 말했다고 한다.

父傳子傳 〔부전 자전〕
대대로 아버지가 그의 아들에게 전함.

夫唱婦隨 〔부창 부수〕
남편이 말을 꺼내면 아내가 거기에 따른다는 뜻으로, 부부가 화목하게 지냄을 이르는 말.

附和雷同 〔부화 뇌동〕
일정한 자기의 생각이 없이 까닭도 모르고 남의 말에 찬성해 같이 행동함.

焚書坑儒 〔분서 갱유〕
책을 불태우고 선비를 산 채로 매장하여 죽인다는 뜻으로, 진(秦)나라의 시황제(始皇帝)가 행한 가혹한 정치를 이르는 말. 〔고사〕 진나라의 시황제는 중국을 통일한 후, 봉건 제도를 폐지하고 군현제(郡縣制)를 실시하여 중앙 집권 체제를 강화하였다. 또, 의약·점술·농경에 관한 책과 진나라의 기록을 제외한 책들은 모두 불살라 버려야 한다는 승상 이사(李斯)의 주장을 받아들여 각종 귀중한 책들을 다 불태워 버렸다. 뿐만 아니라, 진시황은 늙지 않고 오래 살기 위하여 노생(盧生)과 후생(侯生)을 가까이하여 신선술을 썼는데, 이들이 돈을 번 후 시황제의 부덕을 욕하고 함양으로 도망친 것에 격분하여 자신을 비난한 혐의가 있는 함양의 유생(儒生) 460여 명을 잡아 생매장해 버렸다고 한다.

不俱戴天之讎 〔불구대천지수〕

한 하늘 아래 함께 살 수 없는 원수. [고사] 중국 유교학파의 경전인 '예기(禮記)'라는 책을 보면 '아버지의 원수와는 함께 하늘 아래에 살 수 없고, 형제의 원수를 보았을 때는 무기(武器)를 가지러 가는 일이 없어야 하며, 친구의 원수와는 같은 나라 안에서 살 수가 없다.'라는 말이 있다. 이 말은 아버지의 원수와는 같은 하늘을 이고 살 수가 없으니 반드시 죽여야 하고, 형제의 원수는 그 원수를 만났을 때 집으로 무기를 가지러 갔다가 놓치는 일이 있어서는 안 되므로 항상 무기를 가지고 다녀야 하며, 친구의 원수와는 같은 나라에서 벼슬을 해서는 안 되므로 다른 나라로 쫓아 내든가, 그렇지 않으면 살려 두지 말아야 한다는 말이다.

不入虎穴不得虎子 〔불입호혈 부득호자〕

호랑이 굴에 들어가지 않고는 호랑이 새끼를 잡을 수 없다는 뜻으로, 위험한 모험을 하지 않고는 큰 일을 할 수 없음을 이르는 말. [고사] 중국의 후한 시대(後漢時代)에 '한서(漢書)'라는 역사책을 쓴 반고(班固)에게는 반초(班超)라는 동생이 있었다. 반초는 젊어서 벼슬을 얻지 못하다가 나

이 40이 되어서야 겨우 벼슬을 하게 되었다. 그 반초가 어느 해, 36명의 장수들과 얼마 안 되는 병사들을 데리고 서쪽의 오랑캐 나라인 선선국(鄯善國)에 사신으로 떠나게 되었다. 선선국에 도착한 반초 일행을 선선국의 왕은 반가이 맞았고 후하게 대접했는데, 이틀이 지나자 어찌 된 일인지 선선국 왕의 태도가 갑자기 변했다. 이상하다고 생각한 반초는 부하 장수를 시켜 그 이유를 알아 오게 하였는데, 흉노국(匈奴國) 사신이 와서 두 나라가 손을 잡고 한(漢)나라를 치자는 의논을 하고 있다는 것이었다. 놀란 반초는 장수들과 군사들을 한자리에 불러 모아 그 대책을 의논하였다. 자세한 이야기를 들은 부하들은 입을 모아 싸울 결의를 다졌다. 부하들의 의견을 들은 반초는 "좋다. 그럼 흉노국 사신들이 묵고 있는 숙소로 당장 오늘 밤에 쳐들어가자. 호랑이 굴에 들어가지 않고는 호랑이 새끼를 잡을 수 없는〔不入虎穴不得虎子〕 법이다." 하고 말했다. 그날 밤 흉노국 사신의 숙소는 반초군의 기습 공격을 받았고, 흉노국의 사신과 군사들은 죽거나 도망치고 말았다. 다음 날, 겁을 먹은 선선국 왕은 반초를 찾아와서 사죄하고 한(漢)나라를

섬기겠노라고 맹세했다. 이 일로 선선국 이웃의 오랑캐 나라들도 모두 반초에게 항복하고 한나라를 섬기게 되었다고 한다.

不惑〔불혹〕

유혹을 뿌리칠 수 있는 나이라는 뜻으로, 마흔 살을 일컫는 말. 고사 유교(儒敎)의 창시자라고 할 수 있는 성인(聖人) 공자(孔子)는 자신의 일생에 대해서 열다섯 살 때 학문에 뜻을 두었고〔志學〕, 서른 살 때 입신했다〔而立〕. 마흔 살 때는 유혹에 넘어가지 않았고〔不惑〕, 쉰 살 때는 하늘이 내게 주신 명령을 알았다〔知天命〕. 예순 살 때는 귀가 순해져서 남의 말을 받아들일 수 있었고〔耳順〕, 일흔 살이 되니 마음 내키는 대로 하여도 법도를 넘어서지 않았다〔不踰矩〕고 하였다 한다.

人

四顧無親〔사고 무친〕

사방을 아무리 돌아보아도 친척이 한 명도 없다는 뜻으로, 의지할 만한 사람이 전혀 없음을 이르는 말.

四面楚歌〔사면 초가〕

사방에서 들리는 초나라의 노래라는 뜻으로, 적에게 포위된 경우나 누구의 도움도 받을 수 없는 외로운 상태에 빠짐을 이르는 말. 고사 중국 대륙을 통일했던 진(秦)나라가 무너지고 초(楚)나라의 항우(項羽)와 한(漢)나라의 유방(劉邦)이 천하를 다시 통일하기 위해 서로 싸울 때의 일이다. 처음에 우세했던 항우는 자만한 나머지 유방의 군사에게 밀리기 시작했는데, 마침내는 해하(垓下)라는 곳에서 유방의 군사에게 완전히 포위당하고 말았다. 빠져 나갈 길은 좀체로 보이지 않고 군량미도 얼마 남지 않았는데 한나라의 군사들은 포위망을 좁혀 왔다. 그러던 어느 날 밤, 사방에서 초나라 노래가 들려 오자 가뜩이나 고달픈 초나라 병사들은 고향 생각을 하며 눈물을 흘렸고 심지어는 도망가는 병사까지 생겼다. 결국 항우는 싸움을 포기할 수밖에 없었는데, 밤마다 초나라 노래를 부른 사람들은 다름 아닌 한나라 군사들이었고, 그런 작전을 편 사람은 한나라 유방의 참모인 장량(張良)이었다. 이 싸움에서 이긴 유방은 마침내 중국 대륙을 통일하여 한나라를 세웠고 항우는 결국 자살하고 말았다고 한다.

四面春風 〔사면 춘풍〕

사면이 봄바람이라는 뜻으로, 언제 어떤 경우에도 누구에게나 좋은 얼굴로 대하는 일. 또는 그런 사람을 이르는 말.

沙上樓閣 〔사상 누각〕

모래 위에 세운 누각이라는 뜻으로, 기초가 튼튼하지 못하여 오래 견딜 수 없음을 이르는 말.

蛇足 〔사족〕

뱀의 발이라는 뜻으로, 쓸데없는 군일을 하다가 도리어 실패함을 이르는 말. 〔고사〕 중국 초(楚)나라의 회왕(懷王)은 소양(昭陽)에게 명하여 위(魏)나라를 정벌하고 나서, 제(齊)나라까지 공격하려 하였다. 이를 알게 된 제나라의 민왕(湣王)은 때마침 진(秦)나라에서 사신으로 와 있던 진진(陳軫)과 상의하였다. 진진은 걱정하지 말라며 민왕을 안심시킨 후에, 즉시 초나라로 가서 소양을 만나 이렇게 말하였다. "옛날에 어떤 사람이 하인들에게 큰 잔으로 술을 주었는데, 여럿이 마시기엔 부족하므로 땅에 이무기를 먼저 그린 사람이 마시기로 정했습니다. 잠시 후, 한 사람이 자기는 발까지 그렸는데도 벌써 다 그렸다며 술잔을 들고 일어서자, 다른 사람이 자신의 이무기를 다 그려 놓고 '이 사람아, 이무기에 무슨 발이 있어?' 하고는 잔을 빼앗아 마셔 버렸습니다. 공께선 더 이상 세울 공적도, 더 올라갈 관직도 없는데도 제나라를 치려 하시니 이기더라도 공께 무슨 소용이 있겠습니까? 만일 패하기라도 한다면 죽음을 면하기 어려울 뿐만 아니라 관직도 잃게 될 것입니다. 싸움은 그만두시고 제나라에 은혜를 베푸십시오." 이 말을 들은 소양은 과연 그의 말이 옳다고 여겨 철수하였다고 한다.

事必歸正 〔사필 귀정〕

모든 일은 반드시 바른 데로 돌아간다는 뜻으로, 처음에는 잘못되어 가는 것 같아도 반드시 바른 길로 돌아서게 됨을 이르는 말.

死後藥方文 〔사후 약방문〕

죽은 뒤에 약방문을 쓴다는 뜻으로, 이미 때가 지난 후에 쓰는 헛된 노력을 이르는 말.

山戰水戰 〔산전 수전〕

산에서의 싸움과 물에서의 싸움이라는 뜻으로, 세상을 살아 오면서 온갖 고생과 어려움을 다 겪어 경험이 많음을 이르는 말.

山海珍味 〔산해 진미〕

산과 바다의 진귀한 맛이라는 뜻

으로, 온갖 귀한 재료로 만든 맛 있는 음식을 이르는 말.

殺身成仁〔살신 성인〕

자기 몸을 죽여 인(仁)을 이룬다는 뜻으로, 옳은 일을 위해서라면 죽음도 두려워하지 않는 용감한 행동을 이르는 말. **[고사]** 공자(孔子)는 인을 강조하면서 어떤 것이 인인가를 아는 것만으로는 무의미하고, 자신의 정신과 인(仁)을 하나로 통일하여 행동으로 실천하는 것이 중요하다고 가르쳤는데, "뜻이 높은 사람이나 어진 사람은 인(仁)을 어기면서 자기 삶을 구하지 않으며, 자기 몸을 죽여 인을 이룬다."고 늘 강조하였다.

三綱五倫〔삼강 오륜〕

유교의 도덕에서 바탕이 되는 세 가지 강령과 다섯 가지의 인륜을 아울러 이르는 말로, 삼강(三綱)은 군위 신강(君爲臣綱)·부위 자강(父爲子綱)·부위 부강(夫爲婦綱)의 세 가지인데, 이는 임금과 신하, 어버이와 자식, 남편과 아내 사이에 마땅히 지켜야 할 도리를 밝힌 것이다. 또, 오륜(五倫)이란 부자 유친(父子有親)·군신 유의(君臣有義)·부부 유별(夫婦有別)·장유 유서(長幼有序)·붕우 유신(朋友有信)의 다섯 가지를 말하는데, 이는 각각 아버지와 아들 사이의 도리는 친애에 있으며, 임금과 신하의 도리는 의리에 있고, 부부 사이에는 서로 침범치 못할 구별이 있으며, 어른과 어린이 사이에는 차례와 질서가 있어야 하며, 친구 사이의 도리는 믿음에 있음을 뜻한다.

三顧草廬〔삼고 초려〕

초가집을 세 번 찾아간다는 뜻으로, 인재를 얻기 위해 끈기 있게 노력함을 이르는 말. **[고사]** 중국의 삼국 시대(三國時代)에 촉(蜀)나라를 세운 유비(劉備)는 관우(關羽)·장비(張飛)·조운(趙雲)과 같은 뛰어난 장수들을 거느리고 있었지만 작전을 세우고 지휘할 수 있는 뚜렷한 인물이 없어서, 위(魏)나라와 싸우면 번번이 패하였다. 이를 안타깝게 여긴 유비는 사마 휘(司馬徽)를 만나 군대를 이끌 수 있을 만한 인재를 추천해 달라고 부탁했는데, 사마 휘는 제갈 공명(諸葛孔明)을 천거했다. 유비는 관우, 장비와 함께 융중(隆中) 땅 외진 곳에 있는 제갈 공명의 오두막을 찾아갔으나, 제갈 공명을 만나지 못하였다. 며칠 후 유비는 많은 예물을 싣고 다시 제갈 공명의 오두막을 찾았으나 또 허탕을 쳤다. 관우, 장비의 만류에도 아랑곳하지 않고 유비는 며칠 후 또다시 제갈 공명의 오두막을 찾았다. 이에 제갈 공명이 감동하여 유비를 따라 그 밑에서 일을 하게 되었고, 제갈 공명의 힘으로 유비는 위나라의 조조, 오(吳)나라의 손권(孫權)과 더불어 중국을 한때 셋으로 나누어 다스릴 수 있었다 한다.

三十六計〔삼십육계〕

① 병법의 서른 여섯 가지 계책.
② 병법의 갖가지 계략 가운데서도, 곤란할 때는 기회를 보아 달아나는 것이 상책이라는 말.

三人成虎〔삼인성호〕

세 사람이면 호랑이도 만든다는 뜻으로, 아무리 거짓말이라도 여러 사람이 말하면 곧이듣는다는 말. 〔고사〕 중국의 전국 시대 위(魏)나라 혜왕(惠王) 때, 방총(龐葱)이라는 신하가 있었는데, 어느 해, 태자와 함께 조(趙)나라 도읍 한단(邯鄲)에 볼모로 가게 되었다. 떠나기 전에 혜왕을 만난 방총은 혜왕에게 "어떤 사람이 저잣거리에 호랑이가 나타났다고 한다면 전하께서는 믿으시겠습니까?" 하고 물었다. 이에 혜왕이 "그걸 어떻게 믿는단 말이오?" 하고 말하자, 방총은 "그럼 두 사람이 똑같이 저잣거리에 호랑이가 나타났다고 한다면 어찌 하시겠습니까?" 하고 다시 물었다. "역시 안 믿을 것이오." 그러자 이번에는 "그럼 세 사람이 똑같은 말을 아뢴다면 전하께서는 믿으시겠나이까?" 하고 물었다. 혜왕은 "그렇게 되면 아마 믿게 될 것이오." 하고 대답했다. 그러자 방총은 정색을 하고는 "원래 저잣거리에는 호랑이가 나타날 일이 없지만, 세 사람이나 똑같은 말을 아뢰면 저잣거리에 호랑이가 나타난 것처럼 믿게 될 것입니다. 신이 한단으로 떠나고 나면 신에 대하여 이러쿵 저러쿵 말하는 자가 세 사람만이 아닐 것이옵니다. 바라옵건대, 그들의 말을 믿지 마시오소서." 하고 말했다. 이 말을 들은 혜왕은 "걱정 마오. 내 눈으로 직접 확인한 것 이외에는 믿지 않을 테니……." 하며 방총을 달래었다. 그 후 혜왕과 작별한 방총이 조나라로 떠나자마자 과연 방총을 나쁘게 말하는 자들이 많았는데, 혜왕은 방총과의 약속을 지키지 못하고 방총을 의심하였다. 그 바람에 볼모에서 풀려난 태자가 돌아온 후에도 방총은 끝내 돌아오지 못하는 신세가 되었다고 한다.

喪家之狗〔상가지구〕

상갓집의 개라는 뜻으로, 초라한 몰골로 여기저기 기웃거리며 먹을 것을 찾아다니는 사람을 비유하여 이르는 말. 고사 중국 춘추 시대(春秋時代) 노(魯)나라에서 이상적인 정치를 하려던 공자는 노나라 귀족들인 삼환씨(三桓氏)에게 쫓겨나게 되자 자신의 의견을 받아 줄 현명한 임금을 찾아서 천하를 돌아다니게 되었다. 공자가 정(鄭)나라까지 갔을 때 공자와 헤어지게 된 제자들은 스승을 찾아 나섰다. 제자인 자공(子貢)이 한 정나라 사람에게 공자의 얼굴 생김새와 옷차림새를 말하며 본 적이 있느냐고 묻자, 그는 "아까 동문(東門)에서 웬 노인을 보았는데, 이마는 어질기로 유명한 요(堯)임금과 같고, 어깨는 명재상(名宰相)인 자산(子産)과 같습디다. 그런데 뜻을 이루지 못해 심히 피로한 모습이 마치 상갓집 개 같더군요." 하고 대답했다. 이 말을 듣고 스승 공자가 틀림없다고 여긴 자공과 제자들이 동문으로 황급히 달려갔더니, 과연 그곳에는 스승 공자가 있었다. 자공이 방금 정나라 사람에게서 들은 이야기를 스승에게 전하자, 공자는 웃으며 "나의 외모를 보고 한 말은 옳지 않으나, 상갓집 개와 같다는 표현은 맞는 말이다."고 말했다 한다.

塞翁之馬〔새옹지마〕
변방에 사는 노인의 말이란 뜻으로, 인생엔 변화가 많아 어느 것이 화가 되고, 어느 것이 복이 될지 짐작하기 어렵다는 말. 고사 옛날 중국의 북쪽 변방에 사는 한 노인이 기르던 말이 멀리 달아나 버렸다. 마을 사람들이 모두 이를 위로하자, 노인은 오히려 다행스런 결과가 되는지 누가 알겠느냐고 대답하였다. 과연 몇 달 만에 그 말이 한 필의 준마(駿馬)를 데리고 돌아왔다. 이번에는 마을 사람들이 모두 그 행운을 축하해 주었는데, 노인은 도리어 불행이 될지 누가 아느냐며 불안해했다. 얼마 후에 노인의 아들이 말을 타다가 말에서 떨어져 다리를 다쳤다. 이에 마을 사람들이 모두 걱정하며 위로하였는데, 노인만은 행복이 될는지 누가 아느냐며 오히려 편하게 받아들이는 것이었다. 그로부터 1년이 지난 어느 날 북쪽 오랑캐가 쳐들어와 전쟁이 일어났고, 젊은이들이 싸움터로 불려 나가 거의 죽었으나, 노인의 아들은 절름발이여서 전쟁에 나가지 않아 죽음을 면하게 되었다고 한다.

仙風道骨〔선풍 도골〕
신선의 풍채와 도사의 골격이라는 뜻으로, 깨끗하고 점잖게 생긴 모습이 보통 사람보다 뛰어난 사람을 이르는 말.

雪上加霜〔설상 가상〕

눈 위에 서리를 더한다는 뜻으로, 불행한 일이 계속해서 일어남을 이르는 말.

歲月不待人〔세월 부대인〕

세월은 사람을 기다리지 않는다는 뜻으로, 세월의 중요함을 깨닫고 아끼라는 말. [고사] 이 구절은 중국 진(晉)나라 때의 유명한 시인 도연명(陶淵明)의 권학시(勸學詩 : 학문을 권하는 시)에 나오는 말이다. 즉, 한창 나이는 거듭해 오지 않으며/하루는 두 번 새기 어렵다/때때로 마땅히 힘써야 하느니/세월은 사람을 기다리지 않는다.

少年易老學難成〔소년이로 학난성〕

소년은 늙기 쉽지만 학문을 이루기는 어렵다는 뜻. [고사] 중국 송(宋)나라 때의 대유학자인 주자(朱子)의 시(詩) ‘권학문(勸學問)’에 나오는 다음 구절에서 온 말로, 학문을 권하는 대표적인 이 한시(漢詩)는 오늘날에도 널리 알려져 있다.

소년은 늙기 쉬우나 학문을 이루기는 어렵다/순간순간의 세월을 헛되이 보내지 마라/연못가의 봄풀이 꿈에서 깨기도 전에/섬돌 앞 오동나무 잎이 가을을 알린다.

束手無策〔속수 무책〕

손이 묶여 방책이 없다는 뜻으로, 어찌할 도리가 없어 꼼짝도 못 하게 됨을 이르는 말.

送舊迎新〔송구 영신〕

묵은 것을 보내고 새것을 맞음. 또는 묵은 해를 보내고, 새해를 맞음.

宋襄之仁〔송양지인〕

송나라 양공의 어짊이란 뜻으로, 쓸데없는 인정을 베푸는 어리석음을 이르는 말. [고사] 중국 춘추 시대(春秋時代)에 송나라의 양공(襄公)이 초(楚)나라와 싸우게 되었을 때 그의 아들 목이(木夷)는 “초나라 군대가 진용을 갖추기 전에 쳐야 합니다.”하고 아뢰었다. 그러나 양공은 “아니다. 무릇 군자(君子)는 상대방의 약점을 이용해서는 안 된다. 적이 진용을 갖추기 전에 친다는 것은 비겁한 짓이니라.”하고 듣지 않았다. 그리하여 결국 군사가 많은 적군에게 크게 패하고 다리에 큰 상처를 입고 이듬해 죽었다고 한다.

首丘初心〔수구 초심〕

여우도 죽을 때는 머리를 제가 살던 굴 쪽으로 둔다는 뜻으로, 근본을 잊지 아니하거나 고향을 그리는 마음을 비유하여 이르는 말.

袖手傍觀〔수수 방관〕

팔짱을 끼고 곁에서 보고만 있다

는 뜻으로, 당연히 해야 할 일에 아무런 손도 쓰지 않고 구경만 하고 있음을 이르는 말.

水魚之交 〔수어지교〕

물과 물고기의 사귐이라는 뜻으로, 임금과 신하 또는 부부 사이처럼 매우 친하여 서로 떨어질 수 없는 관계를 이르는 말. [고사] 중국 촉(蜀)나라의 유비(劉備)가 제갈 공명(諸葛孔明)의 재주에 감동하여 20세나 어린 그를 스승으로 모실 뿐 아니라 먹고 자는 것까지 함께 하자, 관우(關羽)와 장비(張飛)가 강한 불만을 표하였다. 그러자 유비는 "나에게 제갈 공명이 소중한 것은 마치 물고기에게 물이 없어서는 안 되는 것과 같다."고 말했다고 한다.

水清無大魚 〔수청 무대어〕

물이 맑으면 큰 고기가 없다는 뜻으로, 물이 너무 맑으면 고기가 살지 못하는 것처럼 너무 똑똑하거나 까다로운 사람은 따르는 사람이나 가까운 벗이 없음을 이르는 말. [고사] 중국 후한(後漢) 시대에 반초(班超)는 30년간 서역(西域)을 다스리면서 이름을 떨쳤다. 그 뒤 나이가 많아지자 반초는 황제의 부름을 받고 한나라 도읍으로 돌아오게 되었는데, 이때 반초의 후임으로 임상(任尙)이란 사람이 임명되었다. 임상은 서역으로 떠나기 전에 반초를 찾아와서 서역을 잘 다스릴 수 있겠는지를 물었다. 그러자 반초는 "자넨 성격이 너무 조급하고 결백해 그 점이 걱정되네. 물이 너무 맑으면 큰 물고기가 살지 못하는 법이니, 작은 일에까지 너무 손을 대지 말고 대범하게 처신하도록 하게나."하고 말하였다. 서역땅에 부임한 임상은 반초의 말을 대수롭지 않게 생각하고 자기 생각대로 정치를 하다가 결국 이민족(異民族)들의 반감을 사게 되어 서역 땅을 전부 잃고 말았다고 한다.

脣亡齒寒 〔순망 치한〕

입술을 잃으면 이가 시리다는 뜻으로, 가까운 둘 중에서 하나가 망하면 다른 하나도 그 영향을 받아 온전하기 어려움을 비유해 이르는 말. [고사] 중국 춘추 시대(春秋時代) 말경, 진(晉)나라의 헌공(獻公)이 우(虞)나라와 괵(虢)나라를 수중에 넣으려 하는 계획을 세우고는 괵나라를 치려면 우나라의 땅을 지나야 하니 길을 내 달라고 우왕에게 사신을 보냈다. 이 말을 전해 들은 우나라의 현명한 신하 궁지기(宮之奇)는 왕에게 고하기를 "괵나라는 우나라의 거죽이나 마찬가지입니다. 만일 괵이 망하면 우도 따라서 망하게 될 것입니다. 속담에 '덧방나무와 수레는 서로 의지하고, 입술을 잃으면 이가 시리다.'는 말이 있는데, 우와 괵과의 관계가 바로 그렇습니다. 그러니 절대로 길을 내주어서는 안 됩니다."하고 반대하였다. 그러나 우왕은 궁지기의 여러 차례에 걸친 간곡한 만류에도 불구하고 진나라 군사의 통과를 허락하였다. 궁지기는 사태를 예감하고 가족들을 데리고 우나라를 떠나면서

"진나라는 괵을 치고 전쟁에 이기고 돌아오는 길에 반드시 우나라를 공격할 것입니다."하고 아뢰었다. 궁지기의 예측대로 진나라 군대는 돌아오는 길에 우나라를 쳐서 멸망시키고 우왕을 사로잡았다고 한다.

十匙一飯〔십시 일반〕

열 수저이면 밥 한 그릇이 된다는 뜻으로, 여럿이 조금씩 힘을 모아 돌보아 준다면 한 사람을 구해 주는 일은 쉽다는 말.

我田引水〔아전 인수〕

제 논에 물대기라는 뜻으로, 자기에게 이롭게만 생각하고 행동함을 이르는 말.

惡木不蔭〔악목 불음〕

나쁜 나무는 그늘이 지지 않는다는 뜻으로, 마음이 나쁜 사람한테서는 바랄 것이 없다는 말.

眼高手卑〔안고 수비〕

눈은 높으나 재주는 보잘것 없다는 뜻으로, 이상은 높지만, 능력은 그에 따르지 못하여 뜻을 이루지 못함을 이르는 말.

眼下無人〔안하 무인〕

눈 아래에 사람이 없다는 뜻으로,

스스로 교만하여 다른 사람들을 업신여김을 이르는 말.

暗中摸索〔암중 모색〕

어두운 가운데에서 더듬어 찾는다는 뜻. 고사 중국 당(唐)나라 때의 허경종(許敬宗)이라는 사람은 경솔하고 기억력이 없기로 유명했는데, 조금 전에 만났던 사람도 그 사람이 돌아서자마자 이름을 잊어버릴 정도였다. 어떤 사람이 그의 기억력을 비웃자, 그는 "세상에 잘 알려지지도 않은 사람들의 이름을 하나하나 외어서 무얼 하겠나? 존경할 만한 사람이라든가 유명한 사람을 외어 두

어야지. 그런 사람의 이름이라면 암중 모색(暗中摸索)을 해서라도 알아 낼 수 있는 법이야."라고 대꾸했다고 한다.

愛之重之〔애지 중지〕

매우 사랑하고 귀중히 여김.

弱肉强食〔약육 강식〕

약한 자의 고기를 강한 자가 먹는다는 뜻으로, 약한 자가 강한 자에게 지배당함을 이르는 말.

羊頭狗肉〔양두 구육〕

양의 머리를 내걸고 개고기를 판다는 뜻으로, 내세우는 겉은 훌륭하지만, 그 속은 변변치 않음을 이르는 말. [고사] 중국 춘추 시대(春秋時代) 제(齊)나라의 영공(靈公)은 여자에게 남자 옷을 입혀 놓고 즐기는 이상한 버릇이 있어서 그는 궁궐 안에 있는 모든 여성들에게 남장을 시켜 놓았다. 이 이상한 취미는 백성들 사이에서도 유행이 되어 남자 옷을 입은 여성들이 날로 늘어났다. 그러자 조정에서는 남장을 하는 여자는 모두 처벌한다는 엄명(嚴命)을 내렸다. 그래도 여자가 남장하는 풍조가 백성들 사이에서 사라지지 않자, 영공은 명재상인 안자(晏子)에게 그 이유를 물었다. 그러자 안자는 "전하, 전하께오서는 궁중의 여자들에게는 남장할 것을 요구하시면서 백성들에게는 금지하고 계시옵니다. 문 앞에는 양의 머리를 걸어 놓고 안에서는 개고기를 파는 것과 다름이 없사옵니다. 궁중의 여자들에게 남장을 못 하도록 명하시오소서. 그러면 백성들 사이에도 그런 풍조가 사라질 것이옵니다." 하고 대답했다. 영공은 안자의 말을 듣고 깊이 뉘우치며 즉시 궁중에서도 남장을 못 하도록 명했다. 그런 지 한 달도 채 못 되어 백성들 사이에서 남장하는 여자들을 찾아 볼 수 없게 되었다고 한다.

梁上君子〔양상 군자〕

대들보 위의 군자라는 뜻으로, 도둑을 빗대어 이르는 말. [고사] 중국의 후한(後漢) 말, 태구 현감(太丘縣監)의 자리에 있었던 진식(陳寔)은 인정이 많아 남의 사정을 잘 이해해 주었고 무슨 일이든 공정하게 잘 처리했다. 흉년으로 백성들의 살림이 무척이나 어려웠던 어느 해, 진식은 집에서 책을 읽고 있다가, 한 사나이가 몰래 안으로 들어와서 대들보 위에 올라가 웅크리고 있는 것을 보았다. 진식은 못 본 체하고 계속 책을 읽고 있다가, 아들들을 불러들여 타일러 말하기를, "사람은 항상 스스로 부지런히 힘써 일해야 한다. 하지만 나쁜 짓을 하는 사람도 버릇이 어느 새 습성이 되어 좋지 못한 일을 저지르게 되는 것이지 그 본바탕이 나쁜 것은 아니다. 이를테면, 지금 대들보 위〔梁上〕에 있는 저 군자(君子)도 마찬가지다."고 했다. 도둑은 이 말을 듣고 양심의 가책을 느껴 대들보 위에서 내려와 사죄하였다. 진식은 "자네는 나쁜 사람 같아 보이지는 않네. 분명 가난 때문에 이런 짓을 했겠지."하고 말한 후에 비단 두 필을 주어 돌려 보냈다. 이런 일이 있고 난 다음부터는 그 고을에 도둑이 없어졌다고 한다.

良藥苦口〔양약 고구〕
좋은 약은 입에 쓰다는 뜻으로, 충언은 귀에는 거슬리지만 자신에게는 이롭다는 말. 〔고사〕 진(秦)나라 시황제(始皇帝)가 죽은 뒤에 항우(項羽)를 물리친 유방(劉邦)은 진나라 왕궁으로 입성하였다. 호화로운 궁궐에 산더미같이 쌓인 금은 보화, 꽃같이 아름다운 후궁들에 둘러싸인 유방은, 그 화려함에 홀려 해야 할 일은 생각지도 않고 왕궁에 그대로 머물러 있으려 하였다. 이에 용장 번쾌(樊噲)가 아직 천하가 통일되지 못하였는데 머무르려 하는 것은 옳지 못하다며 속히 이 곳을 떠나 적당한 곳에 진을 치고 항우의 공격에 대비해야 한다고 간했

으나, 유방은 들으려 하지 않았다. 그러자 이번에는 장량(張良)이 나서서 "진나라의 무도하고 포악한 정치로 왕궁에 들어오는 기회를 얻은 귀공의 임무는 한시 바삐 남은 적을 무찌르고 천하의 인심을 안정시키는 것입니다. 그런데도 금은 보화와 아름다운 여인에 눈이 어두워 진나라 왕을 그대로 본받으려 하시니, 포악한 군주의 표본인 하(夏)나라의 걸왕(桀王)과 다를 바가 없습니다. 원래 충성된 말은 귀에 거슬리나 자신을 위하는 것이며, 좋은 약은 입에는 쓰나 병에는 효력이 있습니다. 부디 번쾌의 충성된 말에 따르도록 하소서."하고 말했다. 이 말에 유방은 크게 뉘우치고 왕궁을 떠나 패상(霸上)에 진을 쳤다고 한다.

兩者擇一〔양자 택일〕
둘 중 하나를 택함.

魚頭肉尾〔어두 육미〕
물고기는 대가리, 짐승은 꼬리가 맛이 좋음을 이르는 말.

漁父之利〔어부지리〕
어부의 이익이라는 뜻으로, 서로 다투는 틈을 타서 제삼자가 애쓰지 않고 이익을 가로챔을 이르는 말. 〔고사〕 중국 전국 시대에 연(燕)나라는 늘 조(趙)나라와 제(齊)나라의 위협 속에 살고 있었

다. 어느 해, 조나라가 침략하려
하는 것을 미리 안 연나라의 소왕
(昭王)은 소대(蘇代)를 사신으로
보내어 조나라 왕을 설득하도록
했는데, 이 때 조나라의 혜문왕
(惠文王)을 만난 소대는 "제가
이 나라에 들어올 때, 역수(易
水)를 지나다가 우연히 냇가를
보니, 조개가 입을 벌리고 볕을
쬐고 있는데, 황새 한 마리가 날
아와 조개를 쪼았습니다. 그러자
조개가 급히 입을 꽉 다물어 버렸
습니다. 놀란 황새는 '오늘도 내
일도 비가 오지 않으면 넌 목이
말라 죽을 것이다.'라고 하였습니
다. 그러자 조개도 지지 않고 '내
가 오늘도 내일도 놓지 않고 꽉
물고 있으면 너야말로 굶어 죽게
될 거다.'하였습니다. 이렇게 둘
이 한참 다투고 있는데, 지나가던
어부가 이를 보고는 힘들이지 않
고 둘 다 잡아 가고 말았습니다.
왕은 지금 연나라를 치려 하십니
다만, 연나라가 조개라면 조나라
는 황새입니다. 지금 연나라와 조
나라가 공연히 싸워 국력을 소모
하면 저 강대한 진(秦)나라가 어
부가 되어 이익을 독차지하게 될
것입니다." 하고 말했다. 혜문왕
도 현명한 까닭에 소대의 말을 알
아듣고 연나라를 치려던 계획을
중단하였다고 한다.

語不成說 〔어불성설〕
하는 말이 조금도 사리에 맞지 아
니함. 말이 안 됨.

言語道斷 〔언어 도단〕
말문이 막힌다는 뜻으로, 어이가
없어 이루 말로 나타낼 수 없음을
이르는 말.

言中有骨 〔언중 유골〕
말 속에 뼈가 있다는 뜻으로, 하
는 말이 예사롭고 순한 듯하나,
단단한 뼈 같은 속뜻이 들어 있음
을 이르는 말.

言行一致 〔언행 일치〕
하는 말과 행동이 같음.

緣木求魚 〔연목 구어〕
나무에 올라가서 물고기를 잡으
려고 한다는 뜻으로, 불가능한 일
을 무리하게 하려 함을 이르는
말. 고사 중국 전국 시대(戰國時
代)에 맹자(孟子)는 자신의 이상
인 왕도 정치(王道政治)를 실현
하기 위하여 여러 제후들을 찾아
다녔다. 그러다 제(齊)나라에 이
르러 선왕(宣王)을 만났을 때,
선왕이 맹자에게 춘추 시대에 천
하를 주름잡았던 제환공(齊桓公)
과 진문공(晉文公)의 업적에 관
한 생각을 물었다. 그러자, 맹자
는 "왕께선 싸움을 일으켜 신하
의 목숨을 위태롭게 하고, 이웃
나라와 원수가 되는 것이 좋습니
까?" 하고 반문했다. 이에 선왕

이 "그게 아니고 이루고 싶은 큰 꿈이 있어 그렇소."하고 대답하자, 맹자는 "그럼, 그 큰 꿈이란 무엇입니까?"하고 되물었다. 왕도 정치를 말하는 맹자 앞에서 선왕이 부끄러워 분명한 대답을 하지 못하고 머뭇거리자, 맹자는 다시 "무력으로 땅을 넓히고, 오랑캐를 복종시키려는 것은 나무에 올라 물고기를 구하는 것〔緣木求魚〕보다 더 무리한 일입니다. 나무에 올라가 물고기를 구하는 것은 물고기를 구하지 못할 뿐, 재난은 남기지 않습니다. 그러나, 왕께서 하시고자 하는 일은 백성을 괴롭히고 나라를 망하게 하는 재앙을 부를 뿐입니다."하고 말했다고 한다.

五里霧中〔오리 무중〕

안개가 5리나 덮여 있는 속에 있다는 뜻으로, 무슨 일에 대하여 알 길이 없음을 비유해 이르는 말. [고사] 중국 후한(後漢)의 안제(安帝) 때에는 환관과 외척이 세도를 잡고 있었는데, 그 중에서도 등태후(鄧太后)와 그 오빠 등즐(鄧騭)의 세도는 대단한 것이었다. 당시에 성도(成都) 출신의 학자인 장패(張霸)라는 사람이 황제의 고문관으로 있었는데, 그의 학문이 뛰어나 누구나 그와 교제하기를 원했다. 그러나 그는 성품 또한 강직하여 당대 최고의 세도가인 등즐이 교제하기를 청해 왔을 때도 거절했다고 한다. 그 장패의 아들에 장해(張楷)라는 사람이 있었는데, 그 역시 학문에 뛰어나 그의 집 앞은 배우러 오는 사람들로 매일 북적거렸다. 황제의 친척들과 환관들도 그와 교제하기를 청할 정도였다고 하니, 그 높은 학문을 짐작할 만하다. 그러나 장해 역시 아버지 장패처럼 그런 것을 싫어하여 고향으로 돌아가 버린 후, 조정에서 여러 번 청했지만 끝내 벼슬길에 오르지 않았다. 그런데 이 장해는 학문뿐 아니라 도술(道術)에도 능하여 5리나 계속되는 안개를 만들어 냈다고 한다. 당시 관서(關西) 사람으로서 배우(裵優)란 자도 3리에 이르는 안개를 일으켰는데, 장해가 5리 안개를 만든다는 말을 듣고 한 수 배워야겠다고 생각했지만, 장해가 5리 안개 속에 모습을 감추어서 만나지 못했다고 한다.

寤寐不忘〔오매 불망〕

자나깨나 잊지 못함.

烏飛梨落〔오비 이락〕

까마귀 날자 배 떨어진다는 뜻으로, 어떤 행동을 하자마자, 마치 그 결과인 듯한 혐의를 받기에 알맞은 딴 일이 뒤따라 일어남을 이르는 말.

五十步百步 〔오십보 백보〕

오십 걸음과 백 걸음이라는 뜻으로, 조금 차이가 있기는 있으나 그 본질에 있어서는 매일반이라는 뜻. [고사] 왕도 정치(王道政治)를 주장하던 맹자(孟子)는 위(魏)나라 혜왕(惠王)이 자신이 이웃 나라의 왕보다 인의(仁義)로써 백성을 다스렸으나 이웃 나라보다 자기 백성이 늘지 않는다며 그 까닭을 묻자, "전쟁터에서 어떤 병졸이 겁에 질려 100보쯤 도망가다 멈추었는데, 또 한 병졸이 50보쯤 도망가다 멈추고 그를 비웃었습니다〔以五十步 笑百步〕. 그러나 50보나 100보나 도망친 것에는 다름이 없습니다. 이웃 나라보다 백성을 더 많게 하시려는 대왕의 생각도 결국은 백성을 진심으로 걱정하여 인의의 정치를 펴려는 것이 아니라, 나라를 부강하게 하시려는 생각에서 나온 것이니 이웃 나라와 다를 것이 없는 것입니다." 하고 말했다고 한다.

吳越同舟 〔오월 동주〕

오나라 사람과 월나라 사람이 같은 배를 탔다는 뜻으로, 서로 사이가 나쁜 자들이 같은 처지나 같은 자리에 있게 될 경우를 이르는 말. 사이가 나쁘다 할지라도, 같이 위급한 경우를 당하면 서로 협력한다는 뜻. [고사] 중국의 유명한 병법서(兵法書)인 손자 병법(孫子兵法)에는 다음과 같은 내용이 있다. 오(吳)와 월(越)은 예로부터 맞수였다. 그러나, 가령 오나라 사람과 월나라 사람이 한 배를 타고 강을 건넌다고 하자. 만일 큰 바람이 불어 배가 뒤집히려 한다면 오나라 사람과 월나라 사람은 평소의 감정은 잊고 서로 도와 배를 저을 것이다. 바로 이것이다. 전차(戰車)의 말을 서로 꼭 붙들어 매고 바퀴를 땅에 파묻고서 적에 대한 방비를 무너뜨리지 않으려 하지만, 최후로 도움이 되는 것은 필사적으로 하나가 되어 뭉친 병사들의 마음이다.

烏合之衆 〔오합지중〕

까마귀 떼처럼 규율도 질서도 없는 군중을 이르는 말. [고사] 중국의 전한(前漢) 말에 유수(劉秀)는, 스스로 황제라 칭하던 왕망(王莽)의 군사를 물리치고 유현(劉玄)을 황제로 내세워 한나라를 회복했다. 그런데 왕망의 실정(失政)으로 인한 반란자 가운데 왕랑(王郞)이란 자가 성제의 아들 유자여(劉子輿)를 자처하며 군사를 모아 자신을 천자라 일컫는 사건이 발생했다. 이에 유수가 토벌에 나섰는데, 그의 덕망을 사모한 장수 경감(耿弇)이 유수에게로 가는 도중 부하 두 장수가 왕랑에게로 가려 했다. 그러자 경감은 칼을 뽑아 들고 "왕랑이란 자는 원래 도적인데, 스스로 황제를 사칭하고 난을 일으켰다. 내가 장안에 가서 정예군으로 공격하면 왕랑의 군사 같은 오합지중을 겪는 것은 썩은 나무를 겪는 것과 같다. 너희가 도리를 저버리고 적과 한패가 된다면 얼마 가지 않아 일족이 죽음을 당하리라." 하고 말했다고 한다.

溫故知新〔온고 지신〕

옛것을 익히고 그것을 미루어서 새것을 안다는 뜻으로, 옛일을 연구하여 거기에서 새로운 지식이나 도리를 찾아 냄을 이르는 말. 고사 공자(孔子)는 제자들에게 "옛것을 익히고 미루어서 새것을 아는 이라면 남의 스승이 될 만하다."고 말했다고 한다.

臥薪嘗膽〔와신 상담〕

섶에 누워 자고, 쓸개를 맛본다는 뜻으로, 원수를 갚기 위해 때를 기다리며 고생을 참고 견딤을 이르는 말. 고사 월(越)나라 왕 구천(勾踐)과 싸우다 상처를 입은 오(吳)나라 왕 합려(闔閭)는 상처가 악화되어 죽게 되자, 태자인 부차(夫差)에게 월나라에 반드시 복수하라는 유언을 남겼다. 그 이후, 부차는 밤마다 편안한 이부자리를 마다하고 섶 위에 누워 복수를 다짐했다. 또, 자기 방에 드나드는 사람들에게 자기 아버지를 죽인 사람이 월나라 왕인 구천이라는 사실을 늘 되새길 수 있도록 말해 달라고 해 놓고 그 때마다 각오를 새롭게 하곤 했다. 월나라 왕 구천이 이를 알고 두려워 여겨 먼저 공격하였으나, 그만 패하여 오나라 왕의 신하가 된다는 조건으로 항복하였다. 그 후, 구천은 옆에 쓸개를 놓고, 항상 그 쓴맛을 맛보면서 항복한 지난날의 치욕을 씻을 날을 기다렸다. 그러다가, 항복한 지 20년 만에 오나라 왕 부차가 나라를 비운 틈을 타서 오나라를 공격하여 약 3년 후에 굴복시키고 말았다. 구천은 부차를 귀양 보내어 거기서 살게 하였으나, 부차는 스스로 목매어 죽었다고 한다.

完璧〔완벽〕

완전한 구슬이라는 뜻으로, 조금의 결점이 없이 온전함을 이르는 말. 고사 중국 전국 시대(戰國時代) 조(趙)나라의 혜문왕(惠文王)은 당시 세상에서 제일 가는 보물로 여겨졌던 화씨벽(和氏璧)이라는 구슬을 가지고 있었다. 늘 이 화씨벽을 탐내던 진(秦)나라 소양왕(昭襄王)은 어느 해, 진나라 성(城) 15개와 바꾸자고 조나라에 제의해 왔다. 조나라에서는 곧 중신 회의를 열어 이 문제를 의논했으나 강대국인 진나라의 비위를 거스르는 것은 위험하다고 판단하여 그 제의를 받아들이기로 했다. 그러나 사신으로 누가 갈 것이냐 하는 문제를 놓고는 결론을 내리지 못하고 갈팡질팡하고 있었다. 이 때 환관인 목현(繆賢)이 자신의 식객(食客)으로 있는 인상여(藺相如)를 적임자라며 추천하였다. 혜문왕은 곧 인상여를 만나서 화씨벽에 대한 이야기를 해 주었다. 인상여는 진나라로부터 15개의 성을 받게 된다면 이 화씨벽을 내주겠지만, 그렇지 못하면 그대로 가지고 돌아오겠다고 말하고 진나라로 향했다. 진나라에 도착한 인상여가 화씨벽을 소양왕에게 바쳤지만 소양왕은 화씨벽과 바꾸기로 한 15개의 성에 대해서는 한 마디의 말도 없었다. 소양왕에게 성을 내줄 생각이 없다는 것을 안 인상여는 화씨벽에 있는 작은 흠집을 가르쳐 주겠다고 속여 소양왕에게서 화씨벽을 넘겨 받았다. 화씨벽을 넘겨 받은 인상여는 슬슬 뒷걸음질을 쳐서 궁전 기둥 옆으로 다가가서는 약속한 15개의 성을 내주지 않으면 화씨벽을 이 기둥에 던져서 깨뜨려 버리겠다고 위협했다.

화씨벽이 깨질까 겁이 난 소양왕은 얼른 지도를 가져오게 해서는 15개의 성에 표시를 해 주었다. 그러나 소양왕이 또다시 속이려 한다는 것을 눈치챈 인상여는 슬그머니 그 화씨벽을 부하에게 넘겨 주어 급히 조나라로 가져가도록 했다. 뒤늦게야 이 사실을 안 소양왕은 인상여를 죽이려 했다. 그러나 신의(信義)가 없는 왕이라는 소리를 들을 것이 두려워 인상여를 그대로 돌려 보냈다. 이렇게 해서 화씨벽은 온전한 채〔完璧〕 조나라로 되돌아오게 되었다고 한다.

外柔內剛〔외유 내강〕
겉은 부드럽고 순한 듯하나, 속은 꿋꿋하고 곧음.

樂山樂水〔요산 요수〕
산을 좋아하고, 물을 좋아한다는 뜻으로, 산수(山水)를 좋아함을 이르는 말.

龍頭蛇尾〔용두 사미〕
용의 대가리에 뱀의 꼬리라는 뜻으로, 처음에는 기세가 왕성하다가 뒤로 갈수록 쇠하고 보잘것 없어짐을 이르는 말.

用意周到〔용의 주도〕
무슨 일이든 주의와 준비가 완벽하여 빈틈이 없음.

憂國之士〔우국지사〕
나라의 앞일을 근심하고 염려하

는 사람.

右往左往〔우왕 좌왕〕

오른쪽으로 갔다 왼쪽으로 갔다 하며 종잡지 못함. 이랬다 저랬다 갈팡질팡함.

優柔不斷〔우유 부단〕

망설이기만 하고 결단을 내리지 못함.

牛耳讀經〔우이 독경〕

쇠귀에 경 읽기라는 뜻으로, 아무리 가르치고 일러 주어도 알아듣지 못하여 아무 효과가 없음을 이르는 말.

雨後竹筍〔우후 죽순〕

비 온 뒤에 죽순이 많이 솟아나는 것처럼, 어떤 일이 일시에 자꾸 일어남을 비유하는 말.

月下氷人〔월하 빙인〕

결혼을 중매해 주는 사람을 이르는 말. 〔고사〕 중국 당(唐)나라에 위고(韋固)라는 총각이 있었는데, 어느 해 달밤에 송성(宋城)이란 곳을 향해 가다가 길모퉁이에 어떤 노인이 자루를 옆에 놓고 땅바닥에 주저앉아 무슨 책인지를 뒤적거리고 있는 것을 보게 되었다. 그 노인은 자신을 세상 모든 남녀의 인연을 맺어 주는 사람이라고 했다. 위고가 하도 신기하여 자신의 아내 될 사람에 대하여 묻자, 노인은 그의 아내 될 아가씨는 송성에서 채소를 파는 진

(陳)이라는 노파가 안고 있는 갓난아기라고 말해 주었다. 세월이 흘러 14년 후, 위고는 상주(相州)의 관리가 되어 그 고을 태수의 딸과 결혼하였다. 그런데, 첫날밤에 신부가 자신은 태수의 딸이 아니며 갓난아기 때 돌아가신 아버지를 대신하여 진(陳)이라는 유모가 이제까지 길러 주었다고 고백하는 게 아닌가. 이 말을 들은 위고는 14년 전 달밤에 만난 노인의 말이 생각났다고 한다.

危機一髮〔위기 일발〕

천 균(千鈞)의 무게가 머리카락 한 올에 걸려 있다는 뜻으로, 매우 절박한 순간을 이르는 말.

韋編三絶〔위편 삼절〕

책을 맨 가죽 끈이 세 번이나 끊어졌다는 뜻으로, 독서에 힘씀을 이르는 말. 〔고사〕 공자(孔子)는 주역(周易)을 즐겨 읽은 나머지 가죽으로 된 책 끈이 세 번이나 끊어졌다고 한다.

有口無言〔유구 무언〕

입은 있어도 말은 없다는 뜻으로, 변명이나 항변할 말이 없음을 이르는 말.

有德者必有言〔유덕자 필유언〕

덕이 있는 사람은 반드시 세상을 깨우칠 만한 말이 있음.

有道則見〔유도즉현〕

세상에 도가 행해지면 나아가서

활동함.

有名無實〔유명 무실〕

이름만 있고 그 실상은 없음.

有備無患〔유비 무환〕

미리 준비가 되어 있으면 아무 근심할 것이 없음.

類類相從〔유유 상종〕

같은 무리끼리 서로 내왕하며 사귐의 뜻.

悠悠自適〔유유 자적〕

마음에 여유가 있어 한가롭고 걱정이 없이 지내는 모양. 곧, 속세를 떠나 아무것에도 얽매이지 않고 자기 뜻대로 조용히 생활함을 이르는 말.

有終之美〔유종지미〕

끝을 잘 맺는 아름다움이라는 뜻으로, 끝까지 잘하여 훌륭한 성과를 거둠을 이르는 말.

殷鑑不遠〔은감 불원〕

은나라 왕이 거울삼을 것은 먼 데 있지 않다는 뜻으로, 본받을 만한 본보기는 가까운 데서 찾으라. 곧, 남의 실패를 자신의 거울로 삼으라는 말. 〔고사〕 이 말은 폭군인 은나라의 주왕(紂王)에게 간하다가 옥에 갇힌 충신 서백(西伯 : 뒷날 은나라를 멸망시킨 주(周)나라의 문왕(文王)이 됨)이 '시경(詩經)'의 '탕시(蕩詩)'의 구절을 인용하여 "은나라의 왕이 거울삼을 것은 먼 데 있지 않고,

바로 하(夏)나라의 걸왕(桀王) 때에 있다."고 한 말에 말미암는다. 즉, 하나라의 걸왕은 말희(妹喜)라는 요사한 여인에 빠진 나머지 온갖 사치와 여색을 즐겨 백성들의 원망이 많았다. 이를 보다 못한 은나라의 탕왕(蕩王)이 혁명을 일으켜 은나라를 세웠다. 이 은나라도 600년 뒤, 주왕이 요사한 여인 달기(妲己)에 빠져 주지육림(酒池肉林) 속에서 헤어나지 못하고 나랏일을 그르친 나머지 서백의 아들인 주나라의 무왕(武王)에게 멸망을 당하고야 말았다고 한다.

陰德陽報〔음덕 양보〕

남이 모르게 쌓은 덕행은 나중에 그 보답을 저절로 받게 됨을 이르는 말.

泣斬馬謖〔읍참 마속〕

울면서 마속의 목을 베었다는 뜻으로, 기강을 세우기 위해서 또는 대의(大義)를 위해서 사랑하는 신하나 부하 장수를 법에 따라서 처단함을 이르는 말. 〔고사〕 중국 삼국 시대(三國時代)에 촉(蜀)나라의 제갈 공명(諸葛孔明)은 위(魏)나라 군대를 연거푸 물리치면서 북쪽으로 진군하여 드디어 기산(祁山) 들판에서 위나라의 명장 사마 중달(司馬仲達)의 대군과 맞싸우게 되었다. 치밀한

전략가인 제갈 공명은 가장 중요한 것은 군량미를 실어 나르는 요긴한 길목인 가정(街亭)을 지키는 문제였다. 이 때 그 곳을 맡아 지키겠다고 자원한 사람은 허물없는 친구 마량(馬良)의 동생인 마속이었다. 그는 공명에게 "만일 제가 가정을 지키지 못하면 우리 일가 권속을 군법에 처벌하셔도 한이 없겠습니다."고 하므로, 공명이 "좋다. 진을 친 가운데에서 실없는 소리는 없는 법이렷다."하고 그를 파견했다. 그런데 마속은 공명이 가정의 산기슭을 지키라는 말과는 달리 산 위에 진을 치는 바람에 위나라 군대에게 크게 패하고 후퇴하지 않을 수 없게 되었다. 그리하여 공명은 기강을 세우기 위해서는 친동생 같은 부하 장수인 마속의 목을 눈물을 흘리며 베어야만 했던 것이다.

意氣投合 [의기 투합]
마음이 서로 맞음.

異口同聲 [이구 동성]
입은 다르지만 소리는 같다는 뜻으로, 여러 사람의 말이 한결같음을 이르는 말.

以心傳心 [이심 전심]
말을 주고받지 않아도 서로의 생각이 상대방에게 통함을 이르는 말. 고사 어느 날 석가가 제자들을 불러 모아 놓고 아무 말 없이 연꽃 한 송이를 손에 들고 있었다. 제자들은 스승인 석가가 왜 연꽃을 들고 있는지 그 마음을 알 길이 없어서 석가의 얼굴과 연꽃만 번갈아 보고 있을 뿐이었다. 그러자 제자 중 오직 한 사람 가섭(迦葉)만은 그 뜻을 알고 활짝 웃었다. 그 때서야 석가는 입을 열어 설법을 했다고 한다.

李下不整冠 [이하 부정관]
오얏나무 아래에서는 갓을 고쳐 쓰지 말라는 뜻으로, 남에게 의심받을 만한 일은 아예 하지 말라는 말. 고사 瓜田不納履[과전 불납리] 참조.

因果應報 [인과 응보]
과거 또는 전생의 선악(善惡)의 인연을 따라 뒷날 복을 받게도 되고 화를 입게도 됨을 이르는 말.

人面獸心 [인면 수심]
얼굴은 사람의 모습을 하고 있지만 마음은 짐승과 같다는 뜻으로, 마음이나 행동이 몹시 흉악함. 또는 그런 사람을 이르는 말.

人山人海 [인산 인해]
사람의 산과 사람의 바다라는 뜻으로, 사람들이 헤아릴 수 없이 많이 모인 상태를 비유하는 말.

人之常情 [인지상정]
사람이 보통 가질 수 있는 인정.

一擧手一投足 [일거수 일투족]
손을 한 번 들고 발을 한 번 옮겨

놓는다는 뜻으로, 아주 조그만 일에 이르기까지의 하나하나의 동작을 이르는 말.

一擧兩得 〔일거 양득〕

한 가지 일을 하여 두 가지 이득을 얻음을 이르는 말. [고사] 진(秦)의 한 나라와 초(楚)·연(燕)·제(齊)·한(韓)·위(魏)·조(趙)의 여섯 나라가 대립했던 전국 시대(戰國時代)에 진나라의 재상(宰相)이었던 장의(張儀)와 사마 착(司馬錯)이 왕 앞에서 촉(蜀) 땅을 토벌해야 하느냐 말아야 하느냐에 대해서 논쟁을 벌이게 되었다. 장의는 촉나라 같은 산간 벽지를 공격해 봤자 아무 소득이 없다며, 위나라·초나라와 손을 잡고 천자(天子)가 다스리는 주(周)나라를 공격하는 것이 천하를 평정하는 지름길이라고 강력하게 주장했다. 그러자 사마 착은 "그것은 잘못된 생각이옵니다. '나라를 부강하게 하려는 자는 먼저 그 토지를 넓히고, 군사를 강하게 하려면 먼저 그 백성을 잘 살게 만들고, 왕자(王者)가 되려면 먼저 덕(德)을 쌓으라.'고 하였사옵니다. 지금 우리 진나라는 토지는 좁고 반면에 백성들은 가난하옵니다. 따라서 촉 땅을 손에 넣는 것은 영토를 넓히고 재물을 얻을 수 있는 실로 일거 양득(一擧兩得)의 방법이옵니다. 반면에 지금 주나라를 공격하는 것은 천자를 위협한다는 나쁜 인상만 남길 뿐 아무 이익이 없사옵니다." 하고 말했다. 이 말을 들은 왕은 사마 착의 말을 받아들여 촉 땅을 공격했다고 한다.

日久月深 〔일구 월심〕

날이 오래고 달이 깊어진다는 뜻으로, 무언가를 간절히 바람을 이르는 말.

一口二言 〔일구 이언〕

한 입으로 두 가지 말을 한다는 뜻으로, 말을 이랬다 저랬다 함을 이르는 말.

一網打盡 〔일망 타진〕

한 번 그물을 쳐서 한꺼번에 잡는다는 뜻으로, 단 한 번에 모조리 잡는다는 말. 요즈음에는 범죄 수사에 있어서 범인들을 모두 잡았다는 의미로 쓰임. [고사] 중국 송(宋)나라의 인종(仁宗)은 어질고 능력 있는 선비들을 등용하여 나라를 잘 다스려 나갔다. 하지만, 워낙 뛰어난 선비들이 많았던 터라 조정에서 어떤 문제를 가지고 의논할 때는 서로 자신이 옳다고 주장하기 때문에 결론이 쉽게 나지 않고, 게다가 여러 파로 갈라지는 바람에 대신들이 자주 바뀌게 되었다. 당시의 많은 선비들 중에 두연(杜衍)이 승상으로 있을 때에 황제에게는 자기 마음대로 명령을 내릴 수 있는 권한이 있었는데, 두연은 이런 제도를 못마땅하게 생각하고 황제가 혼자서 결정하고 내리는 문서를 찢어 버렸다. 대신들은 이러한 그의 행동을 몹시 비난하였다. 그 무렵 두연의 사위인 소순흠(蘇舜欽)이 공금으로 신(神)에게 제사를 지내고 손님들을 초대하는 사건이 발생하였다. 그러자 평소에 두연의 소행을 못마땅하게 여겨 오던 어사(御史) 왕공진(王拱辰)은 잔치에 모인 사람들을 모두 체포했다. 이 사건으로 청렴하고 강직했던 두연도 승상의 자리에서 물러나지 않을 수 없었다. 이 때 왕공진은 "두연 일파(一派)를 일망타진(一網打盡)했다."며 큰소리쳤다고 한다.

一脈相通 〔일맥 상통〕
생각이나 처지, 상태 등이 서로 통함. 비슷함.

一目瞭然 〔일목 요연〕
한 번만 보아도 곧 환히 알 수 있을 만큼 뚜렷함.

一絲不亂 〔일사 불란〕
한 오라기의 실도 흐트러지지 않았다는 뜻으로, 질서나 체계가 잘 잡혀 있어서 조금도 흐트러짐이 없음을 이르는 말.

一瀉千里 〔일사 천리〕

물의 흐름이 빨라서 한번 흐르면 천 리 밖에 다다른다는 뜻으로, 어떤 일이 매우 빠르게 진행됨을 이르기도 하고, 문장력·말솜씨 등이 거침없음을 이르기도 하는 말.

一魚濁水 〔일어 탁수〕
한 마리의 물고기가 물을 흐리게 한다는 뜻으로, 한 사람의 잘못으로 여러 사람이 피해를 입게 됨을 비유하여 이르는 말.

一日三秋 〔일일 삼추〕
하루가 삼 년 같다는 뜻으로, 몹시 애태우며 기다림을 비유한 말.

一字千金 〔일자 천금〕
글자 한 자에 천금이라는 뜻으로, 매우 훌륭한 글자나 문장을 이르는 말. [고사] 중국 전국 시대(戰國時代) 말엽에 여러 나라의 제후들은 질세라 하고 식객(食客)을 모아들였다. 제(齊)나라의 맹상군(孟嘗君), 조(趙)나라의 평원군(平原君) 등은 수백, 수천 명씩 재주 있는 식객들을 거느리면서 그것을 자랑했다. 이 때 강대국인 진(秦)나라의 재상을 지내고 정권을 쥐고 있던 여불위(呂不韋 : 시황제의 아버지로 장사꾼 출신임)는 강대국인 진나라가 여기에 질쏘냐 하고 돈을 물쓰듯 하며 식객을 모아들이는 한편, 그들로 하여금 20여만 어(語)나 되는 큰 책을 지어내게 했다. 세상의 온갖 사물에 대한 내용을 적은 이 책은 오늘날의 대백과 사전(大百科事典) 격이었다. 이것이 바로 유명한 '여씨 춘추(呂氏春秋)'인데, 그는 이 책을 함양(咸陽)의 성문 앞에 진열하고 그 위에다 방을 써 붙였다. '이 책에 한 글자라도 더하거나 뺄 수 있는 사람에게는 천금을 주겠다.' 이 방은 말할 것도 없이 식객을 더 끌어들이기 위한 술책이었던 것이다.

一場春夢〔일장 춘몽〕
한바탕의 봄 꿈이라는 뜻으로, 헛된 영화나 인생의 허무함을 이르는 말.

一觸卽發〔일촉 즉발〕
한번 닿기만 하여도 곧 폭발한다는 뜻으로, 조그만 자극에도 큰일이 벌어질 것 같은, 위급하고 아슬아슬한 상태를 이르는 말.

日就月將〔일취 월장〕
날마다 또한 달마다 성장하고 발전함.

一攫千金〔일확 천금〕
힘들이지 않고 단번에 많은 재물을 얻음.

臨機應變〔임기 응변〕
그때 그때의 형편에 따라 그 자리에서 적당히 일을 처리함.

臨戰無退〔임전 무퇴〕
전쟁에 임하여 물러나지 않음. 신라 진평왕 때 만든 화랑의 다섯 가지 계율, 즉 화랑 오계(花郎五戒) 중의 하나.

ㅈ

自暴自棄〔자포 자기〕
자신을 스스로 학대하고 스스로 포기한다는 뜻으로, 자신을 돌보지 않고 되는 대로 행동함을 이르는 말. 〔고사〕 중국 전국 시대(戰國時代)의 성현인 맹자(孟子)가 "자포(自暴)하는 사람과는 함께 이야기를 나눌 수가 없고, 자기(自棄)하는 사람과는 함께 행동할 수가 없다. 입만 열면 예의 도덕을 헐뜯는 것을 자포라고 하고, 도덕의 가치를 인정하면서도 인(仁)이나 의(義)를 자기와는 아무 상관도 없는 것처럼 생각하는 것을 자기(自棄)라고 한다. 사람의 본성(本性)은 원래 선(善)한 것이므로 사람에게 있어서 도덕의 근본 이념인 인(仁)은 평안한 가정과 같은 것이며, 올바른 말인 의(義)는 사람이 가야 할 정도

(正道)이다. 평안한 가정을 버리고 엉뚱한 곳에서 살려고 하며, 정도를 벗어나서 걸어가려고 하는 것은 실로 개탄해야 할 일이다."라고 한 데서 유래한 말.

自畫自讚 〔자화 자찬〕

자기가 그린 그림을 자기 스스로 칭찬한다는 뜻으로, 자기가 한 일에 대하여 자기 스스로 칭찬함을 이르는 말.

作心三日 〔작심 삼일〕

마음먹은 것이 사흘을 못 간다는 뜻으로, 결심이 오래 가지 못함을 이르는 말.

賊反荷杖 〔적반하장〕

도둑이 도리어 매를 든다는 뜻으로, 잘못한 사람이 오히려 큰소리치거나 잘한 사람을 나무라는 경우를 비유하여 이르는 말.

戰戰兢兢 〔전전 긍긍〕

몹시 두려워서 벌벌 떨며 조심한다는 뜻으로, 남에게 잘못을 했거나, 어떤 일이 뜻대로 되지 않아서 몸둘 바를 모르고 쩔쩔매는 경우를 이르는 말. 고사 중국에서 제일 오래 된 시집(詩集)인 '시경(詩經)'에는 계략을 잘 꾸미는 간사한 신하가 군주(君主) 곁에서 옛 법을 무시한 정치를 하고 있음을 한탄하는 시가 나오는데, 그 내용은 다음과 같다.

"감히 맨손으로 호랑이를 잡지 못하고/감히 걸어서 황하(黃河)를 건너지 못한다/사람들은 그런 것은 알고 있지만/그 밖의 것은 알지 못하네/벌벌 떨면서 조심하기를〔戰戰兢兢〕/깊은 못에 임하듯/엷은 얼음판을 밟고 걸어가듯 해야 하네."

轉禍爲福 〔전화 위복〕

화가 바뀌어 오히려 복이 된다는 뜻으로, 아무리 불행한 일을 당하더라도 자신이 강한 의지를 가지고 노력하면 불행을 행복으로 만들 수 있다는 말. 고사 중국 전국 시대(戰國時代)에 유세객(遊說客)으로 이름을 날렸던 소진(蘇秦)이 "옛날에 일을 잘 처리해 나갔던 사람은 재앙을 바꾸어 복을 만들고〔轉禍爲福〕, 전쟁에서 패했을 때도 오히려 그것을 공(功)으로 만들었다."라고 한 데서 유래한 말.

井中之蛙 〔정중지와〕

우물 안의 개구리라는 뜻으로, 세상 물정을 모르는 사람을 이르는 말. 고사 중국 후한(後漢) 시대 무렵 마원(馬援)이라는 사람이 있었는데, 벼슬을 하지 않고 조상의 묘를 지키고 있다가 농서(隴西)의 제후인 외효(隗囂)의 부름을 받고 장군이 되었다. 이 때, 촉(蜀)나라에서는 공손 술(公孫述)이라는 자가 스스로를 황제라고 부르며 세력을 키우고 있었는데 이를 걱정한 외효는 마원으로 하여금 그 인물됨을 알아 오라 하였다. 마원은 공손 술이 같은 고향 사람이기 때문에 반갑게 맞아 주리라 여겼으나, 오히려 공손 술은 호위병을 세워 놓고 오만한 태도로 옛 정을 생각해서 장군에 임명하겠으니 여기에 머물라 하였다. 마원은 공손 술의 사람됨을 알아보고는 사양하고 돌아와서 "그 자는 우물 안 개구리입니다. 좁은 촉나라 땅에서나 위엄만 부리고 뽐내는 자입니다."라고 보고하였다. 이 말을 들은 외효는 공손 술과 친교를 맺으려던 생각을 버렸다고 한다.

糟糠之妻 〔조강지처〕

술찌끼와 쌀겨를 함께 먹던 아내라는 뜻으로, 가난할 때부터 함께 고생하던 아내, 곧 첫번째 장가든 아내를 이르는 말. [고사] 중국 후한(後漢)의 광무제(光武帝)에게 과부가 된 누이 호양 공주(湖陽公主)가 있었는데, 공주는 청렴하고 강직하기로 이름난 대사공(大司空) 송홍(宋弘)을 사모하였다. 이를 눈치챈 광무제는 누이를 병풍 뒤에 숨겨 놓고 송홍을 가까이 불러 "사람이 살다가 부유해지면 친구를 바꾸고, 신분이 귀하게 되면 아내를 바꾼다는 말이 있

는데, 공(公)은 이 말을 어떻게 생각하시오?"라고 넌지시 마음을 떠 보았다. 그러자 송홍은 "가난할 때의 친구는 잊을 수 없고〔貧賤之交不可忘〕, 술찌끼와 쌀겨를 함께 먹던 아내는 소홀히 대접하지 않는〔糟糠之妻不下堂〕 것이 옳은 도리인 줄 아옵니다."하고 답하였다. 송홍이 돌아간 뒤, 광무제는 누이에게 그의 마음을 돌리기 어려우니 단념하라고 했다 한다.

朝三暮四 〔조삼 모사〕

아침에는 세 개 저녁에는 네 개라는 뜻으로, 간사한 꾀를 써서 사람을 속인다는 말. [고사] 중국 송(宋)나라 때, 저공(狙公)이라는 사람이 원숭이를 길렀는데, 많이 기르다 보니 먹이가 모자라게 되었다. 곤란해진 저공은 원숭이들의 먹이를 줄이기로 결심하고 원숭이들에게 "이제부터는 너희들에게 주던 도토리를 아침에 세 개, 저녁에 네 개씩으로 줄이겠다."고 말했다. 그러자 원숭이들은 아침에 세 개, 저녁에 네 개 먹고서는 배가 고파 살 수 없다며 펄쩍 뛰었다. 난처해진 저공이 이번에는 "그럼, 아침에 네 개, 저녁에 세 개씩 주면 어떠냐?"하고 물었더니, 원숭이들이 모두 기뻐했다고 한다.

鳥足之血〔조족지혈〕

새 발의 피라는 뜻으로, 필요한 양에 비하여 너무나 적은 분량을 이르는 말.

坐井觀天〔좌정 관천〕

우물 안에 앉아서 하늘을 본다는 뜻으로, 견문(見聞)이 좁음을 이르는 말.

晝耕夜讀〔주경 야독〕

낮에는 밭을 갈고 밤에는 책을 읽는다는 뜻으로, 바쁜 틈을 타서 어렵게 공부함을 이르는 말.

走馬加鞭〔주마 가편〕

달리는 말에 채찍질을 한다는 뜻으로, 잘 하거나 잘 되는 일을 더 잘 하거나 잘 되도록 격려하거나 몰아친다는 말.

走馬看山〔주마 간산〕

달리는 말 위에서 산을 본다는 뜻으로, 바빠서 차근차근 살펴보지 못하고 대강 보고 지나감을 이르는 말.

酒池肉林〔주지 육림〕

술은 연못을 채우고 고기는 숲을 이룬다는 뜻으로, 호화스럽게 차려 놓고 흥청망청하는 술잔치를 이르는 말. **고사** 폭군으로 알려진 고대 중국의 하(夏)나라 걸왕(桀王)은 유시씨국(有施氏國)에서 바친 미녀 말희(妹喜)에게 빠져 보석과 상아로 궁전을 짓고 옥으로 침대를 만들어 그 곳에서 밤을 지냈다. 또한, 궁중에 큰 못을 파서 술을 쏟아붓고, 연못가에는 고기를 산더미같이 쌓아 놓았다. 왕이 말희와 함께 술로 된 못〔酒池〕에서 뱃놀이를 할 때는 전국에서 모은 3천 명의 미소녀들이 연못가에서 춤을 추었다. 그러다가 북 소리가 나면 못으로 달려가 술을 마시고 고기를 뜯어 먹으며 호사스럽게 놀았다. 이렇게 사치스러운 생활을 계속하던 걸왕은 결국 멸망하고 말았다. 또한, 은(殷)나라의 주왕(紂王)도 유소씨국(有蘇氏國)에서 바친 미녀 달기(妲己)에게 빠진 나머지 백성에게서 돈과 비단·곡식·진기한 물건 등을 마구 거둬들여 곳간에 산더미처럼 쌓아 놓았다. 또, 호화로운 궁전을 지어 술 연못을 만들고, 연못가에는 고기를 잔뜩 걸어 놓고는 악사로 하여금 음탕한 노래를 지어 연주하게 하였다. 이러한 어지러운 잔치를 밤낮으로 계속하던 주왕 역시 나라를 망치고 말았다고 한다.

竹馬故友〔죽마 고우〕

대나무 말을 타고 놀던 옛 친구라는 뜻으로, 아주 어릴 때부터 가까이 지내며 자란 친구를 이르는 말. **고사** 중국 진(秦)나라의 황제이었던 간문제(簡文帝)는 촉(蜀) 땅을 정벌하고 차츰 세력을 펴더니, 이제는 마음대로 권세를 휘두르려는 환온(桓溫) 장군 때문에 늘 걱정이었다. 그러던 간문제는 환온의 어릴 적 친구인 은호(殷浩)를 자기 밑에 둠으로써 환온을 견제해야겠다고 생각했다. 그래서 은호에게 양주 자사(揚州刺史)라는 벼슬을 내렸는데, 이로 인해 은호와 환온은 서로 사이가 나빠지게 되었다. 그 무렵 후조(後趙)의 왕인 석계룡(石季龍)이 죽어서 호족(胡族) 사이에 소란이 일었는데, 진나라에서는 이 기회에 중원(中原) 땅을 회복하기 위하여 은호를 중원 장군(中原將軍)에 임명하고 군사를 내주어 호족을 치게 했다. 은호는 위풍당당하게 출발했으나 그만 말에서 떨어져 제대로 싸우지도 못한 채 호족의 장수에게 크게 패하고 돌아왔다. 이 일을 기회로 환온은 은호를 멀리 귀양보냈는데, 사람들이 은호를 용서해 주라고 권하자 환온은 하는 수 없이 은호에게 안부 편지를 보냈다. 편지를 받은 은호는 몹시 기뻐서 답장을 쓰기 시작했는데 막상 답장을 써가지고 봉투에 넣고 보니, 혹 잘못된 구절이 있지나 않을까 걱정이 되었다. 은호는 몇 번씩이나 편지를 꺼내어 읽어 보고 고치고 하다가 막상 편지를 보낼 때는 깜빡 잊고 빈 봉투만 보내고 말았다. 빈 봉투만 받게 된 환온은 몹시 화를 내며 많은 사람들 앞에서 "은호는 어렸을 때 나와 함께 대나무 말을 타고 놀았던 옛 친구〔竹馬故友〕 사이였어. 내가 그 대나무 말을 집어던질 적마다 그는 그것을 주워 오곤 했었지. 그러니 은호가 내 밑에서 머리를 숙여야 하는 것은 당연한 일이 아니겠는가."하고 말했다. 환온은 은호를 끝까지 용서해 주지 않았기 때문에 은호는 멀리 귀양가서 외롭게 죽어 갔다고 한다.

衆寡不敵〔중과 부적〕

적은 수효로 많은 수효를 대적하지 못한다는 뜻. **[고사]** 중국 전국시대(戰國時代)에 맹자(孟子)가 자신의 능력을 돌아보지 않고 천하를 차지하려고 무모한 계획을 세우는 제(齊)나라 선왕(宣王)에게 "작은 나라는 결코 큰 나라에게 이길 수 없고, 소수(少數)는 다수(多數)를 대적하지 못하며〔衆寡不敵〕, 약자는 강자에게 지게 되어 있습니다. 지금 1천 리 사방(四方)에는 아홉 개의 나라가 있으며, 제나라도 그 중 한 나라인데 한 나라가 다른 여덟 나라를 복종시킨다는 것은 작은 나라인 추(鄒)나라가 큰 나라인 초(楚)나라에게 이기려는 것과 무엇이 다르겠습니까? 왕도에 의해 백성들이 기꺼이 따르게 하신다면, 모두 전하의 덕(德)에 굴복할 것이고 천하는 전하의 것이 될 것입니다." 하고 말한 데서 온 말.

指鹿爲馬〔지록 위마〕

사슴을 가리켜 말이라고 한다는 뜻으로, 윗사람을 속여서 권세를 함부로 부리거나 남을 속여 곤경에 빠뜨림을 이르는 말. [고사] 중국의 진(秦)나라 시황제(始皇帝)가 죽고 나자 이사(李斯)와 조고(趙高)는 태자 부소(扶蘇)를 죽이고, 아직 어린 호해(胡亥)를 황제의 자리에 앉혔다. 즉위한 호해가 천하의 즐거움이란 즐거움은 다 맛보겠다고 말하자, 조고는 그러기 위해서는 먼저 법을 엄하게 하고, 형벌을 가혹하게 하여야 하며, 또 오랜 신하들을 모두 내쫓아야 한다고 부추겼다. 호해가 이를 허락하자, 조고는 이사와 함께 선왕(先王) 때부터 있었던 오랜 신하 및 왕자, 장군 등을 모두 죽이고 승상이 되었다. 그런 다음, 신하들을 떠 보기 위해 황제에게 사슴을 바치면서 말을 바친다고 말했다. 그러자 황제는 "승상께선 이상한 말씀을 하시는군요. 사슴을 보고 말이라고 하다니요?" 하고는 좌우를 둘러보았다. 신하들 중에는 잠자코 눈치만 보는 자도 있고, 황제의 말이 옳다고 하는 자도 있었다. 간사한 조고는 말이 아니라고 한 사람을 기억해 두었다가 후에 구실을 붙여 죽여 버렸다. 나중에는 황제마저 죽이며 위세를 떨쳤지만, 결국은 부소의 아들 자영(子嬰)에게 살해되었다고 한다.

至誠感天〔지성 감천〕

정성이 지극하면 하늘도 감동한다는 말.

池魚之殃〔지어지앙〕

연못에 사는 물고기의 재앙이라는 뜻으로, 뜻밖의 재난이나 화재를 이르는 말. [고사] 중국 춘추 시대(春秋時代), 송(宋)나라에 군정(軍政)을 맡아 보던 환(桓)은 진귀한 보석을 가지고 도망쳤다. 이 말을 들은 왕은 무슨 수를 써서라도 그 보석을 손에 넣으려고 환을 잡아들이라는 명령을 내렸다. 이 사실을 안 환은 도망칠 때 보석을 연못에 던져 버렸다고 소문을 냈다. 소문을 들은 왕은 곧 사람을 풀어 연못을 뒤졌지만 보석은 쉽게 나오지 않았다. 그러자, 이번에는 연못의 물을 퍼내고 연못 바닥까지 뒤졌지만, 끝내 보석은 찾지 못하고, 그 바람에 애꿎은 연못의 고기들만 말라 죽었다고 한다.

知彼知己百戰百勝〔지피 지기 백

전 백승]

적을 알고 나를 알면 백 번 싸워도 백 번 다 이긴다는 뜻으로, 상대방의 실정을 정확히 파악한 후 자신의 실력과 비교·검토하면 완벽한 승리가 보장된다는 말.

盡人事待天命 [진인사 대천명]

사람으로서 할 수 있는 일을 다한 후에 그 결과는 천명(天命)을 기다림.

進退兩難 [진퇴 양난]

나아가지도 못하고 물러나지도 못한다는 뜻으로, 이러지도 저러지도 못하는 처지를 이르는 말.

ㅊ

天高馬肥 [천고 마비]

하늘은 높고 말은 살찐다는 뜻으로, 가을을 비유해 이르는 말. 고사 중국의 북방 이민족인 흉노족은 그 기질이 매우 사나웠기 때문에 진(秦)나라의 시황제는 만리 장성을 쌓아 그들의 침입을 막으려 했고, 한(漢)나라는 미녀를 바치면서 달래기도 하였다. 흉노족은 중국 북쪽의 대초원 지대에 살면서 방목(放牧)과 수렵을 주요 생활 수단으로 삼았기 때문에 남녀 노소 누구나 말타기에 익숙하였다. 이들은 찬 바람이 불기 시작한 10월쯤에 살찐 말을 타고 겨울 동안 먹을 양식을 구하려고 남쪽인 중국으로 쳐들어오곤 했다. 그래서 중국 사람들은 하늘이 높고 말이 살찌는 계절인 가을을 몹시 두려워했다고 한다.

千載一遇 [천재 일우]

천 년에 한 번 만난다는 뜻으로, 좀처럼 만나기 어려운 기회를 이르는 말. 고사 중국 동진(東晉)의 원굉(袁宏)이 지은 책 중에서 특히 유명한 것은 '문선(文選)'에 수록되어 있는 '삼국 명신 서찬(三國名臣序贊)'인데, 이것은 '삼국지(三國志)'에 나오는 삼국의 건국 명신(建國名臣) 20명에 대한 기록이다. 그 중 위(魏)나라 조조(曹操)의 참모였다가 조조가 한(漢)나라를 치려 하는 것을 반대하다 쫓겨나 불행하게 죽은 순문약(荀文若)을 찬양한 글 가운데 "만 년에 한 번 찾아오는 기회는 이 세상의 통칙(通則)이며, 천 년에 한 번 만나는 것은〔千載一遇〕 현인(賢人)과 지자(智者)의 아름다운 만남이다."라는 말이 있다. 이런 기회를 만나면 누구나 기뻐하고 이런 호기(好機)를 놓치면 누구나 한탄하게 될 것이라는 뜻이다.

千篇一律 〔천편 일률〕
여러 시문(詩文)의 율격이 하나와 같다는 뜻으로, 여러 사물이 거의 비슷비슷하여 특색이 없음을 비유하여 이르는 말.

青出於藍 〔청출어람〕
청색은 쪽풀에서 뽑아 냈지만 쪽빛보다 더 푸르다는 뜻으로, 제자가 스승보다 더 뛰어남을 이르는 말. [고사] 중국 전국 시대(戰國時代)의 사상가인 순자(荀子)는 "배움은 계속 노력해야 하며 멈추지 말아야 한다. 청색은 쪽풀에서 나오지만 쪽빛보다도 더 푸르다〔青出於藍而青於藍〕."고 하였는데, 이 말은 학문의 깊이가 스승을 앞서는 제자가 있을 수 있음을 경고한 것이다.

初志一貫 〔초지 일관〕
처음에 먹은 마음을 끝까지 밀고 나감.

忠言逆耳 〔충언 역이〕
충직한 말은 귀에 거슬려 불쾌함.

取捨選擇 〔취사 선택〕
취할 것은 취하고, 버릴 것은 버려서 골라잡음.

七顚八起 〔칠전 팔기〕
일곱 번 넘어지고 여덟 번 일어난다는 뜻으로, 여러 번 실패해도 다시 일어나 더욱 노력함을 이르는 말.

針小棒大 〔침소 봉대〕
바늘처럼 작은 것을 몽둥이처럼 크게 말한다는 뜻으로, 사물을 실제보다 지나치게 떠벌려 말함을 비유해 이르는 말.

ㅌ

他山之石 〔타산지석〕
다른 산의 돌이란 뜻으로, 그런 돌로 옥을 다듬는다는 말. 즉, 다른 사람의 하찮은 언행일지라도 자신의 지혜와 덕을 닦는 데 도움이 된다는 말. [고사] 이 말은 '시경(詩經)'의 다음 시에서 따온 말이다.

"학(鶴)이 높은 데서 우니/그 소리가 하늘에 퍼지네/물고기는 물가에 있다가/깊은 곳에 잠기기도 하네/즐겁게도 저 동산에는/심어 놓은 박달나무가 있고/그 밑에는 곽나무 있네/타산지석

(他山之石), 이를 가지고/이 곳의 옥(玉)을 갈 수가 있네."

이 시의 끝 구절에 나오는 '타산지석, 이를 가지고 이 곳의 옥을 갈 수가 있네'라는 말은, 다른 산에서 나는 보통 돌이더라도 이 곳 산에서 나는 옥을 갈아 빛을 낼 수 있다는 의미로, 돌을 소인(小人)에 비유하고 옥을 군자(君子)에 비유하여 군자도 소인의 언행을 거울삼아 경계해야 하며, 학문과 수양을 쌓아 나가야 한다는 말이다.

卓上空論〔탁상 공론〕
탁자 위에서 벌이는 헛된 의논이라는 뜻으로, 실천성이 없는 허황한 이론을 이르는 말.

泰山北斗〔태산 북두〕
태산과 북두 칠성이라는 뜻으로, 어떤 한 방면에서, 모든 사람이 존경하는 인물을 이르는 말.
[고사] 당송 팔대가(唐宋八大家) 중의 한 사람이었던 한유(韓愈)는 두 살에 고아가 되었음에도 불구하고, 열심히 노력하여 25세에는 진사(進士)가 되었고, 나중에는 그 벼슬이 경조윤(京兆尹) 겸 어사 대부(御史大夫)에까지 이르렀다. 그는 관직에 있을 때에 궁중의 여러 가지 폐단을 상소하여 황제의 노여움을 사기도 하였는데, '논불골표(論佛骨表)'라 하

여 황제가 부처의 유골을 영접하여 궁중에 사흘 동안이나 머물게 한 후, 여러 절에 보낸 일에 대해 간한 글이 유명하다. 한유는 이 글에서 불교는 요사스런 종교이므로 부처의 유골 같은 것을 가까이 해서는 안 된다고 통렬히 간했기 때문에 한때는 좌천되는 수모를 당하기도 하였다. 한유는 학문에서도 모범을 보였는데, 당서(唐書) '한유전(韓愈傳)'에는 "당나라가 일어난 이래, 한유는 육경(六經)의 글을 가지고 모든 학자들의 도사(導師)가 되었다. 그가 죽은 뒤에 그 학문이 점점 융성하여 학자들은 그를 태산 북두(泰山北斗)를 우러러보는 것같이 존경하였다."는 기록이 있을 정도이다.

泰然自若〔태연 자약〕
어떠한 이변이 생겨도 침착하여 동요되지 않음을 이르는 말.

太平聖代〔태평 성대〕
어질고 현명한 임금이 다스리는 태평한 세상.

兔死狗烹〔토사 구팽〕
토끼가 죽어 없어지면 토끼를 잡던 사냥개도 필요가 없어지므로, 삶아 먹히게 된다는 뜻으로, 쓸모 있는 동안에는 실컷 부림을 당하다가 소용이 없어지면 버림을 받는다는 말.

ㅍ

破鏡 〔파경〕

깨어진 거울이라는 뜻으로, 부부의 금실이 좋지 않아 이별하게 되는 일을 이르는 말. **고사** 옛날, 어떤 부부가 서로 떨어져 있게 되자, 애정의 증표로 거울을 쪼개어 한 조각씩 지녔다. 그런데 후에, 아내가 개가를 하게 되자 아내가 지녔던 거울 조각이 까치로 변하여 전 남편에게로 날아가 버렸다고 한다.

波瀾萬丈 〔파란 만장〕

물결이 만 길 높이로 인다는 뜻으로, 일의 진행 상황이나 인생을 살아가는 데 있어서 일어나고 엎어지고 하는 변화가 몹시 심함을 이르는 말.

破邪顯正 〔파사 현정〕

불교에서, 요사한 의견이나 행동을 깨뜨리고 올바른 의견이나 행동을 드러냄을 이르는 말.

破顔大笑 〔파안 대소〕

낯빛을 부드럽게 하여 크게 웃음.

破竹之勢 〔파죽지세〕

대나무를 쪼개는 기세라는 뜻으로, 세력이 강대하여 큰 적을 거침없이 물리치고 쳐들어가는 기세를 이르는 말. **고사** 중국 삼국 시대(三國時代)에 촉한(蜀漢)과 위(魏)나라가 멸망한 후, 위의 뒤를 이은 진(晉)과 오(吳) 두 나라가 패권을 다투고 있을 때, 진나라의 무제(武帝)는 대군을 몰아 오나라의 정벌에 나섰다. 싸움은 이듬해 2월까지 계속되었으며 진나라 군대는 이미 무창(武昌)을 함락시킨 후였다. 이 때에 어느 장수가 지금은 봄이라 강물이 불어날 터이니 일단 물러났다가 겨울에 다시 공격하자는 의견을 내었으나, 대장군인 두예(杜預)는 "지금 우리 군은 마치 대를 쪼갤 때와 같이 승세를 타고 있다. 둘째 마디, 셋째 마디를 쪼개 나가면 칼만 대도 저절로 쪼개지니, 힘들일 것도 없는 형편이다." 하고 반대하였다. 그리하여, 진나라 군사는 전투 태세를 다시 갖춘 뒤에 오나라의 서울 건업(建業)을 함락시켰다고 한다.

敗家亡身 〔패가 망신〕

가산을 없애고 몸을 망침.

平地風波 〔평지 풍파〕

고요한 땅에 바람과 물결을 일으킨다는 뜻으로, 뜻밖에 분쟁이 일어남을 비유해 이르는 말.

抱腹絶倒〔포복 절도〕
　너무 우스워서 배를 감싸 안고 몸을 가누지 못할 만큼 웃음을 이르는 말.

表裏不同〔표리 부동〕
　마음이 음충맞아서 겉과 속이 같지 않음.

風樹之歎〔풍수지탄〕
　풍수(風樹)는 '시경(詩經)'의 해설서인 '한시 외전(韓詩外傳)'에 '나무가 고요하고자 하나 바람이 그치지 않고, 자식이 봉양하려 하나 어버이가 기다려 주지 않는다〔樹欲靜而風不止/子欲養而親不待〕'고 하여 돌아가신 어버이를 생각하는 마음을 나타낸 데에서 유래한 말로, 자식이 부모에게 효도를 다하려고 해도 이미 부모는 돌아가신 뒤라서 그 뜻을 이룰 수 없음을 한탄하여 이르는 말.

風月主人〔풍월 주인〕
　맑은 바람과 밝은 달 따위의 자연을 즐기는 사람을 이르는 말.

風前燈火〔풍전 등화〕
　바람 앞의 등불이라는 뜻으로, 매우 위태로운 상황에 놓여 있음을 이르는 말.

皮骨相接〔피골 상접〕
　살가죽과 뼈가 맞붙을 정도로 몹시 마름.

ㅎ

鶴首苦待〔학수 고대〕
　학처럼 목을 빼고 기다린다는 뜻으로, 몹시 기다림을 이르는 말.

虛心坦懷〔허심 탄회〕
　아무런 사심(邪心)이 없고, 마음이 고요하고 산뜻함.

孑孑單身〔혈혈 단신〕
　의지할 곳 없는 홀몸.

螢雪之功〔형설지공〕
　반딧불과 눈빛으로 공부한 공이라는 뜻으로, 갖은 고생을 하며 공부해서 좋은 결과를 얻음을 이르는 말. [고사] 중국의 춘추 시대 동진(東晉)에 차윤(車胤)이라는 선비가 있었는데, 그는 어려서부터 책읽기를 즐겨 온갖 책을 두루 읽었다. 그러나 독서할 때 필요한 등불을 밝힐 기름을 구하지 못할 만큼 집안이 가난하였다. 그래서, 차윤은 궁리 끝에 여름이 되면 깨끗한 비단주머니를 만들어 그 속에 개똥벌레를 잡아 넣어 그 불빛으로 글을 읽었다. 차윤은 훗날 그 벼슬이 상서랑(尙書郞)에 이르렀다고 한다. 그 후로 책 읽는 방 창문을 형창(螢窓)이라 하게 되었다. 한편 같은 시대에 손강(孫康)이라는 선비가 있었는데, 마음이 맑고 깨끗하여 세상 사람들과 어울리되 잡스런 데가 없었다. 그러나 그 또한 집안 형편이 어려워 등불을 밝힐 기름을 구할 길이 없었다. 그래서 그는 겨울이면 반짝이는 흰 눈의 빛을 불빛 삼아 부지런히 책을 읽었다. 그 결과 훗날 벼슬이 어사 대부(御史大夫)에까지 이르렀다고 한다. 책상을 설안(雪案)이라 함은 여기에서 유래한 것이다.

形形色色〔형형 색색〕

모양이나 종류가 다른 가지각색의 것.

狐假虎威〔호가 호위〕

여우가 호랑이의 위세를 빌려 놀라게 한다는 뜻으로, 남의 권세를 빌려 위세를 부리거나 위협함을 이르는 말. [고사] 중국 전국 시대 초(楚)나라의 선왕(宣王)이 신하 강을(江乙)에게 북방의 여러 나라들이 재상 소해휼(昭奚恤)을 두려워하고 있다고 생각하느냐고 묻자, 강을은 "어느 날, 호랑이가 여우를 잡았는데, 여우가 말하기를 '천제(天帝)께서 나를 모든 짐승 중의 왕으로 정하셨기 때문에 만일 나를 잡아먹으면 천제의

명을 어기는 것이 되어 큰 벌을 면하기 어려울 것이다. 만일 네가 내 말을 믿지 못하겠다면 내 뒤를 따라와 보아라. 나를 보고 도망치지 않는 짐승이 없을 것이다.'라고 했습니다. 이 말을 들은 호랑이는 가소롭기는 했지만, 여우의 태도가 하도 진지하여 그러자며 따라 나섰사옵니다. 이리하여 호랑이는 앞장 선 여우의 뒤를 따라가게 되었는데, 얼마 안 가서 한 짐승을 만났사옵니다. 그 놈은 여우 말대로 놀라 달아났습니다. 그 다음 짐승도, 또 그 다음 짐승도, 마주치는 짐승마다 모두 놀라서 달아나 버리는 것이었사옵니다. 이에 호랑이는 '아하, 과연 여우의 말이 사실이로구나.'하고 생각하였사옵니다. 사실은 짐승들이 여우 뒤에 따라오는 자기 자신을 보고 도망친 것인 줄은 생각지도 못하고 말이옵니다. 북쪽 나라들이 무엇 때문에 한낱 재상에 불과한 소해휼을 두려워하겠사옵니까? 그 까닭은 실은 폐하의 군대가 두려워서이옵니다."하고 아뢰었다고 한다.

糊口之策〔호구지책〕

입에 풀칠을 할 방책이라는 뜻으로, 겨우 먹고 살아가는 방법을 이르는 말.

好事多魔〔호사 다마〕

좋은 일일수록 탈이 생기기 쉬움을 이르는 말.

狐死首丘〔호사 수구〕
여우는 죽을 때가 되면 자기가 살던 굴이 있었던 언덕 쪽으로 머리를 돌린다는 뜻으로, 자기의 근본을 잊지 않고, 고향을 그리워함을 이르는 말.

虎死留皮〔호사 유피〕
호랑이는 죽어서 가죽을 남긴다는 뜻으로, 이 말에 뒤이어서 이르는 말인 사람은 죽은 뒤에 명예를 남겨야 함〔人死留名〕을 이르는 말.

虎視眈眈〔호시 탐탐〕
호랑이가 날카로운 눈으로 먹이를 노리고 있는 모양을 나타낸 말로, 가만히 기회를 노리며 엿봄을 비유하는 말.

豪言壯談〔호언 장담〕
분수에 맞지 않은 말을 큰소리쳐 지껄임.

浩然之氣〔호연지기〕
천지간에 충만하여 있는 바른 원기라는 뜻으로, 공명 정대하여 조금도 부끄러울 것이 없는 도덕적 용기를 이르는 말. [고사] 맹자(孟子)의 제자인 공손 추(公孫丑)가 선생님의 부동심(不動心 : 움직이지 않는 마음)과 고자(告子)의 부동심과의 차이점은 무엇이냐고 묻자, 맹자는 "고자는 납득이 가지 않는 말은 억지로 이해하려고 하지 말라고 하였는데, 이는 소극적이네. 나는 말을 알고 있으며〔知言〕 거기에다 호연지기를 기르고 있다네."하고 말했다. 여기에서 지언(知言)이란 편협한 말, 음탕한 말, 간사한 말, 피하는 말을 가려 낼 수 있는 밝음을 갖는 것이다. 또, 호연지기는 평온하고 너그러운 화기(和氣)를 말하며, 기(氣)는 매우 광대하고 강건하며, 올바르고 솔직한 것으로서 이것을 해치지 않도록 기르면, 천지 간에 넘쳐 우주 자연과 합일하는 경지이다.

虎穴虎子〔호혈 호자〕
호랑이 굴에 들어가야 호랑이 새끼를 잡을 수 있다는 뜻으로, 무슨 일이든 위험을 각오하고 하지 않으면 수확을 얻을 수 없음을 비유해 이르는 말.

魂飛魄散〔혼비 백산〕
혼백이 날아 흩어진다는 뜻으로, 몹시 놀라 어찌할 바를 모름을 비유해 이르는 말.

弘益人間〔홍익 인간〕
널리 인간 세계를 이롭게 한다는 뜻으로, 우리 나라의 건국(建國) 시조인 단군의 건국 이념임.

紅一點〔홍일점〕
여럿 가운데 돋보이는 하나라는 뜻으로, 많은 남자들 틈에 오직 하나뿐인 여자를 이르는 말. [고사] 당송 팔대가(唐宋八大家) 중의 한 사람이었던 왕안석(王安石)이 지은, 온통 녹색이 우거진 속에 피어 있는 빨간 꽃 한 송이의 아름다움과 예쁨은 춘색의 으뜸이라고 추켜 세운 다음의 시에서 나온 말이다.

"만록 총중(萬綠叢中)에 홍일점(紅一點) 있도다 / 사람을 움직이게 하는 춘색(春色)은 많은들 무엇하리."

畫龍點睛〔화룡 점정〕

용을 그리고 마지막으로 눈동자를 그려 넣는다는 뜻으로, 사물의 가장 긴요한 부분을 마치어 일을 완성시킴을 이르는 말. [고사] 중국의 남북조 시대(南北朝時代) 양(梁)나라의 화가였던 장승요(張僧繇)는 인물화에 뛰어나 사찰의 벽화를 많이 그렸다. 어느 해, 그는 안락사(安樂寺)의 주지로부터 용을 그린 벽화를 그려 달라는 부탁을 받고 신중하게 그려 나가기 시작하였다. 꿈틀거리는 몸뚱이에 번쩍이는 비늘, 날카로운 발톱, 그리고 힘찬 꼬리와 위엄 있는 얼굴 등이 당장이라도 하늘로 날아 올라갈 듯이 생동감이 넘치는 쌍룡의 그림이었다. 그러나 이상하게도 눈동자가 그려져 있지 않았다. 그림을 보고 감탄하던 사람들이 저마다 의아해하면서 어서 눈동자를 그려 넣으라고 하였다. 그러자 승요는 "눈동자를 그려 넣으면 용이 하늘로 날아 올라갈 것이오." 하고 말했다. 사람들은 말도 안 되는 소리라며 어서 눈동자를 그려 넣으라고 재촉하였다. 이에 승요가 하는 수 없이 쌍룡 중 한 마리에 눈동자를 그려 넣자 갑자기 번개가 번쩍하더니 천지를 뒤흔드는 뇌성과 함께 용이 벽을 깨고 하늘로 올라가 버렸다. 그래서 미처 눈동자를 그려 넣지 않은 한 마리의 용만이 그대로 남아 있었다고 한다.

花無十日紅〔화무십일홍〕

열흘 붉은 꽃이 없다는 뜻으로, 성하거나 좋은 일이 오래도록 계속되지 못하고 반드시 시들거나 변함을 이르는 말.

禍福無門〔화복 무문〕

화나 복은 따로이 들어오는 문이 없다는 뜻으로, 스스로 악한 일을 하면 그것이 악이 들어오는 문이 되고, 착한 일을 하면 그것은 복이 들어오는 문이 된다는 말.

畫中之餠〔화중지병〕

그림의 떡.

畫虎類狗〔화호 유구〕

범을 그린 것이 개 비슷하게 되었다는 뜻으로, 소양이 없는 사람이 호걸의 풍도를 흉내내다가 경박

한 사람이 됨을 이르는 말. 고사
중국 후한(後漢) 때에 장군 마원
(馬援)은 지금의 인도차이나 반
도에 있던 교지(交趾) 정벌에 나
섰는데 중국의 식민지가 될 것을
결사 반대한 그들과 싸우기를 3
년 동안이나 하였다. '화호 유구'
라는 이 말은 마원이 교지 원정
중에 그의 조카들에게 띄운 다음
과 같은 편지 가운데 한 말에 연
유한다. 즉, "너희들이 남의 허물
에 대해 듣는 것은 좋으나 먼저
말을 해서는 안 된다.(중간 생
략) 두계량(杜季良)은 호쾌하고
의협심이 많아 남의 근심을 함께
걱정해 주고, 남의 즐거움 또한
같이 즐거워해 준다. 그래서 그의
아버지가 세상을 떠나자 여러 고
을에서 많은 사람이 와서 슬퍼하
고 위로하였다. 나는 그를 좋아하
여 소중히 여기지만 너희에게 본
받으라 권하고 싶지는 않다. 두계
량의 흉내를 내다가 혹시나 이루
지 못하면 경박한 사람이 될 테니
까. 마치 범을 그린 것이 자칫 개
비슷하게 되는 것과 같기 때문이
다."고 말했다고 한다.

會者定離 〔회자 정리〕

만나면 반드시 헤어지게 마련임.

橫說竪說 〔횡설 수설〕

조리가 없는 말을 함부로 지껄임.

後生可畏 〔후생 가외〕

후배들이 선배보다 나아질 가망
이 많기 때문에 나중에 두려운 존
재가 될 수 있다는 말. 고사 중국
춘추 시대(春秋時代)에 공자(孔
子)는 어지러운 세상을 바로잡고
자신의 이상(理想)을 펼치려고
여러 나라를 유랑하며 진리를 가
르치고 다녔지만, 끝내 뜻을 이루
지 못하고 말았다. 그 후 공자는
교육에 힘을 썼는데, 그가 배움을
권고한 많은 말 가운데 "젊은 후
배들을 두려워해야 한다〔後生可
畏〕. 장래에 그들이 오늘의 우리
만 못하리라고 누가 말할 수 있겠
느냐? 그러나 40세, 50세가 되
어도 이름이 나지 않는다면 그들
은 두려워할 바가 없느니라."고
한 데서 온 말.

厚顔無恥 〔후안 무치〕

뻔뻔스럽고 부끄러운 줄 모름.

喜怒哀樂 〔희로 애락〕

기쁨과 노여움과 슬픔과 즐거움
이란 뜻으로, 사람이 가지고 있는
갖가지 감정을 이르는 말.

총 획 색 인
(總 畫 索 引)

이 찾아보기는 이 책에 실린 표제자를 한자의 음을 몰라도 찾아볼 수 있도록 총 획수 순으로 정리해 놓은 것입니다. 획수가 같은 경우에는 부수 순으로 배열해 놓았으며 오른편의 숫자는 그 한자가 실려 있는 쪽수를 나타낸 것입니다.

찾기

찾기

찾기

7획

8 획

찾기

찾기

찾기

10획

찾기

찾기

찾기

찾기

자음색인
(字音索引)

이 찾아보기는 표제자의 음을 가나다순으로 정리한 것입니다. 한자의 음이 같은 경우에는 부수별로, 부수도 같은 경우에는 획수가 작은 것부터 배열하였습니다. 오른편의 숫자는 그 한자가 실려 있는 쪽수를 나타낸 것입니다.

찾기

찾기

찾기

찾기

歡	273	會	252	後	185	흑
활		**획**		**훈**		黑 515
活	291	畫	325	訓	422	**흥**
황		**효**		**휴**		興 394
皇	332	孝	136	休	31	**희**
黃	514	效	231	**흉**		喜 104
회		**후**		凶	59	希 167
回	106	厚	80	胸	389	

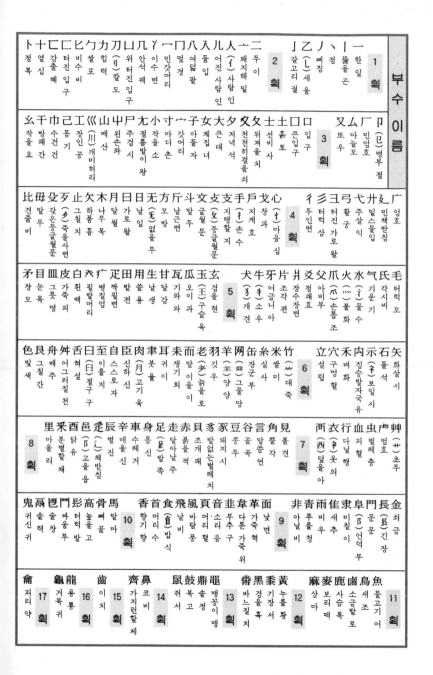

부수 이름

1획
한자	이름
一	한 일
丨	뚫을 곤
丶	점 주
丿	삐침
乙(乚)	새 을
亅	갈고리 궐

2획
한자	이름
二	두 이
亠	돼지해밑
人(亻)	사람 인
儿	어진 사람 인
入	들 입
八	여덟 팔
冂	멀 경
冖	민갓머리
冫	이수변
几	안석 궤
凵	위터진입구
刀(刂)	칼 도
力	힘 력
勹	쌀 포
匕	비수 비
匚	터진입구
匸	감출 혜
十	열 십
卜	점 복

3획
한자	이름
卩(㔾)	병부 절
厶	마늘 모
又	또 우
厂	민엄호
口	입 구
囗	큰입구
土	흙 토
士	선비 사
夂	뒤져올 치
夊	천천히걸을 쇠
夕	저녁 석
大	큰 대
女	계집 녀
子	아들 자
宀	갓머리
寸	마디 촌
小	작을 소
尢	절름발이 왕
尸	주검 시
屮	왼손 좌
山	메 산
巛	(川)개미허리
工	장인 공
己	몸 기
巾	수건 건
干	방패 간
幺	작을 요

4획
한자	이름
比	견줄 비
毋	말 무
殳	갖은등글월문
歹	(歺)죽을사변
止	그칠 지
欠	하품 흠
木	나무 목
月	달 월
日	날 일
曰	가로 왈
无	(旡)없을 무
方	모 방
斤	날근변
斗	말 두
文	글월 문
攴(攵)	등글월문
支	지탱할 지
手	손 수
戈	창 과
心(忄)	마음 심
彡	터럭 삼
彐(彑)	튼가로 왈
弓	활 궁
弋	주살 익
廾	밑스물입
廴	민책받침
广	엄호

5획
한자	이름
矛	창 모
目	눈 목
皿	그릇 명
皮	가죽 피
白	흰 백
癶	필발머리
疒	병질엄
疋	짝발변
田	밭 전
用	쓸 용
生	날 생
甘	달 감
瓦	기와 와
瓜	오이 과
玉(王)	구슬 옥
玄	검을 현
犬(犭)	개 견
牛(牜)	소 우
牙	어금니 아
片	조각 편
爿	장수장변
爻	점괘 효
父	아비 부
爪(爫)	손톱 조
火	불 화
水(氵)	물 수
气	기운 기
氏	각시 씨
毛	터럭 모
矢	화살 시
石	돌 석
示	보일 시
禸	짐승발자국유
禾	벼 화
穴	구멍 혈
立	설 립

6획
한자	이름
色	빛 색
艮	그칠 간
舟	배 주
舌	혀 설
臼	(臼)절구 구
至	이를 지
自	스스로 자
臣	신하 신
肉(月)	고기 육
聿	붓 율
耳	귀 이
耒	쟁기 뢰
而	말이을 이
老(耂)	늙을 로
羽	깃 우
羊	양 양
网(罒)	그물 망
缶	장군 부
糸	실 사
米	쌀 미
竹(竹)	대 죽

7획
한자	이름
里	마을 리
釆	분별할 변
酉	닭 유
邑(阝)	고을 읍
辵(辶)	쉬엄쉬엄갈 착
辰	별 진
辛	매울 신
車	수레 거
身	몸 신
足(足)	발 족
走	달릴 주
赤	붉을 적
貝	조개 패
豸	발없는벌레치
豕	돼지 시
谷	골 곡
豆	콩 두
言	말씀 언
角	뿔 각
見	볼 견
襾(西)	덮을 아
衣	옷 의
行	다닐 행
血	피 혈
虫	벌레 충
虍	범 호
艸(艹)	초두

8획
한자	이름
金	쇠 금
長(镸)	긴 장
門	문 문
阜(阝)	언덕 부
隶	미칠 이
隹	새 추
雨	비 우
靑	푸를 청
非	아닐 비

9획
한자	이름
面	낯 면
革(革)	가죽 혁
韋	가죽 위
韭	부추 구
音	소리 음
頁	머리 혈
風	바람 풍
飛	날 비
食(飠)	밥 식
首	머리 수
香	향기 향

10획
한자	이름
馬	말 마
骨	뼈 골
高	높을 고
髟	터럭발밑
鬥	싸움 투
鬯	울창술 창
鬲	솥 력
鬼	귀신 귀

11획
한자	이름
魚	물고기 어
鳥	새 조
鹵	소금밭 로
鹿	사슴 록
麥	보리 맥
麻	삼 마

12획
한자	이름
黃	누를 황
黍	기장 서
黑	검을 흑
黹	바느질 치

13획
한자	이름
黽	맹꽁이 맹
鼎	솥 정
鼓	북 고
鼠	쥐 서

14획
한자	이름
鼻	코 비
齊	가지런할 제

15획
한자	이름
齒	이 치

16획
한자	이름
龍	용 룡
龜	거북 귀

17획
한자	이름
龠	피리 약

部 首 索 引